Y0-AAU-517

Bismarck Gespräche

Bis zur Reichsgründung

Herausgegeben von Willy Andreas
unter Mitwirkung von K. F. Reinking

VERLAG SCHIBLI-DOPPLER
BIRSFELDEN – BASEL

Lizenzausgabe
des Verlages Carl Ed. Schünemann KG, Bremen

Gesamtherstellung Mohndruck Reinhard Mohn GmbH, Gütersloh
Printed in Germany
ISBN 3-85883-027-5

ZUM EINGANG

Zwischen den Jahren 1924 und 1926 wurden von mir zum ersten Mal, in Zusammenarbeit mit meinem ehemaligen Rostocker Schüler Dr. Karl Pagel, die zerstreuten und oft an schwer zugängigen Orten publizierten Gespräche Bismarcks vereinigt und in der sogenannten großen »Friedrichsruher Ausgabe« seiner Gesammelten Werke herausgegeben.* Was diese wissenschaftliche Edition bestimmte, welche fachlichen Probleme sie aufwarf und welche Zielsetzung ihr damals vorschwebte, wird im Vor- und Nachwort zu Band III dieser Ausgabe erörtert. Dort wird auch versucht, Rang und Stellung der Bismarck-Gespräche innerhalb der deutschen Geistesgeschichte zu umreißen und genauer zu bestimmen. Als die Idee der Gesamtausgabe von Bismarcks Gesprächen geplant und zur Ausführung gebracht wurde, stand das deutsche Volk und die Geschichtswissenschaft unter dem Eindruck des verlorenen Krieges von 1918, der in gewissem Sinn auch den Zusammenbruch der Bismarckschen Reichsschöpfung bedeutete. Die Frage, wie der Zwang der historischen Entwicklung, wie Schuld oder menschliches Versagen zu diesem Ende geführt hatten, beschäftigte uns alle. Es ging auch um die Frage, wieweit sich im Neubau des Weimarer Staates das alte Erbe fortsetzen könne, wieweit es als überlebt anzusehen und einem neuen Anfang Platz zu machen habe. Es galt, in vielen Punkten das uns überkommene Geschichtsbild zu revidieren und die Kräfte zu erkennen, die in eine gesicherte Zukunft führen konnten.

Vierzig Jahre deutscher Geschichte liegen zwischen jener »Bismarck-Renaissance« der zwanziger Jahre und den Bemühungen der damaligen Wissenschaft, nicht nur durch die Gesamtedition von Bismarcks literarischem Werk, sondern auch durch die Erschließung der deutschen und ausländischen Vorkriegsakten. Jenes ältere Bemühen, unsere gesamte Außenpolitik seit der Reichsgründung zu erhellen, läßt uns heute mit einem noch weiteren Abstand und deshalb mit weit weniger gefühlsmäßigen Vorbelastungen als damals auf jenes Deutsche Reich der acht-

* Die genaue Zitierung vgl. Seite 7 dieses Bandes.

ziger Jahre des vorigen Jahrhunderts unter der Kanzlerschaft des großen Mannes zurückblicken.

Wohl erst heute, nachdem wir vor einem zerrissenen und geteilten Deutschland stehen, vermögen wir die tiefen Sorgen ganz zu erfassen, womit Bismarck seine Schöpfung eines geeinten deutschen Staates betrachtete. Es waren Sorgen, die seine Nächte oft schlaflos machten, also schon in Zeiten, in denen die Mehrheit des Volkes an die Glorie und Unzerstörbarkeit dieses Reiches glaubte: ein Rausch, dem sich sein nüchterner Sinn nie anzuschließen vermochte. Wir, die wir wieder ein zerrissenes Deutschland zwischen den Mächten vor uns haben, können vielleicht besser als die vergangenen Generationen die ebenso gewaltige wie feine staatsmännische Kunst begreifen, zwischen den Mächten die Deutschen in einem Staat zusammenzufassen. Wir wissen außerdem aus den bitteren Erfahrungen unserer jüngsten Vergangenheit, was seine Mahnungen zur Mäßigung in Zielen, in Bescheidung als Volk und Einfügung in das Konzert der Mächte bedeuteten. Es war der Appell, unsere Kräfte nicht zu überschätzen und unsere Lage inmitten großer Staaten richtig zu werten.

Heute dürfen wir sagen: das wissenschaftliche Bemühen der frühen zwanziger Jahre, diese Folgerungen aus Bismarcks Leben und Werk zu ziehen, sind schlecht genutzt worden. Ja, sie wurden vertan, um schließlich Pseudoerkenntnissen aus dem Abfall des 19. Jahrhunderts Platz zu machen, die zum Untergang führten.

Bismarcks Wirken und Persönlichkeit blieben wenigstens als Wertmaßstab bestehen, wenn sein Bild auch oft bis zur Unkenntlichkeit verzerrt wurde. Ein sehr gewandeltes Europa erkennt heute in der Deutung seiner Person, was für einen großen weitblickenden und mäßigenden Staatsmann das alte Europa an ihm besaß, als er seine innerpolitische Aufgabe der Reichseinigung – denn nur als eine solche betrachtet er sie, auch seine Kriege, – vollzogen hatte.

In seinen »Gesprächen« äußerte sich Bismarck als Zeuge seiner Zeit. Es sind Worte eines großen Menschen, für jeden verständlich und begreifbar. Sie zeigen uns, was staatsmännisches Können und was wahre staatsmännische Weitsicht ist.

Schließlich noch ein kurzes, persönliches Wort! Was ich einst in jungen Jahren wissenschaftlich gesichtet und erschlossen habe, möge nun, mit dem Abstand einer ganzen Reihe von Jahren, in einer Form erscheinen, die Wert und Rang des Bismarckschen Gesprächswerkes entspricht.

Möge darüber hinaus auch das Gewicht und der weite Bogen der Bismarckschen Weltschau nun nicht bloß als Quelle für die historische Wissenschaft und deren Freunde, sondern als literarisches Dokument des deutschen Schrifttums von unvergleichlichem Rang allen denen zugänglich gemacht werden, die in einer rasch dahinstürmenden, oft allzu vergeßlichen Zeit dergleichen Werte noch zu schätzen wissen.

In diesem Sinne ist die Neuedition als ein Neues zu betrachten. Denn nicht die Sammlung oder Vollständigkeit der Gespräche an sich wird angestrebt, sondern die Zusammenfassung ihrer inneren Substanz als die gesprochene Autobiographie eines großen Tatmenschen, die bisher einer weiten Öffentlichkeit so gut wie unbekannt blieb.

W. Andreas

Die Abkürzung in der Zitierung »BG I, II oder III« bedeutet: Bismarck, Die gesammelten Werke: Band 7, 8, 9, Gespräche I, II, III; herausgegeben und bearbeitet von Dr. Willy Andreas, ordentlichem Professor der Neueren Geschichte an der Universität Heidelberg. Otto Stollberg u. Co., Verlag für Politik und Wirtschaft, Berlin 1924, 1926.

Vormärz und Revolutionsjahre

Zum Zeitpunkt, in dem die Überlieferung von »Bismarcks Gesprächen« einsetzt, war Bismarck ein Mann Mitte der Zwanzig. 1848, als seine Person für die preußische und eine beschränkte deutsche Öffentlichkeit in das Blickfeld der Politik trat, war er genau 33 Jahre alt.

Bismarck wurde 1815 geboren, d. h. in jenem Epochejahr, das den Abschluß des Wiener Kongresses brachte, die endgültige Niederwerfung Napoleons und die Unterzeichnung der Deutschen Bundesakte. Es sind jene Ereignisse, die für ein knappes halbes Jahrhundert die europäischen Verhältnisse bestimmten und das Zusammenleben in der deutschen Staatenwelt nach dem Untergang des alten Römischen Reiches Deutscher Nation neu zu ordnen suchten.

Mit knapp 17 Jahren machte Bismarck, Sohn eines altmärkischen Gutsbesitzers aus Schönhausen an der Elbe, in Berlin sein Abitur und bezog dann 1832 in Göttingen die Universität, um dort für drei Semester Jura zu studieren. Ende des ersten Semesters trat er einem Korps bei, wurde später dessen Senior und stand fünfundzwanzigmal auf Mensur. Um sein Studium mit dem Referendarexamen abzuschließen, ging er nach Berlin. Nach erfolgter Prüfung arbeitete er zunächst am dortigen Stadtgericht. Nach 9 Monaten aber beschloß er zur Verwaltung überzugehen, was seine Versetzung nach Aachen mit sich brachte. Als er auch diesen Aufgabenkreis als »kleinlich und langweilig« empfand, entschied er sich nach einer vorübergehenden Tätigkeit in Potsdam, aus dem Staatsdienst auszuscheiden und kehrte 1838 auf das bei Naugard in Pommern gelegene Familiengut Kniephof zurück. Auf diesem hatte er bis zu seinem 6. Lebensjahr seine Kindheit verbracht. Nunmehr dreiundzwanzig Jahre alt, teilte er seiner Familie den Entschluß mit, endgültig Landwirt zu werden.

1839 starb seine Mutter an Krebs. Der Vater zog jetzt mit Bismarcks noch im Kindesalter stehender Schwester Malvine nach Schönhausen zurück, während Otto und Bernhard, die Söhne, sich in die Verwaltung der drei übrigen pommerschen Familiengüter teilten. Otto übernahm die Güter Kniephof und Jakelin, sein Bruder Bernhard das Gut Külz. Damit begannen für Bismarck 8 Jahre pommerschen Landjunkerlebens.

Dieser bisherige Werdegang hat nichts Ungewöhnliches an sich. Daß ein junger Mann, der dem älteren preußischen Adel angehörte und dessen Vorfahren zudem Jahrhunderte auf dem Gut Schönhausen saßen, sich dafür entschied, nicht Offizier oder Beamter zu werden, das mußte fast als selbstverständlich erscheinen. Selbstverständlich auch dann, wenn dank dem mütterlichen Bluterbe sein Wesen Züge zu enthalten schien, die mehr den Traditionen und Eigenschaften einer Gelehrten- und Beamtenfamilie entsprachen. Die Mutter war eine geborene Mencken. Sein Großvater Mencken hatte seine Laufbahn einst als Kabinettssekretär unter Friedrich dem Großen begonnen und unter dessen Nachfolgern Friedrich Wilhelm II. und Friedrich Wilhelm III. als Geheimer Kabinettsrat gedient. Ungewöhnlich in der Entwicklung dieses Landedelmannes wirken erst die inneren Spannungen jener Jugendjahre. Nach einer genußfreudigen, brausenden Studentenzeit mit Schulden und Liebesaffären schien er gegen den Willen seiner Mutter eine vielfältige Bildung und Weltläufigkeit einem junkerlichen Leben aufzuopfern und damit auch einer intellektuellen Entfaltung seiner Kräfte zu entsagen. Diesen Anschein hatte es wenigstens. Eine überraschende Sensation war es für die Zeitgenossen, als im Jahr 1847 plötzlich die Politik als Lebenselement in Bismarcks Dasein trat. Diese Politik sollte ihn dann knapp vier Jahre später als Gesandten an den Bundestag nach Frankfurt führen. Es war der wichtigste Posten der damaligen preußischen Diplomatie. Von dieser Position ging nunmehr die Laufbahn aus, die Bismarck in knapp fünfzehn Jahren zum führenden Staatsmann Deutschlands und wenige Jahre später zum mächtigsten Mann Europas machte.

*

Es ist sicher, daß die meisten Nachbarn und Freunde des Gutsherrn in dem damaligen Herrn von Bismarck nur den sehr robusten Junker sahen, für den er sich selbst auch ausgab. Ebenso urteilten der Berliner Hof, die Politiker und die breitere Öffentlichkeit. Er vertrat mit ebenso robusten Ansichten und Methoden eine scheinbar konservative Politik, die nichts anderes im Auge hatte als die Wahrung der königlichen Rechte, die Erhaltung der Dynastie, die engeren Interessen seines Standes, die überkommenen preußischen und militärischen Traditionen. Sein Weltbild stand – so hatte es den Anschein – allen dynamischen, vorwärtsdrängenden Kräften der Zeit entgegen. Mit allem Beharrungsvermögen, ja mit Gewalt und militärischem Einsatz sollte es durchgesetzt werden. Von irgendwelchen Gesichtspunkten einer wie immer gearteten Reichspolitik war offensichtlich nicht die Rede. Und war nicht mit alledem die politische Zielsetzung der ehemals führenden Reichsmacht Österreich anerkannt? »Nur zu gebrauchen, wenn das Bajonett schrankenlos waltet«, lautete ein Pauschalurteil Friedrich Wilhelm IV., des Romantikers auf dem preußischen Thron.

Freilich, in diesem Bild blieben nur sehr wenigen Menschen seiner engsten Umgebung andere Züge des Politikers Bismarck nicht verborgen. Es sind die Wesensmerkmale, die später jene konservativen Kreise, denen Bismarck entstammte, vor den Kopf stießen und sie an ihm irre werden ließen. Es waren gleichzeitig aber auch Eigenschaften, die die Männer des Liberalismus überraschten, mit denen er nun zusammenprallte.

Was die damalige Welt des Vormärz und der Revolutionszeit nicht sehen konnte, war die Persönlichkeit sui generis, deren innerster Antrieb nicht das irgendwie geartete Prinzip, die Theorie, das religiöse, philosophische oder theoretische Kalkül, d. h. die Abstraktion bestimmte, sondern der Trieb einer dynamischen Kraft zu handeln. Es war eine praktische Aktivität, die gesteuert war von einer völligen Unvoreingenommenheit, jeglicher Maxime bar, vielmehr, die sich einzig orientierte an der Realität des Lebens, den elementaren staatsbildenden Kräften wie den soziologischen Tendenzen der Zeit. Die Frage liegt nahe, warum Bismarck bei einer solchen Grundanlage seines Wesens nicht zum Liberalen oder gar zum Revolutionär wurde. Diese Frage hat er sich selbst gestellt.

Wer indes die Zeugnisse, Briefe und Berichte aus Bismarcks Landjunkerzeit über seine Auseinandersetzung mit religiösen Fragen und den pietistisch-konservativen Zirkeln seiner pommerschen Gutsgenossen liest, die in seiner Brautwerbung einen Höhepunkt erreichten, wer hinter die Maske seiner zynischen Reden blickt und die immer wieder auftauchenden Selbstanalysen seiner Person prüft, der muß bemerken, daß hinter dem Junker als treibende Kraft ein Persönlichkeitsbewußtsein steht, das gebunden ist an ein nur religiös zu deutendes Phänomen. Es ist die Bindung an die Idee des Königtums. Ihr ordnet er sein Leben lang seine Kraft zu handeln und seine vorwärtsstrebende innere Dynamik unter, wenn er auch oft über deren Träger und deren äußere Doktrinen schroff hinweggeht. Man wird erkennen, daß neben diesen verhaltenen, religiösen Bindungen ein ebenso verhaltenes Sendungsbewußtsein steht, bezogen auf die Rolle seiner Person und deren geschichtlichen Auftrag. Es ist ein Persönlichkeitsbewußtsein, das sich je nach der Lage der Dinge Luft macht in einem Überlegenheitsgefühl seiner immensen natürlichen Klugheit, seinem oft geradezu bestürzenden Realitätssinn und einer Denkform, die fast im Hegelschen Sinne stets dem Ziel der Synthese zustrebt und oft versucht, die Kampfsituation des Tages von These und Antithese um der Zukunft willen zu überspringen. Diese Weitsicht machte es Bismarcks Umgebung oft so schwer, seine »Inkonsequenz im Denken und Handeln« zu verstehen.

Alle diese geistigen Eigenschaften gewann Bismarck aber nicht erst in den Jahren, in denen er als aktiver Politiker die Zügel seiner Epoche in die Hand nahm. Sie formen sich schon in der selbstgewählten Stille seiner Landjunkerzeit und stauen sich als Spannung und Kraft in der Seele dieses Tatmenschen an, bis seine Stunde gekommen ist. So konnten diese ländlichen Jahre im Grunde nicht glücklich für ihn sein – keine Zeit, die einem friedvollen Idyll glich! Diese Aera des Vormärz, die mit der Revolution den ersten Abschnitt der Gespräche bildet, ist deshalb von so besonderer Wichtigkeit.

K. F. R.

Gespräche mit dem Thadden-Trieglaffschen Kreis.
Anfang der vierziger Jahre

Die nachfolgenden Aufzeichnungen des Landschaftsrates Reinhold von Thadden-Trieglaff, die das Datum des 13. Mai 1899 tragen, enthalten, soweit die erste Zeit der Bekanntschaft mit Bismarck in Frage kommt, weniger geschlossene Unterhaltungen mit Bismarck als kürzere Redewendungen, die sich dem Gedächtnis Thaddens eingeprägt hatten.
Bismarck kam in jenen Jahren mit dem Thaddenschen Kreis durch seinen Freund Moritz von Blanckenburg in Berührung, der die von Bismarck sehr verehrte Schwester Reinholds, Marie von Thadden, heiratete.

Den späteren Reichskanzler Otto von Bismarck habe ich zum ersten Male mit seinem Vater gelegentlich einer Mittagsgesellschaft im Jahre 1839 zur Winterszeit gesehen. Herr von Bismarck-Schönhausen war eine vornehme ritterliche Erscheinung. Von seinem Sohne Otto ist mir von damals nur das Bild zurückgeblieben, wie er in dem jüngeren Kreise mit uns spielte.

Ich habe Herrn von Bismarck dann erst in meinen Michaelisferien 1842 wiedergesehen, als in Plathe die Hochzeit des Grafen Karl von der Osten mit Fräulein Maria von Kessel, Bismarcks Kusine, gefeiert wurde. Die geladenen Gäste waren nach der in der Kirche vollzogenen Trauung in zwei Reihen im Gobelinzimmer aufgestellt. Otto von Bismarck, der damals in Gesellschaften täglich mit einem blauen und einem schwarzen Leibrock abwechselte, stand in schwarzem Fracke, von mir angestaunt, mir schräg gegenüber, schritt aber, meiner ansichtig geworden, auf mich zu und sagte, mich mit stolzer Freude erfüllend: »Sie waren früher in Frankfurt a. O. auf der Schule, auf welchem Gymnasium sind Sie jetzt?« Als ich diese Frage mit »Berlin« beantwortet hatte, zog sich die ritterliche Pelhamgestalt wieder zurück. Es lag etwas so Gewaltiges in Haltung und Blick dieser Erscheinung, daß ich sie mir damals schon in Gedanken auf die höchsten Stufen des Erdenlebens versetzen konnte. Otto von Bismarck war dann viel hier im Hause meiner Eltern, wo er uns von seiner kürzlich vollendeten Reise nach England, Frankreich und der Schweiz erzählte. Mit gespannter Aufmerksamkeit habe ich ihm bouche-béante zugehört. Ich hatte in so bezaubernder Weise noch nie sprechen und darstellen gehört. Otto von Bismarck schilderte uns, wie er's 38 Jahre später im Reichs- oder Landtage getan hat, sein Feiertagserlebnis bei seiner Landung auf britischem Boden, wo er, ein Lied pfeifend, durch einen Herrn, der ihn auf die Schulter geklopft habe, mit der Erinnerung daran, daß es Sonntag sei, ermahnt worden sei, das störende Geräusch nicht fortzusetzen. Daß Bismarck hierdurch veranlaßt worden sei, wieder zu Schiff zu gehen, hat er uns damals verschwiegen. Vom Parlament erzählt Bismarck, daß er gesehen habe, wie die Lords im Foyer sich ihre Beefsteaks, vor dem Kamin sitzend, selbst bereitet hätten und daß der Vorplatz vor dem Gebäude mit den gesattelten Reitpferden der noble-men und dem dazu gehörigen Troß besetzt gewesen sei, unter Ausschluß jeglichen Fuhrwerks. In Zimmerhausen – ich war nicht gegenwärtig – hat Bismarck von einer Hinrichtung, der er als Augenzeuge beigewohnt habe, berichtet. Der Strick, von welchem der Verurteilte umschlungen gewesen sei, habe nicht gehörig angezogen. Da hätte sich dann der Henker zur Vermehrung des Körpergewichts selbst an die Beine seines Opfers angehängt und so den Erstickungstod des Sträflings rasch herbeigeführt. Bismarck führte bei seiner Reiseschilderung auch einmal an, daß er von dem Vorurteile der Unzulässigkeit des Galoppfahrens in England geheilt worden sei, da er auf dem Postwagen oft erlebt hätte, wie diese schleunigere Fortbewegungsart gewählt worden wäre. Bei Bismarcks »Vorliebe für die Franzosen« hat ihm die Heimat unserer bedeutungsvollsten Nachbarn natürlich sehr gut gefallen. Das Land, »wo die kleinsten Kinder schon französisch sprechen», habe ihm einen sehr gebildeten Eindruck gemacht. An der Schweiz wußte Bismarck weniger die hohen Berge als die hohen Preise zu tadeln, obschon er Strand, Ebene und selbst »Wüste« mehr liebte als Gebirge.

Bismarcks fesselnde Unterhaltung beschränkte sich nicht auf seine Wanderfahrten. Bei einem Rückblicke auf alte Zeiten kam 1806 zur Sprache. Bismarck glühte voll Zorn wider die Feiglinge, welche landesverräterischerweise die preußischen Festungen übergeben hatten. Er äußerte, er begriffe nicht, daß sich nicht ein Leutnant gefunden hätte, der einem so frevelhaft handelnden Generale eine Kugel durch den Kopf zu jagen ermutigt gewesen wäre! Das Gespräch wendete sich den Bestrebungen der Landesfürsten im allgemeinen zu, wobei Bismarck hervorhob, daß es das Hauptziel dieser Gewaltigen auf Erden sei, ihr Herrschaftsgebiet auszudehnen und ihre Grenzen zu erweitern. »Ich bin der Meinung, daß wir auch noch einmal eine Zeit bekommen werden, wo das Königreich Preußen einen bedeutenden Zuwachs erhalten wird«, meinte Bismarck. Ich weiß nicht, wie sich der Vortrag weiter entwickelte, ich entsinne mich nur noch des Gefühls, das mich durchzuckte, daß wir einen »solchen Mann« einmal an der

Spitze der Staatsleitung haben müßten, wozu ich allerdings damals nicht die mindeste Aussicht vermutete. Wir hatten in jenen Tagen noch kein öffentliches Leben; wie sollte sich ein schlichter Grundbesitzer, wenn er auch noch so sehr in seinen Kreisen als bedeutend und geistreich auffiel, derartig hervorzutun Gelegenheit haben, daß er eine solche Stufe erklimmen könnte?

... Aus Gesprächen in den vierziger Jahren erinnere ich mich nur noch einer Verurteilung der Unwahrhaftigkeit, indem Bismarck meinte, daß das Lügen ja tadelnswert sei, daß es für ihn aber einen unwiderstehlichen Reiz habe, in dem Salon der Frau von Natzmer in Greifenberg eine »Geschichte« in Umlauf zu setzen. Die Wahrheitsliebe, Aufrichtigkeit und furchtlose Offenheit ist ja immer ein hervorstechender Zug in dem Charakter des großen Mannes gewesen.

»Es gibt Menschen«, sagte mein Bruder Gerhard, der leider früh verstorbene Freund Bismarcks, »welche nie eine Unwahrheit sagen würden, die aber doch durch und durch unaufrichtige Naturen sind. Bei Bismarck kann ich mir es sehr wohl denken, daß er mit Bewußtsein einmal zu lügen vermöchte. Dabei ist er aber doch eine unerschütterlich aufrichtige Charaktergestalt.« Man vergleiche damit, was Bismarck in dieser Beziehung selbst über sein Verhältnis zu seinem großen Kaiser geäußert hat.

Hinsichtlich des Schuldenmachens der Studenten hörte ich Bismarck einmal in Zimmerhausen erklären, die Väter möchten doch bedenken, daß ihre Söhne auf der Universität ihren Wechsel mindestens um sechzig Prozent überschreiten müßten. Ich habe nicht verfehlt, mir diese Lebensweisheit zunutze zu machen.

Bismarck hatte keine Spur von Medisance an sich, doch wußte er die Ausdrucksweise seiner Nachbarn sehr launig zu schildern und wie sie sich ganz mit ihrer Wirtschaft identifizierten. So habe ein nach seinem Befinden gefragter Gutsbesitzer ernsthaft geantwortet: »Mir geht es ganz gut, nur habe ich leider im Winter sehr stark die Räude gehabt.«

Bismarck wurde bei uns einmal wegen seiner Neigung, am Glücksspiel sich zu beteiligen, angegriffen. Er verteidigte sich gegen diesen Vorwurf, indem er angab, daß er niemals einem Mitspieler im Hasard mehr abnähme, als dieser, ohne empfindlich unter der Einbuße zu leiden, verlieren könne. Er selbst mache sich immer gewisse Verlustsätze, und wenn er die Grenze erreicht habe, überschreite er sie nie, sondern spiele den ganzen Monat nicht wieder.

Hinsichtlich der Berechtigung des Zweikampfs äußerte Bismarck, daß er diese Streitart für gewisse Verhältnisse für unentbehrlich halte. Gesetzte Männer hätten sich dieser Ausgleichsweise zu enthalten, bei jungen Offizieren müßte aber das Duell so herkömmlich sein »wie das Frühstück«. Bei Prinz Kraft Hohenlohe ist zu lesen, daß Bismarck erst als Bundestagsgesandter Französisch und Englisch gelernt habe. Bismarck beherrschte beide Sprachen schon in früher Jugend mit Meisterschaft. Ich war immer glücklich, wenn ich einmal eine französische Phrase aus seinem Munde erhaschen konnte. Einmal brachte unser Diener einen Brief in den Saal, indem er unterwegs die Aufschrift zu entziffern suchte: »Ce jeune homme, est-il doué de la faculté de lire?«, fragte Bismarck und entzückte mich durch diese Musterleistung.

Bismarck liebte das Vorlesen nicht, er meinte, wenn dazu geschritten würde, nähme er ein Buch und lese für sich. Ich bin dadurch in meiner gleichartigen Abneigung bestärkt worden.

Bismarck wußte auf allen Gebieten der Bildung Bescheid. Mein Vater fragte ihn einmal, ob er Schlossers, von dem Frager sehr geschätzte Geschichte des 18. Jahrhunderts gelesen habe. »Ich habe sie gelesen, wie ich alles gelesen habe, ich habe darin geblättert«, war die Antwort. Seine Leseweise schilderte Bismarck so: »Ich lese den Anfang des Buchs, dann das Ende, dann in der Mitte dies und das. Wenn mir die Proben gefallen, lese ich das ganze Werk, sonst lege ich's beiseite.«

Bismarck war, wie bekannt, ungemein schlagfertig. Die Behandlung der religiösen Bekenntnisse gehörte in den 1840er Jahren zu den Tagesfragen. Bismarck meinte, daß die Stellung des Staatsbürgers nicht von seiner Glaubensmeinung abhängig gemacht werden dürfe. Der Präsident Ludwig von Gerlach entgegnete: »Dann ist es auch wohl Grundsatz:

Erfülle Deine Bürgerpflicht,
Nach Deinem Glauben frag' ich nicht?«

»Allerdings«, erwiderte Bismarck. »Dann«, hielt ihm Gerlach vor, »müssen Sie auch für die Emanzipation der Juden eintreten.« »Keineswegs«, schloß Bismarck die Unterhaltung, *»den frage* ich nicht, dem sehe ich's an.«

Bismarck war wie alle großen Männer anspruchslos in Beziehung auf das, was andere ihm boten. So belustigte es ihn sehr, als er klagte, er wisse nicht, wo er mit seinen Spickgänsen bleiben solle, daß ich ihm anbot, sie abholen zu lassen, und auf seine Frage, was ich geben wolle, mich bereit erklärte, den Botenlohn zu bezahlen.

Bismarck hat immer sehr gern geschrieben. »Es ist herrlich«, sagte er einmal, »glattes Papier zu haben, dann kann man so wundervoll lange Buchstaben machen.« – Als meine Schwester Marie mit Moritz Blanckenburg verlobt war, besuchte er uns eines Morgens im «Dachsbau» bei Professor von Lancizolle in der Marienstraße in Berlin. Die Fenster des ehemaligen Stallgebäudes waren mit eisernen Stäben vergittert. »Ich dachte schon«, äußerte Bismarck eintretend, »sie hätten Moritz wieder unter Schloß und Riegel gebracht«, was sich auf die Festungshaft bezog, welche mein Schwager wegen Duellbeteiligung in Magdeburg einige Jahre früher durchzumachen gehabt hatte. Das Gespräch kam vom Hundertsten ins Tausendste, auf die Vergrößerung der Heeresmassen, wobei Bismarck hervorhob, daß in den Schlachten bei Oudenarde und Malplaquet im Spanischen Erbfolgekriege höchstens 6000 Mann auf jeder Seite gefochten hätten. Er selbst, bekannte Bismarck, habe sich immer sehr versucht gefühlt, an kriegerischen Unternehmungen teilzunehmen, und hätte schon daran gedacht gehabt, unter englischen Fahnen in Indien Dienste zu nehmen, dem Beispiele des Prinzen Waldemar folgend. »Indessen«, schloß Bismarck, »was haben mir denn die Indier zuleide getan, dachte ich mir.« Beim Heimwege von der Marienstraße begleitete ich Bismarck, der aber innerlich so arbeitete, daß er kein Wort für mich übrig hatte, und als ich eine Frage an ihn richtete, mich nicht verstand, sondern nur verlauten ließ: »Wie beliebt?«, womit die stille Unterhaltung ihr Ende erreichte. Im Jahre 1843 hat Bismarck mit uns hier den Heiligen Abend und das Weihnachtsfest gefeiert, wobei er es rügte, daß mir und meinem Bruder Gerhard, welcher eine prächtigere Flinte als ich erhielt, Gewehre geschenkt worden wären, da er dies für verfrüht hielt. Schüler, meinte er, müßten noch keine Schußwaffen besitzen. Als Harry Arnim in Halle seinen Dr. juris, mit unerhörtem Glanze übrigens, gemacht hatte, wurde diese Tat als ein bloßer Eitelkeitsbeweis bespöttelt, was Bismarck mit den Worten zurückwies: »Na, Harry Arnim ist nicht dumm.« In der Zukunft hat sich dieser Ausspruch bewahrheitet.

Das Jahr 1844 ist für Bismarcks inneren Entwicklungsgang entscheidend gewesen. Seine Teilnahme an dem Polterabend und der Hochzeit (4. Oktober) meiner Schwester Marie mit Moritz Blanckenburg ist oft geschildert worden. Bismarck hat sich tatkräftig bei der Löschung der verhängnisvollen Hochzeitsfackel beteiligt und bei der Entschädigung der mitabgebrannten Bauern echt diplomatisch und sehr ersprießlich mitgewirkt. Die ruhige

Haltung meiner Eltern bei dem entsetzlichen Brandunglücke hat auf Bismarck einen tiefen Eindruck gemacht. Auf einem Gange durchs Dorf wurde das Benehmen verschiedener Instleute geschildert, wobei erwähnt wurde, daß eine Frau vom Feuerlöschen abgeraten und zum Beten ermahnt hätte. Bismarck belächelte dies, indem er Cromwells Ausspruch: »Betet, aber haltet eure Patronen in Ordnung«, als deutsche Übersetzung des: Pray and keep your powder dry, wiedergab.

Bei einer anderen Gelegenheit wurde angeführt, daß jemand an der Zulässigkeit der Feuerversicherung für christliche Gewissen gezweifelt habe, weil dadurch *Gott* ein Züchtigungsmittel geraubt würde. Bismarck erklärte: »Das ist ja die reine Blasphemie, denn *Der* kann uns doch schon kriegen.«

An einem Vormittage nach dem Brande hatte Bismarck in dem Zimmer, in welchem ich schreibe, Muße, meiner Schwester den damals erscheinenden Roman von Eugen Sue: Le juif errant auszugsweise vorzutragen. Der Schlußauftritt zeigte *ihn* in Kamschatka, *sie* in Alaschka, und das Nordlicht beide umspannend. Bismarck schilderte in so hinreißender Weise, daß Wilhelm Kardorff, welcher noch weiter gelesen hatte, sich außerstande erklärte, die Erzählung fortzusetzen.

Am Abend eines folgenden Tages hatten wir ein ernstes Gespräch im Familienkreise. Mein Vater brachte im Laufe der Unterhaltung das Wort Georg Herweghs an Friedrich Wilhelm IV. vor: »und wer mit seinem Gott gegrollt, kann auch mit seinem König grollen.« Bismarck meinte: Freilich, wenn man Gott lieben könne, so könne man auch mit Gott grollen. Mein Vater entgegnete: »Da sind Sie also Pantheist?«, was Bismarck bejahte.

Die Erörterung des Gegenstandes wurde mit äußerer Ruhe und großer Schärfe der Dialektik fortgesetzt, so daß die innere Bewegung erst nach dem Auseinandergehen der kleinen Familienversammlung zum Vorschein kam ... Bismarck war auch sehr erbaut von Pastor Nagels Predigt am Sonntage nach dem Brande und erklärte diese Trost- und Angriffsrede für ein demosthenisches Meisterwerk. Bismarck ist in den kurzen Tagen des Kardeminer Eheglücks viel im Hause Blanckenburg gewesen und hat sich eifrig an den Shakespeare-Abenden mit verteilten Rollen beteiligt, wobei er unentbehrlich war, weil er allein wußte, daß Shrewsbury nicht so, sondern Schrusberi auszusprechen war. Als Rollenleser soll sich Bismarck nicht hervorgetan haben. Er hat im Leben immer nur seine eigene Rolle zu geben gewußt, wie Mit- und Nachwelt behaupten, mit künstlerischer Gewandtheit. –

Auf unser geselliges Verhalten ist Bismarck nicht ohne nachhaltige Wirkung geblieben. So hatte er das aus England mitgebrachte Verbot, Fische mit Anwendung des Messers zu verspeisen, hier eingeführt, da man ihn dort bei einem bezüglichen Versuche, sich des schneidenden Werkzeugs zu bedienen, gefragt hatte, ob er sich den Hals abschneiden wolle. Bismarcks Verkehr mit geringen Leuten war mustergültig. Nie habe ich ein aufgeregtes Wesen an ihm bemerkt oder ein heftiges Wort von ihm gehört. Mein Schwager Blanckenburg rühmte von ihm, daß er mit jedem seiner Dienstleute so spräche, wie er es in vornehmen Kreisen gewohnt sei. Als ihn meine Mutter einmal nötigte, noch zu bleiben, obschon seine Pferde schon vor der Tür warteten, erwiderte er: »Nein, ich muß aufbrechen, denn sonst schilt mich mein Reitknecht.«

Marcks-v. Müller-v. Brauer: Erinnerungen an Bismarck, S. 119 ff., 1915 (gekürzt).

Der Herr auf Kniephof. – Gespräche mit dem Gutsbesitzer von Marwitz-Rützenow. Anfang der vierziger Jahre

In den folgenden Aufzeichnungen sind die Gespräche Bismarcks mit dem späteren Landrat von Marwitz-Rützenow wiedergegeben, die dieser dem Herrn von Keudell, späteren Mitarbeiter Bismarcks, im Jahre 1847 erzählte. Ihre Richtigkeit hat Bismarck ihm selber durch eigene Erzählungen bestätigt. Keudell war im Sommer 1847 bei seinem in Pommern begüterten Bruder zu Gast und hatte häufig Gelegenheit, den Landrat von Marwitz zu sprechen, der in den Jahren 1839–1845, als Bismarck seine pommerschen Güter bewirtschaftete, zu dessen Freunden zählte. Über Robert von Keudell selbst vgl. Einleitung zum Gespräch S. 22.

Wir ritten fast täglich nach dem an der Regamündung gelegenen Seebade Deep, wo ich häufig mit dem Landrat des Kreises, Herrn von Marwitz-Rützenow, zusammenkam. Dieser liebenswürdige und gescheite Mann fand Vergnügen an meinem Klavierspiel und belohnte mich gelegentlich durch ausführliche Mitteilungen über »Otto Bismarck«, der schon als Schüler in Berlin einige Zeit mit ihm zusammen gewesen war und kürzlich mehrere Jahre im benachbarten Naugarder Kreise gewohnt hatte.

Er erzählte:

»Wenn ich nach langer Fahrt auf schlechten Wegen bei ihm in Kniephof ankam, wurde ein einfacher Imbiß aufgetragen; er nahm Porter und Sekt aus dem Wandschrank, setzte die Flaschen vor mich hin und sagte: Help yourself. Während ich mich stärkte, sprach er viel und anregend. Er hatte Reisen in Deutschland, England und Frankreich gemacht und las gewaltig viel, meistens Geschichtswerke. Er vertiefte sich auch gern in Spezialkarten, namentlich von Deutschland, und in die alte zwanzigbändige ›Erdbeschreibung‹ von Büsching, welche ausführliche Angaben über die meisten deutschen Landschaften enthält. Von sehr vielen Gütern in Pommern, in der Mark und im Magdeburgischen kannte er die Bodenverhältnisse, die Größen und sogar die zu verschiedenen Zeiten dafür gezahlten Kaufwerte.

Auch über Politik sprach er gern; und was er sagte, klang manchmal ziemlich oppositionell, weil ihm die schleppende Geschäftsbehandlung bei den Regierungskollegien in Aachen und Potsdam mißfallen hatte. Aber sein Soldatenherz kam bei jedem Anlaß zum Vorschein. So betonte er im vorigen Jahre gegenüber mehreren älteren Herren, welche mit den aufständischen Polen sympathisierten, daß diese Posener als eidbrüchige Hochverräter hätten bestraft werden sollen.

In früher Jugend hatte er Soldat werden wollen, seine Frau Mutter aber wünschte ihn dereinst als wohlbestallten Regierungsrat zu begrüßen. Ihr zuliebe verbrachte er mehrere Jahre im Justiz- und Verwaltungsdienste, fand aber keinen Geschmack daran. Nach ihrem Tode kam er in unsere Gegend und genoß die Freiheit des Landlebens in vollen Zügen.

Er freute sich immer sehr, wenn man ihn besuchte; und wenn man fortfuhr, pflegte er die Gäste zu Pferde bis über seine Gutsgrenzen zu begleiten. Zu seinem Vergnügen kam er einmal nach Treptow und diente längere Zeit als Landwehrleutnant bei den Ulanen. Das kameradschaftliche Leben sagte ihm sehr zu. Er war der verwegenste Reiter und stürzte öfters, einmal so gefährlich, daß ein anderer wohl nicht lebendig davongekommen wäre; aber seine Riesennatur trotzte jeder Störung. Die meisten Besuche, auch auf weite Entfernungen, machte er zu Pferde und brachte lebendigen Verkehr in die ganze Gegend.

Er war ein vorzüglicher Jäger und oft König der Jagd. In Kniephof war das Jagddiner immer einfach, doch saßen wir, trinkend und rauchend, gewöhnlich bis in die tiefe Nacht. Bismarck war ein starker Zecher, aber niemals hat ihn jemand berauscht gesehen.

Eines Abends wollte ich mit einem Freunde von Regenwalde nach Naugard fahren. Es war schon spät, als wir durch Kniephof kamen, und wir beschlossen, dort die Nacht zu bleiben. Bismarck empfing uns sehr freundlich, sagte aber sogleich, er könne uns am andern Morgen keine Gesellschaft leisten, da er schon um sieben Uhr nach Naugard fahren müßte. Das wollten auch wir. Er empfahl uns wiederholt, nicht so früh aufzubrechen, sagte aber endlich: ›Gut, wenn ihr es denn nicht anders wollt, so werde ich euch um halb sieben wecken.‹ Es war ziemlich spät, als er uns die Treppe hinauf zum Schlafzimmer geleitete. Vor dem Einschlafen sagte mein Gefährte: ›Ich habe mehr getrunken, als ich gewohnt bin, und möchte morgen ausschlafen.‹ ›Das wird nicht gehen‹, sagte ich, ›denn nach dem, was wir abgemacht haben, wird Bismarck uns um halb sieben mobil machen.‹ ›Abwarten‹, sagte der andere, verschloß die Tür und schob mit äußerster Kraftanstrengung einen schweren Schrank davor. Um halb sieben – es war schon hell – ruft Bismarck vor der Tür: ›Seid ihr fertig?‹ Keine Antwort. Er drückt vergebens auf die Klinke und stößt mit dem Fuße die alte Tür ein, kann aber des Schrankes wegen nicht weiter. Bald darauf ruft er im Hofe: ›Seid ihr fertig?‹ Kein Laut. Sogleich krachen zwei Pistolenschüsse, die Fensterscheiben klirren, und Kalk von der angeschossenen Decke fällt auf das Bett meines Gefährten. Da gibt dieser das Spiel verloren, bindet ein Handtuch an seinen Stock und steckt es als Friedensfahne zum Fenster hinaus. Bald darauf waren wir unten. Bismarck empfing uns beim Frühstück mit gewohnter Liebenswürdigkeit ohne seines kleinen Sieges zu erwähnen.

Später war ich einmal mit mehreren Bekannten zur Jagd in Kniephof. Die nach der Jagd erforderliche Reinigung dauerte bei uns ziemlich lange. Da fielen in kurzen Pausen fünf Pistolenschüsse; wir hörten, wie die Kugeln in die Fensterkreuze einschlugen. Otto amüsierte sich, uns zu necken. Niemandem fiel es ein, daß er hätte vorbeischießen und einen von uns treffen können, denn wir kannten seine Pistole als unfehlbar sicher; aber der Effekt der Schüsse war doch eine merkliche Beschleunigung unserer Vorbereitungen zum Diner. Dann gab es eine scharfe Sitzung. Am andern Morgen fanden wir unsern Wirt nicht beim Frühstück, vermuteten ihn noch schlafend und fuhren möglichst geräuschlos fort, um uns zur Jagd bei einem ziemlich entfernt wohnenden Nachbarn nicht zu verspäten. Dort kam Otto uns lachend entgegen; er war auf seinem Lieblingspferde Caleb, einem großen, schnellen Braunen, vorangeritten, um uns zu überraschen. Wegen solcher lustiger Streiche nannte man ihn damals den ›tollen Bismarck‹; wir wußten aber genau, daß er viel klüger war als wir alle zusammen.

Vor längerer Zeit ritt er eines Tages auf Caleb neun Meilen (63 km), um in dem Badeorte Polzin den Abend zu tanzen und dabei eine viel umworbene junge Dame kennenzulernen. Er machte ihr den Hof, schien ihr zu gefallen und dachte an Verlobung. Am folgenden Tage aber gab er diesen Gedanken auf, weil er erkannte, daß ihr Charakter nicht zu dem seinigen paßte. Tief verstimmt ritt er in der Nacht nach Hause. Quer durch einen Wald galoppierend, stürzte Caleb in einen breiten Graben. Bismarck wurde mit dem Kopf gegen einen Hügel geschleudert und blieb einige Zeit bewußtlos liegen. Als er erwachte, sah er beim Mondschein den treuen Caleb neben sich stehen, stieg auf und ritt ganz langsam nach Hause. Nach dieser Begebenheit, die ihn, *wie er erzählte*, einigermaßen erschüttert hatte, war eine Zeitlang wenig von ihm zu hören.

Bismarcks alter Schulfreund Blanckenburg-Zimmerhausen hatte im Herbst 1844 eine entzückende junge Frau geheiratet, die Tochter des Herrn von Thadden-Trieglaff. Bei Blanckenburgs und Thaddens verkehrte er nun viel. In diesen Häusern wehte ein Geist echter Frömmigkeit, und das schien ihm sehr zuzusagen. Leider starb im Spätherbst 1846 Frau von Blanckenburg. Bald darauf verpachtete Bismarck seine pommerschen Güter. Da legten wir alle Trauer an. Wir hoffen aber, ihn von Zeit zu Zeit hier wiederzusehen, da er vor einigen Wochen eine Perle des Pommerlandes heimgeführt hat, die Johanna Puttkamer.«

So plauderte Marwitz. Alle diese kleinen Geschichten sind mir später noch von anderen pommerschen Herren, großenteils auch von *Bismarck selbst, mit denselben Einzelheiten erzählt* worden.

R. von Keudell, Fürst und Fürstin Bismarck. 1901, S. 12 ff.

Gespräche mit dem Oberlandesgfrichtspräsidenten Ludwig von Gerlach in Trieglaff.

24. und 25. Mai und 4. Oktober 1845

Trieglaff war das Gut Adolf von Thaddens, dieser das geistige Haupt des pommerschen Pietistenkreises, dem Bismarck in diesem Jahre nähertrat. Marie, die Tochter des Herrn von Thadden, wurde die Frau von Moritz von Blanckenburg, Bismarcks frühestem Jugendfreund. Ludwig von Gerlach war durch eine zweite Ehe mit den Blanckenburg verschwägert. Er selber war unter den Gebrüdern Gerlach der am meisten theoretisch angelegte Kopf und durch seinen Bruder Leopold, den Generaladjutanten, dem König Friedrich Wilhelm IV. nähergerückt. Gerlach teilte mit dem romantisch gestimmten Herrscher die kirchlich-ständischen Ideale und vertrat sie am folgerichtigsten unter den Mitgliedern dieses Kreises der »Kamarilla«. Dem Justizministerium Savignys, in das ihn der Monarch berufen hatte, gehörte er von 1842 ab als Oberjustizrat an, wurde auch Mitglied des Staatsrates. 1844 erfolgte seine Ernennung zum ersten Präsidenten des Magdeburger Oberlandes-(späteren Appellations-)gerichts. Diese Stellung hatte er dann dreißig Jahre lang inne. — Die folgenden Gespräche bilden den Ausgangspunkt der Beziehungen Bismarcks zu Ludwig von Gerlach, seinem Parteigenossen und späteren Gegner. Für diese, wie alle folgenden Gespräche Bismarcks mit Ludwig von Gerlach, kommen dessen eigene Aufzeichnungen als Quelle in Betracht. Sie sind erst längere Zeit nach seinem Tode veröffentlicht worden (1903). Ihren Grundstock bilden die Tagebücher Gerlachs, die freilich nicht mehr unverändert in ihrer ursprünglichen Form vorliegen, sondern in einer Bearbeitung, die Gerlach in den siebziger Jahren selbst vorgenommen hat, also in der Zeit des Kulturkampfes, währenddessen der Hochbetagte Bismarcks Politik leidenschaftlich bekämpfte. In seinen Aufzeichnungen lösen sich wörtliche Auszüge aus der früheren Originalniederschrift des Tagebuches ab mit loseren Exzerpten daraus und memoirenartigen Rückblicken. – In die unmittelbaren Zitate des Tagebuchs (T. B.) schiebt Gerlach später manche Randglossen ein oder hängt Betrachtungen an. Sie sind indessen in den folgenden Gesprächsüberlieferungen des Tagebuchs jeweils als solche kenntlich gemacht.

Am 24. Mai nach dem abgebrannten Trieglaff, wo unter andern Otto Bismarck war, den ich, soviel ich mich erinnere, damals und dort zuerst gesehen habe. Er erzählte, so das T. B.*: »Herr von Bülow-Kummerow** (eine pommersche landwirtschaftlich-ständische Notabilität) habe vor einigen Monaten an den König geschrieben, er möge doch Thile, Eichhorn und mich aus seiner Nähe entfernen, weil das Volk uns nicht liebe.«

*

»Mittag in Kardemin, Moritz Blanckenburgs Geburtstag; das neue Haus des jungen Ehepaares. Gespräch mit Otto Bismarck über Staatsreligion. Thadden sagt, Bismarck sei ein Pantheist.«

* Abkürzung für »Tagebuch«.

** Bülow-Kummerow hatte ausgedehnte Güter im Regenwalder Kreis erworben und trat auch als politischer Schriftsteller mehrfach hervor.

Ich habe die Erinnerung* von den damaligen Gesprächen mit Bismarck, daß er immer gegen den christlichen Glauben sprach, aber wie einer, der die eigenen Gedanken loswerden will und sich freuen würde, widerlegt zu werden.

*

Am Todestag der Frau von Thadden, an dem Bismarck mit Gerlach zusammentraf, findet sich folgender Tagebucheintrag (4. Oktober 1846).

»Moritz sagt von B., von dem Senfft sehr eingenommen ist: er forsche beständig und wolle gern glauben, könne aber nicht. B. sagte: Staat und Kirche müßten ganz voneinander getrennt werden. Ich hatte viele tief eingehende Gespräche mit ihm.«

Ernst Ludwig von Gerlach, Aufzeichnung aus seinem Leben und Wirken (1795–1877). Herausgegeben von Jakob von Gerlach, Band I, 1903, S. 424, 425, 457.

Die erste Begegnung. – Gespräche in Anwesenheit Robert von Keudells in Berlin. August 1846

Nach den Erinnerungen Keudells.
Robert von Keudell, für dessen amtliche Laufbahn die persönlichen Beziehungen zu Bismarck noch entscheidende Bedeutung gewinnen sollten, hat nach dem Tode des Fürsten seine Erinnerungen an ihn und seine Gattin herausgegeben (1901). Unter Zuhilfenahme von mannigfachen Aufzeichnungen, namentlich Tagebuchblättern und Briefen, erzählen sie, was er im Hause und Dienste Bismarcks erlebt hat. Auf rein literarische Form, Aufbau und eigensten Erlebnisgehalt hin betrachtet, ist das Keudellsche Buch gewiß nicht unter die Memoirenwerke von erstem Rang einzureihen. Aber gerade für die Erkenntnis Bismarcks besitzt es hohen Quellenwert und ist es reich an intimen Zügen. Keudell, eine gedämpfte, liebenswürdige und kunstliebende Natur, war nicht geneigt, die eigene Person hervorzudrängen. Um so rückhaltloser und mit einfühlender Verehrung gab er sich dem Eindruck der gewaltigen Persönlichkeit hin. Aus dieser Grundeinstellung heraus hat Keudell zahlreiche Äußerungen Bismarcks in all ihrer Lebenswärme offenbar unentstellt festgehalten.

* Diesen Satz hat Gerlach in den siebziger Jahren dem Tagebuchauszug beigefügt.

Im August 1846 sah ich zum erstenmal Herrn von Bismarck-Schönhausen.

Fräulein von Puttkamer--Reinfeld, welche sich im folgenden Jahre mit ihm vermählte, hatte bei kurzem Aufenthalt in Berlin mich schriftlich eingeladen, ihr und einigen Freunden im Saale des damals berühmten Klavierbauers Kisting um fünf Uhr nachmittags etwas vorzuspielen ...

Rechts neben mir, am ersten Fenster, saß Fräulein von Puttkamer, auf dem Sofa Herr von Blanckenburg, der später als ein Führer der Konservativen im Landtage hervortreten sollte. Neben ihm auf dem Sofa saß seine junge, auffallend schöne Frau und neben dieser am zweiten Fenster auf einem Sessel in hellem Tageslichte Herr von Bismarck, welcher gewöhnlich die Unterhaltung führte. Seine weiche Sprechstimme in Baritonlage war meinem Ohre wohltuend. Kurz geschorene blonde Haare und ein kurzer Vollbart umrahmten das freundliche Gesicht; unter buschigen Brauen sehr hervortretende, hellstrahlende Augen. Er sah jugendlich aus, hatte aber das Wesen eines vollkommen gereiften Mannes.

Nach einleitenden Stücken spielte ich auf Verlangen von Fräulein von Puttkamer etwas von Beethoven. Bismarck erwähnte, daß er als Student lange mit einem Kurländer, Grafen Alexander Keyserling, zusammen gewohnt und von diesem oft Beethovensche Musik gehört habe, welche ihm besonders zusage. Darauf spielte ich eine lange Sonate (f-Moll) und sah bei deren leidenschaftlich erregtem letzten Stück eine Träne in Bismarcks Auge glänzen. Eine besondere Erinnerung mochte ihn bewegen; denn niemals habe ich später wahrgenommen, daß Musik so stark auf ihn wirkte.

Als Minister hat er einmal nach demselben Stücke gesagt: »Das ist wie das Ringen und Schluchzen eines ganzen Menschenlebens.« Damals aber sagte er nichts. Ich spielte noch ein ruhiges Stück und setzte mich dann zu den andern.

Zufällig sprach man von dem unerbittlichen deutschen Ehrgefühl. Bismarck erzählte von einem hochbegabten Göttinger Studenten, der abends beim Wein wettete, er würde auf seiner edlen Rappstute in einem Bach bis an das sich drehende Mühlrad galoppieren und über das Rad hinunterspringen.

»Vergebens bemühten wir uns am folgenden Tage, ihm die Ausführung dieser unsinnigen Wette auszureden. Er glaubte seine Ehre verpfändet. Viele Freunde waren an der Mühle versammelt. Das schöne Pferd kam im Mühlbach ruhig galoppierend an das schäumende Rad heran. Ohne zu stutzen trug es den Reiter auf das Rad und in die Tiefe; aber beide standen nicht wieder auf.«

Nach einer kleinen Pause nahm Frau von Blanckenburg mit anmutiger Freundlichkeit das Wort, um von heiteren, musikalischen Erlebnissen der letzten Tage zu erzählen ...

Als man aufbrach, um im Gasthaus das Abendessen zu nehmen, fragte mich Herr von Bismarck: »Werden Sie sich uns jetzt anschließen?« Ich war leider verhindert.*

R. v. Keudell, Fürst und Fürstin Bismarck. 1901, S. 1 ff.

Aus dem Jahr achtundvierzig. – Gespräch mit dem Publizisten Hermann Wagener.

9. Juni 1848

Der Mitbegründer und Redakteur der Kreuzzeitung, Hermann Wagener, mit Bismarck von der Universität her bekannt und seit dessen Auftreten als Verfechter einer unbedingt konservativen Politik im Vereinigten Landtag sein Bewunderer, hat im Januarheft 1889 der Deutschen Revue rückblickende Aufzeichnungen in Tagebuchform veröffentlicht, in denen er ein Gespräch mit Bismarck vom 9. Juni 1848 in Berlin wiedergibt. Wageners Autorschaft für den anonym erschienenen, oben erwähnten Aufsatz: »Fürst Bismarck und der Aufbau des deutschen Reiches«, dem dieses Gespräch entnommen ist, ist mir durch Nachweise privater Herkunft von Professor G. Ritter bestätigt worden.

* Außer den von Keudell erwähnten Personen befand sich in der Gesellschaft, die von einer Harzreise zurückkam, auch der jüngere Bruder der Frau von Blanckenburg, Reinhold von Thadden, der in seinen Erinnerungen (siehe S. 11 dieses Bandes) die Begegnung mit Keudell erwähnt. Dort heißt es: ». . . und genossen dann Keudells Klavierspiel im Bechsteinschen Saale in der Friedrichstraße. Hier lernten sich Bismarck und Keudell kennen. Der Abend führte uns ins Opernhaus, wo wir die durch die Tuczek dargestellte Regimentstochter hörten. Da meine Schwester während der Vorstellung das Textbuch entfaltete, zog sie sich eine rügende Bemerkung Bismarcks zu, welcher sie belehrte, daß man das Libretto auswendig wissen oder doch so scheinen müßte, als ob man es so kennte. Nach dem Theater begaben wir uns in einer Droschke weit hinaus zu Onkel Otto Gerlach. Unterwegs hielt sich Bismarck mit scharfen Worten über die Gerlachs auf, die besser sein wollten als andere Leute, mußte sich aber, noch ehe er uns gegen das Ende der Fahrt verließ, eine derbe Zurückweisung seiner Anklage seitens meiner Schwester gefallen lassen.«

»Herr von Bismarck ist mir sehr freundlich entgegengekommen. Derselbe ist ein entschiedener Gegner des Deutschen Schwindels in allen Fassons. ›Was uns gehalten hat‹ – sagte er – ›war das spezifische Preußentum, die alten preußischen Tugenden: Ehre, Treue, Gehorsam und Tapferkeit, welche die Armee, diesen besten Repräsentanten des Volkes, von dem Knochenbau, dem Offizierkorps, ausgehend bis zum jüngsten Rekruten, beseelen. Preußen sind wir und Preußen wollen wir bleiben, wenn dies Stück Papier vergessen sein wird wie ein dürres Herbstblatt. Wir wollen das preußische Königstum nicht verschwommen sehen in der fauligen Gärung süddeutscher Gemütlichkeit‹. Diese Unterredung war für mich ein Labetrunk aus einem frischen Quell. Freilich ist Herr von Bismarck darüber nicht im unklaren, daß uns die nächste Zukunft nichts als Enttäuschungen bringen wird. ›Wenn man selbst nicht weiß, was man will, so muß man fremden Zwecken dienen, und wenn man nicht entschlossen ist, ein Märtyrer seiner Sache zu werden, so lasse man die Hand lieber davon‹.«

Fürst Bismarck und der Aufbau des deutschen Reiches. Deutsche Revue, Vierzehnter Jahrgang, I. Band, S. 4 ff., 1889.

Reaktion. – Gespräch mit Reinhold von Thadden-Trieglaff. Juni 1848

Zur Datierung vergleiche Horst Kohl: Bismarck-Regesten: Bismarck war im Juni 1848 in Zimmerhausen.
Nach den Erinnerungen Thaddens (vgl. S. 11 dieses Bandes).

Erst im *Frühjahr* oder *Sommer* 1848 habe ich Bismarck mit Gemahlin in Zimmerhausen, wo ich Salzbrunnen trank, wiedergesehen.

Bismarck hielt mir allein einmal in Onkel Eduards Zimmer in der Sofaecke einen langen Vortrag über die Lage der Verhältnisse. Das Schreckwort war damals: Reaktion. Bismarck sagte aber, »eine Reaktion müssen wir haben«. Er wollte dem Könige zumuten, selbständig seinem Volke eine Verfassung zu geben, es sollten in die Urkunde aber nur einige liberale Redensarten, wie Aufhebung der Patrimonialgerichte und dergleichen aufgenommen werden, womit sich die Demokratie würde abspeisen lassen. Sehr eingehend ließ sich Bismarck über die dänische Erbfolgefrage aus, verglich das Verhältnis Dänemarks zu Schleswig-Holstein und Deutschland mit den Beziehungen Hollands zu Luxemburg und dem Deutschen Bunde und gelangte zu dem Ergebnis, daß die dänischen Ansprüche eigentlich ganz berechtigt wären.

Marcks-v. Müller-v. Brauer: Bismarck-Erinnerungen. 1915, S. 132 ff.

Die Hinrichtung Robert Blums. – Begegnung mit dem sächsischen Gesandten Freiherrn von Beust.

November 1848

Erste Begegnung Bismarcks mit seinem späteren Gegner Beust, der als sächsischer Ministerpräsident und österreichicher Kanzler so oft noch sein politischer und diplomatischer Gegenspieler werden sollte. Der Bericht Beusts über die Berliner Begegnung stammt aus seinen Lebenserinnerungen.

Ich war befreundet mit dem späteren Gesandten in Dresden, Herrn von Savigny, dessen Wohnung sich dicht neben dem von mir bewohnten Haus in der Wilhelmstraße befand. Eines Morgens, als ich ihn besuchte, empfing er mich mit den Worten: »Ich habe einen Besuch im Haus, Herrn von Birsmarck, von dessen Auftreten auf dem Vereinigten Landtag Sie gehört haben müssen.« Gleich darauf trat Herr von Bismarck ein, im Schlafrock, mit der langen Pfeife. Das Gespräch wandte sich sofort der eben eingegangenen Nachricht von der Erschießung Robert Blums zu, wobei ich die Ansicht äußerte, es sei dies vom österreichischen Standpunkt ein politischer Fehler. Diese Ansicht vertrete ich noch heute...

Als ich nun die Äußerung tat, ich hielte die Hinrichtung Blums für einen politischen Fehler, fiel Bismarck sofort mit den Worten ein: »Ganz falsch, wenn ich einen Feind in der Gewalt habe, muß ich ihn vernichten.« Dieses Ausspruchs habe ich mich mehr als einmal erinnert.*

Aus Drei Viertel-Jahrhunderten. Erinnerungen und Aufzeichnungen von Friedrich Ferdinand Graf von Beust. I. Band 1887, S. 48 ff. (gekürzt).

* Vgl. die spätere Stellung Bismarcks zu diesen Ereignissen: Band III dieser Ausgabe, S. 253.

Ohne jede Schablone. – Gespräche mit dem Ingenieur und Abgeordneten von Unruh in Berlin. Frühjahr 1849

Der Abgeordnete Viktor von Unruh aus Magdeburg gehörte zur liberalen Partei. Die folgenden Gespräche, deren sich Unruh aus der Kammertagung im Frühjahr 1849 entsann, stammen aus seinen Lebenserinnerungen. Deren Niederschrift begann er 1875.

Der Abgeordnete von Bismarck-Schönhausen machte auf mich einen sehr günstigen Eindruck, so entgegengesetzt auch unser politischer Standpunkt war. Sein frisches Wesen, seine treffenden, originellen Bemerkungen und seine Mitteilsamkeit zogen mich an. Es sprach sich sehr gut mit ihm, auch wich er von der gewöhnlichen Schablone der Reaktionäre bedeutend ab. So unter anderem leugnete er gar nicht, daß er ein Junker sei, sondern äußerte geradeheraus zu mir: »Ich bin ein Junker und will auch Vorteile davon haben.« Ich glaubte ihn richtig zu verstehen, daß er nicht sowohl pekuniäre Vorteile als solche der Stellung und des Einflusses meine. Deshalb antwortete ich ihm: »Dann ist mit Ihnen zu reden und zu verhandeln. Mit den Herren von der Rechten, welche immer das Staatswohl im Munde führen und die ganz Uneigennützigen spielen, ist kaum zu sprechen.«

In den Abteilungen* saßen, wie im Hause, die Abgeordneten nach Fraktionen geordnet. Bismarck aber nahm seinen Platz in der Regel bei der Opposition, mir gerade gegenüber. Wir waren inzwischen bekannt genug geworden, um ihn zu fragen, was uns die Ehre verschaffe, ihn auf unserem Flügel zu sehen. Daß er nicht horchen wolle, verstände sich von selbst; einmal gäbe es nichts zum Horchen und dann liege das auch sicher nicht in seiner Absicht. Bismarck erwiderte lachend: »O, das ist ganz einfach! Drüben bei meinen Freunden ist es sehr langweilig; hier amüsiere ich mich besser.«

Auch in der Restauration sprach Bismarck oft mit Abgeordneten von der Opposition, speziell von der äußersten Linken. Von einem solchen wurde ihm eine ähnliche Frage vorgelegt wie von mir in der Abteilung, wie es komme, daß er so viel mit der Linken verkehre? Bismarck antwortete sofort: »Warum soll ich mit Ihnen nicht reden, Sie gehen mir doch nicht aus dem Wege und fürchten nicht, durch Ihre Unterhaltungen mit

* Es sind gemeint die Abteilungen zur Vorberatung der Gesetzentwürfe.

mir Ihren politischen Ruf zu schädigen. Da gibt es aber Leute von der ministeriellen Seite, die gehen mir aus dem Wege, weil sie besorgen, in den Ruf der Reaktion zu kommen.« Dabei fixierte Bismarck stark den nahe bei ihm stehenden Präsidenten des Oberlandesgerichts in Ratibor (Wentzel), der in dem Ruf stand, daß er das Justizministerium anstrebe.

Ich wußte, daß Bismarck der Kreuzzeitung nahestand, und fragte ihn, weshalb er es dulde, daß dieses Blatt von boshaften Verleumdungen und Lügen strotze, sogar anständige Frauen nicht schone? Bismarck antwortete mir, das sei auch ihm zuwider, aber man sage ihm, daß es in einem solchen Kampf nicht anders ginge. Meine Hinweisung darauf, daß solche Waffen denjenigen besudeln, der sie führe, blieb ohne Wirkung. Ich hätte schon damals aus dem Vorgange schließen können, was sich später evident herausstellte: daß Bismarck in der Wahl der Mittel zu einem bestimmten Zweck nicht sehr ängstlich sei.

Erinnerungen aus dem Leben von H. Viktor v. Unruh.
Herausgegeben von H. v. Poschinger, 1895, S. 125 ff.

Unter den Demokraten. – Gespräche mit demokratischen Abgeordneten der zweiten Kammer.

Frühjahr 1849

Nach den Erinnerungen des früheren Abgeordneten und preußischen Oberlandesgerichtsdirektors *Temme*, der 1852 wegen der Verfolgungen durch die Reaktion in die Schweiz auswanderte.

Ich kam in der Kammer von 1849 durch den Zufall des Loses mit Bismarck in die nämliche Abteilung.

Ein großer Teil des hohen Adels aus der Kammer war darin vertreten; dann kam eine kleine Anzahl des niederen, ärmeren preußischen Adels; dann kamen ehrbare bürgerliche Philister; zuletzt waren, wie verloren zwischen diesen verschiedenen Elementen, unsere fünf* Demokraten der entschiedensten Richtung durch das Los hineingeworfen, Georg Jung, d'Ester, Schulz-Wanzleben, ich. Man saß an einem langen Sitzungstische. Der hohe Adel hatte in geschlossenen Reihen das eine Ende des Tisches eingenommen; wir fünf Demokraten saßen an dem entgegengesetzten Ende beisammen. In der Mitte befanden sich die anderen Mitglieder der Abteilung.

* Tatsächlich zählt aber Temme nur *vier* auf.

Bismarck saß mitten zwischen dem hohen Adel. Eines Tages, mitten in einer Sitzung, erhob sich plötzlich der Herr von Bismarck, schob seinen Stuhl mit Geräusch zurück, nahm seine Mappe und seine Papiere, schritt mit Aplomb an der ganzen Länge des Tisches vorüber zu dessen anderem Ende, nahm einen leeren Stuhl und saß auf einmal mitten zwischen den fünf Demokraten. »Die sind mir doch gar zu dumm!«, führte er sich bei uns ein, auf das Ende des Tisches zeigend, das er verlassen hatte. Er mochte nicht Unrecht darin haben. Er blieb an unserem Ende. Er war sehr liebenswürdig in seiner Weise; wir blieben ihm nichts schuldig.

Wir blieben gute Nachbarn zusammen, obwohl wir politisch oft derbe aneinander kamen. Es war wohl ein eigentümliches Schauspiel, wie aus unserem kleinen Häuflein an dem demokratischen Tischende die kräftigen Angriffe auf Reaktion, Aristokratie und Junkertum fielen, und dann auf einmal aus der Mitte desselben Häufleins in der junkerlichsten Weise die Demokratie mitgenommen wurde. Der offizielle Streit wurde gewöhnlich im gemütlichen Privatgespräch fortgesetzt. So erinnere ich mich, daß einmal, ich glaube, es war bei der Debatte über die Aufhebung des Belagerungszustandes in Berlin, der Herr von Bismarck zu seinem Nachbarn d'Ester sagte: »Wenn ich zu befehlen hätte, ich ließe Sie sofort erschießen.« Worauf der stets redefertige d'Ester ihm erwiderte: »Hm, Herr von Bismarck, wenn wir einmal das Regiment haben, Sie ließe ich hängen.«

Dem kleinen d'Ester war das, trotz der Freundlichkeit und Liebenswürdigkeit, mit der er es sagte, in dem Augenblicke vielleicht voller Ernst.

J. D. H. Temme, Erinnerungen. Herausgegeben von Stephan Born. 1883, S. 491 ff.

Nicht rechts genug. – Bismarck bei dem Appellationsgerichtspräsidenten und Abgeordneten Ludwig von Gerlach. 15. April 1849

Tagebuchaufzeichnung Ludwig von Gerlachs, »T. B.« 15. April, Berlin.

»Bismarck kam zu mir, er sprach vom Zerfallen der Parteien in der zweiten Kammer; er stehe mit Hans Kleist allein da. Ich sagte: es fehlen uns ausgeprägte Ideen, geeignet, in das Volk geworfen zu werden, wie die Radikalen sie haben; bloße Negationen, z. B. die Steuerverweigerung, genügen nicht; wir müßten unser Gottesbewußtsein politisch ausprägen, wie es z. B. in dem Enthusiasmus für die Treue der Armee schon geschehen sei. Bismarck erzählte, wie er Mißtrauens-Adressen aus seinem Wahlkreise erhalten habe, daß er nicht rechts genug sei und wie er nun in Brandenburg einen ganzen Abend 600 seiner Wähler harangiert und sie namentlich über die deutsche Frage aufgeklärt habe, über welche sie sehr konfus gewesen.«

Ernst Ludwig von Gerlach. Aufzeichnungen aus seinem Leben und Wirken (1795 bis 1877). Herausgegeben von Jakob von Gerlach. II. Band, 1903, S. 49

Dies war der Anfang. – Gespräch mit dem Abgeordneten Lothar Bucher in Berlin. 27. April 1849

Am Tage der Auflösung der zweiten Kammer fand die erste persönliche Begegnung des konservativen Abgeordneten von Bismarck mit dem demokratischen Abgeordneten Lothar Bucher statt, der später sein treuer Mitarbeiter wurde. Die folgende Darstellung dürfte auf unmittelbare Mitteilungen Buchers an Poschinger zurückgehen, der sie in seinem Lebensbild Buchers verwertet.

Die denkwürdige Szene verlief am Buffet des Abgeordnetenhauses, unmittelbar nach Verlesung der Königlichen Botschaft. Bismarck richtete an den neben ihm stehenden Abgeordneten Bucher die Frage: »Was werden Sie nun tun?« »Ich werde wohl über das große Wasser gehen.« »Sie meinen, daß Verfolgungen eintreten werden?«, versetzte Bismarck. »Ja«, antwortete Bucher. »Das glaube ich nicht!«, schloß Bismarck die kurze und doch charakteristische Besprechung.*

H. v. Poschinger. Ein Achtundvierziger. Lothar Buchers Leben und Werke. Band I, 1890, S. 112 ff.

* Vgl. zum Verhältnis von Bismarck und Bucher Band III dieser Ausgabe, S. 278 und Vorwort S. 6 des III. Bandes.

Die Gattin des Abgeordneten. – Winter 1849/50 in Berlin.

Bismarck war als Abgeordneter der zweiten Kammer in Berlin tätig. Robert von Keudell berichtet über Gespräche dieser Zeit im Hause Bismarck, wie er sie namentlich im Familienkreis erlebte.

Frau von Bismarck kam im Oktober nach Berlin und gestattete, daß ich ihr wöchentlich eine Klavierstunde gab. Ihre Studien wurden jedoch durch ein glückliches Familienereignis unterbrochen. Im Dezember 1849 erblickte ein Erbe das Licht der Welt, der jetzige Fürst Herbert. Frau von Puttkamer war von Reinfeld zur Wochenpflege nach Berlin gekommen und blieb dann bis zum Frühjahr dort.

Eines Abends sprach sie im Familienkreise davon, daß man ihr erzählt habe, ihr Schwiegersohn tanze in jeder Gesellschaft alle Tänze »wie ein Fähnrich«. »Das ist meiner Gesundheit sehr zuträglich«, sagte Bismarck, »da es mir jetzt bei Tage an Bewegung fehlt«. Frau von Puttkamer erwähnte scherzhaft, sie werde oft gefragt, ob er nicht ihre Tochter in die Gesellschaft einführen wolle. »Ich glaube«, erwiderte er, »daß Johanna viel lieber abends zu Hause bei den Kindern bleibt. Im Gedränge unbekannter Leute würde sie sich nicht wohl fühlen. Um aber bekannt zu werden und sich nicht zu langweilen, müßte sie alles mitmachen und fast jeden Abend ausgehen. Dazu würden ungefähr 15 verschiedene Ballkleider gehören, wenn es nicht mitunter heißen soll: ›Ach, die trägt heute wieder ihr Blaues.‹ Die Sache wäre also ziemlich umständlich.« »Fällt mir gar nicht ein«, sagte Frau von Bismarck, »die Leute sind bloß neugierig, einmal die Frau des berühmten Mannes zu sehen. Aber wer mich kennenlernen will, kann ja zu mir kommen.«

R. v. Keudell, Fürst und Fürstin Bismarck. 1901, S. 34 ff.

Äusserungen Bismarcks zu Robert von Keudell. 1849

Im Anschluß an Bismarcks Reden gegen die Paulskirche und deren Versuch einer Einigung Deutschlands berichtet Keudell die folgenden kurzen Äußerungen Bismarcks.

1849 sagte er gelegentlich: »Was scheren mich die Kleinstaaten; mein ganzes Streben geht nur auf Sicherung und Erhöhung der preußischen Macht«; 1866 und 1867 aber hörte ich von demselben Manne mehrmals die Worte: »Mein höchster Ehrgeiz ist, die Deutschen zu einer Nation zu machen.«

R. v. Keudell, Fürst und Fürstin Bismarck. 1901, S. 33.

Vor der Abreise nach Frankfurt. – Gespräch mit dem Professor und Abgeordneten Dr. Georg Beseler.

9. Mai 1851

Am 8. Mai war Bismarcks Ernennung zum Rat in der Bundestagsgesandtschaft erfolgt. Am 9. wurde die Kammersitzung geschlossen. Am 10. Mai begab sich Bismarck in Begleitung des Generals von Rochow von Berlin nach Frankfurt a. Main. – Das Folgende nach den Erinnerungen Beselers, der ein Vertreter des maßvollen Liberalismus war.

Die Größe dieses Mannes haben wir damals nicht erkannt, wenn auch seine hohe Begabung, seine streitbare Art, sein sanglanter Witz sich bemerkbar genug machten. Allerdings forderte es mich zum Nachdenken auf, als er, im Begriff zur Bundestagsgesandtschaft nach Frankfurt abzureisen, mich noch begrüßte und mir sagte, der Deputierte von Mansfeld werde sehen, daß sie beide in der deutschen Frage sich nicht so fernständen, wie es wohl den Anschein habe.

G. Beseler, Erlebtes und Erstrebtes. 1884, S. 96.

Die Jahre der Frankfurter Bundestagsgesandtschaft

Im Sommer 1847 heiratete Bismarck Johanna von Puttkammer, die er durch Marie von Thadden im Kreise ihrer pietistischen Freunde kennengelernt hatte. Zu diesem gehörte auch Moritz von Blankenburg, Mariens Verlobter und späterer Gatte. Er war ein Jugendfreund Bismarcks. Beide hatten auf Bismarcks innere Entwicklung einen entscheidenden Einfluß genommen und das ihre getan, Bismarcks Werbung zu einem günstigen Ergebnis zu verhelfen; denn im strenggläubigen Hause Thadden war man über diese Werbung mehr entsetzt als erfreut.

Wenige Monate vor seiner Verheiratung war Bismarck von der märkischen Ritterschaft zum Mitglied des sogenannten »Vereinigten Landtages« gewählt worden. Es ist jenes Parlament, durch das König Friedrich Wilhelm IV. das Verfassungsversprechen seines Vorgängers zu verwirklichen hoffte. Mit dieser Wahl begann die politische Laufbahn des künftigen Staatsmannes. Die sich zwischen 1847 und 1848 rasch entwickelnden revolutionären Verhältnisse zogen Bismarck bald in den Strudel der Berliner Ereignisse. In diese versuchte er nicht nur als Abgeordneter im Landtag rhetorisch einzugreifen. Er wollte als treuer Parteigänger der Krone auch aktiv zum Handeln gelangen. Er bemühte sich, den König zu einem energischen Gegenschlag gegen Volksbewegung wie Liberalismus zu bewegen, doch vergebens.

Bismarck war nun ganz zum Politiker geworden. 1849 verpachtete er Schönhausen, das er nach dem Tode seines Vaters 1845 übernommen hatte und verlegte seinen Wohnsitz nach Berlin. Als der Sturm vorüber und die Revolution niedergeschlagen war, jedoch ein liberales Ministerium gebildet wurde, schloß er sich an die ihm und dem Hof nahestehenden Brüder von Gerlach an, die mit ihrem Kreis der sogenannten »Kamarilla« auf den schwankenden, schwer berechenbaren König einen geheimen Einfluß zu nehmen suchten. Eine Todfeindin jedoch hatte sich Bismarck durch seine Haltung während der Revolutionstage gemacht: es war die Gattin des damaligen Thronnachfolgers, Augusta, die auf eine Abdankung des Königs und ihres Gatten zu Gunsten ihres Sohnes Friedrich (des späteren Kaisers Friedrich) hingearbeitet hatte. Ihr war Bismarck entgegengetreten und sollte nun in seiner ganzen späteren Laufbahn die Abneigung, ja den Haß Augustas zu spüren bekommen. Trotz aller Bedenken von Hof, König und Öffentlichkeit gelang es aber dem Generaladjutanten des Königs, Leopold von Gerlach, Bismarck für jene entscheidende Position vorzuschlagen, die die Wende von Bismarcks Leben bedeutete: die Übernahme der Gesandtschaft beim Deutschen Bund. Dieser Berufung vorangegangen war Bismarcks Votum gegen die Annahme der Kaiserwahl durch das Frankfurter Parlament 1849. Damals fielen Bismarcks

Worte: »Preußen soll Preußen bleiben, um später einmal Deutschland seine Gesetze zu geben.« Es ist aber sehr fraglich, ob man hier schon von einer Konzeption der Politik der deutschen Einigung sprechen darf. Wenigstens hat Bismarck auch die deutsche Unionspolitik der preußischen Regierung damals heftig bekämpft, sogar dann noch, als er dem Erfurter Unionsparlament als preußischer Abgeordneter angehörte. Durch seinen Appell an die politische ratio und »den schlichten preußischen Verstand« so wie an eine friederizianische Machtpolitik verletzte und enttäuschte er viele deutschpatriotisch denkende Männer in- und außerhalb Preußens.

Als sich im Verlauf der Ereignisse Österreich 1850, gestützt auf Rußland, gegen die preußische Unionspolitik wandte und schließlich Preußen zu deren Verzicht und zum Vertrag von Olmütz zwang, hielt Bismarck immer noch diese Entwicklung für richtig und verteidigte den Vertrag, obwohl dieser auf eine schwere Niederlage Preußens und einen erheblichen Prestigeverlust für dessen Ansehen hinauslief. In seiner Verteidigungsrede vor dem Landtag findet sich der charakteristische Satz, der sein ferneres politisches Denken und damit auch sein weiteres Handeln und seine Zielsetzung bestimmen sollte: »Die einzige Grundlage eines großen Staates – und dadurch unterscheidet er sich wesentlich von einem kleinen Staate – ist der staatliche Egoismus und nicht die Romantik, und es ist einem großen Staate nicht würdig, für eine Sache zu streiten, die nicht seinem eigenen Interesse angehört.« Diese Verteidigungsrede für Olmütz im Dezember 1850 stellt den Höhepunkt, gleichzeitig aber auch den vorläufigen Abschluß seiner parlamentarischen Tätigkeit dar. Im Mai des folgenden Jahres ging er als preußischer Gesandter für acht Jahre an den Bundestag nach Frankfurt.

Während der Tagung der Frankfurter Nationalversammlung in der Paulskirche war die Tätigkeit des Deutschen Bundestages suspendiert worden, wenn auch die Bundesakte als solche in Kraft blieb. Bei der Wiederaufnahme der Mitarbeit am Bund durch Preußen hatte sich aber am Zustand vor 1848 durch das Ereignis Olmütz ein prinzipieller Wandel vollzogen. Beruhte das Funktionieren der Bundesinstitution bei aller Schwerfälligkeit praktisch auf der Parität der beiden Großmächte Österreich und Preußen, die durch die Vorabsprache ihrer Beschlüsse streng geachtet wurde, so hatte Preußen nunmehr in den Augen Österreichs seinen Großmachtsanspruch verloren. An Stelle der Parität bildete sich eine Dualität, die schließlich in eine offene Gegnerschaft umschlagen mußte.

Durch lange Strecken seiner Frankfurter Tätigkeit gingen Bismarcks Bemühungen dahin, den alten Zustand vor 1848 wieder herzustellen. Als er diesen Weg verschlossen sah, lehrten ihn seine Frankfurter Erfahrungen, die deutsche Frage in einer anderen und weiteren, d. h. in einer europäischen Sicht zu sehen. Das hieß soviel wie: eine andere Lösung der deutschen Frage war anzubahnen und vorzubereiten.

K. F. R.

In neuer Umgebung. – Gespräch mit dem Legationsrat Justus von Gruner in Frankfurt a. M.

Mai 1851

Bismarck kam mit dem Titel eines Geheimen Legationsrates zunächst als Begleiter des Generals von Rochow nach Frankfurt. Rochow, Gesandter in Petersburg, vollzog auf Wunsch des Königs die Wiedereinführung Preußens in den Bundesrat. Indessen hatte Bismarck die Zusage erhalten, daß er alsbald nach Rochows Rückkehr an die Newa die alleinige Vertretung Preußens am Bundestag übernehmen solle. – Justus von Gruner, von dem der folgende Bericht stammt, war damals vortragender Rat im Ministerium des Auswätrigen und wurde zur Geschäftsleitung der preußischen Bundestagsgesandtschaft beigegegeben, wo er etwa drei Monate verblieb.

General von Rochow war ein Bruder des gleichnamigen, während der ersten Regierungszeit Friedrich Wilhelms IV. sehr einflußreichen Ministers des Innern. Dieser Persönlichkeit zur Seite stand nominell als Gesandtschaftsrat Herr von Bismarck-Schönhausen, damals in der schönsten Blüte des männlichen Alters, sechsunddreißig Jahre alt.

Am 15. Mai trat Preußen in den restaurierten Bundestag ein. Ich muß hier aber noch eines Vorganges Erwähnung tun, welcher unmittelbar vor diesem formellen Wiedereintritt stattfand. Herr von Rochow kam von seiner ersten Unterredung mit dem österreichischen Bundestagsgesandten, dem Grafen Thun, sehr befriedigt zurück und teilte Herrn von Bismarck und mir mit, daß er mit dem Grafen Thun verabredet habe, uns beide in der Mittagsstunde dem österreichischen Bundestagsgesandten vorzustellen. Als die verabredete Stunde gekommen war, begaben wir uns in das in der Eschenheimerstraße gelegene Bundespalais. Als wir dort durch eine lange Reihe von Gemächern in das Arbeits- und Empfangszimmer des Grafen Thun geführt wurden, fanden wir jene Gemächer von einer Menge österreichischer Offiziere und Zivilbeamten angefüllt, und wir, oder wenigstens Herr von Bismarck und ich, hatten das Gefühl, als sollte diese Wanderung das Kaudinische Joch bedeuten und uns zum Bewußtsein bringen, daß wir die Besiegten von Olmütz wären. Graf Thun empfing uns mit äußerster Liebenswürdigkeit und richtete an mich eine Menge geschäftlicher Fragen, während er Herrn von Bismarck weniger ins Gespräch zog. Als wir uns wieder entfernt hatten, wandte sich Bismarck an mich mit vor Aufregung bebender Stimme: »Haben Sie gesehen«, fragte er mich, »wie Thun mich behandelt hat? wie er mich hat links liegen lassen?«

Ich muß hier noch eine andere höchst charakteristische Anekdote anführen. Mit Bismarck hatte ich einen Spaziergang auf der Promenade gemacht, und wir kehrten nach unserm Hotel, dem Englischen Hofe, zurück. Als wir am Bundespalais in der Eschenheimerstraße vorüber kamen, fiel Bismarcks Blick auf die schwarz-rot-goldene Fahne, welche auf dem Dache des Bundespalais flatterte. Er hatte mich untergefaßt, und als er diese damals sehr verrufenen Farben erblickte, drückte er mit äußerster Heftigkeit meinen Arm an sich und rief: »Sehen Sie, die Schurken, jetzt haben sie die schwarz-rot-goldene Fahne aufgepflanzt, wenn es ihnen paßt, werden sie die rote aufpflanzen!« Oft habe ich im Jahre 1866 dieser Äußerung gedenken müssen, wo Bismarck mit einem Male im Namen Preußens als Grundlage der beantragten Bundesreform das Programm des äußersten Radikalismus, das heißt die Berufung eines deutschen Parlaments, hervorgegangen aus allgemeinen direkten und geheimen Wahlen am Bundestage, beantragte. Damals war er es, der auf diese Weise im Gegensatze zu Österreich die rote Fahne aufsteckte.

J. von Gruner. Rückblick auf mein Leben. Deutsche Revue, Band 26, 1901, S. 42 ff.

Schnurren. – Gespräch mit dem Prinzen Kraft von Hohenlohe-Ingelfingen in Berlin.

Frühjahr 1851

Aus den Lebenserinnerungen des Prinzen, die sich nicht durch Bestimmtheit der näheren Angaben auszeichnen. Hohenlohe, damals noch Sekondeleutnant, besuchte 1851–1853 die allgemeine Kriegsschule und kam durch seinen Vater auch mit Abgeordnetenkreisen in Berührung. In dieser Zeit muß er, nach dem Zusammenhang seiner Darstellung, auch mit Bismarck zusammengewesen sein. Eine nähere Bestimmung ist nicht möglich. Die oben angegebene Datierung ist daher mit Vorbehalt aufzunehmen, zumal Bismarck auch im Jahre 1852 an Kammersitzungen teilnahm.

Nicht selten kam ich mit Bismarck zusammen ... Als es sich einmal um die Ernennung eines neuen Ministeriums gehandelt hatte, sagte Bismarck, nichts sei leichter zu finden als tüchtige neue Minister, der König brauche nur die acht jüngsten Premierleutnants des ersten Garde-Regiments zu Ministern zu ernennen. Das wären die geeignetsten.

Einst aßen wir in einer Restauration. Es waren außer mir nur Parlamentsmitglieder mit meinem Vater zusammen. In einem anstoßenden Saal aß eine Gesellschaft der äußersten Linken. Als Bismarck dies erfuhr, stand er auf und ging mitten während des Essens dorthin. Nach einer Viertelstunde kam er zurück und lachte herzlich. Auf die Frage, was er dort gemacht, sagte er: »Ich habe diesen Kerls den Appetit verdorben. Die sollen doch hier in unserer Nähe nicht ruhig essen! Dem Einen habe ich die Backen gestreichelt, dem Anderen die Hand gedrückt, Jedem habe ich eine Zärtlichkeit gesagt. Es war eine Freude, zu sehen, wie Jedem die Galle aus den Augen heraussah.«

Prinz Kraft zu Hohenlohe-Ingelfingen, Aus meinem Leben.
Band I, 1897, S. 201 (gekürzt).

Schlüssige Beobachtung. – Zusammentreffen mit dem Assessor Robert von Keudell in Potsdam.

Mai 1852

v. Keudell, der dies Gespräch überliefert, war damals Assessor bei der Regierung in Potsdam.

Im Mai 1852 kam Kaiser Nikolaus nach Potsdam. Die Offiziere seines Brandenburgischen Kürassier-Regiments, zu dem ich damals auf vier Wochen kommandiert war, wurden eines Abends in Sanssouci vorgestellt. Auch Bismarck kam dorthin, aber etwas später als das Offizierkorps, und stand zufällig kurze Zeit hinter mir, ohne mich zu erkennen. Beim Vortreten sagte er: »Der starke Haarwuchs Ihres Hinterkopfs hat mich einige Minuten lang beschäftigt. Ich sagte mir, da ist nichts vom Garde-Pli zu erkennen. Das ist ein Mann, den der Kommißdienst langweilt. Er widmet sich ernsten Studien und wird wohl einmal im Generalstabe endigen. Nun ich Sie erkenne, muß ich wohl sagen: in einem Ministerium.«

R. von Keudell, Fürst und Fürstin Bismarck. 1901, S. 38 ff.

Gespräche mit Robert von Keudell in Frankfurt a. M.
3. und 4. November 1853

Anläßlich eines Besuches Keudells, der darüber das Folgende berichtet.

Am 2. November kam ich nach Frankfurt. In einem Hause der Gallusstraße, mit einem kleinen Garten dahinter, wohnte die Familie Bismarck in behaglichen Räumen. Ein Zimmer mit Gartenaussicht wurde mir angewiesen. Frau von Bismarck und Frau von Puttkamer, ihre Mutter, empfingen mich mit anmutiger Herzlichkeit. Der Hausherr kam am folgenden Morgen von Berlin zurück.

Er schien von der Fahrt gar nicht ermüdet. Beim Frühstück sprach er von der Möglichkeit eines Konflikts der Westmächte mit Rußland, wegen türkischer Fragen, »die uns gar nichts angingen«, und sagte, daß es unverantwortlich sein würde, aus Liebedienerei gegen die Westmächte unsere Beziehungen zu Rußland zu verschlechtern. »Die Leute, die das befürworten, sind Phantasten, die nichts von Politik verstehen.« Damit stand er auf, um in einer Sitzung des Bundestages, der ersten nach den Ferien, nicht zu fehlen.

Abends war eine Gesellschaft im Hause des damals mit der Oberleitung der Thurn- und Taxisschen Postverwaltung betrauten Freiherrn von Dörnberg. Bundestag und Frankfurter Patriziat füllten die behaglichen Räume. Baron Prokesch-Osten, der österreichische Gesandte, beehrte mich mit einem würdevollen Vortrag über Paris und das südliche Frankreich, meine nächsten Reiseziele. Das Fest war kurz; man kam gegen halb zehn und ging gegen elf Uhr. Bei jeder Wagenfahrt beanspruchte Bismarck den Rücksitz für sich; ich mußte neben seiner Gemahlin Platz nehmen.

Zu Hause angelangt, blieb man noch bei einem Glase Punsch zusammen. Er sagte: »Ich bin von Damen öfters nach Ihnen gefragt worden und pflegte dann zu antworten: das ist ein schmählich reicher Litauer, der nach Paris geht, um sein Geld totzuschlagen.«

Am folgenden Morgen mußte ich vieles vorspielen, während Bismarck rauchend auf und ab ging. Beim Gabelfrühstück sprach er über die kaum erträglichen Verhältnisse am Bundestage; von Österreich geführt, versuchten die Mittelstaaten oft mit Erfolg, uns zu majorisieren. Es drängte mich, folgendes zu sagen: »Vor vier Jahren haben Ihre Kammerreden mir klargemacht, daß die damals beabsichtigte Unionsverfassung für uns nicht paßte. Dennoch glaube ich, daß der Grundgedanke der Union unter anderen Formen in Norddeutschland einmal verwirklicht werden wird. Der Selbsterhaltungstrieb kann uns dahin drängen. Freilich wissen wir seit 1850, daß das ohne einen Krieg im Süden nicht abgeht. Diesen Kampf können wir vielleicht nur aufnehmen zu einer Zeit, in der Österreich noch anderswo beschäftigt ist; auch müßten wir darauf rechnen dürfen, nicht von Osten oder Westen her gestört zu werden. Dazu gehört viel Glück. Aber unser Staat ist noch jung; und warum soll ein junger Mensch nicht nach vielem Kummer auch einmal Glück haben? – Ich wenigstens hoffe das noch zu erleben. Der Anschluß Süddeutschlands mag vielleicht ein Menschenalter später kommen.«

Bismarck trank mir lebhaft zu und sagte: »Gewiß denke auch ich so etwas zu erleben. Solange Metternichs Grundsatz Geltung hatte, daß die beiden Großmächte am Bunde immer einig auftreten müßten, da mochte die Sache gehen. Aber das jetzige System der Vergewaltigung Preußens am Bunde ist für uns auf die Dauer nicht erträglich. Wie viele Jahre vergehen mögen, bis einmal die Waffen entscheiden, und unter welchen Umständen die Auseinandersetzung erfolgt, das kann heute niemand wissen; dahin kommen aber muß es, wenn man in Wien fortfährt, keine Vernunft anzunehmen.«

Er schlug vor, bei dem schönen Wetter hinauszureiten. Frau von Bismarck bestieg eine elegante Rappstute. Es ging in den noch mit rötlichem und gelbem Laube geschmückten Stadtwald. Auf guten Reitwegen wurde flott galoppiert.

Kurz vor dem Diner saß ich am Klavier, als Bismarck leise ins Zimmer kam und hinter meinen Stuhl trat. In einem Spiegel sah ich, daß er seine ausgestreckten Hände über meinen Kopf hielt, nur einige Sekunden lang. Dann setzte er sich an ein Fenster und blickte in die Abenddämmerung hinaus, während ich weiterspielte.

Robert von Keudell, Fürst und Fürstin Bismarck. 1901, S. 41 ff.

Äusserungen zu Robert von Keudell über Musik.

1853–1871

Obwohl von Keudell unter dieser Bezeichnung und Zeitangabe keine einzelnen oder zusammenhängenden »Gespräche« wiedergibt, würde die Auslassung dieser Aussprüche, die sich als

Zusammenstellung über eine ganze Reihe von Jahren hin erstrecken, doch eine empfindliche Lücke darstellen, zumal die Ausdrucksweise Bismarcks hier von besonderer bildlicher Kraft ist.

Bismarck hatte ein feines Gefühl für ernste Musik und oft große Freude daran. In seinem Zuhören erlebte ich drei Abstufungen. Als Abgeordneter und in Frankfurt hörte er, gewöhnlich rauchend, mit ungeteilter Aufmerksamkeit; so auch an vielen Winterabenden in Versailles (1870/71) nach dem Diner. In Petersburg pflegte er beim Zuhören zu lesen. Als Minister und Bundeskanzler las er ebenfalls beim Hören, wenn er im Musikzimmer war, öffnete mitunter die Türe seines, nur durch ein offenes Kabinett davon getrennten Arbeitszimmers, um sich beim Schreiben durch Töne anregen zu lassen. Als Reichskanzler aber lehnte er ab, Musik zu hören, weil die Melodien ihn nachts verfolgten und zu schlafen hinderten.

In den ersten Jahren seiner Ehe hat Frau von Bismarck ihm viel vorgespielt. Ein Lieblingsstück, welches er sie noch in Frankfurt (1853) in meiner Gegenwart zweimal zu spielen bat, war ein kurzer feuriger Satz von Ludwig Berger (Opus 12, Nr. 3). »Diese Musik«, sagte er, »gibt mir das Bild eines Cromwellschen Reiters, der mit verhängten Zügeln in die Schlacht sprengt und denkt: jetzt muß gestorben sein.«

In den letzten Frankfurter Jahren, wie in Petersburg, haben die heranwachsenden Kinder Frau von Bismarck so viel zu tun gegeben, daß mitunter längere Zeit ohne Berührung des Klaviers verging. In leichter Erwerbung neuer Stücke fehlte ihr eine bequem gehorchende Technik. Dennoch hat sie später in Berlin manches Neue, auch aus Liederheften und Opern, sich angeeignet. Volksmelodien und schöne Walzer haben ihr jederzeit zur Verfügung gestanden. In Frankfurt äußerte Bismarck mehrmals, daß er nie in ein Konzert gehen möge. Das bezahlte Billett und der eingezwängte Platz verleideten ihm den möglichen Genuß. Schon der Gedanke, für Musik Geld zu zahlen, sei ihm zuwider. Musik müsse frei geschenkt werden wie Liebe. Diese Worte hörte ich von ihm in verschiedenen Jahren (1853, 1855, 1857). In Petersburg sagte er gelegentlich (1860), gute Musik rege ihn oft nach einer von zwei entgegengesetzten Richtungen an: zu Vorgefühlen des Krieges oder der Idylle.

Vierhändig spielen zu hören, liebte er nicht. »Die sichtliche Gebundenheit der Spieler an das Notenheft«, sagte er, »schließt eine freiere Bewegung aus. Nur wenn der Spieler ohne Vermittlung eines Blattes Papier zu seinem Instrument spricht, beginnt für mich der Genuß.« ... Er war sehr zufrieden, neben neuen Sachen auch bekannte Stücke, namentlich Beethovensche Sonaten, wieder zu hören, die er, wie schon einmal erwähnt, als Student durch Graf Alexander Keyserling kennengelernt hatte.

Über eine Fuge von *Bach* in E (Wohltemperiertes Klavier, Band II, Nr. 9) sagte er (1853): »Der Mann hat von Anfang mancherlei Zweifel, ringt sich aber allmählich durch zu einem festen, frohen Bekenntnis.« Über andere Stücke von Bach hat er nie etwas gesagt. Überhaupt pflegte er nach dem Schluß der Musikstücke zu schweigen, wie um die Töne innerlich nachklingen zu lassen; nur ganz ausnahmsweise fiel mitunter eine Bemerkung.

Von *Mozarts* Instrumentalstücken, deren ich übrigens nur wenige spielte, hat ihm keines einen besonderen Eindruck gemacht, auch nicht das Konzert in d-Moll, dessen, etwas gekürzten, ersten Satz Frau von Bismarck nicht oft genug hören konnte. Er sagte danach nur: »Beethchen (Beethoven) ist mir lieber« (1862). Mehrmals hat er im Laufe der Jahre geäußert: »*Beethoven* sagt meinen Nerven am besten zu.« Über den ersten Teil der Sonate in Es (27, Nr. 1) sagte er (1853): »Das ist, als wenn man gegen Abend in etwas angeheitertem Zustande langsam durch die Straßen schlendert. Man sieht sehr vergnügt ins Abendrot und denkt: Ob's wohl morgen wieder so hübsch wird wie heute?« Über das erste Stück der großen Sonate in f-Moll (57) sagte er (1864): »Wenn ich diese Musik oft hörte, würde ich immer sehr tapfer sein.« ... Der erste Satz der f-Moll-Sonate gehörte also zu den ihn kriegerisch anregenden Stücken. Über den letzten Satz derselben sagte er (1868), wie ich schon einmal erwähnte: »Das ist wie das Ringen und Schluchzen eines ganzen Menschenlebens.« Als ich dieselbe Sonate in Versailles auf einem schlechten Klavier zum erstenmal spielte (30. Oktober 1870), sagte er: »Warum das nicht öfter?« In bezug auf die vielen andern, von ihm leidenschaftlich geliebten Sonaten hat er in meiner Gegenwart nie ein Wort gesagt. 1853 spielte ich zum erstenmal das Andante des Konzerts in G (58). Frau von Bismarck fragte: »Klingt das nicht wie das Gemüt unsres Freundes Hippolyt?« Er antwortete: »Ja, aber wie Hippolyt aus dem Irdischen ins Himmlische übersetzt.« Später (1867) sagte er nach dem ersten Satz desselben Konzertes: »Wirklich sehr hübsch.« Beethovens 32 Variationen fand er nur technisch bewunderungswürdig (1865), aber nicht zum Herzen gehend, während Frau von Bismarck sie sehr liebte. Variationen waren ihm überhaupt unerfreulich. Sogar nach dem Andante des Schubertschen d-Moll-Quartetts, das er leidenschaftlich liebte, sagte er einmal, das Thema ohne die Variationen ginge ihm eigentlich doch tiefer als das ganze ausgeführte Stück (1869).

Nächst, ja neben Beethoven, liebte er *Schubert*. Von dessen oben genanntem Quartett, das ich für Klavier bearbeitet hatte und oft spielen mußte, sagte er mehrmals: »Das ist mir wie Beethoven.« Auch das Menuett des a-Moll-Quartetts liebte er sehr und vom Andante die erste Melodie. Dazu bemerkte er einmal (1869): »Die Stelle nach der Fermate im zweiten Teil der Melodie klingt etwas künstlich und daher nicht ganz so hübsch wie das übrige.« Dieses kleine Stück aber, von nur 16 Takten, berührte ihn wie ein idyllisches Bildchen. Das Trio in Es konnte ich 1857 mit Begleitung vorspielen, während er rauchend auf und ab ging. Er fand es außergewöhnlich hübsch, am meisten das »allerliebste und witzige Scherzo«. Die melodiöse Sonate (in B) war ihm an mehreren Abenden in Versailles angenehm und nervenberuhigend, doch bemerkte er, der letzte Satz stände nicht auf der Höhe der drei anderen.

Mendelssohn hörte er immer gern, wenn auch nicht so gern wie Beethoven und Schubert. Nach dem Präludium in e-Moll (36, Nr. 1) sagte er einmal (1867): »Dem Manne geht es aber wirklich sehr schlecht.« Beim Hören des Capriccio in E (33, Nr. 2) sagte er (1855): »Stellenweise klingt das wie eine vergnügte Rheinfahrt; an anderen Stellen aber glaube ich einen im Walde vorsichtig trabenden Fuchs zu sehen.«

Von *Schumann* spielte ich die populäre Hälfte der »Symphonischen Etüden« und mehrere andere Stücke; er hörte alle gern, ohne jedoch darüber mehr zu sagen als mitunter: »sehr hübsch.«

Von *Chopin* hörte er lieber die leidenschaftlich bewegten als die träumerischen Stücke. Nach dem Präludium in cis-Moll (ohne Opuszahl), welches viele unerwartete Modulationen bringt, sagte er (1855): »Das klingt ja oft so, als ob ich einem Raucher sagen wollte: Befehlen Sie vielleicht eine Zi ... trone muß man zum Lachs haben.« Über die im Baß donnernde Etüde in c-Moll (10, Nr. 12) sagte er 1853: »Wirklich magnifique.«

Brahmsche Klaviermusik spielte ich vor 1872 noch nicht; vermutlich hat er diesen Meister nicht kennengelernt.

Auch mit *Wagners* Musik war ich damals leider noch nicht vertraut*. In Berlin hat Bismarck als Minister das Opernhaus meines

* An dieser Stelle schiebt v. Keudell einen Dankesbrief Bismarcks (Versailles, 21. Februar 1871) an Richard Wagner ein.

Wissens nie besucht, Wagners spätere Schöpfungen daher vermutlich nicht kennengelernt.

Diese Erinnerungen darf ich mit der Bemerkung abschließen, daß, wenn der Reichskanzler musikempfänglich geblieben wäre, wie er es als Gesandter, Minister und Bundeskanzler war, ich 1872 nicht ins Ausland gegangen sein, sondern als eine wichtige Lebensaufgabe betrachtet haben würde, zur gemütlichen Erfrischung des großen Mannes dauernd beizutragen, wie es mir eine Reihe von Jahren vergönnt gewesen ist.

R. von Keudell, Fürst und Fürstin Bismarck.
1901, S. 61 ff. (gekürzt).

Göttingen–Frankfurt.
Gespräch mit dem Historiker Dr. John Lothrop Motley.

25. Juli 1855

Seit der Göttinger Universitätszeit hatte Bismarck seinen amerikanischen Jugendfreund Motley nicht mehr gesehen. Als dieser im Jahre 1855 in Europa weilte, besuchte er Bismarck auf dessen dringende Einladung hin in Frankfurt a. M. und war am 25. Juli mit einigen anderen Gästen, darunter Graf Rödern, Bruder des damaligen preußischen Gesandten in Dresden, zu Tisch geladen. In einem Briefe an seine Frau vom 26. schildert Motley das Wiedersehen mit seinem Universitätsfreund und berichtet dessen Erzählung von seiner Ernennung zum Bundestagsgesandten, freilich mehr in Form eines zusammenfassenden Berichts als einer unmittelbaren Wiedergabe der einzelnen Bismarckschen Gesprächswendung.

Die hauptsächlichste Veränderung an Bismarck ist seine größere Körperfülle, die ihm aber bei seinen sechs Fuß nur zum Vorteil gereicht. Seine Stimme und sein Wesen sind auffallend unverändert. Seine Frau gefällt mir sehr, sie ist freundlich, klug, vollkommen natürlich und behandelt mich wie einen alten Freund...

Im Sommer 1851 – so erzählte Bismarck – fragte der Minister Manteuffel eines Tages plötzlich, ob er den Posten eines Gesandten in Frankfurt annehmen würde, worauf er (obgleich der Vorschlag ihm so unerwartet kam, als wenn ich durch die nächste Post erführe, daß ich zum Gouverneur von Massachusetts gewählt worden sei) nach einem Augenblick der Überlegung einfach mit »Ja« antwortete. Der König ließ ihn am selben Tage zu sich rufen und fragte ihn, ob er die Stelle annehmen wolle, worauf er dieselbe kurze Antwort »Ja« gab. Seine Majestät drückte einiges Erstaunen darüber aus, daß er keine Fragen und Bedingungen stellte. Bismarck entgegnete: alles, was der König sich ihm vorzuschlagen getraue, das getraue er sich auch anzunehmen. Ich schreibe Dir diese Einzelheiten nur, damit Du eine Vorstellung von dem Manne erhältst. Strenge Redlichkeit des Charakters und unerschütterlicher Mut, hohes Ehrgefühl und sicherer religiöser Glaube, verbunden mit bemerkenswerten Talenten, vereinigen sich in ihm, wie man es selten an einem Hofmanne findet. Ich hege keinen Zweifel, daß er bestimmt ist, Premierminister zu werden, wenn nicht etwa seine hartnäckige Wahrhaftigkeit, die für Politiker mitunter zum Stein des Anstoßes wird, ihm im Wege steht ... Nun, er nahm die Stelle an und schrieb am nächsten Tage an seine Frau, welche sich gerade zu einem Sommeraufenthalt in einem kleinen Hause an der See einrichtete, er könne nicht kommen, da er bereits nach Frankfurt als Gesandter verordnet sei. Das Resultat, sagte er, war drei Tage Tränen. Er hatte bisher lediglich das Leben eines einfachen Gutsherrn mit bescheidenem Einkommen geführt, hatte niemals eine Stelle in der Regierung oder in der Diplomatie eingenommen und war kaum je bei Hofe gewesen. Er trat in sein Amt mit einer frommen Scheu vor den geheimnisvollen Nichtigkeiten der Diplomatie, fand aber bald, wie wenig an dem ganzen Galimathias war. Meine politischen Ansichten sind natürlich von den seinigen sehr verschieden, wenngleich nicht so entgegengesetzt, wie Du denken magst, aber ich kann mit ihm so frei sprechen wie mit Dir, und ich freue mich, daß ich Gelegenheit habe, eine entgegengesetzte Anschauung von einem Manne vertreten zu sehen, dessen Talente und Charakter ich schätze und der so gut in die Karten gesehen hat.

Briefwechsel von J. L. Motley. Aus dem Englischen übersetzt von A. Eltze. Band I, 1889, S. 173 ff.

Auf der Durchreise. – Keudell in Frankfurt. Oktober 1855

Erzählung v. Keudells.

Im Oktober besuchte ich die Pariser Weltausstellung und blieb auf der Rückreise drei Tage in Frankfurt. Am ersten Morgen erzählte Bismarck, wie er einem polizeilich verfolgten jungen Manne zur Flucht verholfen hatte:

»Ich erhielt vor kurzem von Berlin den Auftrag, die hiesige Polizei zu veranlassen, einen politisch kompromittierten Jüngling zu verhaften. Nun ist es wirklich nicht wohlgetan, einen fähigen jungen Menschen, der auf einen falschen Weg geraten ist, durch Verfolgung und Bestrafung als Umstürzler abzustempeln. Es ist sehr möglich, daß er von selbst zur Vernunft kommt, wie es manchen Achtundvierzigern ergangen ist. Ich erstieg also frühmorgens die drei Treppen zu der Wohnung des jungen Mannes und sagte ihm: ›Reisen Sie so schnell als möglich ins Ausland.‹ Er sah mich etwas verwundert an. Ich sagte: ›Sie scheinen mich nicht zu kennen; vielleicht fehlt es Ihnen auch an Reisegeld. Nehmen Sie hier einige Goldstücke und machen Sie, daß Sie schnell über die Grenze kommen, damit man nicht sagt, daß die Polizei wirksamer operiert als die Diplomatie.‹ Am folgenden Tage hat die Polizei ihn natürlich nicht mehr gefunden.«

... Bismarck erzählte gern von den Eindrücken der in Paris verlebten Augustwochen. Der Kaiser Napoleon galt damals in der öffentlichen Meinung Deutschlands als einer der klügsten Männer der Welt, dem wie durch Zauber alles zu gelingen schien, was er unternahm, und dessen geheimen oder offenbaren Einfluß man bei allen Vorkommnissen in Europa als selbstverständlich zu betrachten gewohnt war. Bismarck aber schilderte ihn anders, auf Grund mehrfacher Beobachtungen. Sein Verstand, meinte er, sei keineswegs so überlegen, wie es die Welt glaube, und sein Herz nicht so kalt. Manche gemütliche Saiten klängen bei ihm an und er sei im Grunde gutmütig. »Es könnte unter Umständen recht nützlich sein, mit ihm politische Geschäfte zu machen.«

R. von Keudell, Fürst und Fürstin Bismarck. 1901, S. 50 ff. (gekürzt).

Der Rhythmus der Jahre. – Gespräch mit dem Regierungsrat von Keudell.

Frankfurt, April 1857

Frau von Bismarck hatte in einem Brief vom 22. April Keudell aufs herzlichste eingeladen. Das Folgende nach v. Keudells Erinnerungen.

Am Morgen nach Empfang dieses Briefes war ich wieder in

Frankfurt. Am Frühstückstisch saßen wir trinkend und rauchend von zwölf bis drei Uhr.

Dann ging's zu Pferde in den Wald. Der Mittagstisch dauerte von fünf bis neun. Bismarck war unerschöpflich in Erzählungen über seine Erlebnisse in Frankreich*. Die Familie war inzwischen in das Musikzimmer eingetreten und erwartete uns da.

Am anderen Morgen spielte ich vieles; Bismarck ging dabei in einem hellgrünen geblümten Schlafrock rauchend auf und ab, die Damen saßen.

Dann erzählte er ausführlich von seinen Gesprächen mit Napoleon; von Bündnisanträgen des Kaisers, die er verschweigen müsse, weil sie sonst wahrscheinlich von Berlin aus nach Wien verraten werden würden; auch von den Mitteln, durch die er das offenbare Annäherungsbedürfnis des Kaisers für unsere Politik auszunutzen versuchen wollte. Er hielt für richtig, wenigstens den Schein, daß wir zu Frankreich in sehr freundschaftlichen und unter Umständen bis zu gemeinsamer Aktion zu entwickelnden Beziehungen ständen, hervorzurufen, um in Wien einen gewissen Druck ausüben zu können und die österreichische Politik von ihrer jetzigen verhängnisvollen Richtung abzulenken.

Im Laufe seiner Erzählungen erwähnte er einen Gedanken des Kaisers, von welchem in den veröffentlichten Briefen an Gerlach und Manteuffel keine Andeutung zu finden ist. Napoleon hatte gelegentlich geäußert, die Verhältnisse in Frankreich seien doch immer unsicher; es komme vor allem darauf an, Unzufriedenheit in der Armee zu verhüten. »Pour moi l'essentiel c'est toujours l'armée.« Er wünsche deshalb etwa alle drei Jahre une bonne guerre außerhalb der Grenzen Frankreichs.

Dieser Worte gedachte ich, als drei Jahre nach dem Pariser Frieden der italienische Krieg ausbrach und drei Jahre nach diesem das mexikanische Abenteuer unternommen wurde. Auch kam drei Jahre nach der Rückkehr Bazaines aus Mexiko der deutsche Krieg, welchen der Kaiser jedoch nur widerwillig, dem Drucke anderer Personen folgend, beschloß.

Nach einem Aufenthalt von nur dreißig Stunden mußte ich die Rückreise antreten.

R. v. Keudell, Fürst und Fürstin Bismarck. 1901, S. 54.

* Anfang April hatte sich Bismarck in amtlichem Auftrag nach Paris begeben, wo er glänzend vom Hof aufgenommen wurde.

Gesandtenzeit in Petersburg und Paris

Die Frankfurter Jahre umschlossen vier wichtige Ereignisse, welche die Politik Bismarcks langsam zur Entfaltung brachten und die Richtung seines zukünftigen Weges bestimmten. Das erste war der Krimkrieg (1854–1856). Dessen diplomatisches Vor- und Nachspiel rollte für die zweite Hälfte des Jahrhunderts die Balkanfrage auf. Damit verbunden war die Lockerung der alten bisher zwischen den beiden Kaisermächten Österreich und Rußland bestehenden ideologischen Bindungen. Bismarck plädierte mit großem Nachdruck bei seiner Regierung für preußische Neutralität in dieser Auseinandersetzung. Seine Maxime hieß: Stärkung der russischen, Schwächung der österreichischen Position. Als zweites Ereignis darf man die bewußte Konzeption einer antiösterreichischen Politik durch Bismarck ansehen wie sie sich hier in Frankfurt herausbildete. Sie war gegründet auf ein reines Realitätsdenken, womit der Bruch zwischen ihm und den Vertretern einer religiös und prinzipienhaft fundierten konservativen Politik verbunden sein mußte, vor allem mit einem Manne wie Leopold von Gerlach, der 1851 Bismarcks Berufung nach Frankfurt bei Friedrich Wilhelm IV. durchgesetzt hatte. Das dritte entscheidende Ereignis war die zunehmende geistige Umnachtung des Königs, die Übernahme der Regierungsfunktionen durch seinen Bruder Wilhelm zunächst in Vertretung, später als Prinzregent. Mit dessen Regentschaft hatte Bismarck nun am Berliner Hof in Gestalt der Prinzessin Augusta und deren Berater mächtige Gegenspieler, denen es auch 1859 im Zusammenspiel mit Österreich gelang, seine Abberufung aus Fankfurt durchzusetzen. Ob nun diese Versetzung auf den Petersburger Gesandtschaftsposten als Anerkennung seiner Persönlichkeit und seiner Fähigkeiten anzusehen war – wie die offizielle Version lautete – oder, wie sie Bismarck interpretierte, als Versuch seiner Kaltstellung, mag offen bleiben. Unzweifelhaft ist, daß er der diplomatischen Erfahrungen auf einer europäischen Ebene bedurfte, jene Erkenntnisse zu gewinnen, die nötig waren, um die später auf ihn zukommenden Probleme zu lösen und jene Fäden zu knüpfen, die er später so meisterhaft zu ziehen verstand. Ehe Bismarck nach Petersburg ging, hatte er mehrfach von Frankfurt aus Paris besucht, um mit Napoleon III. in Fühlung zu kommen. So begann er schon jetzt eine Schlüsselfigur der späteren Entwicklung zu werden.

Die Petersburger Jahre wurden deshalb so wichtig, weil seine Persönlichkeit auf den sonst nicht leicht zugänglichen Zaren Alexander II. einen bestrickenden Eindruck machte. Das verschaffte Bismarck sowohl diplomatisch wie menschlich eine Sonderstellung am russischen Hof, wie sie wohl kaum einem preußischen Gesandten vor ihm zuteil geworden war. Sein Verhältnis zum Berliner Hof wie zu seinen übergeordneten Dienststellen blieb während dieser Jahre jedoch kein besonders gutes. Das vierte Ereignis, das schon in die Zeit von Bismarcks Abberufung aus Frankfurt fiel, war der Ausbruch des italienischen Freiheitskrieges von 1859. Auch hier stand Bismarcks Auffassung von einer strengen Neutralität Preußens gegen die gesamte Meinung der leitenden preußischen wie der nichtpreußischen Politiker.

Als Friedrich Wilhelm IV. starb und die Krone nun an den Prinzregenten Wilhelm endgültig überging, steigerten sich durch die unglückliche Politik Preußens im österreichisch-sardinisch-französischen Konflikt die politischen Schwierigkeiten in Preußen. Eine Ablösung Bismarcks in Petersburg und die Übernahme eines Ministeramtes traten in den Kreis der Erwägungen. Durch den Tod des Botschafters in Paris, Grafen Pourtalès, der Bismarck selbst als seinen Nachfolger designiert hatte, erhielt er diese Position, ehe die Frage eines Eintritts in die preußische Regierung geklärt war. Es war eine Lösung, die von allen Beteiligten unter dem Zwang der Lage nur als ein Übergang angesehen wurde. Im ganzen dauerte seine Pariser Tätigkeit auch nur ein knappes halbes Jahr. Er benutzte sie vor allem, um noch engere Kontakte zu Napoleon III. zu finden; dann aber besuchte er auch London, um dort die leitenden Staatsmänner Disraeli und Palmerston kennenzulernen. Besonders aber frischte er in einem langen Kuraufenthalt in Südfrankreich seine angeschlagene Gesundheit gründlich auf für die kommenden Aufgaben.

So angenehm und erfreulich sich Bismarcks privates Leben in Frankfurt entwickelt hatte, so daß seine Gattin später diese Frankfurter Jahre als eine glückliche Zeit ihres Familienlebens bezeichnete, so gern und leidenschaftlich gab sich Bismarck dann dem russischen und Petersburger Leben hin. Doch stellten sich dort gesundheitliche Störungen ein, die er nie wieder ganz überwinden sollte. Einer falschen Venenbehandlung folgte eine Lungenembolie, so daß er 1858 praktisch ein Jahr lang seine Petersburger Tätigkeit unterbrach, um sich in Berlin wieder zu kurieren. Die Trennung von der Familie, die ihn schon zu Beginn seiner Petersburger Zeit belastet hatte, war wiederum auch bei der Übernahme des Pariser Botschafterpostens notwendig geworden. Die Verlegung seines Haushaltes dorthin schien bei der bald zu erwartenden Rückberufung nach Berlin unzweckmäßig. Diese vielleicht allzu privaten Fakten sind jedoch für Bismarcks körperlich-seelischen Habitus von großer Bedeutung, da er bei seiner höchst sensiblen Konstitution, trotz aller Vitalität, ja äußeren Robustheit von diesen privaten Dingen, d. h. einem häuslichen Ambiente, sehr stark abhängig war.

K. F. R.

»Das deutsche Volk!« –
Gespräch mit dem Ingenieur Viktor von Unruh in Berlin.
Mitte März 1859

Den Hintergrund für das folgende mit dem früheren Abgeordneten von Unruh geführte und von diesem überlieferte Gespräch, das allerdings nicht wörtlich wiedergegeben wird und von widerspruchsvollen Bemerkungen des Erzählers umrahmt wird, bildet der bevorstehende Krieg Österreichs gegen das mit Frankreich verbündete Italien. Bismarck mißbilligte die preußische Politik jener Monate, die in Unsicherheit und Halbheiten befangen blieb. Namentlich fürchtete und tadelte er ein militärisches Zusammengehen mit Österreich. – Am 7. März traf er in Berlin ein, am 23. März reiste er nach Königsberg bzw. Petersburg ab. Darnach dürfte das Gespräch in die Zwischenzeit fallen, in der Bismarck den Sitzungen des Herrenhauses beiwohnte. Dieser zeitlichen Festlegung widerspricht jedoch die ausdrückliche Angabe der Unruhschen Erinnerungen, wonach das Gespräch »bald nach Ausbruch des österreichisch-französischen Krieges« stattgefunden habe, der erst im April erfolgte. Auch sonst deuten verschiedene Angaben im Text Unruhs auf einen späteren Zeitpunkt hin, so z. B. die erwähnte Erkrankung Bismarcks, der am 22. Juli in leidendem Zustand in Berlin eintraf. Indessen bleiben auch bei einer Festsetzung des Gesprächs auf Ende Juli Unstimmigkeiten genug zurück, teils aus sachlichen, teils aus zeitlichen Widersprüchen, die einzeln zu erörtern hier zu weit führen würde. Jedenfalls läßt die Unterredung in der vorliegenden ungenauen Fassung beide oben erwähnte Möglichkeiten offen. – Der Herausgeber der Lebenserinnerungen Unruhs H. v. Poschinger versagt hier wie an anderen Stellen seiner Editionstätigkeit.

Bismarck war von Frankfurt a. M. nach Petersburg als Gesandter versetzt worden, kam aber in jener Zeit auf einige Tage nach Berlin. Ich suchte ihn im Hotel Royal auf und ließ mich anmelden. Der Jäger brachte mir die Antwort, der Gesandte läge an einem kranken Bein auf dem Bett, ließe mich aber bitten, einzutreten. Bismarck hatte die »Neue Preußische Zeitung« in der Hand und warf dieselbe mit dem Bemerken auf das Bett, das Blatt habe keinen Funken preußischen Patriotismus, es dringe auf die Unterstützung Österreichs gegen Frankreich und Italien durch Preußen. Österreich in diesem Kriege beistehen, wäre ein politischer Selbstmord Preußens. Diesen gewichtigen Ausspruch motivierte Bismarck in folgender Weise. Er sei, wie mir schon bekannt, von seiner Sympathie für Österreich vollständig zurückgekommen. Österreich sänne nur darauf und warte auf eine gute Gelegenheit, Preußen zu ruinieren, wie ja schon der Minister Fürst Schwarzenberg gesagt habe: il faut avilir la Prusse et puis la démolir. Auf meine Andeutung, daß manche befürchteten, nach der Besiegung Österreichs durch Frankreich werde Preußen an die Reihe kommen, wie 1805/06, erwiderte Bismarck, so wiederhole sich die Geschichte niemals. Wir würden Frankreich niemals angreifen; würden wir von ihm angegriffen, so müßten wir uns wehren, und wenn wir das nicht könnten, so seien wir nicht wert, eine Nation zu heißen. Viel dringender sei die Gefahr, gegen Österreich zu unterliegen. Wenn es uns nicht gelänge, Österreich aus dem eigentlichen Deutschland zu entfernen, und hier Österreich die Oberhand behielte, so würden unsere Könige wieder Kurfürsten, Vasallen Österreichs. Müsse es unser Ziel sein, dasselbe aus Deutschland auszuschließen, so könne es uns nur zugut kommen, wenn Österreich zunächst durch Frankreich geschwächt werde. Bismarck erwähnte ferner, daß er einen nicht unbedeutenden Einfluß auf den König* zu besitzen glaube und daß es ihm auch mehreremal anscheinend gelungen sei, den König von der Richtigkeit der obigen Anschauungen zu überzeugen; aber er könne als Gesandter nicht alle Tage zu ihm gehen. Wenn er ihn nach einiger Zeit wieder spreche, so habe der König gegen seine (Bismarcks) Ratschläge neue Bedenken, denen er deutlich anhöre, ob dieselben von Schleinitz, Auerswald oder Schwerin herrührten. Es gelinge ihm dann wohl, solche Einwendungen zu widerlegen, aber die Entscheidung bleibe doch schwankend, und seine Gespräche mit den genannten Ministern führten wohl zu Streitigkeiten, aber nicht zur Verständigung.

Endlich teilte Bismarck mir noch mit, daß er bei seiner Ernennung zum Bundestagsgesandten in Frankfurt a. M. sich ausbedungen habe, die deutschen Höfe bereisen zu dürfen, um die maßgebenden Personen kennenzulernen. Das Resultat sei gewesen, daß er den einen Hof mehr, den andern weniger preußenfreundlich, sogar feindlich gefunden habe und daß kein Zweifel über das Verhalten der einzelnen deutschen Regierungen im Falle einer Krisis obwalte, die dazu zwinge, zwischen dem Anschluß an Österreich oder an Preußen zu wählen. Sie würden sich sämtlich mit Österreich verbinden, vielleicht mit Ausnahme einiger Kleinstaaten, welche sofort von der preußischen Militärmacht niedergedrückt werden könnten. Es sei das auch ganz natürlich, weil die Einzelstaaten sehr wohl wüßten, daß Österreich sie nicht aufsaugen könne, während sie Preußen gegenüber für ihre Existenz fürchteten. Zur Zeit spielten die Mittel- und Kleinstaaten eine Rolle, die ihnen gar nicht gebühre; sie balancierten zwischen

* So Unruhs Text. Wilhelm war damals aber noch Prinzregent. Erst am 2. Januar 1861 wurde er König.

Österreich und Preußen, suchten in einzelnen Fällen den Ausschlag zu geben und Bedingungen zu stellen, so lange ein definitiver Entschluß nicht unvermeidlich sei. Allerdings wüßten die einzelnen deutschen Regierungen recht gut, daß sie im Falle eines engen, unwiderruflichen Anschlusses an Österreich in Zukunft ganz nach dessen Pfeife würden tanzen müssen, aber das fürchteten sie nicht, weil die österreichische Pfeife auch die ihrige sei, aber nicht die preußische. Soviel stünde fest, Preußen sei vollständig isoliert. Es gäbe nur einen Alliierten für Preußen, wenn es denselben zu erwerben und zu behandeln verstände.

Ich fragte begierig, welchen Alliierten Bismarck meine? Er antwortete: »Das deutsche Volk!« – Ich mag wohl ein etwas verblüfftes Gesicht gemacht haben. Bismarck lachte. Darauf sagte ich ihm, daß ich über den Ausspruch selbst nicht verwundert sei, sondern darüber, denselben aus seinem Munde zu hören. »Nun, was denken Sie denn« – erwiderte Bismarck – »ich bin derselbe Junker wie vor zehn Jahren, als wir uns in der Kammer kennenlernten, aber ich müßte kein Auge und keinen Verstand im Kopfe haben, wenn ich die wirkliche Lage der Verhältnisse nicht klar erkennen könnte.« – »Wenn Sie das imstande sind, auch gegen Ihre persönliche Neigung« – bemerkte ich – »wenn Sie die gefährliche Situation Preußens so scharf aufzufassen vermögen und die geeigneten Mittel mit solcher Sicherheit angeben, dann wären Sie mir als preußischer Minister viel lieber als Herr von Schleinitz, den man nicht für energisch hält.«

Damit hatte das Gespräch ein Ende, dessen Mitteilung nicht den Anspruch der wörtlichen Wiedergabe macht, für dessen Richtigkeit dem Sinne nach ich aber einstehe. Bismarck machte mir einige Tage darauf einen kurzen Gegenbesuch, bei dem aber nicht Bemerkenswertes vorkam*.

Erinnerungen aus dem Leben von Hans Viktor v. Unruh.
Herausgegeben von H. v. Poschinger. 1895, S. 207 ff.

* Im folgenden berichtet Unruh von einer Weitergabe dieser seiner letzten Äußerung durch Bismarck an Schleinitz und schließt mit folgenden Bemerkungen (S. 210 ff.): Ich erzählte nach 1866 im Abgeordnetenhause dem früheren Landrat des Teltower Kreises mein Gespräch mit Bismarck im Jahr 1859, worauf jener mir sagte, Bismarck habe schon im Jahre 1854 in Frankfurt gegen ihn dieselben antiösterreichischen Ansichten und seine gegen Österreich gerichtete Politik offen ausgesprochen. Zur praktischen Anwendung kam sie erst 1866, also zwölf Jahre später. So lange hat also Bismarck den Plan, Österreich aus Deutschland zu entfernen, mit sich herumgetragen und konsequent daran festgehalten. Es ist dies von Wichtigkeit für die Beurteilung der Konfliktsperiode und Bismarcks selbst.

Keudell hatte Bismarck auf dessen Einladung in Petersburg besucht, wo er am 28. August in der preußischen Gesandtschaft eintraf. Mehrfach unternahm er mit Bismarck, der begeistert von der Schönheit der Newalandschaft sprach, Ausflüge nach den Inseln.

Das Folgende nach v. Keudells Erinnerungen.

Die letzten Petersburger Tage brachten mir einige politische Äußerungen Bismarcks.

»Es war«, sagte er, »die Partei des ›Preußischen Wochenblattes‹, die mit der Regentschaft ans Ruder kam. Von diesen Herren kannte ich Albert Pourtales etwas näher, schon von der Schule her. Er und sein Bruder wurden dort die ›Pourtaliden‹ genannt. Ich traf ihn einmal im Januar 1859 und sagte ihm: ›Ihr scheint zu glauben, daß Ihr hexen könnt. Ihr meint, durch die jetzige, freudig erregte Stimmung der öffentlichen Meinung würden alle Schwierigkeiten beseitigt, alle Fragen gelöst werden. Aber der Rausch wird bald verfliegen, und dann wird es darauf ankommen, ob einer von Euren Ministern etwas kann. Ich glaube das nicht; ich fürchte, weder den inneren noch den äußeren Schwierigkeiten werdet Ihr gewachsen sein.‹

Schneller, als ich dachte, hat sich das erwiesen. Die auswärtige Politik während des italienischen Krieges war schwankend und schwach. Ich dachte damals noch, daß ich vielleicht einigen Einfluß ausüben könnte, und aus alter Frankfurter Gewohnheit schrieb ich mir die Finger ab, um zu verhindern, daß wir ohne Sicherheit ausreichender Entschädigung wie Vasallen Österreichs in den Krieg einträten. Dennoch wurden fünf Armeekorps mobil gemacht; und vielleicht hat nur der übereilte Vertrag von Villafranca* uns davor bewahrt, steuerlos in einen unabsehbaren französischen Krieg hineinzutreiben, dessen Früchte, wenn wir siegten, Österreich und die Mittelstaaten uns verkümmert haben würden.

Und erst im Innern! Das Ministerium verfügte über eine große Majorität, denn die meisten Abgeordneten waren von seiner Farbe. Nun war ja schon in der ersten Kundgebung des Prinzregenten erwähnt, daß Verbesserungen der bestehenden wohl-

* Vorläufiger Friede (11. Juli 1859) zwischen Napoleon und Franz Joseph, der darin die Lombardei opferte, aber sich dadurch andererseits die Möglichkeit, durch preußische Waffenhilfe gegenüber Frankreich »gerettet« zu werden und dafür in Deutschland Zugeständnisse machen zu müssen, entzog.

feilen Heeresverfassung unerläßlich sein würden, damit die Armee im entscheidenden Augenblick sich bewähren könnte. Zu Anfang dieses Jahres werden endlich die Reorganisationspläne vorgelegt. Alles kommt darauf an, sie durchzusetzen; aber die Minister üben keinen Einfluß auf ihre Freunde. Die Sache wird in der Kommission abgelehnt und gar nicht ins Plenum gebracht. Das war ein übler Mißerfolg; denn wir brauchen die Verstärkung und Verjüngung der Armee so nötig wie das tägliche Brot. Roon, der dem Hause noch unbekannt war, konnte die Sache nicht machen. Aber die alten Parteiführer Auerswald und Schwerin hätten ihre Leute, wie Vincke und Stavenhagen, zur Vernunft bringen müssen. Das haben sie nicht gekonnt; es fehlte ihnen die nötige Energie.

Merkwürdig ist jetzt die Entwicklung der Dinge in Italien. Der Kaiser Napoleon scheint durch Garibaldis Erfolge und den Zusammenbruch des Königreichs Neapel wirklich überrascht worden zu sein. Sein hiesiger Botschafter, Graf Montebello, sagte kürzlich: Nous voyons monter cela comme la marée et nous ne savons que faire. Voilà l'impuissance des hommes vis-à-vis des évènements.«

Als ich endlich abreisen mußte, begleitete mein gütiger Wirt mich zum Bahnhof und sagte dort: »Sehen Sie nur in den Wartesälen die Menge eigentümlicher Gesichter, Bärte und Trachten. Geschickte Maler sollten herkommen, um Studien zu machen.«

R. v. Keudell, Fürst und Fürstin Bismarck. 1901, S. 80 ff.

Monarchenzusammenkunft in Warschau. – Gespräch mit dem Unterstaatssekretär Geheimen Legationsrat von Gruner. Ende Oktober 1860

Der Monarchenzusammenkunft vom 21.-26. Oktober 1860 wohnte auch der preußische Gesandte in Petersburg, Herr von Bismarck, im Gefolge des Prinzregenten bei. Er traf hier in Warschau mit dem Unterstaatssekretär von Gruner, den der Minister von Schleinitz wieder ins Auswärtige Amt gezogen hatte, zusammen. Gruner hatte im Auftrag des preußischen Ministerpräsidenten Fürsten von Hohenzollern mit dem österreichischen Minister Grafen Rechberg zu verhandeln. - Nach den Erinnerungen Justus von Gruners (1901).

Noch sind mir einige charakteristische Äußerungen von Bismarck aus unserm mehrtägigen Beisammensein in Warschau erinnerlich.

Als die drei Monarchen unter Begleitung ihrer Minister sich in Konferenz befanden, begegnete ich in dem Korridore unseres Hotels Bismarck, welcher eben von einem Spazierritt zurückkam. Ich gestand ihm, daß ich etwas besorgt sei, ob wohl der Fürst von Hohenzollern imstande sein würde, sich seiner Aufgabe richtig zu entledigen, und ob wir nicht bei dieser Gelegenheit mit unsern Interessen Schaden leiden möchten. »Grübeln Sie doch nicht über diese Dinge und machen Sie sich keine Sorgen«, erwiderte mir Bismarck. »Solange ich in den Geschäften bin, habe ich immer wieder von Zeit zu Zeit gehört, wir stehen am Vorabend schwerwiegender Ereignisse und die Zukunft liegt dunkel vor uns. Gleichwohl stehen wir heute noch intakt aufrecht. Folgen Sie meinem Rate und meinem Beispiel, trinken Sie eine Flasche Champagner und essen Sie ein paar Dutzend Austern dazu, und ich bin überzeugt, daß Ihnen die Weltlage sofort in einem weit rosigeren Lichte erscheinen wird.«

Justus von Gruner, Rückblick auf mein Leben.
Deutsche Revue, Band 26[3], 1901, S. 85.

Diplomatische Antwort. – Kurzes Zusammentreffen mit Regierungsrat von Keudell in Breslau.

Ende Oktober 1860

Nach Erzählung Keudells.

Anfang November* besuchte der Prinzregent den Kaiser Alexander in Warschau. Natürlich war auch Bismarck zugegen. Auf der Rückreise hielt der königliche Zug in Breslau, wo die Generalität und die Spitzen der Behörden versammelt waren und ich als Begleiter des Oberpräsidenten zu erscheinen hatte. Bismarck sah mich von weitem und bahnte sich den Weg zu mir durch die Herren Generale, um die ganze Zeit des Aufenthalts mit mir zu sprechen. Er sagte: »Ich reite noch immer auf den Inseln, aber jetzt fehlt mir leider die Gesellschaft. Sie sollten bald einmal wiederkommen, um sich Petersburg in der Winterpracht anzusehen.« Von Politik natürlich kein Wort.

Ein Bekannter drängte sich mit der Frage heran: »Nun, was

* Irrtum Keudells: Die Zusammenkunft des Prinzregenten mit den Kaisern von Rußland und Österreich fand vom 21.-26. Oktober 1860 statt.

bringen Sie uns aus Warschau?« Er antwortete: »Schlechte Nachrichten. Das Befinden der Kaiserin Mutter hat sich in bedenklicher Weise verschlimmert.«

R. v. Keudell, Fürst und Fürstin Bismarck. 1901, S. 83.

Auf der Fahrt von Baden-Baden nach Darmstadt. – Gespräch mit dem hessischen Minister Freiherrn von Dalwigk und dem nassauischen Hauptmann und Flügeladjutanten von Hadeln. 16. Juli 1861

Dalwigk hatte am 15. Juli König Wilhelm von Preußen, auf den der Student Becker geschossen hatte, in Baden-Baden zur Vereitelung des Attentats zu beglückwünschen. Bismarck, auf Roons Betreiben im Juli nach Baden-Baden berufen, hatte hier seine Auslassungen über die Lösung der deutschen Frage in einer bedeutenden Denkschrift niedergelegt. Er begab sich von da nach Reinfeld in Pommern. Dalwigk hat den Inhalt des folgenden Gesprächs in seinem Tagebuch aufgezeichnet.

Ich fuhr mit Herrn von Bismarck und Herrn von Hadeln bis Darmstadt.

Der erstere erzählte unterwegs viel von den russischen Zuständen, die er nichts weniger als rosenfarbig schilderte. Er sagte, der ganze russische Adel sympathisiere mit der polnischen Bewegung. Diese Herren behaupteten, für das, was sie durch die Bauernemanzipation an politischen Rechten verloren hätten, gebühre ihnen eine Entschädigung, und diese Entschädigung könne nur in einer konstitutionellen Verfassung für Rußland bestehen. Bekomme nun Polen eine Konstitution, so könne man ihnen das nämliche nicht lange mehr vorenthalten. Die russischen finanziellen Zustände, fuhr Herr von Bismarck fort, seien trostlos und die Bestechlichkeit der Beamten von unten bis oben eine schamlose. Angestellte mit 800 Rubel Gehalt verbrauchten jährlich 40 000. – Ein Livländer seiner Bekanntschaft habe ein Gut gekauft. Bald nachher habe man demselben wegen eines Formfehlers den Besitz streitig gemacht. Er sei nun nach Petersburg gegangen und habe eine Eingabe an den Senat gerichtet, aber ohne Erfolg. Darüber habe er sich bei ihm, Herrn von Bismarck, beschwert und um Unterstützung gebeten. Er, Herr von Bismarck, habe den Rechtskonsulenten der Gesandtschaft befragt, und dieser habe geantwortet, man müsse das jüngste Mitglied des Senats, welcher die Einläufe bei dieser Behörde zu distribuieren habe, bestechen, sonst werde die Sache ewig liegenbleiben. Der betreffende Livländer habe nun Scheu getragen, diese Bestechung, welche in 300 Rubeln habe bestehen sollen, direkt anzubieten. Der Rechtskonsulent habe nun die Sache eingeleitet. Der Livländer sei zu dem Senator gefahren. Der letztere habe demselben ein altes schlechtes Ölbild, den Einzug Karls XII. in eine livländische Stadt darstellend, für 350 Rubel zum Kauf angeboten. Der Kauf ist angenommen und sogleich vollzogen und nach dem Wunsch des Interessenten erledigt worden. Den ganzen Handel habe man aber in Petersburg darum angefangen, weil man erfahren, daß der Livländer Geld besitze und etwas bezahlen könne. Das alte Ölbild habe der Käufer als vollkommen wertlos seinem Portier in Petersburg geschenkt.

Herr von Bismarck sagte mir weiter, er sei froh, in Petersburg zu sein. In Preußen rolle der Wagen die schiefe Ebene abwärts, und so bliebe er diesem ganzen Treiben gewissermaßen fremd. Eine Änderung sei auch später nicht zu erwarten. Denn der Kronprinz kenne kein schöneres Ziel, als einst im Staate eine Stellung ähnlich derjenigen seiner Schwiegermutter einzunehmen.

Die Tagebücher des Freiherrn Reinhard von Dalwigk zu Lichtenfels aus den Jahren 1860–1871. Herausgegeben von W. Schüßler, 1920, S. 42 ff.

KEUDELL ERNEUT IN PETERSBURG. MITTE MÄRZ 1862

Nach Keudells Erinnerungen.

Mitte März 1862 kam ich zum zweitenmal als Gast des Gesandten nach Petersburg. Bei meiner Ankunft war der Hausherr nicht anwesend. Wenige Tage vorher hatte ein Bauer gemeldet, daß etwa 250 Werst von Petersburg entfernt, aber unweit der Eisenbahn, ein im Winterschlaf liegender Bär zu finden wäre. Bismarck entschloß sich sogleich, dorthin zu fahren. Am Tage nach meiner Ankunft kam er zurück und schien so munter und frisch, wie ich ihn seit Jahren nicht gesehen. Er trug einen Jägeranzug von braunem Schafpelz, der mit dem gleichen Pelz gefüttert war. Nach der ersten Begrüßung ging er, ohne an Wechseln des Anzuges zu denken, im Salon auf und ab und sagte, zu mir gewendet:

»Sie konnten nicht zu den Winterfesten kommen wegen hartnäckiger Erkältungsbeschwerden. Wahrscheinlich, weil Sie zu wenig auf die Jagd gehen. Das Jägerleben ist eigentlich das dem Menschen natürliche. Und wenn man auch nur einen Tag in den Wäldern sein kann, so bringt man doch immer merkliche Stärkung mit nach Hause. Unsere gestrige Jagd freilich war verfehlt. Der Bär kam zwar gerade auf mich los in langsamem Trabe, aber ein anderer Jäger verscheuchte ihn durch einen vorzeitigen Schuß, und er ging zwischen den Treibern davon. Dennoch freue ich mich, einmal wieder in der beschneiten Waldwildnis geatmet zu haben. Es geht nichts über Urwälder, in denen keine Spur von Menschenhänden zu finden. In Rußland gibt es deren noch viele, wahre Jägerparadiese. Auch bei Ihrem Vetter Sacken in Dondangen, wo ich vor Jahren zwei Elche schoß, gibt es noch Urwälder. Dort haben Sie ja auch gejagt. In Deutschland gibt es zwar keine großen Urwälder mehr, aber doch herrliche Waldungen in Masse, wo man Erquickung und Stärkung finden kann.«

Dieser Äußerungen habe ich mich später erinnert, wenn er als Minister trotz drängender Geschäfte nicht selten Einladungen zu Hofjagden annahm. Das Bedürfnis der Nervenstärkung zog ihn in die Wälder. Die durch den Ausfall eines oder zweier Tage entstandenen geschäftlichen Rückstände schnell zu erledigen, schien ihm immer leicht zu gelingen.

Abends saßen wir rauchend am Kaminfeuer. Er erzählte von verschiedenen Bärenjagden. »Nur einmal«, sagte er, »ist ein angeschossener Bär hoch aufgerichtet, mit offenem Rachen, auf mich zu gekommen. Ich ließ ihn bis auf fünf Schritte herankommen und gab ihm dann zwei Kugeln in die Brust, wonach er tot hintenüberfiel. Ich hatte dabei keinen Moment das Gefühl, mich in einer Gefahr zu befinden. Hinter mir stand immer der Jäger mit einer zweiten geladenen Doppelbüchse. Die andern Bären, die ich erlegen konnte, fielen unter Feuer, ohne sich aufzurichten. Es ist gewöhnlich eine sehr leichte Jagd, denn der aus dem Winterschlaf aufgeweckte Bär ist noch träge und langsam. Im Sommer jagt man ihn nicht, da wäre er für die Treiber zu gefährlich.«

... In politischer Beziehung war Bismarck damals wenig mitteilsam, vielleicht weil die bevorstehende Versetzung nach Paris und der nicht unwahrscheinliche spätere Einzug in das Ministerium seine Gedanken auf künftige Probleme richtete. Mehrmals erwähnte er, daß er dienstlich in der Vertretung der Interessen der in Rußland lebenden Deutschen »seine Schuldigkeit« tue, in der europäischen Politik aber keinerlei Initiative nähme und sich passiv verhalte, was den immer auf Intrigen gefaßten Fürsten Gortschakoff sehr befriedige.

Als ich nach vierzehntägigem Aufenthalt abreiste, begleitete er mich wieder zum Bahnhof. Dort sagte er: »Ich würde mich über Ihren Besuch noch mehr gefreut haben, wenn ich Ihnen eine Bärenjagd geben und Sie da zu Schuß bringen gekonnt hätte. Aber in den letzten Wochen ist kein Bär gemeldet worden.«

R. v. Keudell, Fürst und Fürstin Bismarck. 1901, S. 88 ff. (gekürzt).

Gespräche mit den englischen Staatsmännern Palmerston, John Russell und Disraeli in London.

Ende Juni und Anfang Juli 1862

Die folgenden Gespräche gehen auf Mitteilungen H. von Poschingers zurück, der noch während der Amtszeit Bismarcks diesen gebeten hatte, die Petersburger und Pariser Depeschen aus Bismarcks Gesandtenzeit veröffentlichen zu dürfen. Der Kanzler erwiderte grundsätzlich zustimmend, sagte aber, es fehle ihm jetzt die Zeit und Kraft, an der Abfassung eines derartigen Geschichtswerkes sich zu beteiligen. Auf eine zwei Wochen nach der Entlassung Bismarcks in Friedrichsruh erfolgte neue Anregung des betriebsamen Poschinger bezweifelte der Altreichskanzler, ob »jetzt von seinem Amtsnachfolger die Genehmigung zur literarischen Benutzung der gedachten Staatsakten erteilt werden würde; er war aber«, so berichtet Poschinger weiter, »gern bereit, soweit sein Gedächtnis ihn nicht im Stich ließ, meinen Wissensdurst zu stillen«. Es ist daher zu beachten, daß die im folgenden nach Poschingers Veröffentlichungen wiedergegebenen Gespräche mit den englischen Staatsmännern im Jahre 1862 auf späte Überlieferungen von 1890 zurückgehen, immerhin auf solche, die von Bismarck selber stammen. Die literarische Fassung haben sie wohl von Poschinger erhalten. Wie weit sie Bismarck selber nachgeprüft und gebilligt haben könnte, entzieht sich der Beurteilung, da die Veröffentlichung erst nach seinem Tode erfolgte. Jeder, der die Arbeitsweise Poschingers kennt, wird den Zweifel des Herausgebers, ob diese Überlieferung Aufnahme verdient, verstehen.

Am 22. Mai erhielt er den Pariser Gesandtschaftsposten. Da Bismarck in Paris verhältnismäßig wenig zu tun hatte, beschloß er den bereits im April 1857 gehegten Wunsch eines Besuches von London Ende Juni bei Gelegenheit der dortigen Weltausstellung zur Ausführung zu bringen.

Bismarck konnte sich über die Aufnahme, die er in London fand, nicht beklagen. Obwohl er nur als Privatmann ohne irgendwelche politische Mission reiste, öffneten sich ihm doch bereitwillig die Türen des leitenden Staatsmannes Lord Palmerston und des Leiters der auswärtigen Politik Lord John Russell. Denn man sah in ihm bereits den kommenden Mann in Preußen, und man wußte, daß er an den Höfen von Paris und Petersburg die besten Beziehungen hatte.

Die erste Frage, die den Gegenstand seiner Unterredung mit *Lord Palmerston* bildete, war der zu Hause zwischen dem König und dem Abgeordnetenhause schwebende Konflikt über den Militäretat. Palmerston erachtete es für absolut geboten, daß der König von Preußen sein Ministerium aus dem Schoße der oppositionellen Mehrheit des Abgeordnetenhauses wähle. Er hatte die preußische Verfassung nicht zum Gegenstand seines Studiums gemacht, leitete aber die Aufgabe des Königs, seine Minister aus der parlamentarischen Majorität zu wählen, aus dem Wesen des Parlamentarismus ab.

Darauf antwortete Bismarck: »Sie können derartige staatsrechtliche Fragen unmöglich aus der Ferne, ohne genaue Kenntnis der Zustände des betreffenden Landes, beurteilen. Immerhin könnte die praktische Lösung der Frage durch Befolgung Ihrer Theorie versucht werden, vorausgesetzt, daß von dem aus der Opposition gebildeten Ministerium nicht Bedingungen gestellt werden, welche tief und dauernd in die Rechte der Krone eingreifen. In keinem Falle dürfte aber die Organisation des Heeres, welche ja auch einmal für England seine Bedeutung gewinnen kann, durch falsche Maßregeln in ihrer Grundlage erschüttert werden; denn es wäre keine leichte Sache, sie in kurzer Zeit wieder auf die alte Höhe zu bringen.«

»Ganz recht«, erwiderte Palmerston, »indessen können gesetzliche Veränderungen der Armeeorganisation in Preußen doch nicht ohne Zustimmung beider Häuser des Landtags eingeführt werden. Ein liberales Ministerium, das zu weit ginge, würde demnach an dem Widerstande des Herrenhauses scheitern.«

Bismarck: »Eben deshalb würde ein Ministerium, wie es Ihnen vorschwebt, als die erste Bedingung seiner Wirksamkeit eine Reform des Herrenhauses, sei es im Wege der Verordnung, sei es durch einen Pairsschub, von der Krone verlangen, und wenn dieses Verlangen abgeschlagen werden würde, sich zur Erfüllung seiner Aufgabe als außerstande erklären.«

Palmerston: »Glauben Sie nicht, daß wenn die Liberalen ans Ruder kommen, dies die auswärtige Politik Preußens günstig beeinflussen würde? England wünscht natürlich Preußen in möglichst gutem Einvernehmen mit Österreich, weil darin eine Garantie liegt, gegen die Störung des Einvernehmens unter den Mitgliedern des Deutschen Bundes.«

Bismarck: »Ich sehe die Sache mit ganz andern Augen an. Die deutsche Fortschrittspartei hat eine Behandlung der deutschen Frage auf ihre Fahne geschrieben, die notwendigerweise in kurzer Zeit zum Bruche mit unsern deutschen Bundesgenossen, in erster Linie mit Österreich führt. Seien Sie versichert, der Widerstand, den die Majorität des Abgeordnetenhauses in der Militärfrage macht, würde sofort erlöschen, und es würde jeder für die Armee geforderte Betrag ohne Schwierigkeiten bewilligt werden, sobald der König die Verwendung der Armee zur Unterstützung einer Politik im Sinne des Nationalvereins in Aussicht stellen wollte.«

Dieser Gesichtspunkt war für Palmerston vollständig neu und überraschend. Aus der ganzen Unterredung konnte Bismarck den Schluß ziehen, daß der englische Gesandte in Berlin, Lord August Loftus, seiner Regierung über die inneren Angelegenheiten Preußens eine Vorstellung beigebracht, welche der Beobachtungsgabe dieses Diplomaten jedenfalls kein glänzendes Zeugnis ausstellte.

Bei Besprechung der dänischen Frage stellte sich Lord *John Russell* wesentlich auf den eiderdänischen Standpunkt. Bismarck machte geltend, daß die Klage der Deutschen in Schleswig über die politische Einverleibung der Herzogtümer in die dänische Monarchie und über Bedrückung durch dänische Beamte den schwierigsten Teil der Frage bilde und die öffentliche Meinung Deutschlands stets von neuem aufrege. Eine praktische Lösung des schleswigschen Teils der Frage würde er nur in der Teilung dieser Provinz nach Nationalitäten erblicken können.

Lord Russell: »Darauf werden die Dänen aber doch niemals eingehen wollen.«

Bismarck: »Und ich kann darauf nur erwidern, daß der gegenwärtige Zustand von den Deutschen niemals akzeptiert werden wird. Man sollte glauben, daß Deutschlands Freundschaft unter Umständen für England wertvoller sein könnte als die Dänemarks.«

Russell: »Es kann Ihnen aber doch nicht unbekannt sein, daß Österreich eine Teilung Schleswigs niemals zugeben wird?«

Bismarck: »Ich gebe zu, daß die im Schoße der österreichischen Regierung herrschenden Gesichtspunkte sich vielfach mit der öffentlichen Meinung in Deutschland nicht decken. Es dürfte dem Wiener Kabinett daher nicht unwillkommen erscheinen, eine schwierige Frage, für deren Lösung vorzugsweise Preußen in Deutschland verantwortlich gemacht wird, in der Schwebe zu erhalten.«

Russell: »Und was soll denn mit dem deutschen Teile von Schleswig geschehen? Soll er etwa zum Bunde geschlagen werden?«

Bismarck: »Derselbe könnte Holstein einverleibt werden und er brauchte deshalb nicht notwendigerweise zum Deutschen Bunde zu gehören. Der König von Dänemark würde alsdann nach Analogie von Schweden und Norwegen über einen dänischen und einen deutschen Staat regieren, welch letzterer teilweise zum Deutschen Bunde gehörte. Man hegt bei Ihnen in England, wie mir scheint, die Vermutung, Preußen trage sich hinsichtlich der Herzogtümer mit Eroberungsplänen. Wenn uns derartige Absichten leiteten, so würden wir uns sicherlich nicht die Mühe geben, den Einwohnern jener Länder eine Situation zu verschaffen, in welcher sie mit der jetzigen Regierung zufrieden sein könnten.«

Bei Besprechung der europäischen Politik erkundigte sich Palmerston bei Bismarck über die Wahrscheinlichkeit eines französisch-russischen Bündnisses und über die etwaige Leistungsfähigkeit Rußlands für die möglichen Zwecke einer solchen Allianz. Dabei stellte sich heraus, daß Palmerston sich von der geringen Aktionsfähigkeit Rußlands eine Meinung gebildet hatte, welche Bismarck auf Grund seiner in Petersburg gewonnenen mehrjährigen Erfahrungen durchaus nicht teilte.

Weit wichtiger als diese Unterhaltungen Bismarcks mit den englischen Staatsmännern war eine Konversation, die er bei Gelegenheit eines Diners auf der russischen Botschaft mit *Disraeli,* damals Führer der Opposition, hatte. Dieser hatte wohl auch den Wunsch, zu erfahren, was Bismarck tun würde, wenn er an das Ruder käme. Mit der ihm eigenen, den Zuhörer oft verblüffenenden Offenheit erklärte Bismarck: »Das will ich Ihnen sagen, wenn ich an die Macht komme, so ist mein erstes, daß ich die Armee organisieren helfe, sei es mit, sei es ohne Hilfe der Zweiten Kammer. Wird die Armee erst stark genug sein, so werde ich die erste Gelegenheit ergreifen, um Österreich den Krieg zu erklären, den Deutschen Bund aufzulösen, die mittleren und kleineren Staaten zu unterwerfen und Deutschland eine nationale Einigkeit unter Führung Preußens zu geben.«

Als Disraeli, ein wenig erstaunt und verwirrt, dem sächsischen Gesandten Grafen Vitzthum von Eckstädt diese Äußerungen wieder erzählte, fügte er hinzu: »Nehmen Sie sich vor dem Manne in acht, der will das, was er sagt, wirklich ausführen.« Disraeli zeigte sich hier als ein weit größerer Menschenkenner als Napoleon III., dem Bismarck gewiß gleichfalls dasselbe Programm enthüllt hatte und der über Bismarck nach der am 24. September 1862 in St. Cloud gewährten Abschiedsaudienz seiner Umgebung gegenüber der Äußerung fallenließ: »Ce n'est pas un homme sérieux.«

Die drahtliche Ankündigung eines eiligen Kuriers von Berlin nach Paris hatte Bismarck veranlaßt, seinem Aufenthalt in London vorzeitig ein Ende zu bereiten. Er langte bereits am 5. Juli wiederum in Paris an und schrieb am gleichen Tage von dort noch dem Minister von Roon: »Eben komme ich von London zurück. Die Leute sind dort über China und die Türkei sehr viel besser unterrichtet wie über Preußen – Loftus muß noch mehr Unsinn an seinen Minister schreiben, als ich dachte. Vor zehn Tagen telegraphierte man mir, ich solle den Feldjäger schicken, damit er Depeschen abhole; ich schicke ihn und finde mit Erstaunen, daß er noch nicht zurück ist. Hätte ich das gewußt, so wäre ich noch in London geblieben.«

H. v. Poschinger, »Aus Bismarcks dunkelsten Perioden«.
Deutsche Revue, Band 36, 1911, S. 279 ff.

Die Rangordnung. –
Gespräch mit dem italienischen Gesandten Nigra in Paris.
Spätsommer 1862

Der Schriftsteller Sigmund Münz, der am 11. und 12. September 1906 den italienischen Diplomaten Grafen Nigra in San Pellegrino sprach, ließ sich von ihm die nachfolgende Erinnerung an ein Gespräch mit Bismarck erzählen.

Ich kannte von meiner Pariser Gesandtenzeit her aus persönlichen Umgange und geschäftlichem Nebeneinander- und Zusammenwirken den damals noch nicht so berühmten preußischen Diplomaten. In Paris gab es manchen, der, wenn der Gesandte Herr von Bismarck mit großer Sicherheit von Preußens Mission und mit Selbstbewußtsein von Preußens Armee sprach, so töricht war, ihn nicht ernst zu nehmen, ja sich über ihn lustig zu machen. Doch die Klügeren ahnten schon, daß er zu großen Dingen berufen sei. Er strebte zielbewußt die Führung der preußischen Politik an.

In der Antichambre des Ministeriums des Äußern am Quai d'Orsay traf ich mit dem preußischen Gesandten an einem Mittwoch – es war der gewöhnliche Empfangstag des Ministers – zusammen. Wir beide mußten etwas lange warten. Ein Botschafter war gerade da, um beim Minister vorzusprechen. Da der Botschafter stets vor dem Gesandten den Vortritt hat, so war des Wartens kein Ende. Endlich sollte Herr von Bismarck empfangen werden. Da aber erschien plötzlich der österreichische Botschafter Fürst Richard Metternich. Nun hieß es für den preußischen Gesandten von neuem – warten. Er nahm mich bei der Hand, trat mit mir auf den Balkon, und ergrimmt rief er aus: »Wenn ich einmal in Preußen Minister des Äußern bin, ist es meine erste Tat, daß ich statt eines Gesandten einen Botschafter nach Paris schicke. Es darf nicht sein, daß Preußen hier eine geringere Rolle als Österreich spielt.«

Kaum war Herr von Bismarck Minister des Äußern, so beeilte er sich, Unterhandlungen zur Umwandlung der Gesandtschaft in eine Botschaft einzuleiten, und Herr von der Goltz war der erste preußische Botschafter in Paris.

S. Münz, Mein letzter Besuch beim Grafen Nigra und seine Erinnerungen an Bismarck. Zeitschrift »März«, 1907, S. 503.

Der Ölzweig von Avignon. – Gespräch mit dem Ehepaar Lüning aus Frankfurt.

13. oder 14. September 1862

Bismarck war im Begriff, von seiner Sommerreise, die er nach Biarritz und durch Südfrankreich unternommen, nach Paris zurückzukehren. In Avignon traf er mit einem neuvermählten Frankfurter Ehepaar zusammen, deren Gespräch mit Bismarck Poschinger nach allerdings etwas verschwommener Überlieferung verzeichnet. Bismarck stand unmittelbar vor seiner Berufung nach Berlin. Neuere Untersuchungen gestatten aber nicht mehr die frühere Annahme, daß der telegraphische Ruf

Roons Bismarck schon im Süden erreichte, sondern erst in Paris, wo er am 16. September wieder eintraf. Am 19. September reiste Bismarck nach Berlin. Dort angelangt, übernahm er auf Bitte des Königs die Leitung der preußischen Politik. (Zur Datierungsfrage des Gesprächs vgl. auch BGI, S. 51, Anm. 1, und zum quellenkritischen Wert der Geschichte vom »Ölzweig von Avignon«, Anm. 2.)

Ein junges Ehepaar, das sich auf der Hochzeitsreise befand, Frankfurter Patrizier, hatte im Hotel Beau séjour an der Table d'hôte Platz genommen, als ein neuer Gast eintrat, auf den sich unwillkürlich die Blicke der Franzosen richteten. Konnte er doch unter dem kleinen Menschenschlage der Provençalen für einen Riesen gelten.

Indessen, das Frankfurter Paar hatte keine Zeit, den Fremdling zu mustern und ereiferte sich eben über das berühmte Altarbild in der Chapelle de la miséricorde, als jener mit deutschem Gruß vis-à-vis an der Tafel Platz nahm und mit gewinnender Freundlichkeit sein Erstaunen ausdrückte, Landsleute in der Provence anzutreffen.

Auf die Vorstellung antwortete der junge Frankfurter Kaufmann Lüning, als er den Namen von Bismarck-Schönhausen vernahm:

»O, Exzellenz, zwar habe ich Sie nur einmal in Frankfurt am Main gesehen, aber in meinem Leben vergesse ich nicht die Aufregung unserer guten Bürgerschaft über die näheren Umstände.«

»Und die waren?« fragte Bismarck.

»Es war auf der Zeil am Vorabende des österreichisch-italienischen Krieges und Sie promenierten zum Ärger der Österreicher und der Frankfurter, die auf ein Bündnis mit Preußen rechneten, Arm in Arm mit dem italienischen Gesandten Grafen Barral auf und ab.«

»Ja«, lachte Bismarck, »und zum Ärger des Grafen Rechberg. Aber die Herren Österreicher waren rascher als ich. Am nächsten Morgen hatte ich schon die telegraphische Ordre, die mich nach Petersburg versetzte. – Aber pardon, gnädige Frau, da sehen Sie uns Deutsche. Bei den ersten Worten in der Fremde sind wir so ungalant, über die garstige Politik zu schwatzen und vergessen in der Provence den provençalischen Ritterdienst.«

Der preußische Gesandte plauderte wie ein jugendlicher Kavalier mit der gebildeten jungen Frau, und erst als schließlich einem gemütlichen Pokulieren eine duftige Havanna folgte, kam man nochmals auf die leidige Politik, und Bismarck erzählte, daß er auf der Rückreise von *Biarritz* begriffen sei. Schließlich akzeptierte er den Vorschlag Lünings, sich an einem kleinen Ausflug in die Umgegend zu beteiligen.

Es war der Tag, da Bismarck aus der Hand der Frau Lüning den »Ölzweig von Avignon« empfing und in seine Brieftasche steckte, welchen er am 30. September 1862 in der Budgetkommission des Abgeordnetenhauses Herrn von Bockum-Dolffs mit den Worten zeigte: »Diesen Ölzweig habe ich von Avignon mitgebracht, um ihn der Fortschrittspartei als Friedenszeichen zu bieten; ich sehe aber, daß ich damit zu früh komme.«

H. v. Poschinger: Fürst Bismarck. Tischgespräche und Interviews. I, 1895, S. 13 ff. (gekürzt).

Frage und Antwort. – Gespräch mit dem französischen Minister Herzog zu Persigny in Paris. September 1862

Der Herzog von Persigny erwähnt, daß das folgende Gespräch »wenige Tage« vor der Übernahme des Ministeriums durch Bismarck stattgefunden habe. Trifft diese Angabe zu, so kommen für die zeitliche Festlegung der Unterredung nur die Tage vom 16.–18. September 1862 in Betracht, während deren Bismarck in Paris weilte, nachdem er in Avignon seine Erholungsreise abgebrochen hatte. Auch der von Persigny mitgeteilte sachliche Inhalt deutet auf die bevorstehende Wendung in Bismarcks Leben hin. Bismarck hatte schon im Jahre 1850, als Persigny französischer Gesandter in Berlin war, dessen Aufmerksamkeit erregt, da ihm die vorurteilslosere Haltung und die höflich-weltmännischen Formen Bismarcks gegenüber der französischen Gesandtschaft angenehm auffielen, gerade das, was Persigny an den konservativ-feudalen Gesinnungsgenossen des damaligen Abgeordneten von Bismarck vermißte; denn diese betrachteten Napoleon mit dem Dogmatismus der legitimistischen Restaurationspolitik. Als nun Bismarck zum preußischen Gesandten am Kaiserlichen Hof in Paris ernannt worden war, wurde die Bekanntschaft mit Persigny erneuert. Dieser war damals Minister des Innern.
Das folgende Gespräch stammt aus den Lebenserinnerungen des Herzogs von Persigny. Die betreffende Partie ist nach einem ausdrücklichen Zusatz Persignys niedergeschrieben »Chamarande le 29 décembre 1867«, also nicht allzulange nach Bismarcks Besuch der Pariser Weltausstellung.

Eines Tages suchte er mich in meinem Arbeitszimmer auf und fragte mich in ernstem, beinahe feierlichem Ton nach meiner Meinung über die preußischen Angelegenheiten.

Ich kenne, sagte er, die Rolle, die Sie in der Geschichte des zweiten Kaiserreiches gespielt haben, kenne Ihren Einfluß in den Ereignissen, die den Triumph der napoleonischen Sache herbeigeführt haben. Ich erinnere mich der Prophezeiungen, die Sie einst in Berlin aussprachen und die sich so wunderbar verwirklicht haben. Nun, Sie kennen ja Preußen und wie es da steht. Gestatten Sie mir also, Sie zu fragen, wie nach Ihrer Auffassung aus unserer augenblicklichen schwierigen Lage herauszukommen wäre.

Diese Lage ist in der Tat höchst kritisch, fuhr er fort. Die liberale Partei ist bei uns ganz und gar Beherrscherin des Abgeordnetenhauses. Aber ihre Unerfahrenheit ist nicht weniger stark und folglich ebenso gefährlich wie die Unerfahrenheit Ihrer Nationalversammlung von 1789. In ihrer Herrschsucht bedroht die Partei nicht nur die Vorrechte der Krone, sondern sie will die Armee zerrütten, und die ist doch die Lebenskraft des Königreiches. Wenn wir dem Abgeordnetenhause nachgeben, sind die Folgen eines liberalen Sieges leicht vorauszusehen. Nach der Vernichtung der konservativen Partei, nach der Demütigung der Krone, wenn Auflösung und Zwietracht das Heer durchsetzt haben, wird sich die liberale Partei spalten. Die anständigen und wohlmeinenden Liberalen werden bald von den heftigen und ehrgeizigen verdrängt werden. Allmählich werden wir in die Hände der Demagogen fallen, und alles wird verloren sein. Wenn wir indessen Widerstand leisten, haben wir andererseits auch sehr bedenkliche Folgen zu fürchten. Die liberale Partei ist so mächtig in Preußen und Deutschland, die Gesamtheit der Elemente, die sie bilden und die untereinander noch nicht entzweit sind, so ansehnlich, und schließlich hat sich die öffentliche Meinung so stark zugunsten der Mehrheit des Abgeordnetenhauses ausgesprochen, daß wir alles von einem heftigen Zusammenstoß der Meinungen zu besorgen haben. Was soll man in dieser schwierigen Lage tun? Welche Richtung einschlagen? –

Auf diese Frage erwiderte ich ohne Zögern Herrn von Bismarck folgendes:

»Wenn Sie wie England es mit hergebrachten Freiheitskämpfen zu tun hätten, wenn alle Gesellschaftsklassen Preußens daran gewöhnt wären, sich durch gegenseitige Zugeständnisse die Waage zu halten, wenn sie nicht den unheilvollen Illusionen ausgesetzt wären, die sich unweigerlich aller jungen Freiheitsschwärmer bemächtigen, dann würde ich Ihrem König raten, sich vor der öffentlichen Meinung zu beugen und furchtlos die

Wege der konstitutionellen Regierung einzuschlagen. Aber in der gegenwärtigen Lage wäre dies sinnlos. Kommt es so, daß Sie einer unerfahrenen Partei, die unfähig ist, Ihr Land zu regieren, nicht Widerstand leisten können, dann werden Sie dereinst die Schwäche auch nur *eines* einzigen Tages mit blutigen Tränen bezahlen müssen. Achten Sie auf die Lehren unserer Geschichte: sie sind einleuchtend! Wenn Ludwig XVI. seinen Degen nicht schon beim Beginn der Revolution ausgeliefert, wenn er seine Truppen nicht auf die erste Forderung der Versammlung hin aus Versailles fortgeschickt hätte, dann hätte der Pöbel sein Palais nicht belagert, hätte, sich seiner Person nicht bemächtigt, hätte ihn nicht mit der roten Mütze auf dem Kopfe nach Paris geführt. Mit einem entschlossenen Fürsten konnten das Unglück und die Verbrechen der französischen Revolution vermieden werden. Die notwendige, unvermeidliche Umwälzung konnte den Charakter einer großen politischen und sozialen Reform annehmen, ohne daß es nötig gewesen wäre, das ganze Land in den Abgrund zu stürzen. Dasselbe gilt für den König Louis Philipp. Hätte sich dieser Fürst, nachdem er einmal den Fehler gemacht hatte, im vollkommenen parlamentarischen Regime einen Parteihandel bis zur öffentlichen Explosion kommen zu lassen, an die Spitze seiner Truppen gestellt, um den Aufruhr in den Straßen niederzuschlagen, dann wäre die Revolution von 1848 sicherlich nicht erfolgt und seine Dynastie könnte noch heute an der Regierung sein. Es ist wahr, daß Karl X. es versuchte, der Revolution Widerstand zu leisten und unterlag. Aber sein Beispiel ist darum nicht weniger schlagend; denn als er seine Ordonnanzen erließ, hat er nicht vorausgesehen, daß sie einen Aufstand hervorrufen könnten, und nichts war vorbereitet worden, um ihn zu unterdrücken. Die Garnison von Paris, die durch die Entsendung eines großen Teiles der königlichen Garde ins Lager von Lunéville übermäßig geschwächt war, hatte weder Lebensmittel, noch Munition, noch irgendwelchen Proviant. Überrascht durch einen unvorhergesehenen Kampf wurde sie in einem Augenblick erledigt.

Nun, wenden Sie diese Lehren unserer Geschichte auf die Verhältnisse an, in denen Sie sich befinden! Sie haben die günstige Aussicht, daß der Kampf der liberalen Partei gegen Sie bei der Heeresfrage einsetzen wird, und daß Sie infolgedessen die Armee, da Sie sie verteidigen, auf Ihrer Seite haben. Ein anderer wertvoller Vorteil kommt Ihnen zugute: nämlich das Budgetvotum der Kammer ist – im Gegensatz zu unseren Einrichtungen – nicht schlechterdings unentbehrlich für den Gang der Regierung, da im Falle eines Konfliktes der Gewalten die Budgetsumme des vorhergehenden Jahres gesetzlich vom Lande verlangt werden kann. Zögern Sie also nicht, unerfahrenen Leuten Widerstand zu leisten, die Sie zugrunde richten würden. Denken Sie daran, daß ein Fürst niemals seinen Degen ausliefern darf und daß die Existenz eines Volkes mehr bedeutet als seine Freiheit. Betrachten Sie sich vom Augenblick an als im Bürgerkriege befindlich und treffen Sie Ihre Maßregeln. Leisten Sie dem Abgeordnetenhause Widerstand, lösen Sie es ein-, zwei-, dreimal auf, ohne sich darum zu beunruhigen; aber halten Sie immer Ihre Armee kampfbereit, Proviant und Munition bei der Hand, Lebensmittel in den Kasernen, kurz, halten Sie alles bereit zum Handeln; dann werden Sie nicht nur des Sieges gewiß sein, Sie werden nicht einmal Kämpfe mit den Waffen zu bestehen haben. Wenn man Sie nämlich so wohl vorbereitet weiß, so entschlossen und zielbewußt, dann wird sich die Kammer in Reden erschöpfen, in vergeblichen Protesten, aber niemand wird es wagen, die Straße aufzurufen. Gewiß, Sie müssen sich auf eine große Unpopularität gefaßt machen! Sie werden mit Beleidigungen und Schmähungen überschüttet werden. Aber wenn Sie den Staat retten, wenn Sie verhindern, daß die Unerfahrenheit der Menschen, die Freiheit erstreben, ohne sie zu verstehen, diese Freiheit in ihrem Keime erstickt, wenn Sie diese Freiheit unter den unbedingt notwendigen Schutz der königlichen Autorität nehmen, dann werden Sie der wahrhaft Liberale sein, der Einzige, der dieses Namens würdig ist. Ja, Sie wären es dann, der in Deutschland die Freiheit begründet.«

Herr von Bismarck schien diesem Vortrag meiner Ansichten lebhaft zuzustimmen und drückte mir überschwenglich die Hand. Er sagte mir, ich hätte soeben seine innersten Gedanken ausgedrückt, oder vielmehr besser entwickelt; von diesem Augenblick an stände sein Entschluß fest. Wirklich nahm er wenige Tage später den Posten des Ministerpräsidenten in Berlin an und begann, seine Theorien in die Praxis umzusetzen.

Fast hätte ich einen Umstand vergessen, an den mich mein Freund Herr Dureau erinnert – er war bei mir Kabinettsdirektor zur Zeit jener Unterhaltung und hatte sie vollständig mit eigener Hand niedergeschrieben: nämlich die Kaiserin tadelte mich lebhaft wegen meines Herrn von Bismarck erteilten Rates. Seine Majestät, die es von Herrn von Bismarck selbst hatte, erachtete diesen Rat als sehr gefährlich für die Krone Preußens und dazu angetan, in Deutschland Unruhe zu erregen. Es scheint sogar, daß der Kaiser dieses Empfinden auch Herrn von Bismarck gegenüber geäußert hat.

Wie dem auch sei, ich hatte ihn seit dieser Unterhaltung nicht wieder gesehen, da traf ich ihn bei dem Diner, das der Kaiser dem König von Preußen nach seinem Eintreffen zur Pariser Weltausstellung von 1867 gab, in den Tuilerien unter den Gästen wieder. Nach dem Essen trat er lebhaft auf mich zu und sagte lachend:

»Nun, habe ich Ihre Lehren nicht gut befolgt?«

»Ja«, erwiderte ich: »aber ich muß anerkennen, daß der Schüler den Lehrer unvergleichlich übertroffen hat.«

Einige Tage darnach hatten wir bei mir über die deutschen Angelegenheiten eine lange Unterredung, die den Gegenstand eines anderen Kapitels dieser Memoiren bildet.*

Auszugsweise erschienen unter dem Titel »Conversations avec Monsieur de Bismarck« in der Revue de Paris. 1896, S. 151 ff.

Vor der Ernennung. – Gespräche mit dem Legationssekretär Kurd von Schlözer in Berlin. September 1862

Kurz vor der Übernahme des Ministerpräsidiums begegnete Bismarck in Berlin seinem ehemaligen Petersburger Legationssekretär, der auf sein Betreiben hin ins Auswärtige Amt versetzt war. Schlözer stand damals noch einer Bismarckschen Ministerschaft sehr kritisch gegenüber und ließ sich nicht, wie Bismarck es wünschte, zur engeren Mitarbeit gewinnen**. Er hat über die wiederholten Unterredungen, die er in jenen Tagen mit Bismarck führte, kurze Aufzeichnungen gemacht, die sein Biograph, Dr. Paul Curtius, nach seiner dem Herausgeber abgegebenen Versicherung »wortgetreu« in sein Lebensbild Schlözers verarbeitet hat. Die Bemühungen des Herausgebers, die Aufzeichnungen Schlözers im Original einzusehen, blieben erfolglos, da sie sich nicht mehr in den Papieren des Verfassers auffinden ließen. Sie können deshalb hier nur im Wortlaut der Biographie folgen.

Am 20. September traf Bismarck von Paris in Berlin ein. Am folgenden Tage war Diner beim Minister von Bernstorff, zu

* Vergleiche das Gespräch vom 7. Juni 1867 in diesem Bande.
Übersetzung aus den Mémoires du duc de Persigny. 1895, S. 281 ff.

** Zu den späteren Beziehungen Schlözers zu Bismarck vgl. Band III dieser Ausgabe, S. 232.

dem auch Schlözer geladen war. Nach Tische machte Bismarck mit ihm einen längeren Gang auf dem Leipziger Platz und erklärte ihm unter anderem, daß die Minister der Kammer gegenüber dadurch gefehlt hätten, daß keine Indemnitätsbill eingebracht wäre. Bismarck wünschte mit einzelnen Parlamentariern in Verbindung zu treten, und Schlözer machte ihn zunächst auf Twesten aufmerksam. Am folgenden Morgen hatte Bismarck die erste Audienz beim König in Babelsberg, und am Nachmittag trifft er wieder mit Schlözer auf dem Wilhelmsplatz zusammen und erzählte ihm in »überlegenem« Tone: »Ich fürchte fast, daß ich eingefangen bin.« Auch noch am anderen Tage hatten beide eine längere Zusammenkunft, bei der Bismarck Äußerungen wie »Verfassungsfragen gehen nicht immer so auf, wie arithmetische Exempel – mit günstiger Volksstimmung kann man in Deutschland nicht viel machen – Bataillone sind mir lieber«, fallenließ. Nach allen diesen Vorgängen konnte für Schlözer die Wahl Bismarcks zum Minister des Auswärtigen, die am 25. September* erfolgte, kaum noch eine Überraschung sein. Am 28. September reiste der König nach Baden-Baden. Schleinitz mußte mit, »um die Königin wegen der Ernennung Bismarcks zu besänftigen.«

Kurd von Schlözer. Ein Lebensbild von Dr. Paul Curtius. Berlin 1912, S. 46 ff.

* Irrtum! Die Ernennung erfolgte am 23. September – die Veröffentlichung am 24. abends.

Von der Übernahme der Regierung bis zum Ende des Krieges mit Österreich

Die Erfahrungen von Olmütz, Schwierigkeiten bei der Mobilisierung preußischer Truppen während des italienischen Freiheitskrieges und andere, sowohl militärtechnische wie auch politische Überlegungen hatten schon den Prinzregenten Wilhelm (seit dem 2. Januar 1861 König) an eine Reorganisation des Heeres denken lassen mit dem Ziel, die Stärke und Schlagkraft der preußischen Armee zu erhöhen. Es waren aber nicht nur außenpolitische oder militärtechnische Überlegungen im Spiel, wenn man sich zur Einleitung solcher Maßnahmen entschloß. Man wollte damit auch nach den dem Bürgertum und Liberalismus gemachten Zugeständnissen Dinge wieder zurechtrücken, wie sie dem Gewicht der preußischen Militärmonarchie im Staatsganzen entsprachen. Namentlich die Umgebung des Königs war geneigt, die Militärreform als Mittel gegen die Zeitströmungen oder die »Revolution« umzudeuten.

Schon 1860 hatte die Regierung Pläne zur Heeresreorganisation dem Abgeordnetenhaus vorgelegt, die eine Änderung des alten Wehrgesetzes von 1814 vorsahen. Prinzipiell war die Kammer diesen Plänen nicht abgeneigt. Doch kam 1860 wie 1861 jeweils nur eine kurzfristige Einigung zustande, die vom Parlament auch ausdrücklich als Provisorium bezeichnet wurde. Man konnte sich nämlich in der Frage der dreijährigen Wehrpflicht nicht einigen. Hier standen einander die Standpunkte von König und Abgeordnetenhaus, d. h. seiner Mehrheit, unvereinbar gegenüber. Überdies kam es zu Differenzen in der Frage der »provisorischen« Genehmigung. Die Militärs erklärten diese für eine definitive Entscheidung. Schließlich sah sich der König gezwungen, durch eine Kabinettsorder festzustellen, daß seine Kommandogewalt unabhängig sei von dem der Kammer verantwortlichen Kriegsminister. Im Dezember 1861 erbrachten Neuwahlen der jedem Kompromiß abgeneigten Fortschrittspartei einen klaren Wahlsieg, indem sie als stärkste Partei in die Kammer einzog. Darauf wurde im März 1862 das Abgeordnetenhaus aufgelöst, während die liberalen Minister aus dem Ministerium ausschieden.

Der Vertrauensmann Bismarcks in der Regierung wie bei Hofe war in dieser Zeit der Kriegsminister Albrecht von Roon. Er besaß das unbedingte Vertrauen des Königs und war außerdem der eigentliche Initiator der Reformpläne. Schon bei seiner Abreise nach Frankreich hatte Bismarck mit Roon verabredet, dieser solle ihn benachrichtigen, wenn die Lage in Berlin sein rasches Kommen erfordere. Indessen, erst nachdem der König alle Versuche gescheitert sah, auf dem bisherigen Wege zu einer Einigung mit dem Abgeordnetenhaus zu gelangen, gab er dem Drängen Roons nach, Bismarck zu einer Aussprache zu empfangen, um ihm gegebenenfalls die Bildung eines neuen Kabinetts zu übertragen. Roons Telegramm nach Paris, Bismarcks Rückkehr und seine Aussprache mit dem König in Babelsberg sind immer wieder Gegenstand der Gespräche, so daß deren Details hier nicht dargelegt werden sollen. Die Absicht des Königs, abzudanken, wenn sich ihm durch die Fühlungnahme mit Bismarck kein Ausweg aus der entstandenen Lage bieten sollte, stellte Bismarck vor eine unerwartete Situation. Das Gespräch selbst und das Bündnis zwischen beiden ist eine jener Entscheidungsstunden der deutschen Geschichte, worin das Persönlichkeitsmoment eine ausschlaggebende Rolle spielte für eine Weichenstellung, die die weitere Zukunft entscheidend beeinflußte. Daß das Bündnis zwischen Wilhelm I. und Bismarck von diesem Augenblick an 26 Jahre dauern sollte und eine welthistorische Entwicklung einleitete, konnte in dieser Stunde keiner der beiden wissen. Bismarck selbst hat wiederholt betont, daß man nicht behaupten dürfe, ein einzelner Mensch sei in der Lage, Geschichte zu machen. Es war dies eine Feststellung von größtem Gewicht: für seine Person war damit jenes Problem von Auftrag und Sendung aufgeworfen, das ihn so oft beschäftigen sollte. Immer wieder taucht diese Kardinalfrage in seinen Gesprächen auf.

K. F. R.

Zwischen Berlin und Jüterbog. – Gespräch mit dem Ingenieur Viktor von Unruh.

4. Oktober 1862

Nach den sachlichen und zeitlichen Zusammenhängen bleibt kein Zweifel, daß dieses von Unruh überlieferte Gespräch am selben Tage stattfand wie die berühmte Unterredung Bismarcks mit dem König im Eisenbahnwagen, von der die Gedanken und Erinnerungen (Band I, S. 283, der ersten Ausgabe) berichten, das eine Gespräch auf der Fahrt nach Jüterbog, das andere auf der Rückfahrt von Jüterbog nach Berlin.

Ich war im Begriff, zu einer Generalversammlung des Nationalvereins nach Koburg zu fahren. Als ich an den Schalter des Billettverkaufs trat, stand ganz unerwartet Bismarck neben mir. Ich begrüßte ihn und ließ ihm natürlich den Vortritt. Auf dem Perron, wo ich mir ein leeres Coupé aussuchte, kam Bismarck an mich heran und fragte, ob ich allein fahren wollte oder ob es mir recht sei, wenn er sich zu mir setze. Ich bat ihn darum und bemerkte, ich wolle dem Zugführer sagen, er möge sonst niemand in das Coupé setzen. Damit war Bismarck einverstanden. Sehr bald kam er auf den Streit über die Militärvorlage zu sprechen und wiederholte im wesentlichen, was er bereits in der Budgetkommission des Abgeordnetenhauses geäußert hatte: er habe bei seinem Eintritt in das Ministerium auf eine Verständigung gehofft, leider vergeblich. Es bliebe ihm jetzt nichts anderes übrig, als nach der Vorschrift der Verfassung zu verfahren, welche die Regierung verpflichte, dem Landtage das Budget rechtzeitig vorzulegen. Wenn ein solches nicht zustande komme, so könne der Staat deshalb nicht stillstehen, die nötigen Ausgaben müßten geleistet werden usw.

Ich war damals noch nicht wieder in das Abgeordnetenhaus eingetreten und glaubte mich Bismarck gegenüber sehr zurückhalten zu müssen. Als er eine Äußerung von mir zu erwarten schien, suchte ich die von ihm ausgesprochenen Ansichten zu widerlegen und sprach mich namentlich dahin aus, daß mit der bloßen Vorlage des Etats die verfassungsmäßige Verpflichtung der Regierung nicht erledigt sei, daß vielmehr die Verfassung unzweifelhaft einen vom Landtage genehmigten Etat im Auge habe. Gerade in dem Umstande, daß nur auf Grund eines solchen die Ausgaben geleistet werden könnten, liege für beide Teile der Zwang, zu einer Einigung zu gelangen; ich glaube auch, daß eine solche zustande zu bringen sei, nur dürfe die Regierung nicht darauf bestehen, daß das Abgeordnetenhaus jede

Forderung der Regierung, auch die zu ganz neuen großen Ausgaben, unbedingt genehmigen solle.

So wurde noch viel hin und her gesprochen. Schließlich sagte ich ganz offen, daß Bismarck auf dem von ihm betretenen Wege notwendig entweder zum Staatsstreich oder nach langem Streit endlich zum Nachgeben gelangen müsse. Bismarck versicherte, daß er an keinen Staatsstreich denke, aber augenscheinlich auch nicht an Nachgeben. Inzwischen war der Zug in Jüterbog angekommen, und Bismarck stieg aus, um einen in der Nähe wohnenden Bekannten oder Verwandten zu besuchen ...*

In Koburg fand ich große Aufregung über die Ernennung Bismarcks, den man lediglich als den Repräsentanten der Reaktion ansah. Ich sagte nun meinen alten preußischen und neuen deutschen Freunden, sie wären ganz im Irrtum, wenn sie Bismarck einfach als Reaktionär oder gar als Werkzeug der Reaktion ansähen. Gewiß gehöre er nicht zu den Liberalen, aber in seinem Kopfe steckten ganz andere Ideen und Pläne als bei Manteuffel und Kollegen. Im vertrauten Kreise teilte ich die Gespräche mit Bismarck im Jahre 1859** und jetzt mit. Ich wies darauf hin, daß Bismarck eine sehr originelle und begabte Natur von großer Energie sei, daß sich aber durchaus noch nicht erraten ließe, welchen Weg er als Leiter des Staates gehen werde.

Nach der Annexion Hannovers hat mich Miquel daran erinnert, daß ich gegen ihn und andere in Koburg Bismarcks bedeutende Eigenschaften hervorgehoben und ihn richtig geschildert habe.

Erinnerungen aus dem Leben von H. Viktor von Unruh.
Herausgegeben von H. von Poschinger. 1895, S. 214 ff.
(gekürzt).

Der grosse Mann. – Besuch des hessischen Landtagsabgeordneten Friedrich Oetker in Berlin.

15. Oktober 1862

Der Advokat und Schriftsteller Friedrich Oetker ist die führende Persönlichkeit des kurhessischen Liberalismus, dessen Bestrebungen im Kampf um Recht und Verfassung er nament-

* Hier liegt entweder eine Gedächtnistrübung Unruhs vor oder eine Verschleierung von seiten Bismarcks, der auf dem Bahnhof Jüterbog den von Baden-Baden kommenden König erwartete.

** Vergleiche das Gespräch Mitte März 1859, S. 49 dieses Bandes.

lich seit Beginn der vierziger Jahre in Wort und Schrift mutig verfocht. Mitglied des Nationalvereins und des hessischen Landtags, später des preußischen Abgeordnetenhauses und des norddeutschen Reichstages, errang er sich innerhalb der nationalliberalen Partei und in den seine Heimat berührenden Fragen beträchtlichen Einfluß. Über seine öffentliche Tätigkeit und seine Lebensschicksale berichtet Oetker in seinen Lebenserinnerungen, deren dritter Band von seinem Neffen aus dem Nachlaß herausgegeben wurde, freilich nur zum kleineren Teil persönliche Aufzeichnungen Friedrich Oetkers enthält. Die erste Unterredung Oetkers mit Bismarck kam zustande durch Oetkers Bestreben, das neue preußische Ministerium für die von ihm und seinen Parteifreunden geforderte Wiederherstellung der kurhessischen Verfassung zu interessieren. Obwohl Preußen und auch Österreich sich in dieser Richtung bereits festgelegt hatten, war die Bedeutung dieses Schrittes darin zu sehen, daß sich der liberale Führer an den als extrem-konservativ angesehenen Minister wandte.

Am 15. Oktober 1862 hatte ich meine erste Unterredung mit Bismarck, die weit über eine Stunde dauerte.

Man kann sich vorstellen, mit welchen Gedanken und mit welcher Zurückhaltung ich mich dem Manne näherte, der damals liberalerseits als der wahre aristokratisch-feudale Unhold angesehen wurde. Serviler Landjunker, eingefleischter Aristokrat, Jagdbummler, leichtsinniger Spieler usw., usw., das waren so etwa die Bezeichnungen, mit denen man den neuen ersten Minister Preußens bedachte. Und ich selbst, wenn ich auch mein Urteil weit freier gehalten hatte, stand doch unter dem Eindruck der allgemeinen Meinung.

Wie war ich daher erstaunt, in wenigen Minuten ein ganz anderes Bild in der Seele zu haben, als womit ich das Zimmer des Ministers betreten hatte. Keine Spur von aristokratischem Übermut, borniertem Junkertum, feudaler Einseitigkeit, prinzipieller Verranntheit, diplomatischer Zurückhaltung! Eine hohe, starke, aber geschmeidige Kraftgestalt kam mir freundlichst bis an die Tür entgegen, reichte mir die Hand, rückte mir einen Sessel zurecht und sagte mit dem gewinnendsten Lächeln: »Na, Sie werden ja auch schon mißliebig bei den Demokraten!«

Ich habe damals das Hauptsächlichste aus der Unterredung sofort aufgezeichnet; anderes, namentlich der Gesamteindruck und eine Reihe von Nebendingen, sind mir, gleichwie bei spätern Besprechungen, so lebendig vor der Seele geblieben, daß ich im ganzen mit ziemlicher Treue berichten zu können glaube.

Gleich aus seinen ersten Äußerungen entnahm ich – und natürlich zu meiner großen Freude –, daß Herr von Bismarck die deutschen Angelegenheiten noch um viele Grade höher stellte, als seine Vorgänger. Von einem bestimmten Plane freilich war noch nichts zu bemerken; aber desto mehr von einer entschlossenen Tatkraft: man muß die Dinge stets fassen, wie sie eben laufen!

Bismarck wartete nicht auf die Mitteilung meines Anliegens. Er begann sofort, mir seine Ansichten und Bestrebungen in betreff des Handelsvertrags mit Frankreich* und des deutschen Zollvereins zu entwickeln. Man sei fest entschlossen, auf jede Folge hin, auch auf die einer »vollständigen Isolierung« am Handelsvertrag mit Frankreich, der ohne Mitwirkung der andern Zollvereinsstaaten abgeschlossen war, festzuhalten und eine Umbildung der Verfassung des Zollvereins zu erstreben, damit das Veto der Einzelnen hinwegfalle. Dabei solle eine »Vertretung der Bevölkerung« stattfinden, woraus mit der Zeit, mit den Jahren – denn auf einmal lasse sich so etwas nicht erzwingen – eine bedeutungsvolle politische Konsequenz hervorgehen könne. Die Souveränität der Fürsten komme dabei nicht allzu empfindlich in Betracht, indem solche nur durch Verträge, die auf Kündigung ständen, beschränkt werde. Ob alsbald eine Gesamtgesetzgebung für alle Vereinsstaaten in Handelsangelegenheiten und ähnlichen Dingen erzielt werden könne, lasse er vorläufig dahingestellt sein. – Sehr wichtig bei diesem Plane sei natürlich Kurhessen. Nach seinen Nachrichten habe Cramer, ein Österreicher mit Haut und Haar, sich gegen den Handelsvertrag, Wiegand aber gründlich dafür ausgesprochen. Wie ich darüber denke, und wie sich die Stände verhalten würden?

Ich bemerkte, daß ich in diesem Punkte mit meinem Freunde Wiegand ganz übereinstimme, und daß ich dafür einstehen zu können glaube, daß eine an Einstimmigkeit grenzende Mehrheit des Landtags, wenn nicht volle Einhelligkeit (die nachgehends wirklich erzielt wurde) für Preußen sich aussprechen werde, falls dies nur, wie das ja wohl zu erwarten sei, in der Verfassungsangelegenheit** sich fernerhin des Rechts annehme.

* Vom 29. März 1862. Österreich protestierte gegen diesen Vertrag auf Grund eines älteren Abkommens (19. Februar 1853) mit dem Zollverein und suchte auch, mit Erfolg, bei den Zollvereinsmitgliedern Oppositionsstimmung zu erzeugen. Eine Sprengung des Zollbundes gelang ihm aber nicht.

** Wie schon in der Einleitung des Gespräches erwähnt ist, hatte Preußen sich für die Wiederherstellung der Verfassung (von 1831) eingesetzt und sogar seine Forderung mit der Mobilmachung von zwei Armeekorps bekräftigt.

Die Stellung Preußens zu dieser Angelegenheit, bemerkte Bismarck, der über meine Zusage sichtlich sehr erfreut war, werde unverändert bleiben; »im Gegenteil, beabsichtige er noch einen verstärkten Druck zu üben«, und zwar »von Frankfurt aus«.

Inzwischen waren schon mehrere Anmeldungen erfolgt. Ich hatte mich bereits erhoben; aber Herr von Bismarck hielt mich noch zurück, er hatte augenscheinlich noch etwas auf dem Herzen, worauf er Wert legte. Es werde mich doch interessieren, fuhr er fort, auch etwas über die innere Frage in Preußen zu vernehmen, was aber nicht für die Öffentlichkeit sei. Er habe der Sache die jetzt vorliegende Richtung usw. gegeben, um vorläufig einen gewissen Abschluß zu erzielen. Die Stimmung sei auf allen Seiten eine solche gewesen, daß eine Verständigung jetzt unmöglich erscheine. Die Zeit werde helfen. Er denke nicht daran, den Konflikt zu schärfen, er hege vielmehr die feste Hoffnung, daß sich in wenigen Monaten ein Weg zur Ausgleichung werde eröffnen lassen.

Als ich meinerseits auf eine Mittelzahl in betreff der drei- bzw. zweijährigen Dienstzeit hinwies, entgegnete Bismarck lebhaft: »Das ist der Henkel, an dem sich die Sache wird fassen lassen; es bedarf aber einiger Zeit.«

Dann klagte Bismarck, daß so viel Verkehrtes in die Öffentlichkeit komme. So habe man seine Äußerungen vielfach entstellt veröffentlicht, namentlich auch den Zusammenhang gestört, in dem er von »Eisen und Blut« gesprochen habe; »Blut« sei gleich Soldaten gebraucht worden. Ich schob hier ein, daß ich selbst ganz der Ansicht sei, daß wir ohne »Eisen und Blut«, viel Blut sogar, nicht ans Ziel gelangen würden, was Bismarck wie in Gedanken verloren anhörte.

Dann fuhr er fort: er sei der junge Mensch nicht mehr, der sich 1848 »den Barrikaden gegenübergestellt habe«. Jedem hänge seine Erziehung an. Aber in Frankfurt seien ihm die Augen aufgegangen. Übrigens habe er das Ministerium übernommen, gerade um Extremes zu verhüten; die Herren von der Opposition irrten sich, wenn sie an ein liberales Ministerium dächten, nach ihm würden vielmehr die Herren v. M. usw. kommen und die Sache könne dann leicht mit »Karlsbader Beschlüssen« enden ...

Dann begleitete mich der riesige Mann mit freundlichstem Gruße und Händedruck bis zur Tür, und Regierungsrat Zittelmann lief mir noch nach wegen der geheimen Adresse.

Es wirbelte mir im Kopfe, als ich auf die Straße, in mein

Zimmer trat... Das war also der eingefleischte »Landjunker«? Nicht doch! Wie vieles auch berechtigt sein mochte – hier war eine ganz außergewöhnliche, großartige Erscheinung! –

Und diese Überzeugung mehrte sich später bei jeder Unterredung.

Friedrich Oetker, Lebenserinnerungen. Aus dem Nachlaß herausgegeben von F. Oetker. Band III, 1885, S. 334 ff. (gekürzt).

Gespräch in früher Morgenstunde in Paris. 2. November 1862

Graf Seherr-Thosz, einer der zahlreichen in der Verbannung zu Paris lebenden ungarischen Aristokraten, suchte im Glauben, daß Ungarn einstmals seine Freiheit weder von Frankreich noch von Italien, sondern durch ein Preußen erlangen werde, das zur Erkenntnis seiner deutschen Aufgabe käme, eine Annäherung an Bismarck, als dieser, vor kurzem zum Ministerpräsidenten ernannt, Ende Oktober 1862 nach Paris zurückreiste, um sich von Kaiser Napoleon in seiner Eigenschaft als früherer preußischer Gesandter am französischen Hof zu verabschieden.
Das Folgende nach der von ihm selber veröffentlichten Erzählung des ungarischen Emigranten.

Ich konnte vermuten, daß mein Name und meine Stellung dem Herrn von Bismarck nicht ganz unbekannt seien. Ich richtete also ein Schreiben an ihn, worin ich sagte, wenn es wahr sei, was man von ihm erzähle, daß er ein Feind von Österreich sei, dieses mit Krieg überziehen wolle, wenn ferner er nicht bloß ein preußischer Felix Schwarzenberg, sondern ein deutscher Cavour zu sein gedenke, dann könne er auf die redliche und nützliche Mitwirkung Ungarns rechnen. Für diesen Fall stelle ich mich ihm zur Verfügung, behufs Einleitung der weiteren Schritte mit den maßgebenden Personen unter meinen Landsleuten. Diesen Brief gab ich am Tage vor der Rückkehr Bismarcks im Gesandtschaftshotel ab.

Am zweiten Tage nach der Abgabe des Briefes wurde ich früh fünf Uhr aus dem Schlafe geweckt durch einen Leibjäger, der sich sehr ängstlich vergewisserte, ob ich auch wirklich derjenige wäre, den er suche. Er sagte mir dann, daß der preußische Ministerpräsident mich ersuchen lasse, um acht Uhr früh bei ihm zu erscheinen. Zur bestimmten Stunde trat ich bei Herrn von

Bismarck ein, der damals am ersten Anfange seiner glänzenden, aber mühevollen Laufbahn stand. Der Minister entschuldigte sich vorerst, mich im Schlafrock zu empfangen, er sei jedoch erst um vier Uhr früh von dem Fest zurückgekehrt, zu dem ihn Kaiser Napoleon nach St. Cloud geladen hatte. Er bedauere auch, daß er mich zu so früher Stunde habe zu sich bitten müssen, doch er sei durch die zärtliche Fürsorge Metternichs, des österreichischen Botschafters, von Spionen umgeben, wünschte aber, daß ich von diesen nicht bemerkt würde. Herr von Bismarck ließ sich nun von mir die Zustände Ungarns und die hervorragendsten Persönlichkeiten der Emigration und des Landes schildern. Auf seine Frage, auf welche Art wir zu so genauer Kenntnis der Verhältnisse sowohl bei Hofe als in der Administration und im Heere kämen, setzte ich ihm auseinander, daß sich dies einerseits daraus erklärte, daß ein großer Teil unserer Emigrierten den obersten Klassen der Gesellschaft angehörte, die sowohl bei Hofe wie auch im Heere Verwandte und gute Freunde hätten, und andererseits daraus, daß die patriotisch gesinnten Männer im Lande jede Gelegenheit benutzten, um uns von den dortigen Vorgängen auf dem laufenden zu halten. Bismarck kam nun zu dem Punkt, der uns zusammengeführt hatte. »Ihre Voraussetzungen sind richtig. Ich habe mir zum Ziel gesetzt die Schmach von Olmütz zu rächen, dieses Österreich niederzuwerfen, das uns auf das Unwürdigste behandelt, uns zu seinem Vasallen erniedrigen möchte. Ich will Preußen aufrichten, ihm die Stellung in Deutschland schaffen, die ihm als rein deutschem Staate gebührt. Ich verkenne nicht den Wert, den die Hilfe Ungarns für uns haben kann, und ich weiß, daß die Ungarn nicht Revolutionäre sind in dem gewöhnlichen Sinne des Wortes. Übrigens hat ja schon der große Fritz mit unzufriedenen ungarischen Magnaten wegen eines Bündnisses unterhandelt. Wenn wir siegen, so wird auch Ungarn frei werden. Verlassen Sie sich darauf.«

Ich erlaubte mir die Frage, wie er sich die Neutralität Frankreichs werde sichern können, welches jedenfalls Gebietsabtretungen verlangen werde. »Darüber habe ich keine Sorge mehr«, antwortete Bismarck mit seiner Offenheit, die seither ihm so gute Früchte getragen hat. »Ich habe heute nacht zwei Stunden mit dem Kaiser konferiert und die Zusage unbedingter Neutralität von ihm erhalten. Er sprach mir allerdings von einer kleinen Grenzberichtigung, wie er es nannte; er wollte das Saarbrückener Kohlenbecken haben. Ich erklärte ihm aber rund heraus, daß wir nicht ein einziges Dorf hergeben, denn wenn ich es selbst wollte, so würde mein König nie darein willigen. Darauf gab der Kaiser die Zusage. Er hält uns aber für schwach oder überschätzt die Österreicher; er warnte mich mehrere Male. Als er mich trotz seiner Warnung guten Mutes sah, sagte er: »Tun Sie, was Sie nicht lassen können.« – Herr v. Bismarck forderte mich nun auf, ihm von Zeit zu Zeit Berichte über den Gang der Dinge und über die Verhältnisse in Ungarn einzusenden, doch möchten dieselben so verfaßt sein, daß er sie dem Könige vorlegen könne. Aber wie sollte ich ihm die Berichte auf sichere Weise zukommen lassen, so daß sie vor indiskreten Blicken bewahrt blieben? »Halt, jetzt weiß ich«, rief Bismarck, »hier ist ein braver, durchaus verläßlicher Mann, unser Konsul Dr. Bamberg, den werde ich Ihnen schicken. Er tut seine Depeschen in einen eigenen Sack, der erst in Berlin geöffnet wird.« Damit war die Unterredung zu Ende, ich aber – ich war plötzlich, und zum ersten Male im Leben, zum Konspirator geworden.

Graf Seherr-Thosz. Erinnerungen aus meinem Leben.
Deutsche Rundschau, Band 28, 1881, S. 63 ff.

Gespräch mit dem österreichischen Gesandten Grafen Karolyi in Berlin. 4. Dezember 1862

Eine Aufnahme dieser Unterredung ist trotz ihres amtlich-diplomatischen Inhalts unentbehrlich, weil sie den Schlüssel zum Verständnis vieler Gespräche der folgenden Zeit gibt. Überdies betont auch Karolyi in seinem Bericht an die Hofburg die außerordentliche Rückhaltlosigkeit der Sprache Bismarcks und den vertraulichen Charakter, den er diesem Gespräch zu geben wußte.
Das Folgende nach Karolyis Bericht vom Morgen des 5. Dezember 1862.

Gestern hatte ich mit dem Herrn Ministerpräsidenten eine längere Unterredung über den Stand der allgemeinen Verhältnisse zwischen Österreich und Preußen. Sie nimmt wegen des dabei eingehaltenen unumwundenen, offenen Tones mehr einen vertraulichen Charakter in Anspruch, doch sie gewährt dafür ein höchst bedeutungsvolles Bild der augenblicklichen Stimmung und Tendenzen des preußischen Kabinetts, und die rückhaltlose, allem Anschein nach durchweg aufrichtige Sprache des Herrn von Bismarck weist gleichzeitig auf die aus der weiteren Entwicklung des von ihm vertretenen Standpunktes hervorgehende Schlußfolgerung hin. Der Minister ergriff hierzu die Initiative, indem er meine Aufmerksamkeit auf die wiederholten, gegen die innere preußische Regierungspolitik gerichteten Angriffe mehrerer dem demokratischen Lager angehörigen Zeitungsorgane lenkte, von denen man hier mit Bestimmtheit annehmen zu können glaubt, daß sie Beziehungen mit dem kaiserlichen Kabinett unterhalten. Er wies auf die Hamburger »Reform« und den Wiener »Botschafter« hin, welchem letzteren Froebel* seine Feder widme. Diese Tendenz der österreichischen und der durch die kaiserliche Regierung inspirierten deutschen Presse hätte auf den König sehr peinlichen, verletzenden Eindruck gemacht, so daß selbst die Abberufung des Freiherrn v. Werther** erwogen worden wäre. Dies letztere ist wohl nur Redensart, beweist aber die jetzt herrschende Irritation. Ich antwortete in ähnlichem Sinne und wies den Vorwurf, daß das kaiserliche Kabinett die jetzige Wendung in der inneren preußischen Politik bekämpfen wolle, zurück. Gerade im Gegenteil wäre der Sieg des monarchischen Prinzips über reinen Parlamentarismus in Wien sympathisch. Bismarck erwiderte, daß sonach die liberalere Fraktion des österreichischen Kabinetts, Schmerling, anders denke und durch ihre eigenen Preßorgane im angedeuteten Sinne wirke. Gleiches habe sich früher auch hier zugetragen. Auf meine weitere Entgegnung, daß seine Behauptungen bezüglich Inspirierung erst bewiesen werden müßten und Österreich auf diesem Felde weit hinter Preußen zurückbleibe, sagte der Minister, daß er keine Reklamationen erhebe, sondern nur Eindrücke und deren Folgen schildern wollte.

Dies alles war nur Einleitung. Bismarck drang nun in das Mark der Situation.

Die Beziehungen zwischen Österreich und Preußen, so sagte er, sind an sich schon nicht besonders, stationär werden und können sie nicht bleiben. Ich wünsche, daß sie sich bessern mögen, weswegen ich jetzt auf die feindselige Haltung der Presse hingewiesen habe, wo nicht, werden sie unfehlbar noch schlechter werden und über kurz oder lang zu einem förmlichen Bruch und schließlich zum Kriege führen. Warum waren die beiderseitigen Verhältnisse im ganzen und großen erträglicher Natur bis 1848? Weil Metternich dafür, daß er dem kaiserlichen Kabi-

* Ehemals demokratischer Abgeordneter an der Paulskirche und publizistischer Vertreter großdeutscher Gedanken und der Triasidee.

** Damals preußischer Gesandter in Wien.

nett die erste entscheidende Stimme in der europäischen Politik vindizierte, so ziemlich Preußen freie Hand auf dem Gebiete der deutschen Politik ließ. Er kannte die wahre Natur des Handels und wußte, daß man ohne einen gewissen Preis nichts erhalte. Wir folgten gern Ihrer Leitung in den großen europäischen Fragen, weil wir uns hingegen auf unsere natürlichen Verhältnisse in Deutschland, auf die wir so wesentlich zur Stärkung unserer Machtstellung angewiesen sind, ohne Rivalität seitens Österreichs stützen konnten. So entstand unter anderm der Zollverein. Für uns ist es Lebensbedingung, in unserm natürlichen Rayon, Norddeutschland, frei und unbehindert uns bewegen zu können. Hannover und Kurhessen dürfen keinem andern als preußischen Einflusse zugänglich sein. Hiergegen hat sich Ihr gegen uns gerichteter Einfluß immer mehr in diesen beiden Ländern festgesetzt. Ich habe selbst Platen gesagt, daß seine Politik unfehlbar zur Folge haben würde, daß beim ersten Kanonenschuß in Deutschland Hannover sofort durch Preußen okkupiert würde. Daß wir ein Gleiches mit Kurhessen tun müßten, versteht sich von selbst. Ihr dortiger Einfluß würde daher bei kriegerischer Eventualität Ihnen doch nichts nützen, da wir Ihnen immer zuvorkommen könnten. Als weiteren Beweis, wie sehr Österreich überall seinen Einfluß geltend macht, führe ich Ihnen Dessau und Bernburg an, welche doch für die allgemeine deutsche Lage ganz unbedeutend und wirkungslos sind. Wollen Sie eine der Politik Metternichs einigermaßen entsprechende Richtung einschlagen, so werden Sie uns bereit finden, eine feste Allianz mit Ihnen abzuschließen. Ich kann wohl sagen, daß ich nur ein Wort habe, und zudem werden Sie nicht sobald einen preußischen Staatsmann finden, der so entschieden und so unbeirrt durch die öffentliche Meinung reine Kabinettspolitik zu machen geneigt wäre, weil niemand die öffentliche Meinung so sehr verachtet wie ich.

Der österreichischerseits stets entgegengestellte Einwand, daß in europäischen Krisen Preußen ebenso sehr auf Österreich als Österreich auf Preußen angewiesen ist und daß es sich daher um kein Markten handeln könne, erscheint wohl zur Redaktion einer Depesche geeignet, aber damit gelangt man zu keiner Verständigung. Die Gleichartigkeit der Situation gebe ich nicht zu. Vor einem Kriege mit Frankreich fürchten wir uns nicht. Einmal könnten wir uns mit Frankreich so stellen, daß dasselbe auf jeden Angriff gegen uns verzichten würde. Gewisse Erfahrungen mit dem Kabinett der Tuilerien, wobei wir uns allerdings wie

Joseph zu Frau Potiphar benommen haben, würden uns stets die geeigneten Mittel an die Hand bieten. Käme es zum Kriege, so würden wir zum ersten auf unsere eigenen wie auf die gesamten national-deutschen Kräfte rechnen können, dann würde Preußens Unterwerfung uns Rußland zuführen, auch England. Wir hätten daher in letzter Analyse auch ohne österreichische Bundesgenossenschaft gegründete Aussicht auf einen definitiven Sieg.

»Nach meiner Anschauung« – fuhr Bismarck, auf die inneren österreichischen Zustände übergehend, fort – »würde eine Politik, wobei Sie den maßgebenden Einfluß, den Sie in Deutschland einzunehmen bemüht sind und der erst durch Fürst Felix Schwarzenberg in seiner jetzigen Gestalt inauguriert worden ist, zum Teil wenigstens an Preußen überließen, der Konsolidierung Ihrer eigenen Interessen am besten entsprechen. Wenn Sie, anstatt den Schwerpunkt in Deutschland zu suchen, denselben nach Ungarn übertrügen, so würden Sie den wichtigsten, wesentlichsten Bestandteil Ihres Länderkomplexes mit einem Male versöhnen, da es doch den Anschein hat, daß die ungarischen Länder sich nicht als Appendix regieren lassen, während Sie keineswegs Gefahr liefen, dadurch die deutschen Provinzen zu entfremden, deren Interessen nach dem Gesamtkörper der Monarchie gravitieren. Österreich würde in dieser Weise ein höchst wertvoller Alliierter für Preußen werden, und wir würden anderseits Ihre Vitalinteressen in Italien wie im Orient zu den unsrigen machen und Ihnen darin unbedingt beistehen.

Preußens Stellung in Deutschland verstehe ich folgendermaßen. Parallel mit dem Zollverein müßten auf dem materiellen Gebiete, wie Eisenbahnen usw., nicht durch den Bund, sondern durch freie Vereinbarung zwischen Preußen und jedenfalls den norddeutschen Staaten ähnliche Institute gegründet und die Führung der beiden norddeutschen Armeekorps Preußen überlassen werden, während die beiden andern dem österreichischen Kommando zufielen. Wir müssen die für unsere politische Existenz notwendige Lebensluft erhalten. In bezug auf Norddeutschland tritt praktisch für Österreich die Wahl zwischen einer Allianz mit Preußen oder Hannover heran. Es ist eine Illusion, zu glauben, daß Sie sich durch die Mittelstaaten jemals unsrer Bundesgenossenschaft versichern können. Die Verhältnisse, wie sie einmal sind, werden zum geraden Gegenteil führen.

Im Jahre 1859 waren drei Möglichkeiten vorhanden. Entweder wir standen Ihnen bei oder wir gingen mit Frankreich oder wir blieben neutral. Das letztere haben wir getan, ich habe es für die schlechteste Politik gehalten, war zu jener Zeit für das Eintreten in den Krieg mit Österreich. Daß die dritte der genannten Alternativen, solange ich am Ruder bin, nicht eintreten wird, dafür kann ich einstehen; welche von den beiden andern, ist eine Frage, die davon abhängt, ob wir uns in dem angedeuteten Sinne verständigen können oder nicht. Während Jahren war es Sitte, die schönsten Depeschen und Versicherungen zwischen Berlin und Wien zu wechseln. Wenn es aber zum Handeln kam, schlug dies alles fehl, weil man sich nicht über die wirklichen Erfordernisse und Lebensbedingungen eines jeden klargeworden war. Man gab sich sonach verderblichem Heucheln hin.

Wenn sich Österreich und Preußen auf der von mir bezeichneten Basis einigen und hierbei den Bogen nicht zu straff spannen, bloß die notwendigen Zugeständnisse von den andern deutschen Staaten verlangen, so wird deren Widerstand ohne zu große Schwierigkeiten zu besiegen sein. Wenn aber Österreich in seiner gegenwärtigen Richtung verharrt und unsre Aktion und Lebensluft einengt, beschwören Sie Katastrophen herauf, welche in letzter Analyse zum Kampfe führen müssen, wobei jeder seine Alliierten haben wird, wir vielleicht schlecht fahren werden, doch dessen Ausbruch nicht verhindern können ...

Als ich 1852 nach Frankfurt kam, hoffte ich auf ein Zusammengehen mit Österreich. Meine dortigen Erfahrungen haben mir aber die Unmöglichkeit davon vor Augen geführt. Die maßgebende Verstimmung gegen Österreich greift immer tiefer und weiter um sich. Ich, der ich in der öffentlichen Meinung als der entschiedenste Widersacher des österreichischen Einflusses in Deutschland gelte, bin nun hier schon weit überflügelt und ein milderndes Element geworden. Es läßt sich diese Stimmung in mancher Hinsicht bis zum König hinauf führen. In bezug auf Kurhessen war es der Wunsch Seiner Majestät, die Drohung des Einrückens preußischer Truppen im letzten Schreiben an Herrn Dehn-Rothfelsen unumwunden auszusprechen. Auf mein Anraten unterblieb dies, aber beim ersten Rückfall werden wir es sicher und sofort tun. Wie ich Ihnen schon früher sagte, gebieten uns unsre inneren Schwierigkeiten, unsre äußere Aktion um so höher zu spannen.

Die Gereiztheit des Königs über den Stand der beiderseitigen Beziehungen ist sehr groß. Gleichzeitig mit dem Besuche des Kronprinzen in Wien hat Werther eine Depesche des gleichen

Inhalts zur Mitteilung an Rechberg erhalten. Es war mir lieb, mit Ihnen offen zu sprechen und die Gefahren der Situation auch durch Ihr Organ dem kaiserlichen Kabinett zukommen zu lassen.«

Diese tiefeingehenden Ausführungen haben mit meinen Gegenbemerkungen zwei Stunden in Anspruch genommen. Die Wiedergabe der letzteren übergehe ich. Augenblicklich handelt es sich vielmehr darum, klaren Einblick in die Stimmung, Richtung und Aktionsfähigkeit der preußischen Regierung zu gewinnen, als um polemisierende Repliken.

Der praktische Zweck des Ministers dürfte zum Teil in der Hoffnung bestehen, durch die überaus trübe gefahrdrohende Färbung unserer gesamten Beziehungen doch vielleicht einen den preußischen Interessen zugute kommenden Eindruck auf das kaiserliche Kabinett zu machen, zum Teil hat ihn wohl auch die in seiner Natur liegende Offenheit und Ungebundenheit veranlaßt, auf die Möglichkeiten einer nicht entfernten Zukunft hinzuweisen. Den Dualismus betreffend, habe ich Bismarck bemerkt, daß wir denselben bei jedem eintretenden europäischen Falle zur Ausführung zu bringen geneigt sind. Was er wollte und als maßgebend für eine Änderung der Lage betonte, war dessen grundsätzliche Feststellung, also die preußische Hegemonie in Norddeutschland.

Die Andeutungen eines unvermeidlichen Krieges haben wohl nur spekulativen Wert. Die Äußerungen wegen Kurhessen und Bund betrachte ich aber nicht als eitle Drohungen, sondern als fertige Entschlüsse.

Freiherr von Hengelmüller, Graf Karolyi. Ein Beitrag zur Geschichte der österreichisch-ungarischen Diplomatie. Deutsche Revue, Band 38, 1913, S. 36 ff. (gekürzt).

Die Saugvorrichtung für Ordensbänder. – Gespräch mit dem Hofbeamten Georg von Oertzen in Potsdam.

Anfang Juni 1863

Georg von Oertzen, damals schon in dänischen Hofdiensten, aber deutsch gesinnt, war Bismarck von der Frankfurter Bundestagsgesandtschaft her bekannt, bei der Oertzen seine dienstliche Laufbahn als Anfänger in der Diplomatie begonnen hatte. Über seinen Empfang durch Bismarck in Frankfurt und die Schule, die er dort durchmachte, berichten seine Lebenserinnerungen, die sonst meist in der höfischen Sphäre blieben und in etwas verschwommen redseliger Art abgefaßt sind. Sie sind anonym (1894) von dem später in Freiburg i. Br. im Ruhestand lebenden Oertzen herausgegeben worden.

Ich entsinne mich, daß ich auf dem »Schrippenfeste«, welches alljährlich, wie bekannt, in den communs bei Potsdam abgehalten wird*, im Gedränge der Hofherren und Generale mit Herrn von Bismarck zusammentraf. Plaudernd mit ihm, bemerkte ich, wie er das Großband des Roten Adlerordens, das ihm von der Schulter gerutscht war, vergeblich in die rechte Lage zu bringen suchte, und ward ihm schnell dabei behilflich. Während ich nun so an seiner Achsel nestelte, wies er verstohlen auf den in der Nähe stehenden jungen Angehörigen einer der ältesten, aber kleineren Regentenfamilien Deutschlands hin, dessen Beliebtheit jedoch bei seinen Kameraden wie bei den Damen groß war. Dieser Prinz nun nahm sich in der Tat mit Stern und Band des bayerischen Hubertusordens, den er mit vollendeter Eleganz trug, sehr stattlich aus, und mein Gesprächspartner flüsterte mir deshalb leise mit munterem Lachen zu: »Sehen Sie, bei solchen Herren sind die Ordenszeichen recht an ihrem Platz. Ich glaube, die haben auf der Haut eine angeborene Saugvorrichtung, um derartigen Schmuck festzuhalten. Bei unsereinem haftet sowas doch nie ganz reglementsmäßig . . .« Dazumal machte die Frohlaune jener Klage aus seinem Munde und in jenen düsteren Zeitläuften auf mich einen wahrhaft erquicklichen Eindruck. Sie gab mir die beruhigende Gewißheit, daß, wie die Dinge in Preußen und dessen Nachbarländern sich wenden mochten während dieses ernsten Sommers, jedenfalls König Wilhelm in seinem kaltblütigen, starken und klugen Berater einen Mann zur Seite habe, der mit ihm allem Kommenden gewachsen sei.

Kapitel aus einem bewegten Leben. 1855–1864.
1894, S. 220 ff.

Um Antwort nicht verlegen. – Ein Karlsbader Gespräch.

Am 24. Juni traf Bismarck in Karlsbad beim König ein. Am 15. Juli erfolgte die Rückkehr nach Berlin. In die Zeit dieses Aufenthaltes fällt die folgende, vom Flügeladjutanten des

* Stiftungsfest des Lehrinfanteriebataillons, bei dem Brötchen (»Schrippen«) gereicht wurden. Zeitpunkt stets der zweite Pfingstfeiertag.

Königs, Prinzen Hohenlohe-Ingelfingen, berichtete Gesprächs-Äußerung Bismarcks, möglicherweise aus zweiter Hand überliefert, aber echt in Haltung und Klang.

Die Damen Gräfin Kaleryi, Marquise d'Adda, als Spionin verdächtig, Marquise de Liadière, alle drei »Die lustigen Weiber von Windsor« genannt, waren fast immer zusammen und verlangten, zu ihren Teegesellschaften besucht zu werden. Sie hatten es hauptsächlich auf Bismarck abgesehen, den sie wohl aushorchen wollten, wozu sie immer politische Gespräche mit ihm anfingen. Dies war Bismarck sehr angenehm, denn er ließ seinen schlagenden Witz spielen und foppte die Damen durch seine Paradoxen. Die Kaleryi protegierte damals die Polen und machte Bismarck Vorwürfe, daß er die berechtigten Ansprüche der polnischen Revolutionäre nicht unterstützte. Da sagte ihr Bismarck: »Sehen Sie, diese Leute haben keinen anderen Zweck, als uns alle, Sie und mich auch, aufzuhängen, und es wird ihnen auch gelingen, sobald sie nur erst zur Herrschaft gelangt sein werden, das ist nur eine Frage der Zeit. Es ist daher eine Pflicht aller derer, die jetzt die Zügel der Herrschaft in der Hand haben, von dieser Sorte so viele als möglich erst zu hängen, um dadurch den Zeitpunkt, an dem wir baumeln werden, möglichst hinauszuschieben.«

Prinz Kraft zu Hohenlohe-Ingelfingen. Aus meinem Leben.
1905, Band II, S. 339.

Unwillkommener Besuch in Baden-Baden. – Gespräch mit dem sächsischen Ministerpräsidenten Freiherrn von Beust. 19. August 1863

Beust begleitete Johann von Sachsen, der im Namen des Kaisers von Österreich und der um diesen versammelten Fürsten die Einladung zum Frankfurter Fürstentag überbrachte, nach Baden-Baden. König Wilhelm und Bismarck waren am 19. August abends hier eingetroffen. Beusts Unterredung mit Bismarck dürfte noch am gleichen Abend stattgefunden haben. Am 21. August reiste er mit König Johann, der am 20. mit König Wilhelm verhandelte, unverrichteter Dinge wieder ab, da Bismarck seinen König zur Ablehnung der Einladung bewogen hatte.

Ich hatte die Ehre, den König zu begleiten. Meine Aufgabe war es, mit dem preußischen Ministerpräsidenten Herrn von Bismarck Vernehmung zu pflegen. Wir kamen in den Nachmittagsstunden an. Ich suchte Herrn von Bismarck, welcher in Stephanienbad abgestiegen war, vergeblich auf, fand ihn aber später.* Es war schon spät am Tage und Bismarck bat mich, an seinem Abendessen teilzunehmen, welcher Einladung ich gern folgte. Seine ersten Worte waren: »Sie kommen, um uns ins Verderben zu reißen – wird Ihnen nicht gelingen.« – »Ich begreife Sie nicht«, entgegnete ich, »wenn Ihr König morgen nach Frankfurt geht, sich in der Versammlung einfindet, die Fürsten mit herzlichen Worten begrüßt mit der Erklärung: Er sei bereit, sich an ihren Beratungen zu beteiligen, da er aber eben zwei ernste Kuren gebraucht habe, müsse er um Aufschub bitten und werde einige Wochen später sich gerne wieder einfinden; wenn«, sagte ich, »der König das tut, so verläßt der Kongreß Frankfurt am nächsten Tag«, worauf Bismarck erwiderte: »Was Sie da sagen, ist möglich, sehr möglich, aber nicht gewiß.« Als ich darauf meine weiteren Bemühungen mit den Worten einleitete: »Sie haben mir ja bisher Vertrauen geschenkt«, unterbrach er mich: »Vertrauen habe ich gar nicht mehr, seitdem Sie die Leipziger Rede** gehalten haben.« Wie es seine Gewohnheit ist, selbst in Augenblicken der Verstimmung in einen scherzhaften Ton zu verfallen, fügte er hinzu: »Sie machen auf solche Weise nur Ihre Freunde irre. – Sehen Sie, in Preußen hatten Sie keinen besseren Freund, als den General Manteuffel. Wie der Ihre Rede gelesen hatte, wurde er krank, mußte sich vierundzwanzig Stunden ins Bett legen und rief einmal über das andere: ›Wie kann man sich so in einem Menschen irren!‹ « Von seinem königlichen Herrn*** sagte er nur Folgendes: »Wissen Sie, der König ist über den Besuch Ihres Herrn sehr verdrießlich. Er sagt: Hätte man mir wenigstens meinen Schwiegersohn geschickt, dem würde ich den Kopf gewaschen haben; aber nun schickt man mir noch den ehrwürdigen König von Sachsen!«

* Beust bemerkt hierzu im Text: »Herr Dr. Busch hat in seinem ›Reichskanzler‹ über unsere Unterredung Dinge berichtet, welche, wie ich in einem früheren Kapitel erwähnte, durchwegs auf Erfindung beruhen.«

** Rede Beusts beim Allgemeinen Deutschen Turnerfest (August 1863) in Leipzig. Er bemerkt dazu im Text: »Diese Rede habe ich meinen geehrten Lesern unterbreitet. Ist es nicht bemerkenswert, daß der Begründer des Deutschen Reiches mir sein Vertrauen entzog, weil ich in einer öffentlichen Versammlung von Deutschland und deutscher Einheit gesprochen hatte?«

*** Hier ein Zusatz Beusts im Text: »Den nach Busch König Johann und ich krank gemacht haben sollten.«

Die Abfassung der abschlägigen Antwort des Königs auf die von sämtlichen Fürsten unterzeichnete Einladung mußte viel Mühe gemacht haben, denn Herr von Bismarck brachte sie mir in ziemlich vorgerückter Nachtzeit. Ein Separatzug brachte uns bald darauf nach Frankfurt zurück.

Fr. F. Graf von Beust »Aus dreiviertel Jahrhunderten« - Erinnerungen und Aufzeichnungen. 1887, Band I, S. 332 ff.

Drastische Worte. – Gespräch mit dem Prinzen Hohenlohe-Ingelfingen in Baden-Baden. 20. August 1863

Daß die vorliegende Überlieferung Hohenlohe-Ingelfingens über dieses Schlußgespräch mit Beust, das am Abend des 20. August stattgefunden haben muß, auch in allen Einzelheiten frei von Zuspitzungen oder Übertreibungen sei, ist wohl schwerlich anzunehmen. Doch sei immerhin daran erinnert, daß Bismarck selber in den Gedanken und Erinnerungen erzählt: »Als ich den Herrn verließ, waren wir beide infolge der nervösen Spannung der Situation krankhaft erschöpft, und meine sofortige mündliche Mitteilung an den sächsischen Minister von Beust trug noch den Stempel dieser Erregung.«

Als Bismarck kurz vor elf Uhr den König verließ, brachte er die vom Könige unterschriebene endgültige Antwort zurück, daß derselbe nun und nimmermehr zu diesem Fürstentage nach Frankfurt gehen werde. Bismarck erzählte mir, er habe dem Könige gesagt, wenn er nach Frankfurt gehe und befehle, daß er, Bismarck, ihn begleite, dann wolle er wohl als sein Schreiber mitgehen, aber nicht als sein Ministerpräsident. Aber den preußischen Grund und Boden betrete er dann nicht wieder, denn er müsse sich dann des Landesverrats schuldig wissen, so sicher sei er, daß der Schritt zu Preußens Verderben führe. Darauf habe der König die abschlägige Antwort unterschrieben.

Mit diesem Bescheide ging Bismarck noch abends um elf Uhr in das Hotel des Königs von Sachsen und brachte diesem das Schreiben, dessen Inhalt er dem Herrn von Beust mitteilte. Letzterer sagte zu Bismarck, er werde sogleich den Extrazug für den andern Morgen abbestellen, denn der König Johann sei nicht willens, ohne König Wilhelm nach Frankfurt zurückzukehren und werde nun den andern Tag versuchen, ihn zu bereden. Da erklärte Bismarck mit voller Entschiedenheit dem

Herrn von Beust: »Ich gebe Ihnen mein Ehrenwort, daß, wenn morgen früh sechs Uhr der Extrazug mit dem König Johann nicht abgefahren ist, dann ist um acht Uhr ein Bataillon Preußen aus Rastatt in Baden, und ehe mein König aus dem Bett aufsteht, ist sein Haus durch Truppen besetzt, die keinen andern Auftrag haben, als keinen Sachsen mehr hereinzulassen!«

Beust erwiderte, Preußen habe nicht das Recht, Truppen im Frieden nach Baden marschieren zu lassen, das würde Bundesbruch und Friedensbruch sein. Da fuhr Bismarck auf: »Bundesbruch und Friedensbruch sind mir ganz gleichgültig. Wichtiger ist mir das Wohl meines Königs und Herrn. Heute habt Ihr ihn schon krank gemacht. Morgen soll er Ruhe haben. Einen König habt Ihr uns in Wien und Dresden schon ruiniert. Daß Ihr uns den zweiten nicht auch zugrunde richtet, dafür stehe ich, solange ich Ministerpräsident bin, und wenn es nötig ist, mit meinem Kopf.«

Aus meinem Leben. Aufzeichnungen des Prinzen Kraft zu Hohenlohe-Ingelfingen. 1905, Band II, S. 354.

Gespräche mit dem Oberregierungsrat von Keudell in Berlin. Oktober bis Silvester 1863

Als Hilfsarbeiter ins Staatsministerium berufen, traf v. Keudell am 19. Oktober in Berlin ein. Über seinen Dienstantritt berichtet Keudell, der sich über die schwierige politische Lage seines Chefs klar war, folgendes.

Am 20. x. früh meldete ich mich beim Ministerpräsidenten im Auswärtigen Amte (Wilhelmstraße 76). Er sagte: »Sie müssen in meiner Nähe wohnen, finden aber in dieser Gegend der Stadt keine mietbaren Räume. Das Staatsministerium steht leer. Ich habe dort im vorigen Jahre einige Wochen gewohnt. Ein Beamter machte mich mit Stolz auf einige neue Tapeten aufmerksam; ich fand aber, daß diese Tapeten an eine Ausspannung in Prenzlau erinnerten. Nehmen Sie sich dort so viele Zimmer, wie Sie brauchen können, meinetwegen alle.« Nach einer kleinen Pause fuhr er fort: »Ich denke, Sie sollen einmal einen ›propren Bundestagsgesandten abgeben.« Diese Äußerung erwähne ich nur, weil daraus zu schließen ist, daß Bismarck im Oktober 1863 noch eine langjährige Fortdauer des Bundestages für wahrscheinlich gehalten hat.

Ich bezog sofort zwei Zimmer im Hinterhause des damaligen Staatsministerialgebäudes (Wilhelmstraße 74), welches nachmals für den Bundesrat und für das Reichsamt des Innern ausgebaut worden ist.

Um fünf Uhr erschien ich, nach Bestimmung des Ministers, zum Essen mit ihm allein. Seine Gemahlin befand sich noch in Reinfeld in tiefer Trauer um ihre Mutter, welche dort im September gestorben war. Er sah blaß und müde aus und sagte nach längerer Pause: »Es kommt mir vor, als wäre ich in diesem einen Jahr um fünfzehn Jahre älter geworden. Die Leute sind doch noch viel dümmer, als ich sie mir gedacht hatte.« Ich erwiderte: »Sie werden hoffentlich wieder viel jünger werden, sobald es eine große auswärtige Verwickelung gibt.«

*

Zur allgemeinen Kennzeichnung der Beziehungen Keudells zu seinem Chef seien die folgenden Ausführungen aus Keudells Buch wiedergegeben, obwohl sie nur einige wenige unmittelbare Äußerungen Bismarcks enthalten und zeitlich nicht genau festzulegen sind. Sie fallen in die Zeit bald nach Beginn des Dienstantritts von Keudell.

Berlin, Ende 1863

Geschäftlich wurden mir alle an den Ministerpräsidenten persönlich gerichteten Gesuche zugewiesen. Morgens um zehn Uhr und abends um sieben Uhr hatte ich mich beim Chef zu melden, um die Eingänge in Empfang zu nehmen und die Entwürfe der Antworten vorzulegen, die er dann in meiner Gegenwart erstaunlich schnell durcharbeitete und unterschrieben zurückgab. Keine Sache blieb 24 Stunden unerledigt. Ich stand damals im vierzigsten Lebensjahre und war seit langer Zeit gewohnt gewesen, daß meine Entwürfe amtlicher Schriftstücke von Vorgesetzten fast gar nicht korrigiert wurden; jetzt aber kam ich wieder in die Stellung eines Schülers, dessen Konzepte selten unverändert stehenblieben.

Auffallend war mir die Behandlung der zahlreichen Bettelbriefe. Wenn solche den Eindruck wirklicher Not machten, wurde ich beauftragt, die Bittsteller aufzusuchen und kleine Unterstützungen zu spenden, nicht etwa aus irgendeinem staatlichen Dispositionsfonds, sondern aus den Privatmitteln des Ministers. Einmal mußte ich einer in der Köpenikerstraße 4 Treppen hoch wohnenden Witwe 25 Taler (75 Mark) überbringen, was mir für die Privatverhältnisse des Gebers sehr hoch gegriffen schien. Ich erlaubte mir abzuraten von dieser dilettantischen Armenpflege, die immer neue unerfüllbare Ansprüche hervorrufen müßte. Die Antwort lautete: »Wer sich in Not bittend an mich wendet, dem helfe ich, soweit ich es mit meinen geringen Mitteln vermag.« Gelegentlich fragte ich, ob es nicht zweckmäßig sein würde, durch das Bureau nur die wichtigeren Eingänge vorlegen zu lassen. »Nein«, sagte der Minister, »wenn ich nicht alles sehe, was ankommt, verliere ich die Fühlung mit dem, was im Lande vorgeht.« Nach mehreren Wochen wurde jedoch infolge der diplomatischen und militärischen Vorbereitungen zum dänischen Kriege die Geschäftslast so groß, daß er die augenscheinlich unwichtigeren Eingänge mit der Bezeichnung o, als nicht gelesen, an das Bureau gehenließ und nach deren Erledigung nicht fragte.

*

23. November 1863

Wurde abends mein Klavierspiel verlangt, so pflegte Frau von Bismarck die kleine Tür zum Arbeitszimmer des Ministers leise zu öffnen, und, wenn kein Besuch sichtbar war, halb offen stehen zu lassen, da der Minister sich damals nicht ungern durch Töne anregen ließ, während er arbeitete. Am 23. November sagte er einmal nach Tische, zu seinem Schwager und zu mir gewendet: »Wir brauchten eigentlich zwei Garnituren Regierungsbeamte: eine konservative und eine liberale, von denen eine immer zur Disposition gestellt werden müßte, wenn ein Ministerwechsel eintritt. Die vielen liberalen Beamten können doch jetzt unmöglich mit Freudigkeit und Hingebung ihre Pflicht tun.« Ich erlaubte mir meine abweichende Ansicht auszuführen, auf deren Inhalt es hier nicht ankommt. Dieses Gespräch erwähne ich nur, weil dessen frische Erinnerung mich einige Tage später zu einem unbesonnenen Schritte gedrängt hat.

*

Berlin, 30. November 1863

Nach dem Ableben des Königs Friedrich VII. von Dänemark (15. Nov.) schien mir der Augenblick gekommen, daß den Elb-Herzogtümern endlich zu ihrem Rechte verholfen werden könnte. Nun unternahm aber unsere Regierung gemeinschaftlich mit Österreich Schritte, welche die Anerkennung des Königs von Dänemark Christians IX. als Erben von Schleswig-Holstein voraussetzten. Bismarck war in den folgenden Tagen von diplomatischen Geschäften so in Anspruch genommen, daß ich nicht zum Vortrag gelangen konnte. Da er nun kürzlich betont hatte, wie großen Wert er darauf legte, daß die Überzeugung der Verwaltungsbeamten mit der ihres Chefs übereinstimmte, so trieb mich mein Gewissen, schriftlich vorzutragen, daß ich der Meinung sei, uns werde eine herrliche Gelegenheit geboten, an die Spitze der gewaltigen Bewegung der Geister in Deutschland dadurch zu treten, daß wir für das Recht des Herzogs von Augustenburg Krieg führten, um die Herzogtümer vom dänischen Joche zu befreien. Wenn ihm diese Ansicht mißfalle, so sei ich bereit, wieder in die Provinz zurückzukehren und würde dabei keine persönliche Mißempfindung zu überwinden haben. Diese Gedanken entwickelte ein Schreiben, das ich am Sonnabend, dem 28. November, in das Arbeitszimmer des Ministers tragen ließ. Am Abend des folgenden Sonntags wurde mein Gruß von der Hausfrau kaum erwidert; ich unterhielt mich daher nur mit einigen Gästen. Am Montag früh ließ Bismarck mich rufen. Die anderen Minister waren schon zu einer »vertraulichen Besprechung« mit ihm in dem sogenannten chinesischen Saal versammelt, welcher auf der Straßenseite des Hauses unmittelbar vor seinem Arbeitszimmer lag. Um in dieses einzutreten, mußte ich daher bei den Herren Ministern vorbeigehen. Er begann mit gedämpfter Stimme, aber in sichtlicher Erregung: »Sagen Sie 'mal, weshalb haben Sie mir eigentlich diesen Brief geschrieben? Wenn Sie glaubten, auf meine Entschließungen einwirken zu können, so müßte ich sagen, das wäre Ihren Lebensjahren nicht angemessen. Es kann ja ganz ehrenvoll sein, für eine gute Sache unterzugehen, aber besser ist es doch, sich so einzurichten, daß man die Möglichkeit hat, zu siegen. In der polnischen Sache war das ganze Ministerium gegen mich; man beschwor mich, es anders zu machen, um des Heiles meiner Kinder willen; nachher waren sie alle mit dem Erfolg zufrieden. Jetzt ist die ganze politische Abteilung wieder augustenburgisch; das stört mich nicht. Aber daß Sie, der Sie mich so lange und so gut kennen, denken, ich wäre in diese große Sache hineingegangen wie ein Fähnrich, ohne mir den Weg klarzumachen, den ich vor Gott verantworten kann, das vertrage ich nicht, das hat mir den Schlaf zweier Nächte gestört. Sie zu entlassen, liegt gar kein Anlaß vor. Ich habe Ihnen nur zeigen wollen, wie die Kugel sitzt, die Sie mir in die Brust geschossen haben.«

Von den letzten Worten erschüttert, sagte ich sogleich: »Es ist mir nicht in den Sinn gekommen, daß mein Brief Ihnen weh tun könnte. Bitte, geben Sie ihn mir zurück; es tut mir sehr leid, ihn geschrieben zu haben. Ich bitte von ganzem Herzen um Verzeihung.« Er gab mir den Brief mit den Worten: »Danke. Nun ist alles weggewischt, und Sie können sicher sein, daß keine unangenehme Erinnerung bei mir ›haken‹ bleibt. Aber wenn Sie wieder einmal anderer Ansicht sind, so schreiben Sie nicht, sondern reden Sie.«

Ich entfernte mich eilig durch die Mitte der Herren Minister und kam nach kurzer Überlegung des Gehörten auf eine Lösung des Rätsels der augenblicklichen Politik: Wenn wir allein gegen den Willen der andern vier Großmächte vorgingen, so konnte dieser Weg zum Untergange führen; handelten wir aber gemeinschaftlich mit einer zweiten Großmacht, so würden vermutlich die drei andern Bedenken tragen, tätig einzugreifen. Schon diese Erwägung verbot tätige Unterstützung der augustenburgischen Ansprüche. Einen andern Beweggrund der Regierungspolitik sollte ich in der Neujahrsnacht erfahren.

Am Abend sagte Frau von Bismarck in Gegenwart anderer Personen: »Eine reizende Eigenschaft von Otto ist, daß er gar nicht nachträgt. Wenn eine Meinungsverschiedenheit befriedigend ausgeglichen ist, so bleibt kein Schatten von Groll, ja kaum eine Erinnerung an den Streit in ihm zurück.«

*

Berlin, Silvesternacht 1863

In der Neujahrsnacht kamen zu Bismarcks außer mir nur Verwandte. In dem auf der Straßenseite des Hauses vor dem chinesischen Saale gelegenen Eßzimmer stand der Weihnachtsbaum, eine stattliche Tanne, von der der Weihnachtsschmuck entfernt war. Bismarck nahm einen Hirschfänger, trennte damit nach und nach die Zweige vom Stamme, warf sie einen nach dem andern in den Kamin und freute sich mit der Jugend am Prasseln der Tannennadeln. Währenddessen bereitete die gütige Hausfrau mit eigentümlicher Anmut den Silvesterpunsch und setzte die Bowle nahe dem Kamin auf einen kleinen Tisch, an welchem neben Bismarck und seinem Schwager Arnim auch ich einen Platz erhielt. Der Minister prüfte den Punsch und sagte dann, zu seinem Schwager gewandt, in ruhigem Tone: »Die ›up ewig Ungedeelten‹* müssen einmal Preußen werden. Das ist das Ziel, nach dem ich steuere; ob ich es erreiche, steht in Gottes Hand. Aber ich könnte nicht verantworten, preußisches Blut vergießen zu lassen, um einen neuen Mittelstaat zu schaffen, der am Bunde mit den andern immer gegen uns stimmen würde.« »Der Erbprinz von Augustenburg, den jetzt die öffentliche Meinung in Deutschland protegiert, hat gar kein Sukzessionsrecht.** Die Entsagung des Vaters zu seinen Gunsten ist ohne rechtliche Wirkung, da der Vater seit 1852 selbst kein Recht mehr hatte. Wegen seiner Parteinahme gegen Dänemark in den Kriegen von 1848–50 dachte man in Kopenhagen daran, seine schleswigschen Güter zu konfiszieren. Erst infolge unserer Vermittlung wurden ihm die Güter für 2½ Millionen dänischer Taler unter der Bedingung abgekauft, daß er für sich und seine Familie allen Sukzessionsansprüchen auf Schleswig-Holstein entsagte. Wie das geschah, weiß niemand genauer als ich, da ich die Verhandlungen mit ihm in Frankfurt zu führen hatte. Das viele Geld wurde bei mir auf der Gesandtschaft deponiert. Nach einigen Wochen hatte ich das ganz vergessen und suchte in einem für gewöhnlich verschlossen gehaltenen Schrank nach einem Aktenstück. Da fand ich zu meiner Überraschung die dänischen Millionen wohl verpackt unter alten Akten begraben. Welcher Leichtsinn, dachte ich; aber nach längerem Überlegen fand ich doch nichts Klügeres als sie wieder unter die reponierten Akten zu legen, die ja keine angreifsche Ware sind. Dort blieb das Geld bis zur Auszahlung.

»Ein besonderes Glück ist, daß man in Wien auch nicht an

* In der berühmten Urkunde vom Jahre 1460 hatte König Christian I. versprochen, die Lande Schleswig und Holstein sollten »up ewig ungedeelt« (auf ewig ungeteilt) bleiben.

** Die Rechtsfrage lag keineswegs so einfach. Die Dänen hatten 1852 vom Herzog Christian nicht einen Verzicht auf sein Thronfolgerecht, sondern nur das Versprechen erlangt, daß er und seine Nachkommen nichts gegen die Sukzession des Prinzen von Glücksburg unternehmen würden. Als er dieses Versprechen gab, verzichtete er also eigentlich nicht auf sein Recht, sondern nur auf die Ausübung desselben gegen den von den Großmächten einzusetzenden Thronfolger. Seine Söhne aber hatten das Abkommen nicht mitunterschrieben. Sie waren daher, nach Ansicht vieler Kenner des deutschen Privatfürstenrechts, vermöge des ihnen zustehenden unantastbaren Personalrechts, zu dessen Ausübung befugt, sobald der Vater abdizierte oder starb. Der Erbprinz Friedrich glaubte demzufolge unerschütterlich an sein Thronfolgerecht.

den Augustenburger glaubt. Graf Rechberg, der mein Kollege in Frankfurt war, kennt die Sache ganz genau. Er ist auch der Meinung, daß nur der Londoner Vertrag uns berechtigt, die Dänen zur Erfüllung ihrer darin für Schleswig übernommenen Verpflichtungen anzuhalten. Rechberg ist seiner Natur nach konservativ. Die übereilten Anerkennungen des Erbprinzen als Herzog von seiten Koburgs, Badens, des Nationalvereins und aller demokratischen Elemente in Deutschland haben ihn geärgert. Für die Mittelstaaten hat er seit dem gänzlichen Mißlingen des Fürstentag-Projektes nichts übrig. Neuerlich hat er auch die unruhigen Bemühungen des bayerischen Gesandten am Bundestage für den Augustenburger übel vermerkt. Kurz, wir sind bis jetzt ein Herz und eine Seele. Wie lange es später zusammengehen wird, weiß ich nicht, aber der Anfang ist gut; und die Halsstarrigkeit der Dänen wird uns wahrscheinlich schaffen, was wir brauchen, nämlich den Kriegsfall.«

Es war dies das erste und letzte Mal, daß ich den Minister im Familienkreise ausführlich über die auswärtige Politik habe sprechen hören. Gewöhnlich suchte er im Salon die Tagesfragen zu vergessen und sich durch Unterhaltung über andere Dinge zu erfrischen. An jenem Silvesterabende aber schien es ihm Vergnügen zu machen, zweien Zuhörern, deren begeisterter Zustimmung er gewiß sein konnte, das Endziel seiner augenblicklichen Aktion zu enthüllen.

R. v. Keudell, Fürst und Fürstin Bismarck. 1901,
S. 125 ff., 128 ff., S. 133, S. 134 ff., S. 139 ff.

Nach dem Siege. – Fahrt nach Flensburg. – Gespräch mit dem Oberregierungsrat von Keudell.

22. April 1864

Nach v. Keudells Erinnerungen.

Der König fuhr am 21. April nach Flensburg, um die siegreichen Truppen zu begrüßen. Bismarck folgte ihm wegen eines eiligen Vortrages am 22. und nahm mich mit. Heller Sonnenschein lag auf der bräunlichen Heide, über welche der Zug von Schleswig nach Flensburg fuhr. Bismarck ließ während der ganzen Fahrt die Zigarre nicht ausgehen und sprach im ganzen wenig. Einmal aber sagte er halblaut:

»Es ist nicht leicht zu begreifen, weshalb eigentlich die Österreicher mit uns hierhergekommen sind, wo sie doch nicht bleiben können. Diplomatisch waren sie allerdings seit Jahren gegen Dänemark engagiert; sie haben es mehrere Male nachdrücklich aufgefordert, den Londoner Vertrag zu erfüllen. Aber das militärische Zwangsverfahren hätten sie uns allein überlassen können. Vielleicht ist es dem Kaiser ganz erwünscht gewesen, einem Teil seiner Truppen eine gute Gelegenheit zu geben, sich in einem Winterfeldzug als kriegstüchtig zu bewähren. Vielleicht hat der hohe Herr auch Vertrauen zu unserer konservativen Politik; ich kann mir nicht denken, daß das parlamentarische Getreibe der Mittelstaaten ihm sympathisch ist. Das Hauptmotiv aber des österreichischen Mitgehens wird wohl die Besorgnis gewesen sein, daß wir in Deutschland zu mächtig werden würden, wenn wir allein die dänische Sache zum Austrage brächten. Unsere Stellung den Mächten gegenüber wäre freilich schwierig geworden, wenn wir allein die Campagne übernahmen. Zur Vermeidung von Interventionsversuchen war es von großem Wert, daß österreichische Truppen mit den unsern marschierten. Aber es war schwer zu erreichen, daß sie nach Jütland hineingehen durften – Edwin* hat sich da mit Ruhm bedeckt – und solche Schwierigkeiten können bei jedem weiteren Schritte wiederkommen. Bis jetzt haben wir unsere Bundesgenossen wie an einem dünnen Faden mit uns gezogen; aber der Faden kann auch einmal reißen.«

In Flensburg wurde übernachtet bei einem liebenswürdigen Rechtsanwalt namens Schulz, der dem Minister sehr gut gefiel. Am andern Morgen besuchten wir die Schanzen auf der Höhe von Düppel. Bekannte Offiziere berichteten über die in drei Stunden vollbrachte Erstürmung aller Festungswerke. Alle Eindrücke, die Bismarck bei Flensburg aus militärischen Kreisen erhielt, erfrischten ihn und bestärkten seinen Glauben, daß die seit 1860 in der Armee eingeführten Verbesserungen schon in diesen wenigen Jahren die Leistungsfähigkeit der organisierten Truppenkörper, wie des einzelnen Mannes, bedeutend erhöht hätten. Im Gefolge des Königs kehrten wir am Abend des 23. zurück.

R. von Keudell, Fürst und Fürstin Bismarck. 1901, S. 153 ff.

* Gemeint ist General von Manteuffel, der in einer diplomatischen Mission in Wien die dortigen Bedenken gegen eine Besetzung Jütlands zu zerstreuen verstand.

Die Zusammenkunft in Karlsbad. – Gespräche mit dem Oberregierungsrat von Keudell.

18. und 19. Juni 1864

Die Zusammenkunft in Karlsbad, zu der Keudell den Ministerpräsidenten begleitete, diente der Verständigung zwischen Preußen und Österreich über Fortgang und Ziel des dänischen Krieges. In Karlsbad wurde die Ausdehnung der Operation auf Alsen und Nordjütland, als Ziel des Kampfes die Trennung der Herzogtümer von Dänemark vereinbart. Keudell berichtet über die Fahrt nach Karlsbad folgendes:

Am 18. Juni reiste der König nach Karlsbad; abends folgte Bismarck, begleitet von mir und zwei Beamten des Chiffrierbüros, die sich in einen anderen Wagen des Eisenbahnzuges setzten.

In der Abenddämmerung sagte der Minister: »Meine Kindheit hat man mir in der Plamannschen Anstalt verdorben, die mir wie ein Zuchthaus vorkam. Infolgedessen werden meine Jungen natürlich verzogen, vielleicht aber werden Herberts Kinder wieder sehr streng gehalten werden. Ich weiß von mehreren Familien, in denen die Erziehungsweise gewechselt hat; auf eine verprügelte Generation folgte eine verzogene und dann wieder eine verprügelte. Es ist ja natürlich, daß Eltern wünschen, den Kindern das zu gewähren, was bei ihrer eigenen Erziehung gefehlt hat. Bis zum sechsten Jahre war ich in Kniephof fast immer in freier Luft oder in den Ställen gewesen. Ein alter Kuhhirt warnte mich einmal, nicht so zutraulich bei den Kühen herumzukriechen. Die Kuh, sagte er, kann dir mit dem Hufe ins Auge treten. Die Kuh merkt nichts davon und frißt ruhig weiter, aber dein Auge ist dann futsch. Daran habe ich später mehrmals gedacht, wenn auch Menschen, ohne es zu ahnen, anderen Schaden zufügten. Die Plamannsche Anstalt lag so, daß man auf einer Seite ins freie Feld hinaussehen konnte. Am Südwestende der Wilhelmstraße hörte damals die Stadt auf. Wenn ich aus dem Fenster ein Gespann Ochsen die Ackerfurche ziehen sah, mußte ich immer weinen vor Sehnsucht nach Kniephof. In der ganzen Anstalt herrschte rücksichtslose Strenge. Einmal war im Nachbarhause jemand gestorben. Ich hatte noch nie einen Toten gesehen und kletterte durch ein Fenster, um die Leiche genau zu betrachten. Dafür wurde ich hart bestraft. Mit der Turnerei und Jahnschen Reminiszenzen trieb man ein gespreiztes Wesen, das mich anwiderte. Kurz, meine Erinnerungen an diese Zeit sind sehr unerfreulich. Erst später, als ich aufs

Gymnasium und in eine Privatpension kam, fand ich meine Lage erträglich.«

In Leipzig wurde übernachtet. Am andern Morgen im Eisenbahnwagen rauchend, sagte der Minister: »In den nächsten Tagen wird viel zu reden sein. Der Kaiser Franz Joseph kommt nach Karlsbad, und Rechberg will mich vorher sprechen. England hat vorgeschlagen, daß wir eine neutrale Macht ersuchen sollen, als Schiedsrichter eine Linie zu bestimmen, um in Schleswig die Deutschen von den Dänen zu trennen. Der König sieht aber zu einem Schiedsgericht keinen Anlaß und würde nur eine freundschaftliche Vermittlung annehmen. Rechberg besorgt nun, England würde deshalb in den Krieg eintreten; aber da Louis nicht mitmachen will, ist das sehr unwahrscheinlich. Übrigens werden die Dänen vermutlich in bezug auf die Grenzlinie auch die bloße Vermittlung einer anderen Macht ablehnen. Der Fortgang des Krieges nach Ablauf des Waffenstillstandes ist vorauszusehen, und wir müssen auf die Inseln, um rasch zu Ende zu kommen. Aber das wollen unsere Freunde nicht, um nicht den englischen Löwen zu reizen, der doch gar nicht blutgierig ist.«

Bald darauf hielt der Zug in Zwickau. »Da steht Rechberg«, sagte der Minister. Eine mittelgroße, schlanke Gestalt, ein feiner Kopf, lebhafte graue Augen unter einer Brille, um die Lippen ein Zug von Gutmütigkeit. Ich stieg in ein anderes Abteil, um die Minister allein zu lassen.

R. v. Keudell, Fürst und Fürstin Bismarck. 1901, S. 167 ff.

Nach den Friedenspräliminarien. – Gespräche mit dem Vortragenden Rat von Keudell.

Anfang August 1864

Am 1. August wurden in Wien die Friedenspräliminarien mit Dänemark abgeschlossen. Bismarck hatte dort persönlich an deren Feststellung mitgearbeitet. Der König befand sich seit dem 20. Juli in Gastein. Dahin begab sich nun auch Bismarck. Die folgenden Gespräche fanden auf der Fahrt nach Gastein und während des dortigen Aufenthaltes statt. Die in dem Gespräch erwähnten drei »Ferientage« lagen zwischen dem 17. und 20. VIII. 1864.
Das Folgende nach v. Keudells Erinnerungen.

Am 1. August abends fuhr der Minister mit Abeken und mir nach Salzburg, am 2. im offenen Postwagen nach Gastein. Er hatte sich in Berlin eine Menge österreichischer Silbergulden einwechseln lassen, um sie als Trinkgelder zu verwenden, und, wie er scherzweise sagte, auch den Postillionen, die vermutlich seit Jahren nichts als Papiergeld gesehen hätten, eine Vorstellung von der Überlegenheit der preußischen Finanzen zu geben. Es amüsierte ihn, die erstaunten Gesichter der Leute zu beobachten, wenn ich ihnen die blanken Silberlinge einhändigte. Den Aufenthalt im engen Hochgebirgstal von Gastein liebte Bismarck nicht, obwohl die dortigen Bäder ihm zusagten. Er sprach öfters aus, daß der Mangel eines weiten Horizonts ihm unerfreulich wäre, und daß er die der Jahreszeit gemäßen Getreidefelder ungern vermißte. Man hatte für ihn keine andere Wohnung gefunden, als zwei Zimmer in dem großen Straubingerschen Gasthofe, der unmittelbar an dem berühmten Wasserfalle liegt. Das unaufhörliche Brausen der hoch herabstürzenden Wassermassen quälte seine empfindlichen Nerven. Jetzt erst meinte er »den tiefen Sinn des alten Liedes ‚Bächlein laß dein Rauschen sein' ganz zu erfassen«. Berge zu ersteigen, sagte er, hätte ihm nie rechte Freude gemacht. Als Student wäre er einmal trotz starken Nebels auf den Rigi gestiegen, und, als nach dem Herabsteigen das Wetter sich klärte, sogleich zum zweitenmal. An so etwas auch nur zu denken, wäre ihm jetzt unbehaglich. In der Ebene gehe und reite er gern und ausdauernd; starke Steigungen aber wären ihm unerwünscht.

Als die Kur des Königs beendet war, gab der Minister sich und uns drei Ferientage. Ohne Telegrammadressen zu hinterlassen, fuhren wir bergab und seitwärts nach Radstadt, am zweiten Tage nach Hallstadt und trafen am dritten in Ischl wieder mit dem königlichen Gefolge zusammen. Dann waren wir alle während dreier Tage Gäste Sr. Majestät des Kaisers Franz Joseph in Schönbrunn. Zwei große Treibjagden, im Walde auf Hirsche und im Felde auf niederes Wild, machten dem Minister viel Vergnügen.

R. v. Keudell, Fürst und Fürstin Bismarck. 1901, S. 167 ff.

Lothar Bucher. – Ferdinand Lassalle. – Gespräch mit dem Vortragenden Rat von Keudell.

November 1864

Die folgende Erzählung v. Keudells wird nur wenig verkürzt wiedergegeben, einmal um die Äußerungen Bismarcks über

Lothar Bucher verständlich zu machen, aber auch wegen der Skizze der Beziehungen Buchers und Bismarcks zu Lassalle, die hier in einzelnen Bemerkungen Bismarcks gestreift werden.

Nach Rückkehr des Ministers von Biarritz (29. Oktober) kam ich in die Lage, bei ihm die Einberufung des Gerichtsassessors a. D. Bucher* in das Auswärtige Amt anzuregen. Ich hatte im Jahre 1848 in Cöslin einen Bruder und den Vater Buchers als sehr gebildete und achtbare Männer kennengelernt. Lothar, der damals in der Nachbarstadt Stolp als Kreisrichter angestellt war, aber viele Jahre bei den Cösliner Gerichten gearbeitet hatte, lernte ich nicht persönlich kennen. Es wurde indes gelegentlich seiner Wahl zur preußischen Nationalversammlung in Cöslin viel von ihm gesprochen. Einstimmig war die Anerkennung seiner ausgezeichneten Fähigkeiten und Kenntnisse, wie seines ehrenhaften Charakters; allgemein in Beamtenkreisen das Bedauern, daß er durch seine radikale politische Richtung dem Staatsdienst voraussichtlich entzogen werden würde. Wirklich eines politischen Vergehens angeklagt, ging er 1850 nach England, wo er bis zur allgemeinen Amnestie des Jahres 1860 als Schriftsteller lebte. Seine Korrespondenzen für die Nationalzeitung, namentlich die aufsehenerregenden Berichte über die ersten beiden Weltausstellungen (1851 in London, 1855 in Paris) erwiesen ungewöhnliches Talent, sich in fremden Regionen zurechtzufinden; seine Schrift über den Parlamentarismus in England aber zeigte einen vorurteilsfreien Geist, der mit dem damals in Deutschland landläufigen Glauben an die Notwendigkeit streng parlamentarischer Regierung gründlich gebrochen hatte.

Das alles trug ich dem Minister vor. Er hörte ruhig zu und rief dann lebhaft: »Bucher ist eine ganz ungewöhnliche Kraft. Ich würde mich freuen, wenn wir ihn gewinnen könnten. Im Abgeordnetenhause habe ich manchmal seinen hohen schmalen Schädel betrachtet und mir gesagt: der Mann gehört ja gar nicht in die Gesellschaft von Dickköpfen, bei denen er jetzt sitzt; der wird wohl einmal zu uns kommen. Seine literarische Tätigkeit habe ich mit Interesse verfolgt. Nun kann man allerdings nicht wissen, wie weit seine Entwicklung jetzt gediehen ist; aber ich halte es nicht für gefährlich, ihn in unsere Karten sehen zu lassen. Wir kochen alle mit Wasser, und das meiste, was ge-

* Vergleiche das Gespräch vom 27. April 1849 mit dem damaligen Abgeordneten Bucher, S. 30 dieses Bandes. Vergleiche über Bucher die Schrift von C. Zaddach, Lothar Bucher bis zum Ende seines Londoner Exils (1817-1861). 1915.

schieht oder geschehen soll, wird gedruckt. Gesetzt den Fall, er käme als fanatischer Demokrat zu uns, um sich wie ein Wurm in das Staatsgebäude einzubohren und das Ganze in die Luft zu sprengen, so würde er bald einsehen, daß nur er selbst bei dem Versuche zugrunde gehen müßte. Bliebe die Möglichkeit, daß Bucher kleine Geheimnisse um kleine Vorteile verriete; solcher Gemeinheit aber halte ich ihn für unfähig. Sprechen Sie mit ihm, ohne nach seinem Glaubensbekenntnis zu fragen; mich interessiert nur, ob er kommen will oder nicht.«

Er kam gern, wurde vereidigt und in die politische Abteilung eingeführt. Die Herren von Thile und Abeken waren keineswegs erbaut von der Wahl des neuen Kollegen, und ich hatte einige Mühe, ihnen die Auffassung des Chefs verständlich zu machen. Nach und nach aber kam Bucher durch sein einfaches, bescheidenes Wesen und durch die unanfechtbare Beschaffenheit seiner Arbeiten in eine leidliche Stellung.

Nach einiger Zeit wurde dem Minister berichtet, daß Lasalle, der im letzten Sommer in einem Duell gefallen war, Bucher zum Exekutor seines Testaments ernannt hätte, daß daher die Beziehungen beider intime gewesen sein müßten und Bucher vermutlich Sozialdemokrat sei. Ich riet ihm, über sein früheres Verhältnis zu dem bekannten Agitator möglichst vollständige Aufklärung zu geben. Er händigte mir alle Briefe ein, die Lasalle ihm jemals geschrieben hatte. Es ging daraus hervor, daß Lasalle ihn gern gehabt und öfters zum Essen eingeladen hatte, daß aber dessen wiederholte Versuche, ihn zu seinen sozialistischen Ansichten zu bekehren, erfolglos geblieben waren. Der Minister, dem ich die Briefe vorlegte, sagte mir bei Rückgabe derselben, der Verkehr mit Lasalle* habe ihm selbst so viel Vergnügen gemacht, daß er aus diesem Umgang Bucher keinen Vorwurf machen könne.

Schon 1863 sprach Bismarck gelegentlich davon, daß Lasalle ihn mehrere Male besucht und sehr gut unterhalten hätte. Derselbe sei zwar ein Phantast und seine Weltanschauung eine Utopie, aber er spreche so geistvoll darüber, daß man ihm gern zuhöre. Er sei der beste aller jemals gehörten Redner. Sein Sport sei, vor einigen Tausend Arbeitern zu sprechen und sich an deren Beifall zu berauschen. Politisch willkommen wäre seine Gegnerschaft gegen die Fortschrittspartei; man könne deshalb seine

* Über die Beziehungen Bismarcks zu Lassalle und ihre Unterredungen vergleiche H. Oncken Lassalle. Vierte Auflage, 1923, S. 374 ff.

Agitation eine Weile fortgehen lassen mit dem Vorbehalt, im geeigneten Moment einzugreifen. Einige Wochen nach Ausbruch des dänischen Krieges gab mir der Minister ein Schreiben Lasalles, mit welchem dieser zwei Exemplare eines eben erschienenen Werkes eingeschickt hatte. Das kleine Buch war betitelt: »Herr Bastiat-Schulze von Delitzsch, der ökonomische Julian, oder Kapital und Arbeit.« In dem Schreiben hieß es, »der Minister würde aus diesem Holze Kernbolzen schneiden können zu tödlichem Gebrauche, sowohl im Ministerrat wie den Fortschrittlern gegenüber ... auch wäre es *sehr* nützlich, wenn der König einige Abschnitte des Buches läse, dann würde er erkennen, welches Königtum noch eine Zukunft hat, und klar ersehen, wo seine Freunde, wo seine wirklichen Feinde sind.« Der Minister gab mir das sonderbare Schreiben und trug mir auf, da er sehr beschäftigt sei, mündlich oder schriftlich in seinem Namen den Empfang dankend zu bestätigen. In jenen Jahren (1863–1865) war die Zahl der Personen groß, die den Minister zu sprechen wünschten, um Rezepte zur Heilung des Verfassungskonfliktes anzubieten, und deren Gesuche er regelmäßig mir zuschickte mit dem Auftrage, die Leute zu hören. Dadurch war ich mit unfruchtbaren Geschäften stark belastet und hatte kein Verlangen, die persönliche Bekanntschaft des notorisch übermäßig eitlen Briefstellers zu machen. Wagner hörte gelegentlich von ihm die Worte: »Ich, Bismarck und Sie sind die drei klügsten Leute in Preußen.« Einige Tage später erwähnte der Minister lächelnd, Lasalle habe sich schriftlich beschwert, daß er für seine große auf das Buch verwendete Mühe nur durch ein trockenes Billett eines Rates belohnt worden sei; er verlange sachliches Eingehen auf sein Werk und müsse den Minister bald sprechen. Diese Tonart fand keinen Anklang bei Bismarck. Meines Wissens hat er den geistreichen Redner nach dem Februar 1864 nicht mehr gesehen. Die Nachricht von Lasalles Tode, die wir Anfang September in Baden erhielten, schien auf ihn keinen Eindruck zu machen. Das Wohlwollen des Ministers hatte Lasalle durch Hervorkehren seines krankhaft überspannten Selbstgefühls verscherzt.

R. v. Keudell, Fürst und Fürstin Bismarck. 1901, S. 175 ff., (gekürzt).

Am Kamin. – Gespräch mit dem Appellationsgerichtspräsidenten Ludwig von Gerlach in Berlin. 1. Januar 1865

Tagebuchaufzeichnung Gerlachs: »T. B. Neujahr (1865).« In den jahrelangen Auseinandersetzungen v. Gerlachs mit Bismarck spiegelt sich die Loslösung Bismarcks von einem ideologisch-doktrinären Konservativismus zu einer der Aktion und der politischen Realität verhafteten Haltung wider.

Um 5 Uhr Mittagessen bei Bismarck. Nachher mit ihm und dem alten schweigenden Puttkamer Zigarren am Kamin. Frau, Schwester, Kinder in einiger Entfernung in demselben Zimmer. – Meist über innere Politik und Verwaltung. – Ich ermahnte zur Einigkeit mit Österreich und Gewinnung des Vertrauens der Mittel- und Kleinstaaten, der Fürsten und Populationen, worauf er: dies sei unmöglich, die dortigen Staatsmänner seien verlogen und demoralisiert. (Das T. B. sagt: *selbst* demoralisiert!) Er bezeichnete des Königs, des Kronprinzen und so vieler Beamten Freimaurer-Charakter als hinderlich und schädlich; seinen Klagen hierüber trete der König mit der Berufung auf seine nähere Kenntnis der interna der Freimaurerei entgegen.

Ernst Ludwig von Gerlach. Aufzeichnungen aus seinem Leben und Wirken (1795–1877). Herausgegeben von Jakob von Gerlach. II. Band, 1903, S. 275.

Äusserungen in Gegenwart Robert von Keudells in Berlin. 20. Februar 1865

Anläßlich der österreichisch-preußischen Spannung. Nach den Erinnerungen von Keudells.

In diesen Tagen (am 20. Februar) äußerte er bei Tische in meiner Gegenwart: »Wenn es einmal Sturm gibt, wird sich zeigen, daß wir auf hohen Wellen besser schwimmen können als andere Leute.«

R. v. Keudell, Fürst und Fürstin Bismarck. 1901, S. 187.

Unerschöpflich in seiner Kombinationsgabe. – Gespräch mit dem Historiker Max Duncker in Berlin. 8. März 1865

Max Duncker, der in früheren Jahren nach Aufgabe seiner Lehrtätigkeit in Halle und Tübingen der Prinzessin von Preußen und ihrem Kreise nahegestanden hatte, war seit 1861 der politische Berater des späteren Kaisers Friedrich. Als Anhänger liberaler Ideen stand er der Bismarckschen Politik, namentlich in der Behandlung der schleswig-holsteinischen Frage, ablehnend gegenüber. Das folgende Gespräch mit dem Ministerpräsidenten, das Theodor von Bernhardi am 29. März 1866 in seinem Tagebuch verzeichnet hat, ließ ihn, ähnlich wie Bernhardi zu einer anderen Auffassung über Bismarck kommen. Bernhardi macht dazu folgenden Zusatz: Ich gestehe, dieses Gespräch hat mir eine größere Vorstellung von Bismarck gegeben, als ich bisher hatte; ich hatte ihm nicht diesen Grad von Objektivität zugetraut, nicht die Fähigkeit, bei solchem persönlichem Ehrgeiz alle persönlichen Rücksichten in solcher Weise aufzuopfern.

Max Duncker hatte im vergangenen Jahr, am 8. März, ein merkwürdiges, eingehendes Gespräch mit Bismarck, zu dem ein Auftrag des Kronprinzen ihn geführt hatte. Nachdem dieser erledigt war, brachte Bismarck selbst die allgemeine Politik Schleswig-Holsteins auf das Tapet und bezeichnete die Annexion als die einzige vernünftige Lösung der Frage. Max Duncker machte auf die Schwierigkeiten dieser Lösung aufmerksam und sprach zunächst von denen, die von Frankreich ausgehen könnten. Bismarck erwiderte: er könne dem dadurch begegnen, daß er in den Tuilerien geltend mache, daß die Sache eben durchgeführt werden müsse, und wenn er sie nicht mit Frankreich machen könne, dann müsse er sie eben mit Österreich machen. Max Duncker ging alle verschiedenen Kombinationen von Schwierigkeiten durch und kam zuletzt auf den Fall, daß niemand für die Annexion gewonnen werden kann, daß alles sich dagegen erklärt. Bismarck wußte immer Rat und sagte in Beziehung auf den letzten Fall: dann bleibt nichts übrig, »dann muß die Nationalitätenfrage in dem größten Maßstab aufgenommen werden.« Max Duncker erwiderte, das wäre allerdings ein Ausweg, »aber das glaubt Ihnen niemand!«, worauf Bismarck meinte, das könne freilich sein: »Aber wenn es mir niemand glaubt, dann trete ich zurück und ein anderer macht die Sache; einer von Ihrer Couleur!«

Aus dem Leben Theodor von Bernhardis. - Aus den letzten Tagen des deutschen Bundes. Tagebuchblätter aus den Jahren 1846–66. Leipzig 1897. VI., S. 264.

Keudell merkt sich einen Ausspruch seines Chefs. – Gespräch im Tal von Hofgastein. 18. August 1865

Kurz vorher, am 14. August, war die Konvention von Gastein zwischen Österreich und Preußen abgeschlossen worden. Durch sie wurde der drohende Konflikt beider Staaten noch einmal hinausgeschoben. Die Ausübung der durch den Wiener Frieden erworbenen Rechte ging in Schleswig an den König von Preußen, in Holstein an den Kaiser von Österreich über. Diese Tatsache bildet den Ausgangspunkt für das folgende von Keudell berichtete Gespräch.

Als am 18. August Bismarck mit Abeken und mir im offenen Wagen auf dem Wege nach Salzburg durch das grüne Tal von Hofgastein fuhr, sagte er: »Wenn ich es noch erlebe, daß in Kiel ein preußischer Oberpräsident sitzt, will ich mich auch nie mehr über den Dienst ärgern.« Ich sprach die Hoffnung aus, später einmal an diese Worte erinnern zu dürfen. Nach einiger Zeit sagte er: »Faust klagt über die zwei Seelen in seiner Brust; ich beherberge aber eine ganze Menge, die sich zanken. Es geht da zu wie in einer Republik ... Das meiste, was sie sagen, teile ich mit. Es sind da aber auch ganze Provinzen, in die ich nie einen andern Menschen werde hineinsehen lassen.« ... In Salzburg begegneten sich die Monarchen. Dort wurde bestimmt, daß der dem Kaiser besonders sympathische General Manteuffel in Schleswig und der vom Könige hochgeschätzte General Gablenz in Holstein die Verwaltung leiten sollten.

R. v. Keudell, Fürst und Fürstin Bismarck. 1901, S. 220 ff.

Gespräch mit dem Kronprinzen Friedrich Wilhelm von Preussen in Merseburg. Mitte September 1865

Bismarck befand sich vom 17. bis zum 22. September im Gefolge des Königs in Merseburg zur Feier der fünfzigjährigen Zugehörigkeit der Provinz Sachsen zu Preußen und zu den Korpsmanövern. Das folgende Gespräch wird von dem Oberst von Stosch, der mit dem Kronprinzen auf bestem Fuße stand, in einem Briefe (datiert Magdeburg, den 2. Oktober 1865) an seinen Freund von Holtzendorff weiterberichtet. Stosch wurde später der erste Chef der deutschen Flotte (vgl. das Gespräch S. 139 dieses Bandes).

In Merseburg kam der Kronprinz mit Bismark ins Gespräch, fragte nach den Aussichten in Schleswig-Holstein: »Wollen Sie denn annektieren?« – »Womöglich ja, aber einen europäischen Krieg fange ich deshalb nicht an.« – »Wenn dieser aber droht?« – »Nun, dann beschränke ich mich auf die Februarforderungen.« – »Wenn man diese aber nicht einräumt?« – »Für diese braucht Preußen keinen Krieg zu fürchten; die Februarforderungen sind unser Ultimatum.« – »Und wie steht es mit Herzog Friedrich?« – »Wie gerade die Karten liegen.« – Schließlich nahm das Gespräch einen sehr leidenschaftlichen Charakter an.

Albrecht von Stosch, Denkwürdigkeiten, Briefe und Tagebuchblätter, herausg. von H. von Stosch. 1904, S. 63 ff.

»1866« zeichnet sich ab. – Gespräch mit dem italienischen Gesandten Nigra in Paris 3. November 1865

Erinnerung des bekannten italienischen Diplomaten, mitgeteilt durch Sigmund Münz, der den Grafen Nigra am 11. September 1906 sprach. (Vgl. dazu S. 62 dieses Bandes.) Bismarck besprach mit Nigra damals die Wiederaufnahme der Verhandlungen über den Handelsvertrag mit Italien.

Als Bismarck im November 1865 auf dem Wege von Biarritz durch Paris kam, besuchte er mich und machte im Gespräche mit mir kein Hehl mehr daraus, daß die preußische Politik auf die Demütigung Österreichs zielte. Er äußerte offen zu mir, daß die Gasteiner Konvention einen Bruch zwischen Preußen und Österreich nur verkleistern, nicht aber heilen könne. Hoffnungsfreudig spielte er schon auf den nahen Krieg an; die Friedensliebe seines Königs würde den Krieg nicht auf die Dauer vermeiden können. Mir, dem Gesandten Italiens, schien es, als ob Preußens und Italiens Politik parallel miteinander gehen sollten. Stürmisch rief nun Bismarck aus: »Eh bien, nous serons ensemble!«

Sigmund Münz, »Mein letzter Besuch beim Grafen Nigra und seine Erinnerungen an Bismarck.« Zeitschrift »März«, 1907, S. 496.

Ein Konservativer bangt. – Gespräch mit dem Appellationsgerichtspräsidenten Ludwig von Gerlach in Berlin. 3. Januar 1866

Tagebuchaufzeichnung Gerlachs: »T. B., 3. Januar 1866.« (Vgl. auch Vorbemerkung zum Gespräch vom 1. Januar 1865.)

Um fünf zum Mittagessen zu Bismarck und dann bis acht mit ihm und der Zigarre am Kamin, alles nach nun schon alter Gewohnheit. Bismarcks Grundfehler ist, daß er seine Aufgabe und die Gegensätze der Zeit und ihre Kämpfe nicht tief genug, nicht als religiöse auffaßt. Der Gegner Stärke besteht darin, daß sie dies tun. So auch heute. Immer rechnet und räsonniert er mit den eigennützigen und Temperaments-, auch Nationalitätseigenschaften und Nicht-Eigenschaften der Nord- und Süddeutschen, der Geheimräte (seiner beständigen Gegner) und überhaupt den niederen Motiven der Menschen, worin er wohl ein Virtuose ist, aber es fehlt doch die Hauptsache. Er erzählte mir: jemand habe ihm geschrieben, er, Bismarck, gehe nicht in die Kirche; viele »betende Hände« erhöben sich für ihn, aber diese möchten laß werden usw.; er habe geantwortet: es gehöre dies zu seinem Privatleben; Hände, die darüber laß würden, seien nicht die rechten; er wünsche, daß er von schwereren Sünden, als denen des Nichtkirchenbesuches, Vergebung und Freiheit erhalte. Ich ließ die Distinktion von Privat- und öffentlichem Leben nicht gelten und sagte: das Vaterland und ich bedürften des *ganzen* Bismarck.*

Ernst Ludwig von Gerlach, Aufzeichnungen aus seinem Leben und Wirken (1795–1877). Herausgegeben von Jakob von Gerlach. Band II, 1903, S. 278.

Wien glaubt nicht an Spott. – Gespräch mit der Gräfin Hohenthal in Berlin.

Anfang März 1866

Das folgende halb scherzhafte, halb diplomatisch gemeinte Gespräch, das Robert von Keudell berichtet, fällt in die Zeit nach dem Kronrat vom 28. Februar 1866, in dem die Möglichkeit einer kriegerischen Lösung der deutschen Frage erörtert worden war und Moltke die Notwendigkeit eines gemeinsamen Vorgehens mit Italien betont hatte.

Nach dem Ministerrat vom 28. Januar hatten Unberufene erzählt, es sei in demselben baldiger Angriff auf Sachsen und Österreich beschlossen worden. Die Gemahlin des sächsischen

* Im folgenden stellt Gerlach fest, daß Andrae-Roman, der mecklenburgische Gutsbesitzer und Pietist, der Verfasser des oben erwähnten Briefes ist, und fügt (Zusatz aus späterer Zeit) hinzu: »Bismarcks Antwort ist abwehrend und ungründlich, aber soviel ist doch wohl daraus zu schließen, daß ich *damals* noch nicht ganz mit ihm brechen durfte.«

Gesandten, Gräfin Hohenthal, richtete nun an Bismarck die Frage, ob es denn wahr sei, daß er so böse Absichten hege. »Natürlich«, sagte er, »seit dem ersten Tage meines Ministeriums habe ich keinen andern Gedanken gehabt; Sie werden bald sehen, daß wir besser schießen als unsere Gegner.« Da erbat die Gräfin einen freundschaftlichen Rat, wohin sie flüchten solle, auf ihre Besitzung in Böhmen oder auf ihr Gut bei Leipzig. »Ich kann nur empfehlen«, sagte Bismarck, »nicht nach Böhmen zu gehen, denn gerade in der Nähe Ihres dortigen Besitzes werden wir die Österreicher schlagen; und da wird es mehr Verwundete geben, als Ihre Leute pflegen können. Aber auf Ihrem sächsischen Schlosse werden Sie nicht einmal durch Einquartierung belästigt werden, da Knautheim nicht an einer Etappenstraße liegt.« Am folgenden Tage erwiderte Bismarck auf Anfragen einiger Diplomaten, die Verspottung einer naiven Frage dürfe man doch nicht ernst nehmen. Beust aber, dem Hohenthal das Tischgespräch berichtet hatte, rief Österreichs Schutz an und versicherte, daß alle Mittelstaaten zu ihm stehen würden.*

R. v. Keudell, Fürst und Fürstin Bismarck. 1901, S. 250.

Gespräch mit dem englischen Botschafter Lord Loftus in Berlin. März 1866

Bismarck hatte mit dem englischen Gesandten Loftus schon am 11. März ein Gespräch (vgl. BGI, S. 104), danach wäre eine zeitliche Festsetzung dieser in den Lebenserinnerungen des Lords undatierten Unterredung auf Mitte oder Ende März nicht unwahrscheinlich, zumal Loftus das Gespräch unmittelbar nach einem Bericht erwähnt, den er am 24. März dem Earl of Clarendon erstattet hat. Indessen ist es durchaus denkbar, daß das Gespräch rückblickenden Charakter trägt und daher zu einem späteren Zeitpunkt stattgefunden hat.

Bei einer anderen Gelegenheit sagte Bismarck bezüglich der vom König günstig aufgenommenen Anregung, sich der guten Dienste einer dritten Macht zu bedienen, um die Streitigkeiten zwischen Preußen und Österreich aus der Welt zu schaffen: Preußen gab keine kriegerische Richtung an – da müssen Sie sich nach Wien

* In den Sitzungen des Wiener Marschallrates vom 7.-13. März wurden teilweise Rüstungen beschlossen. v. Keudell weist darauf hin, daß Beust's Nachrichten ihrerseits die österreichischen Besorgnisse gesteigert und mit zu diesem Beschluß beigetragen hätten.

wenden. Preußen hat nicht einen Mann in Bewegung gesetzt, noch irgendeine militärische Vorbereitung zum Kriege getroffen. Österreich war die drohende Macht. Es zog seine Truppen zusammen und konzentrierte sie an der schlesischen Grenze. Es wollte uns überfallen, wenn es für den Kampf gerüstet war. »Was würden Sie tun, fragte mich Seine Exzellenz, wenn Sie auf der Straße einem wütenden, gefährlichen Mann begegnen, der die öffentliche Sicherheit und den Frieden gefährdete?« Ich antwortete, daß ich sofort die Polizei rufen würde und daß meiner Meinung nach die Großen Mächte die Polizei für Europa darstellten, um den Frieden aufrechtzuerhalten. »Aber«, sagte Graf Bismarck, »wenn es sich nun um einen Gentleman handelte, so würden Sie ihm doch Ihre Karte schicken.« Ich erwiderte: »Ich glaube nicht!«

Übersetzt aus Lord A. Loftus, Diplomatic Reminiscences. 1862-1879. Second series. 1894, Band I, S. 56.

Rat an einen Prinzen. – Gespräch mit dem Prinzen Karl von Hohenzollern-Sigmaringen in Berlin.

19. April 1866

Dem Prinzen Karl aus der katholischen Hohenzollernschen Nebenlinie, der als preußischer Gardeoffizier in Berlin diente, war nach dem Sturze des rumänischen Fürsten Cusa die Krone der Vereinigten Donau-Fürstentümer Moldau und Walachei angetragen worden, die er dann auch nach ernsthafter Überlegung annahm und jahrzehntelang als Fürst, später als König von Rumänien in Ehren getragen hat. Über diese Kandidatur und die spätere Regierung Karls unterrichtet das seit 1894 ff. erschienene inhalt- und kenntnisreiche Werk »Aus dem Leben König Karls von Rumänien«, das den Untertitel führt »Nach den Aufzeichnungen eines Augenzeugen«. Den Grundstock und die Hauptquelle dieses Werkes, das von einer dem königlichen Hof nahestehenden Persönlichkeit, der Frau des Leibarztes, Mite Kremnitz, einer Freundin Carmen Sylvas, und zweifellos unter Karols persönlicher Mitarbeit herausgegeben worden ist, bilden Tagebuchaufzeichnungen, und zwar, wie wir annehmen dürfen, die König Karls selber. Unter ihnen befindet sich auch eine Unterhaltung mit dem Grafen Bismarck, die zwar nur in der literarischen Fassung des gedruckten Werkes vorliegt, aber dank der offenbar sehr genauen Niederschrift des Tagebuchs einen hohen Quellenwert besitzt.

19. April. Vormittags kommt Legationsrat v. Keudell, um den Prinzen im Auftrage des preußischen Ministerpräsidenten zu

bitten, diesen zu besuchen: Graf Bismarck selbst sei durch ein Fußleiden ans Haus gefesselt, sonst würde er den Prinzen aufgesucht haben. Prinz Karl setzt seinen Besuch auf halb ein Uhr an; vorher geht er zum Kronprinzen, der aber so beschäftigt ist, daß sie für den Abend ein Rendezvous verabreden. – Graf Bismarck beginnt die halbstündige Unterredung mit der Bemerkung: »Ich habe Eure Durchlaucht zu mir bitten lassen, um mit Ihnen nicht als Staatsmann, sondern, wenn ich mich dieses Ausdrucks bedienen darf, als Freund und Ratgeber ganz frei und offen zu sprechen. – Sie sind von einer ganzen Nation einstimmig zum Fürsten erwählt; folgen Sie diesem Rufe, gehen Sie direkt in das Land, zu dessen Regierung Sie berufen sind!« Prinz Karl erwiderte, daß dies ohne Genehmigung des Königs, als seines Familienoberhauptes und Obersten Kriegsherrn, unmöglich sei, obgleich er selbst den Mut zu diesem Entschluß wohl in sich fühle. »Um so mehr also!«, ruft der Ministerpräsident aus. »Die Genehmigung des Königs brauchen Sie in diesem Falle nicht direkt. Verlangen Sie Urlaub vom König, Urlaub ins Ausland – der König ist fein genug, ich kenne ihn ja genau, um dies zu verstehen und die Absicht zu durchschauen. Sie nehmen ihm dadurch außerdem die Entscheidung aus der Hand, was ihm sehr willkommen sein muß, da ihm politisch die Hände gebunden sind! – Vom Auslande aus kommen Sie dann um Ihren Abschied ein und begeben sich in strengstem Inkognito nach Paris, wo Sie den Kaiser im Geheimen um eine Audienz bitten lassen. In dieser mögen Sie ihm Ihre Absichten darlegen, mit der Bitte, daß Napoleon Ihrer Sache sein Interesse schenke und dieselbe bei den übrigen Mächten befürworte. – Dieses ist nach meiner Ansicht, wenn Euer Durchlaucht überhaupt an die Annahme der in Rede stehenden Krone denken, die einzige Art und Weise, die Sache anzufassen. Kommt letztere dagegen erst vor die Pariser Konferenz, dann wird sie sich nicht monate-, sondern jahrelang hinziehen: Die am meisten beteiligten Mächte, Rußland und die Pforte, werden den entschiedensten Protest gegen Ihre Wahl erheben, Frankreich, England und Italien werden auf Ihrer Seite stehen, und Österreich wird alles aufbieten, um Ihre Kandidatur zum Scheitern zu bringen. – Doch ist gerade von dieser Seite nicht viel zu befürchten, da ich Österreich für einige Zeit zu beschäftigen gedenke! Was nun Preußen betrifft, so sieht es sich in die schwierigste Situation von allen versetzt: wegen seiner politischen und geographischen Lage hat es sich stets von der orientalischen Frage ferngehalten und nur seine Stimme im

Rate der Großmächte geltend gemacht. In diesem speziellen Falle aber müßte ich, als preußischer Ministerpräsident, gegen Sie stimmen, so schwer mir das auch fallen würde, denn ich dürfte im gegenwärtigen Augenblick keinen Bruch mit Rußland herbeiführen und unser Staatsinteresse nicht zugunsten des Familieninteresses engagieren. – Durch eigenmächtiges Handeln von seiten Euer Durchlaucht würde der König aber aus der für ihn peinlichen Situation herausgelangen, und ich bin überzeugt, daß er dieser Idee, die ich ihm gern mündlich mitteilen würde, wenn er mir die Ehre eines Besuches schenken wollte, nicht abgeneigt sein würde, obwohl er als Familienoberhaupt seine Zustimmung nicht geben dürfte. – Sind Euer Durchlaucht einmal in Rumänien, so wird die Frage bald gelöst sein, denn wenn Europa sich einem fait accompli gegenüber sieht, werden die zunächst beteiligten Mächte zwar protestieren, aber ein Protest steht auf dem Papier, und die Tatsache wird nicht mehr rückgängig zu machen sein!«

Den Einwand des Prinzen, daß Rußland und die Pforte offensiv auftreten könnten, läßt Bismarck nicht gelten: »Aus Gewaltmaßregeln würden, namentlich für Rußland, die schwersten Folgen entstehen können. Ich würde aber Euer Durchlaucht raten, vor Ihrer Abreise dem Kaiser von Rußland einen eigenhändigen Brief zu schreiben, in welchem Sie aussprächen, daß Sie in Rußland Ihren mächtigsten Beschützer sähen und daß Sie mit Rußland dereinst die orientalische Frage lösen zu können hofften. – Auch ließe eine Familienverbindung, die bald ins Werk gesetzt werden müßte, Sie in Rußland einen großen Anhalt finden.« Auf Prinz Karls Anfrage, wie Preußen sich zu diesem fait accompli stellen würde, erklärt Bismarck: »Wir werden nicht umhin können, das Faktum anzuerkennen und der Sache unser volles Interesse zuzuwenden. Ihr mutiger Entschluß wird also sicher sein, von hier aus beifällig aufgenommen zu werden.« Der Prinz fragt nun, ob Bismarck ihm überhaupt zur Annahme der Krone raten könne, oder ob es besser sei, die Sache ganz fallen zu lassen? »Wenn ich nicht für die Sache wäre«, lautete die Antwort des Ministers, »hätte ich mir überhaupt nicht erlaubt, meine Ansicht darüber auszusprechen. Die Lösung der Frage durch fait accompli halte ich für die glücklichste und für Sie ehrenvollste. Und selbst, falls Sie nicht reussierten – Ihre Stellung zum preußischen Gesamthause bliebe dieselbe: Sie würden hierher zurückkehren und sich stets mit Vergnügen eines Coups erinnern dürfen, der Ihnen nie zum Vorwurfe gereichen kann. Reussieren Sie aber – was ich glaube –, so kann Ihnen diese Lösung von unberechenbarem Vorteil sein: Sie sind durch Volksabstimmung, im vollen Sinne des Worts, einstimmig gewählt, Sie folgen diesem Rufe und erwerben sich dadurch von vornherein das volle Vertrauen des ganzen Volkes!«

Dem Einwande des Prinzen, daß er dieser Abstimmung nicht ganz traue, weil dieselbe zu rasch gekommen, begegnet Bismarck mit folgenden Worten: »Die sichere Garantie könnten Sie von der Deputation erhalten, welche demnächst kommen wird, und welche Sie auf preußischen Boden nicht empfangen dürften; überhaupt würde ich mich baldigst mit dem rumänischen Agenten in Paris in Verbindung setzen. Dem französischen Botschafter Benedetti habe ich sous discrétion, nachdem uns der Wunsch des Kaisers Napoleon, unsere Ansichten kennenzulernen, kundgegeben worden, diese Idee mitgeteilt, und derselbe erklärte, daß man Ihnen in Frankreich ein Schiff zur Disposition stellen würde, um von Marseille aus die Reise nach Rumänien zu unternehmen – besser scheint es mir aber, einen gewöhnlichen Dampfer zu benutzen, damit die Sache ganz geheim bleibt. Im Laufe dieser Unterredung liest der Ministerpräsident dem Prinzen die Depeschen und Aktenstücke vor, welche über die Frage seiner Kandidatur bisher eingegangen sind.

Aus dem Leben König Karls von Rumänien. Aufzeichnungen eines Augenzeugen. Band I, 1894, S. 16 ff.

Eine instruierende Unterredung. – Gespräch mit dem Historiker Theodor von Bernhardi. 27. April 1866

Nachdem Bismarck am 9. April einen preußischen Plan am Bundestage zu dessen Reform vorgebracht hatte, setzte bei liberalen deutschen Politikern, soweit sie staatsmännischen Zuschnitt besaßen, eine Bewegung ein, die auf ein Bündnis mit dem Leiter der preußischen Politik abzielte. In den Rahmen dieser Bestrebungen fällt ein durch Max Duncker angeregtes Angebot Theodor von Bernhardis (vgl. BGI, S. 110), in Hannover mit dem dortigen Führer Bennigsen im Sinne Bismarcks Fühlung zu suchen. Bismarck, der wegen des in Aussicht stehenden Krieges mit Österreich ein besonderes Interesse an der Haltung Hannovers haben mußte, nahm Bernhardis Anerbieten an und gewährte ihm eine instruierende Unterredung, in deren Verlauf er aufschlußreiche Äußerungen über seine politische Entwicklung, namentlich in bezug auf die deutsche Frage machte. Mit Rücksicht auf die beabsichtigte Wirkung mögen sie nicht ganz ungefärbt sein.

27. April. Billett von Bismarck; zu ihm beschieden. Um ein Uhr zu Bismarck. Im Saal finde ich einen Fremden, der schon seit einiger Zeit zu warten scheint; einen ganz hübschen Mann von etwa 40 Jahren. Ich knüpfe ein Gespräch mit ihm an über die kostbaren chinesischen Tapeten des Saals, die ich früher nie bemerkt hatte. – Nach einiger Zeit geht der Geheime Legationsrat und vortragende Rat Hepke durch den Saal, tritt an den Fremden heran und fragt, ob er noch den Vorzug habe, von ihm gekannt zu sein. Der Fremde antwortet höflich, weiß sich seiner sehr wohl zu erinnern – usw. – in dem Augenblick wird er in Bismarcks Kabinett entboten. Ich frage, wer der Fremde ist. – »Ja, wenn ich Ihnen das sagen soll!«, antwortete Hepke und zuckte die Achseln: »ich habe den Mann irgendwo in Süddeutschland gesehen – aber wo – und wann – das weiß ich nicht; – und wenn ich sagen soll, wie er heißt« – und er zuckte von neuem die Achseln. Bismarck läßt sich entschuldigen, daß er mich warten läßt. – Nach längerer Zeit, wie ich dann in das Kabinett beschieden werde, begegnet mir der Fremde, der eben heraustritt, und redet mich, indem er mir die Hand bietet, mit den Worten an: »Ich habe soeben vom Grafen Bismarck erfahren, wer Sie sind – es freut mich sehr, daß ich Sie bei dieser Gelegenheit kennenlerne; – aus Ihren Werken kenne ich Sie schon lange: ich heiße Roggenbach!«

Stundenlanges Gespräch mit Bismarck unter vier Augen – sein Arbeitstisch zwischen uns. Offenbar ist es ihm weniger um die besondere Mission zu tun, die ich in diesem Augenblick übernehme, als darum, mich im allgemeinen zu instruieren. – Ich fand demnach kaum Gelegenheit, flüchtig anzudeuten, in welcher Weise ich Herrn von Bennigsen gegenüber aufzutreten, was ich ihm zu sagen gedenke – das wurde alles leichthin gebilligt –, und Bismarck ging sofort auf die allgemeinen Verhältnisse über. Von denen sprach er mit einer Offenheit, die mich in Erstaunen setzte – besonders einem Menschen gegenüber, mit dem er zum erstenmal im Leben ein wirkliches Gespräch hatte, den er in der Tat noch gar nicht kannte. Seine freimütige Art, sich über die Person des Königs zu äußern, setzte mich dabei am meisten in Verwunderung. Zuerst und vor allem suchte er mich davon zu überzeugen, daß er nicht durch persönliche Rücksichten bestimmt wird oder durch Berechnungen eines trivialen Ehrgeizes; daß es ihm nicht etwa darum zu tun ist, sich in seiner Stellung zu behaupten oder dergleichen – sondern lediglich, um die Sache, um Preußens Größe und Macht. Dabei, meint er, sollten ihn die

Liberalen unterstützen, wenn sie irgend verständig wären, sie sollten sich keine Sorgen machen »um das bißchen Liberalismus«, das sie dabei etwa einbüßen; das will wenig bedeuten! – Das holen sie nachher in sechs Wochen wieder ein unter dem ersten besten liberalen Ministerium – und jedenfalls werde unter dem Kronprinzen ein anderes Regiment eintreten. – Was ihn, Bismarck, betrifft, so könne es wohl sein, daß er nicht imstande sein werde, das begonnene Werk zu vollenden – daß er zurücktreten müsse, und er würde das ganz gern tun, würde ganz gern die Sache in die Hände eines liberalen Ministeriums legen –, wenn er nur hoffen könnte, daß dieses liberale Ministerium imstande sein werde, sie mit Erfolg zu Ende zu führen. Aber wo sind die Leute dazu, wo sind die liberalen Minister, von denen man so etwas erwarten könnte? – Wer sind sie? – Schwerin sei doch wahrlich nicht der Mann. Ich: Fach-Minister ließen sich ebenfalls finden; aber es käme jetzt vor allem auf den Minister der Auswärtigen Angelegenheiten an, und der wäre kaum zu finden; der fehlt.

Bismarck: Eben! so ist es! – und wer sollte dieser Minister sein? – Usedom? – Der ist ein Konversations-Minister; ein liebenswürdiger Feuilletonist, eine geistreiche Dame. Oder etwa Goltz? – Nun, der ist zänkisch und schwankend. Er weiß sich mit niemand zu vertragen und sieht die Dinge von einem Tage zum andern in sehr verschiedenem Licht; bald überschwenglich zuversichtlich und hoffnungsvoll, bald wieder ganz entmutigt, »himmelhoch jauchzend, zum Tode betrübt« – so sind seine Berichte aus Paris von einer Woche zur anderen verschieden wie Tag und Nacht. Dann aber auch könnte ein liberales Ministerium den König, der ihm nie ganz trauen würde, noch weniger als er, Bismarck, zu den energischen Entschlüssen bewegen, die gefaßt werden müssen, und die Sache würde an dem König scheitern. Was das Nächste anbetrifft, soll ich die Leute, mit denen ich spreche, nur ja vor allen Dingen davon zu überzeugen suchen, daß die Forderung einer Bundes-Reform, die er ausgesprochen hat, keineswegs ein »Not-Schuß« sei; nicht etwa ein bloßes Auskunftsmittel, zu dem er in der Verlegenheit gegriffen habe, um herauszukommen, sondern: »ein Programm«. Die Bundes-Reform ist ein Plan, der bei ihm schon seit langem feststeht, seitdem er politisch mündig geworden ist. – Politisch mündig sei er allerdings nicht gewesen, als er vom Lande aus in das öffentliche Leben eintrat. Damals habe er sich allerdings das Wesen der konservativen Interessen und die Politik Österreichs ganz anders gedacht, als sie seien; er habe geglaubt, daß ein redliches Zusammengehen mit Österreich möglich und die Bedingung der Macht und Sicherheit Deutschlands und der Ruhe Europas sei. Aber als Gesandter am Bundestag habe er sich bald überzeugt, daß von einem solchen Zusammengehen nicht die Rede sein könne, weil Österreich eben nicht redlich sei in seinen Beziehungen zu Preußen, weil Österreichs Politik Preußen gegenüber eine Politik der Mißgunst sei. Seitdem er das eingesehen hat, ist die Reform des Bundes und das deutsche Parlament sein Programm. Das soll ich auch Bennigsen sagen.

Ich: Das kann ich nicht sagen; denn wenn ich es sage, spreche ich nicht als ein unabhängiger Mann, der außer allen Beziehungen zu der Regierung steht, wie ich doch will und muß; ich spreche dann als Ihr Vertrauter; denn woher kann ich das wissen, als eben von Ihnen selbst? Bismarck: Nun! Sie wissen es sonst irgendwoher! Ich: Worauf, auf welches Zeugnis kann ich mich dann aber berufen? – Ich muß mich doch auf irgendeine bestimmte Autorität berufen, wenn die Sache irgendwelches Gewicht, irgendeine Authentizität und Bedeutung haben soll.

Bismarck antwortet darauf nicht eigentlich, sondern erzählt: Als der Fürst Hohenzollern und Rudolf Auerswald an der Spitze der Geschäfte standen, wünschten sie einmal Bismarck, der Gesandter am Bundestage war, zum Minister der Auswärtigen Angelegenheit zu haben. Bismarck wurde deshalb hier nach Berlin und eines Tages mit Hohenzollern, R. Auerswald und Schleinitz zusammen zum König beschieden. Hier setzte Bismarck seinen Bundes-Reform- und Parlaments-Plan auseinander – Schleinitz sprach dagegen und erklärte sich für »Zusammengehen und Bündnis mit Österreich.« – Der König entschied sich »für jetzt« für diese letztere Ansicht, und Bismarck wurde von Frankfurt a. M. weg nach Petersburg versetzt.

Ich: Nun ist es gut! – nun kann ich mich auf meinen verstorbenen Freund Rudolf Auerswald berufen ...

Bismarck entließ mich mit dem Wunsch, daß ich gleich wieder zu ihm komme, wenn ich aus Hannover zurückgekehrt bin, ihm zu sagen, »wie dort die Karten liegen«.

Er macht einen eigentümlichen Eindruck, dieser Bismarck; er ist jedenfalls, was man ein Original zu nennen pflegt – aber er imponiert bei alledem. Man wird bald gewahr, daß man es nicht mit einem gewöhnlichen Menschen zu tun hat – und daß er viel höher steht, als die vulgäre öffentliche Meinung ihn taxiert. Sein Ehrgeiz ist nicht von der gewöhnlichen, trivialen Art; es liegt ihm nicht sowohl daran etwas vorzustellen, wie man das zu nennen pflegt – als daran, etwas Mannhaftes zu leisten in der Welt; es ist ihm weniger um seine Stellung und seine Person als um Preußen und Deutschland zu tun.

Aus dem Leben Theodor von Bernhardis. – Aus den letzten Tagen des deutschen Bundes. Tagebuchblätter aus den Jahren 1864–1866. Band VI, 1897, S. 293 ff. (gekürzt).

Vor der Krisis. – Bernhardis Bericht. 30. April 1866

Den Anlaß zu dem folgenden Gespräch bildet der Bericht Bernhardis über den Erfolg seiner Hannover-Reise (vgl. dazu das unmittelbar vorausgehende Gespräch vom 27. April 1866).

Abends zu Bismarck. Im Dunkeln, in der Wilhelmstraße Roon begegnet, der eben von ihm herkam. Er fragte mich nach meinem Erfolg – ich sagte, daß Bennigsen nötig erachte, die Vorlagen wegen der Bundesreform bekanntzumachen. – »Nun, das wird ja geschehen!« – Daß aber die Dinge in Hannover sehr unsicher stehen – daß überhaupt gar manches in Deutschland zusammenbrechen wird, sobald die Krisis da ist; »was alles bevorsteht, das wollen wir den Leuten von nicht ganz zuverlässigen Nerven lieber gar nicht im voraus sagen.« Er vernahm das alles mit Interesse.

Bismarck ist nicht befriedigt von Bennigsens Äußerungen. Den Gedanken, daß er gar nicht Krieg führen könne, weil er die öffentliche Meinung im Lande gegen sich habe, behandelte er in sehr wegwerfender Weise: »Man schießt nicht mit öffentlicher Meinung auf den Feind, sondern mit Pulver und Blei.« – Die neutrale Stellung der hannoverschen Liberalen, die Bennigsen in Aussicht stellt – die könne zu gar nichts helfen – uns nämlich – und auch, daß die Leute sich uns anschließen wollen, wenn unsere Vorschläge, die Bundesreform betreffend, bekannt seien – wenn Schritte geschehen seien, den inneren Konflikt auszugleichen – und das habe keinen Wert: »Wenn wir sie nicht mehr brauchen, dann wollen sie sich uns anschließen.«

Dann ging er näher auf die beiden Forderungen Bennigsens ein. Die beabsichtigten Vorlagen in betreff der Bundesreform bekanntzugeben, das sei nicht möglich; es würde nur zu endlosen Weiterungen führen, an denen die Sache scheitern müsse. Darauf kommt es an, daß ein Termin für die Zusammenkunft des Parlaments festgestellt und innegehalten wird: darauf, daß das Parlament wirklich zusammenkommt. »Dann bekommt das Parlament zunächst das Heft in die Hand – bis auf einen gewissen Grad – und wenn die Herren die Initiative ergreifen und mit einer Revision der Verfassung von 1849 anfangen, so nehme ich das mit Handkuß an!« (NB. ich sehe mit Schrecken, daß Bismarck gar keine Vorlagen vorbereitet; daß er, was die Reform der Bundesverfassung anbetrifft, gar keinen bestimmt gedachten Plan hat! – Er hat sich ganz auf das Ungewisse in die Sache gewagt, ohne sich irgendein bestimmtes Bild davon gemacht zu haben, von welcher Art die Bundesreform sein, welche Elemente des Staatslebens sie umfassen, wie weit sie gehen soll; also ohne daß er sich die Mittel gesichert hätte, auf dem Reichstag die Initiative zu ergreifen und zu behalten und die Versammlung mit fester Hand und klarem Bewußtsein auf ein bestimmtes Ziel zu führen.) Ebenso sei es für jetzt untunlich, eine Lösung des inneren Konflikts zu versichern; das könne erst nach der Entscheidung geschehen. Bismarck kam dabei auf früher Gesagtes zurück: »Der Liberalismus sollte sich doch beruhigen; was er jetzt etwa verliert, das gewinnt er ja unter dem Kronprinzen wieder in wenigen Wochen. Wenn wir erst wieder Frieden haben, dann mag meinetwegen regieren, wer will; aber so lange wir nicht Frieden haben, kann ich die Politik nicht von einer blödsinnigen Majorität abhängig machen!«

Aus dem Leben Th. v. Bernhardis. Aus den letzten Tagen des deutschen Bundes. Band VI, 1897, S. 304 ff.

Erzählung Bismarcks über das Blindsche Attentat in Berlin. 7. Mai 1866

Bericht v. Keudells, zugleich über die Ansprache Bismarcks vom 8. Mai. Eine Parallelerzählung bildet das spätere Gespräch mit Justizrat von Wilmowski vom 29. August 1867, BG I, S. 224.

Während im Kabinett des Ministers rastlos für den Krieg gearbeitet wurde, herrschte am Kaminfeuer des großen Wohnzimmers die friedliche und heitere Stimmung der früheren Jahre – der Kreis der häufig erscheinenden Abendgäste hatte sich nicht wesentlich vergrößert.

Wenn Bismarck am späten Abend die Türe seines Arbeitszimmer öffnete und durch das kleine, offene Kabinett in das Wohnzimmer trat, war er immer heiter und guter Dinge. Gewöhnlich führte er die Unterhaltung, sprach aber nicht über Tagesfragen. Die Gräfin war natürlich mit seinen Bestrebungen vertraut, doch suchte er ihr Kenntnis der täglichen, oft unerfreulichen Zwischenfälle zu ersparen. Im Familienkreise kein Wort von Politik zu hören, und von harmlosen Dingen zu sprechen war ihm Erquickung.

Am 7. Mai kam er, wie gewöhnlich, nach fünf Uhr aus dem königlichen Palais zurück, hielt sich aber länger als sonst in seinem Kabinett auf, um einen kurzen Bericht an Seine Majestät zu schreiben, und trat dann mit einer Entschuldigung seiner Verspätung in den Salon. Ehe man sich zu Tische setzte, küßte er seine Gemahlin auf die Stirn und sagte: »Erschrick nicht, mein Herz, es hat jemand auf mich geschossen, ich bin aber durch Gottes Gnade unverletzt geblieben.« So erzählte mir bald nachher einer der Tischgenossen. Vor Abend kamen der König die königlichen Prinzen und viele Würdenträger, um den wunderbar Erretteten zu begrüßen. Abends erzählte er in kleinem Kreise den Hergang ungefähr mit diesen Worten:

«Ich ging unter den Linden auf dem Fußweg zwischen den Bäumen vom Palais nach Hause. Als ich in die Nähe der russischen Gesandtschaft gekommen war, hörte ich dicht hinter mir zwei Pistolenschüsse. Ohne zu denken, daß mich das anginge, drehte ich mich unwillkürlich rasch um und sah etwa zwei Schritte vor mir einen kleinen Menschen, der mit einem Revolver auf mich zielte. Ich griff nach seiner rechten Hand, während der dritte Schuß losging und packte ihn zugleich am Kragen. Er faßte aber schnell den Revolver mit der linken, drückte ihn gegen meinen Überzieher und schoß noch zweimal. Ein unbekannter Zivilist half mir ihn festhalten. Es eilten auch sogleich Schutzleute herbei, die ihn abführten, zusammen mit einer Patrouille vom zweiten Garderegiment, die zufällig des Weges kam.

Als Jäger sagte ich mir: die letzten beiden Kugeln müssen gesessen haben, ich bin ein toter Mann. Eine Rippe tat zwar etwas weh, ich konnte aber zu meiner Verwunderung bequem nach Hause gehen. Hier untersuchte ich die Sache. Ich fand Löcher im Überzieher, im Rock, Weste und Hemde; an der seidenen Unterjacke aber waren die Kugeln abgeglitten, ohne die Haut zu verletzen. Die Rippe schmerzte etwas wie von einem Stoß, das ging aber bald vorüber. Es kommt bei Rotwild vor, daß eine Rippe elastisch federt, wenn die Kugel aufschlägt. Man kann nachher erkennen, wo sie abgeglitten ist, weil da einige Haare fehlen. So mag auch meine Rippe gefedert haben. Oder vielleicht ist die Kraft der Schüsse nicht voll entwickelt worden, weil die Mündung des Revolvers unmittelbar auf meinen Rock drückte.«

Alle Anwesenden waren in feierlicher Stimmung, als hätten sie Übernatürliches erlebt. Bismarck aber zergliederte den Fall mit einer Ruhe, als handelte es sich um ein gleichgültiges Vorkommnis. Am folgenden Tage wurde bekannt, daß der Verbrecher, namens Cohen-Blind, der von London gekommen war, um Bismarck zu erschießen, im Gefängnis sich durch Öffnen einer Pulsader getötet hatte. Als abends der kleine Kreis der Hausfreunde wieder versammelt war, meldete ein Diener, daß vor dem Hause große Menschenmassen sich bewegten. Man ging in den chinesischen Saal und öffnete die Fenster nach der Straße. Über die Stimmung des Berliner Volkes war früher Erfreuliches nicht bekannt geworden; jetzt aber ertönte unaufhörlich der Ruf: »Bismarck hoch!« Er sprach aus dem Fenster mit erhobener Stimme ungefähr folgende Worte:

»Meine Herren und Landsleute, herzlichen Dank für diesen Beweis Ihrer Teilnahme. Für unsern König und das Vaterland das Leben zu lassen, ob auf dem Schlachtfelde oder auf dem Straßenpflaster, halte ich für ein hohes Glück und erflehe von Gott, daß mir ein solcher Tod vergönnt sei. Für jetzt hat Er es anders gewollt; Gott hat gewollt, daß ich noch lebendig meinen Dienst tun soll. Sie teilen das patriotische Gefühl mit mir und Sie werden gern mit mir rufen: Seine Majestät, unser König und Herr, er lebe hoch!«

Die Folge des Attentats war eine gehobene Stimmung Bismarks. Mehrmals hatte ich den Eindruck, daß er sich jetzt als Gottes »auserwähltes Rüstzeug« fühlte, um seinem Vaterlande Segen zu bringen. Ausgesprochen aber hat er das nicht.

R. v. Keudell, Fürst und Fürstin Bismarck. 1901, S. 259 ff.

Nur nach schriftlicher Einladung. – Gespräch mit dem hannoverschen Abgeordneten Dr. Miquel in Berlin.

Ende Mai 1866

Johannes Miquel, der spätere preußische Finanzminister, war seit 1865 Oberbürgermeister von Osnabrück und Mitglied der hannoverschen zweiten Kammer. Er war als Mitbegründer des

Nationalvereins ein Angehöriger der liberalen Opposition die auf die Regierung König Georgs keinen Einfluß hatte. Bismarck suchte mit den Liberalen Fühlung zu gewinnen, deren Haltung namentlich in Hannover für die Verwirklichung seiner Pläne von Bedeutung war (vgl. Gespräch mit dem Historiker Bernhardi, S. 113 dieses Bandes). So lud er Miquel, als er dessen Anwesenheit in Berlin erfuhr, zu einer Unterredung ein.
Nach den Aufzeichnungen Ludwig Bambergers vom 22. Juni 1873.

Miquel erzählte abends in der Kneipe ein Gespräch mit Bismarck 1866. Miquel war von Hannover nach Berlin gekommen (Ende Mai), um sich zu orientieren. Abeken, sein einziger Bekannter, sagte ihm, es sei gewiß, daß es Krieg gebe. Abends läßt ihn Bismarck fragen, ob er nicht zu ihm kommen wolle. Miquel besteht auf einer schriftlichen Einladung (damals hielt man es noch für sündhaft, gutwillig zu Bismarck zu gehen) und erhält sie. Nachdem er in einem übervollen Vorzimmer mit allen möglichen Menschen gewartet, kommt er nachts ein Uhr vor. Bismarck: »Nun, wie ist die Lage in Hannover? Ich habe eben ein Bündnis mit Ihrem Königreich abgeschlossen durch Stockhausen.*« Miquel: »Wenn Sie zehnmal mit ihm abgeschlossen, der König von Hannover geht nie mit Ihnen, er wird das Bündnis nicht respektieren.« Bismarck: »Das ist ganz meine Meinung, da sind wir schon einig. Aber Sie und die Ihrigen sollten mir helfen. Wir können Hannover nicht entbehren. Es ist immer mit uns gewesen im siebenjährigen Krieg, 1813, wir können es nicht gegen uns zwischen den zwei Teilen der Monarchie stehen lassen, wir müssen es besetzen, wenn es im Bund gegen uns stimmt.« Miquel: »Ja, wir können aber nicht mit Ihnen gehen, wenn Sie die Verfassung so verletzen.« Bismarck: »Wie kann ich denn anders mit dem König fertig werden, kümmern Sie sich doch nicht über die Verfassung jetzt. Später, wenn wir gesiegt haben, sollen Sie Verfassung genug haben. Wollen Sie, wenn Sie nach Hannover kommen, zum Grafen Platen gehen und ihm sagen, wenn er nicht mit uns gehe, müßte ich Hannover besetzen, wir sind stark genug auch ohne ihn!« Miquel: »Ich will es gern tun, aber helfen wird es nicht, denn wir müssen heute offen reden: Platen hält Euer Exzellenz für einen Narren.« Bismarck: »Das kann ich ihm gar nicht übelnehmen, aber ich sage Ihnen: wir werden's doch wahr

* Hannoverscher Gesandter in Berlin. — Es handelte sich nicht um ein Bündnis, sondern es war nur von einem »Neutralitätsvertrag« die Rede. - Über das Gespräch mit Miquel vgl. auch H. Oncken, Bennigsen, Band I, S. 714.

machen, ein kurzer Feldzug in Böhmen, und wir machen den Österreicher matt und die Sache ist fertig, es ist Ihre nationale Pflicht, uns beizustehen.« Miquel: »Wir werden es nicht fertig bringen.« Bismarck: »Nun, so will ich Ihnen sagen: wir brauchen Sie auch gar nicht.«

Alfred Stern: Geschichte Europas. Bd. 9, 1923, S. 588 ff.

Nachtisch für einen Journalisten. – Gespräche mit J. Vilbort in Berlin. 4. und 5. Juni 1866

Vilbort hatte in seiner Eigenschaft als Vertreter der in Paris erscheinenden Zeitung »Le Siècle« eine Unterredung erbeten, um sich und den Lesern seines Blattes Aufklärung zu verschaffen über die inneren Widersprüche der Bismarckschen Politik. Der Text wird nach dem 1869 in Paris erschienenen Buch Vilborts gegeben.

Nicht ohne Erregung trat ich in das Kabinett, wo Tag und Nacht dieser außerordentliche Mann dachte und schrieb, in dessen Händen damals der Friede Europas an einem Faden hing. Er erhob sich, kam auf mich zu und reichte mir die Hand, dann ließ er mich in einem Lehnstuhl ihm gegenüber Platz nehmen und fragte: »Rauchen Sie?« Er bot mir eine Zigarre an. Wenn ich diese Einzelheiten heute wiederhole, so tue ich es, weil sie, aus unmittelbarem Eindruck geschöpft, mir den Mann vergegenwärtigen. Hoher Wuchs und durchfurchte Züge, auf einer hohen, breiten Stirn Wohlwollen mit Eigenwillen gepaart. Große, tiefe und sanfte Augen, die aber schrecklich blicken können, wenn er in Zorn gerät. Sein Haar ist blond, auf dem Scheitel gelichtet. Ein militärisch gehaltener Schnurrbart verschleiert die Ironie seines Lächelns. In seiner stets bilderreichen Sprache verbindet sich soldatische Geradheit mit diplomatischer Vorsicht, und dabei ist er auch Grandseigneur und Hofmann, der verführerisch seine raffinierte Höflichkeit spielen läßt.

Ich halte es für richtig, die Unterredung vollständig wiederzugeben. Zunächst, weil Herr von Bismarck darin so charakteristisch erscheint! Ich könnte diese historische Gestalt, die unter den mächtigsten und den originellsten dieses Jahrhunderts ihren Platz hat, gar nicht besser beleuchten. Außerdem gewinnt diese Unterredung zwischen Staatsmann und Journalisten noch dadurch ein besonderes Interesse, daß es der 4. Juli ist, an dem dieser seltsame und wunderbare Diplomat all dieses sagte, also noch vor der Okkupation Holsteins, vor dem Einfall der Preußen in Hannover und Sachsen, vor dem Abbruch der diplomatischen Beziehungen zwischen Berlin und Wien, ja noch bevor Herr von Bismarck mit jenem Bundesreformplan hervorgetreten war, in dem er Österreich aus Deutschland herausdrängte.

»Herr Minister«, sagte ich zu ihm, »ich lasse es mir angelegen sein, das französische Publikum über alles, was in Deutschland geschieht, möglichst gut zu unterrichten. Gestatten Sie mir also, mit völliger Offenheit zu Ihnen zu reden. Ich erkenne gern an, daß Preußen in seiner auswärtigen Politik heute Ziele zu verfolgen scheint, die der französischen Nation ganz außerordentlich sympathisch sind, nämlich: Italien endgültig von Österreich zu befreien und Deutschland auf Grundlage des allgemeinen Stimmrechts zu konstituieren. Aber existiert zwischen Ihrer preußischen und deutschen Politik nicht ein flagranter Widerspruch? Sie proklamieren ein Nationalparlament als einzige Quelle, aus der Deutschland neugeboren hervorgehen könne, als alleinige höchste Gewalt, die fähig ist, seine neuen Geschicke zu erfüllen; und gleichzeitig behandeln Sie die zweite Berliner Kammer nach der Manier Ludwigs XIV., als er, die Reitpeitsche in der Hand, in das Pariser Parlament trat. Wir in Frankreich geben nicht zu, daß zwischen dem Absolutismus und der Demokratie eine Verbindung möglich ist, und um es offen zu sagen: in Paris hat die öffentliche Meinung Ihr Projekt eines Nationalparlaments nicht für ernst genommen, man hat darin lediglich eine gut ersonnene Kriegslist gesehen, und glaubt allgemein, daß Sie der Mann dazu sind, dies Werkzeug, wenn Sie es gebraucht haben, wieder zu zerbrechen, sobald es für Sie lästig oder nutzlos wird.«

»Meiner Treu«, erwiderte Bismarck, »Sie gehen auf den Kern der Dinge los. Ich weiß, daß ich mich in Frankreich derselben Unbeliebtheit erfreue, wie in Deutschland. Überall macht man mich verantwortlich für eine Lage, die ich nicht gemacht habe, sondern die sich mir genau ebenso wie allen anderen aufgenötigt hat. Ich bin der Sündenbock der öffentlichen Meinung, aber ich kümmere mich wenig darum. Ich verfolge mit dem ruhigsten Gewissen mein Ziel, das mir als richtig für meinen Staat und für Deutschland erscheint. Was die Mittel betrifft, so bediene ich mich derer, die sich mir mangels anderer darbieten. Über die innere Lage Preußens gäbe es viel zu sagen. Um sie unparteiisch zu beurteilen, müßte man von Grund aus den besonderen Charakter seiner Bevölkerung kennen und studieren. Während Frankreich und Italien heute, jedes für sich, eine große Gesellschaft darstellt, die vom gleichen Geist und denselben Gefühlen beseelt ist, herrscht in Deutschland im Gegenteil der Individualismus. Jeder lebt hier in seinem Winkel für sich mit seiner eigenen Meinung, immer voll Mißtrauen gegen die Regierung und gegen seinen Nachbarn, beurteilt alles nach seinem persönlichen Gesichtspunkt und niemals nach dem des Ganzen. Eigenbrötelei und Widerspruchsbedürfnis sind beim Deutschen bis zu einem unbegreiflichen Grad entwickelt: Zeigen Sie ihm eine offene Tür, so wird er lieber sich darauf versteifen, durch ein Mauerloch als durch diese Tür zu gehen. Auch wird niemals eine Regierung in Preußen, sie mag tun was sie will, populär sein. Die meisten werden immer entgegengesetzter Meinung sein. Schon darum, weil es die Regierung ist, und sie sich als Autorität vor dem einzelnen aufgepflanzt, ist sie ein für allemal dazu verdammt, von den Gemäßigten verurteilt, von den Exaltados aber verschrien und angespieen zu werden. Das war das gemeinsame Los aller Regierungen, die einander seit den Anfängen dieser Dynastie gefolgt sind. Die liberalen Minister haben ebensowenig Gnade vor unseren Politikern gefunden, wie die reaktionären.« ...

»Man bejubelte«, fuhr er fort, »die Siege Friedrichs des Großen, aber als er tot war, rieb man sich die Hände vor Freude, diesen Despoten los zu sein. Indessen ist neben diesem Widerstreben doch auch eine tiefe Anhänglichkeit für die Dynastie vorhanden. Es gibt keinen Fürsten, keinen Minister, keine Regierung, die je die Gunst dieses preußischen Individualismus erringen könnten, aber alle rufen von Herzen: ›Es lebe der König!‹ und wenn er befiehlt, gehorchen sie.«

»Trotzdem kann man hören, Herr Minister, daß die Unzufriedenheit eines Tages zur Revolution führen könnte.«

»Die Regierung braucht sie nicht zu fürchten und hat auch keine Angst davor. Unsere Revolutionäre sind nicht so fürchterlich. Ihre Feindseligkeit erschöpft sich hauptsächlich in Anwürfen gegen den Minister, aber vor dem König haben sie Respekt. Nur ich bin der Übeltäter und mir allein zürnen sie! Bei etwas größerer Unparteilichkeit würden sie anerkennen, daß ich so gehandelt habe, weil ich nicht anders handeln konnte. Bei der gegenwärtigen Lage Preußens in Deutschland, und Österreich gegenüber, brauchten wir vor allem eine Armee. In Preußen ist sie die einzige Kraft, die einer Disziplinierung fähig ist. Der Preuße«, fuhr Herr von Bismarck fort, »dem man einen Arm auf einer Barrikade zerschmetterte, würde beschämt nach Hause kommen, und seine Frau würde ihn als Dummkopf auslachen. Aber im Heer ist er ein bewunderungswürdiger Soldat und schlägt sich wie ein Löwe für die Ehre seines Landes. Die von den Umständen geforderte Notwendigkeit einer großen Heeresstreitkraft hat eine schmollende Politik nicht anerkennen wollen, so offenkundig jene auch war. Für mich aber konnte es kein Zaudern geben! Nach Familie und Erziehung bin ich vor allem ein Mann des Königs. Der König aber hielt an dieser Heeresorganisation so fest wie an seiner Krone, weil auch er in seinem tiefsten Gewissen sie für unentbehrlich erachtete. Darin konnte ihn kein Mensch zum Wanken bringen ...«

»Darf ich Sie auch fragen, Herr Minister, wie Sie die liberale Aufgabe eines nationalen Parlamentes mit der rigorosen Behandlung in Einklang bringen wollen, die die Berliner Kammer erfahren hat? Wie haben Sie insbesondere den König, den Vertreter des Gottesgnadentums, dazu bestimmen können, das allgemeine Wahlrecht anzunehmen, das das demokratische Prinzip par excellence ist?«

Herr von Bismarck antwortete mir lebhaft: »Das ist ein Sieg, den ich nach vierjährigem Kampf davongetragen habe! Als der König mich vor vier Jahren rief, war die Situation die denkbar schwierigste. Seine Majestät legte mir eine lange Liste liberaler Zugeständnisse vor, aber darunter war keines zur Militärfrage. Ich habe damals dem König gesagt: Ich nehme an, und je liberaler sich die Regierung zeigen wird, desto besser ist es. Die Kammer hat sich verrannt und die Krone ebenfalls. In diesem Konflikt bin ich mit dem König gegangen. Meine Verehrung für ihn, meine ganze Vergangenheit, alle meine Familientraditionen machten es mir zur Pflicht. Aber daß ich von Natur oder von System wegen Gegner einer Volksvertretung, der geborene Feind des parlamentarischen Regimes sei, das ist eine ganz willkürliche Unterstellung. Ich habe mich nicht vom König in dem Streit mit der Berliner Kammer trennen wollen im Augenblick, wo diese Kammer sich einer Politik entgegenwarf, die für Preußen eine Notwendigkeit erster Ordnung war. Aber daß ich darauf sänne, Deutschland mit meinem Projekt einer Volksvertretung hinters Licht zu führen, einen solchen Vorwurf mir entgegenzuschleudern, hat niemand das Recht. An dem Tag, wo nach Erfüllung meiner Aufgabe meine Pflichten gegen meinen Herren sich mit meinen Pflichten als Staatsmann schlecht vertrügen, steht es bei mir, abzutreten, ohne deshalb mein Werk verleugnen zu müssen.«

Als ich mich gegen Mitternacht zurückzog, reichte mir Bismarck die Hand und sagte mir mit größter Freundlichkeit: »Ich möchte Sie wiedersehen und mit Ihnen weiterplaudern. Speisen Sie doch morgen bei uns im Familienkreis. Das ist nämlich die einzige Stunde bei Tag und bei Nacht, wo ich mir selber ein wenig gehöre; jetzt muß ich arbeiten, bis die Sonne meine Lampe auslöscht.«

Ich will die Schranken nicht überschreiten, die das Privatleben des Staatsmannes schützen, und lasse die Öffentlichkeit nicht in dieses Familieninterieur hineinblicken, in dem etwas wie ein Hauch französischer Eleganz die pommersche Einfachheit durchtränkt. Aber was ich hier doch enthüllen darf, ist, daß Herr von Bismarck das Mahl mit geradezu echt gallischem Witz und unerschöpflichen Einfällen würzte. Kein Ausdruck von Sorge auf der Stirn oder in seinen Augen, und dabei befand man sich doch im schrecklichsten Augenblick der Krise, der Krieg sollte tags darauf erklärt werden. Er sprach von Frankreich, von Paris und vergaß dabei nichts, nicht einmal den Ball Mabille, wie, wenn er am Abend zuvor dort gewesen wäre. Es war wie ein Sprühregen feiner und boshafter Scherze in immer neuen glitzernden Wendungen, und er selber lachte als erster und von ganzem Herzen darüber. Aber indem er sich so abwechselnd ganz seiner heiteren und seiner sarkastischen Laune überließ, entging ihm doch kein Wort von dem, was in seiner Umgebung gesprochen wurde.

Pariser Zeitungen, die am Morgen in Berlin angekommen waren, bezweifelten die Existenz eines preußisch-italienischen Vertrages, oder zum mindesten, daß die Bedingungen dieser Allianz für Preußen und Italien gleich wären. Im Laufe der Unterhaltung hatte ich darauf eine Anspielung gemacht, denn ich gestehe es, ich hätte gern darüber etwas erfahren. Herr von Bismarck stellte sich zuerst taub; aber im Augenblick, wo man vom Tisch aufstand, sagte er: »Ich muß Ihnen doch einen Nachtisch anbieten«, und zählte mir an den Fingern die Klauseln des preußisch-italienischen Vertrags auf. Diese Freiheit des Geistes und der joviale Humor in einem so kritischen Augenblick, haben mir einen um so tieferen Eindruck gemacht, als Herr von Bismarck wahrhaftig nicht auf Rosen gebettet war. Erstlich hatte er unaufhörlich mit den schwankenden Stimmungen des Königs zu kämpfen. Er hatte den Kronprinzen gegen sich, der sich dem Kriege widersetzte und dessen parlamentarische Richtung keineswegs mit einer gewaltsamen Politik harmonierte. Zu seinen erklärten Gegnern zählte die Königin, die sich abseits in Baden-Baden hielt, und auch die Königin-Witwe, die in Pilnitz bei der sächsischen Königsfamilie für den Frieden arbeitete. So mußte er den König Wilhelm immer von neuem auf den Weg zurückbringen, den er eingeschlagen hatte und mit der unbeugsamen Zähigkeit des Staatsmannes bis zum Ziel verfolgen will. Der Ministerpräsident, so sagt man in Berlin, muß jeden Morgen beim König den Uhrmacher spielen, der die abgelaufene Uhr wieder aufzieht.*

Übersetzt aus J. Vilbort, L'œuvre de M. de Bismarck 1863–1866. Sadova et la campagne des sept jours. 1869 (gekürzt).

»Der Mann hat kein Vorderhirn.« – Gespräche mit dem Landrat von Diest. 1862 bis 1866

Als Rückblick und wechselnde Stimmungsbilder seien die folgenden Erinnerungen von Diests an Gespräche Bismarcks aus den Jahren vor Ausbruch des preußisch-österreichischen Krieges hier eingereiht. v. Diest, der schon in der Frankfurter Zeit Bismarcks in dessen Haus verkehrt hatte, war jetzt Landrat in Wetzlar. Nach der Einverleibung Nassaus in Preußen wurde er Regierungspräsident in Wiesbaden.

Als Bismarck Ministerpräsident geworden, verkehrte ich vom Jahre 1862 bis 1866 oft in seinem Hause. Der Kampf, den er damals mit der Volksvertretung zu bestehen hatte, erschütterte den gewaltigen Mann in allen seinen Nerven und ebenso seine ganze Familie, wie auch alle Freunde, die in dem Hause verkehrten. Was für Szenen habe ich dort miterlebt! Als der Abgeordnete Graf Schwerin von Bismarck behauptet hatte, er habe erklärt, daß Macht vor Recht gehe, war Bismarck besonders wütend. Er stand hoch aufgerichtet mitten in der Stube und rief uns zu, wir sollten uns mal Schwerins Schädel genau ansehen, der Mann habe gar kein Vorderhirn, und nur solch ein Mann könne solch einen Unsinn schwätzen. Ein anderes Mal

* Im folgenden schildert Vilbort auch die weiteren Schwierigkeiten, die Bismarck von seiten der Konservativen und der Liberalen, der deutschen Mittelstaaten und Österreichs entgegentraten.

sagte mir Frau von Bismarck, ihr Mann sei heute besonders vergnügt, obwohl er eben den verhaßten Gang ins Abgeordnetenhaus machen müsse und eine ganz besonders schwere Schlacht ihm drohe. Da trat Bismarck froh gelaunten Antlitzes herein und gab als Grund seiner frohen Stimmung uns an: »Heute morgen habe ich die Losung gelesen und die lautete: ›Den Weg, den Du gehst, werde ich mit Dir gehen‹, und da muß man ja vergnügt sein!«

Mein seliger Schwager, Hermann v. Thile, war von Bismarck seit 1862 zum Unterstaatssekretär der auswärtigen Angelegenheiten berufen worden, mein Freund von Keudell aber 1863 zum Hilfsarbeiter im Bismarckschen Ministerium, als welcher er mancherlei vertrauliche Aufträge erhielt. Mein Verkehr in der Bismarckschen Familie war darum besonders lebhaft. Als der Krieg von 1866 nahe dem Ausbruch war, musizierten wir in einer Stube, welche nur durch eine Wand von der Empfangsstube Bismarcks getrennt war. Ein Gesandter war gerade zum Empfange bei Bismarck gewesen, und Bismarck erzählte eintretend, daß der Gesandte die Musik habe durch die Wand hören können und sich höchlich darüber gewundert habe, daß dicht vor Ausbruch des Krieges so vergnügt im Bismarckschen Hause gesungen und gespielt werden könne.

Die in Bismarcks Familie zugebrachten Stunden gehören zu den interessantesten meines Lebens. Wie kindlich konnte er über kleine, scheinbar unbedeutende Geschichten lachen. So erzählte er einmal, daß sein Kammerdiener Engel sehr schlechter Laune gewesen sei und, nach dem Grunde gefragt, geantwortet habe, der andere Bediente sei jetzt so grob zu ihm und »biete ihm nicht einmal die Tageszeit«. Diese deutsche Redewendung für »guten Morgen, guten Tag« und »guten Abend« sagen, ergötzte Bismarck, den Beherrscher der Sprache, denn er habe ihn zum erstenmal gehört. Ein anderer Witz war der, daß der deutsche Bauer sich doch einen besonderen Begriff von seiner Muttersprache gebildet habe; so habe ihm einmal ein Bauersmann ein Messer entgegengehalten und dabei geäußert: »Die französische Sprache ist doch ganz verrückt, das nennen sie nun un couteau, wir nennen's aber Messer und das ist es auch.« Bismarck rauchte sehr stark. Als ich ihm bei einem Gespräch über das Rauchen mitteilte, daß meines seligen Vaters Ansicht mir als die richtige erscheine, daß der Raucher ein Bedürfnis mehr als der Nichtraucher habe, daß aber der Mensch am glücklichsten lebe, welcher möglichst frei von allen Bedürfnissen sich erhalte, meinte Bismarck, diese Ansicht halte auch er theoretisch für die richtige, aber praktisch sei sie nicht, denn das Rauchen biete doch einen großen Genuß, namentlich älteren Männern, und außerdem sei es für einen Verwaltungsbeamten ein nicht zu unterschätzendes Hilfsmittel bei dem Verkehr mit seinen Untergebenen; eine angebotene Zigarre wirke Wunderdinge, und auch mit einem vortragenden Rat wäre man sehr viel schneller einig, wenn man mit ihm zusammen rauche. Diese Lehre habe ich mir ad notam genommen und habe meinen vortragenden Räten, soweit sie Raucher waren, stets eine Zigarre angeboten.

»Aus dem Leben eines Glücklichen.« Erinnerungen eines alten Beamten von Gustav von Diest. 1904, S. 285 ff.

Es schlägt zwölf. – Gespräch mit dem englischen Botschafter Lord Loftus in Berlin. 15. Juni 1866

Nach den Lebenserinnerungen des Lords. (Vergleiche über ihn und frühere Gespräche mit Bismarck im März 1866, S. 109 dieses Bandes.)

Spät am Abend des 15. Juni war ich mit dem Grafen Bismarck zusammen. Wir waren in seinem Garten auf- und abgegangen und saßen hier bis in die Nacht hinein, als ich zu meinem Erstaunen plötzlich zwölf Uhr schlagen hörte. Graf Bismarck zog seine Uhr heraus und sagte: »In dieser Stunde sind unsere Truppen in Hannover, Sachsen und Hessen-Kassel einmarschiert.«* Er fügte hinzu: »Der Kampf wird ernst werden. Es kann sein, daß Preußen verliert, aber wie es auch kommen mag, es wird tapfer und ehrenvoll kämpfen. Wenn wir geschlagen werden«, sagte Graf Bismarck weiter, »werde ich nicht hierher zurückkehren. Ich werde bei der letzten Attacke fallen. Man kann nur einmal sterben; und wenn man besiegt wird, ist's besser zu sterben.«

Übersetzt aus Lord A. Loftus, Diplomatic Reminiscences Second Series. Band I, 1894, S. 60.

* Im Texte von Loftus ist dieser Satz in französischer Sprache wiedergegeben.

Frage an die liberale Partei. – Gespräch mit dem Abgeordneten von Unruh. Abend des 20. Juni 1866

Über diese Unterredung, die der Geh. Kommerzienrat Gerson Bleichröder auf den Wunsch Bismarcks vermittelte, hat Unruh sich am Tage darauf »ausführliche schriftliche Notizen« gemacht, denen die Erzählung in seinen Lebenserinnerungen folgt.

Bei meinem Erscheinen wurde ich sofort gemeldet und in den Saal vor dem Kabinett Bismarcks geführt. Boten, hohe Beamte, auch der Kriegsminister von Roon, kamen und gingen. Nach einiger Zeit trat Bismarck ein, entschuldigte sich, daß er mich so lange warten lasse, ich sähe ja, wie er belagert sei. Darauf versicherte ich, daß ich vollkommen Zeit habe zu warten. Bucher machte mit einer Depesche in der Hand eine Meldung, daß, wie ich verstand, ein deutscher Prinz aus einem Kleinstaat gefangen genommen worden sei. Bismarck antwortete kurz in ziemlich barschem Tone: »Nun, telegraphieren Sie, daß man ihn anständig behandeln solle« – und trat wieder in sein Kabinett. Später kam er wieder in den Saal und sagte mir, ich möge nicht ungeduldig werden, worauf ich versicherte, daß ich so lange warten könne, wie er wolle, oder auch am andern Tage kommen. Dies könne nichts nutzen, meinte er, morgen sei es gerade so wie heute bei ihm. Hier oben käme er nicht dazu, mit mir zu sprechen, aber er werde sich losmachen und mit mir in den Garten gehen.

Dies geschah. Wir prominierten in der hellen Sommernacht. Nach einigen einleitenden Worten wurde es mir klar, weshalb Bismarck mich habe sprechen wollen. Er äußerte, es sei gut, daß wir offen miteinander redeten; es komme jetzt darauf an, ob die Liberalen ihre Interessen höher stellen wollten als den Staat, ob sie diesen lieber untergehen lassen wollten, als ihre Forderungen vertagen? Das Festhalten an denselben ließe sich allenfalls erklären, wenn wir einen Thronfolger hätten, von dem strenges, absolutes Regiment zu erwarten sei. Der Kronprinz aber sei ein höchst gutmütiger, milder Mann, unter dessen Regierung sehr leicht und bei dem Alter des Königs auch bald wieder gewonnen werden könne, was man jetzt verloren habe. Aus diesen Worten ging deutlich hervor, daß Bismarck wissen wollte, wie die liberale Partei sich während des Krieges benehmen würde, namentlich wenn wir zunächst eine Niederlage erlitten.

Ich antwortete, er stelle die Frage nicht richtig. Vor einigen Monaten, als Preußen noch die Wahl zwischen Krieg und Frieden gehabt habe, hätte man allenfalls so fragen können, wie er eben getan. Jetzt dagegen sei der Krieg bereits ausgebrochen, bei welchem es sich offenbar um die Existenz des Staates handle. Die speziellen Parteiinteressen könnten jetzt nicht an die Spitze gestellt werden. Es komme in diesem Augenblick nicht darauf an, ob Bismarck recht habe oder die liberale Partei, ja nicht einmal darauf, wie der Krieg entstanden, ob derselbe sich habe vermeiden oder verschieben lassen. Der Krieg sei da, und es handle sich jetzt darum, die Mittel zu finden, die ganze Kraft des Staates zusammenzufassen, im Unglücksfall jeden Nerv anzuspannen und, wenn nötig, die letzten silbernen Löffel aus dem Schrank des Privatmanns ohne Exekution herauszubekommen, Begeisterung hervorzurufen. Wir müßten siegen, wenn wir nicht untergehen wollten.

Bismarck erwiderte, diese Anschauungen möchten wohl die meinigen sein, aber schwerlich die der ganzen liberalen Partei. Darauf versicherte ich, daß alle meine Parteigenossen gerade so dächten wie ich, ich habe viele gesprochen, und keiner weiche davon ab. Auf dem äußersten linken Flügel möchten wohl einzelne andere Ansichten haben, aber nur wenige, höchstens ein paar unklare Köpfe könnten glauben, es würde auf eine Niederlage eine Regenerationsperiode folgen, wie 1807 bis 1813. Damals sei Preußen von den Ideen der Französischen Revolution geschlagen und das alte, morsch gewordene Gebäude zusammengestürzt. Jetzt dagegen handle es sich um eine Niederlage gegen das reaktionäre Österreich, dessen Geschichte und Tendenzen jeder kenne. Äußerste Reaktion in Preußen würde die Folge einer Niederlage sein.

Augenscheinlich war Bismarck von meinen Äußerungen sehr befriedigt ...

Nun hob ich hervor, daß man das oben bezeichnete Ziel nur durch die Rückkehr auf den Boden der Verfassung und Anerkennung des Budgetrechts des Landtags erreichen könne. Es gebe kein anderes Mittel. Auf diesem Wege werde man auch auf Deutschland wirken.

Diesen letzten Punkt griff Bismarck auf und sagte, die deutsche Nation habe jetzt die Wahl, ob es ihr ernst mit der deutschen Einheit sei oder ob sie in der Kleinstaaterei untergehen wolle. Ich hätte ihm vor einigen Jahren eine Äußerung von Metz-Darmstadt mitgeteilt: »Lieber den preußischen Stock, als die Kleinstaaterei.« ...

Ich wies ferner darauf hin, daß die wirkliche Rückkehr zur Verfassung nicht allein auf die preußische Bevölkerung belebend und kräftigend wirken, sondern auch auf das übrige Deutschland einen sehr günstigen Eindruck machen und Österreich entmutigen würde. Dies bestritt Bismarck nicht. Dann kehrte er zur deutschen Frage zurück und sagte, er verfolge seit 16 Jahren dasselbe Ziel. Er sei stolz darauf, daß es ihm gelungen, einen König von Preußen zur Unterschrift eines solchen Aktes gebracht zu haben, wie die Berufung eines deutschen Parlaments als Grundlage einer Bundesreform. Bismarck meinte hier offenbar die Antwort auf die Reformvorschläge, die bei dem Fürstentage in Frankfurt a. M. unter österreichischer Führung gemacht worden waren. Ich erwiderte, daß Bismarck sich von jenem Schritt wohl eine größere Wirkung versprochen und geglaubt habe, derselbe werde wirken wie eine Lunte, die man in ein Pulverfaß lege. Dies sei nicht der Fall gewesen, weil selbst für den einfachen Verstand der Einwand nahe liege, daß, wer den Konflikt in Preußen nicht lösen könne oder wolle, schwerlich die deutsche Einheit zustande bringen werde.

Bismarck meinte, mit Reden und Abstimmungen ließe sich eine Politik wie die seine nicht durchführen; die 500 000 Bajonette müßten doch den Ausschlag geben. Was habe Baden mit seinem Liberalismus erreicht? Der Krieg mit Österreich sei ganz unvermeidlich gewesen und würde schon vor zwei Jahren ausgebrochen sein, wenn die Episode mit Schleswig-Holstein nicht dazwischen gekommen wäre. Ich gestand sofort zu, daß selbst ein liberales Ministerium, welches sich die Einigung Deutschlands zum Ziel setze, den Krieg mit Österreich nicht hätte vermeiden können. Solange Österreich noch existiere, werde es ohne Krieg weder die Machtvergrößerung Preußens noch die Einigung Deutschlands zulassen. Der Krieg gegen Ungarn, Ruthenen, Slovaken usw. sei kein Bruderkrieg. Aber einen solchen Krieg dürfe man doch nur unternehmen mit Wind und Wellen, Bismarck arbeite jetzt gegen Wind und Wellen. Ich erinnerte ihn an jene Äußerung, die er zu mir im Hotel Royal 1859 getan: Preußen sei völlig isoliert, der einzige Alliierte, wenn es ihn richtig zu behandeln wisse, sei das deutsche Volk. Dieser Alliierte fehle ihm jetzt; wir wären in einer Situation ähnlich der vor dem siebenjährigen Kriege, aber bei aller Ehrerbietung vor dem Könige – »ohne Friedrich den Großen«, fiel mir Bismarck in das Wort. »Jawohl, und doch muß es durchgemacht werden.« . . .

Ich fügte noch hinzu, daß Bismarck vom Landtage Geld zur Führung des begonnenen Krieges in ganz loyaler, verfassungsmäßiger Form hätte bekommen können. Ich hielte daher die

Auflösung des Abgeordnetenhauses für einen politischen Fehler. Mit dem bisherigen Abgeordnetenhause würde man in der jetzigen gefährlichen Lage gut zustande gekommen sein. Bismarck bestritt dies nicht ausdrücklich, meinte aber, man hätte mit demselben Hause, mit welchem die Regierung so feindlich gestanden, nicht füglich verhandeln können. Meinen Einwurf, Bismarck wisse ja, daß im wesentlichen dieselben Personen wieder gewählt werden würden, suchte er dadurch zu beseitigen, daß er sagte: »Wenn auch, es ist doch ein neues Mandat gegeben.«

Als zweiten Faustschlag in das Gesicht bezeichnete ich die Erklärung der Regierung, daß die bisherigen Regierungsgrundsätze auch ferner aufrechterhalten werden sollten. »Wo hat das gestanden, wer hat das gesagt?« fragte Bismarck lebhaft. Ich nannte ihm die »Provinzialkorrespondenz«, die offiziösen Zeitungen und die Wahlaufrufe in den Kreisblättern. Bismarck antwortete etwas erregt: »Ich weiß nichts davon. Wer kann auf solche gedruckte Sachen etwas geben. Ich kann nicht alles selbst lesen und zensieren; Eulenburg auch nicht. Hätte ich es gelesen, so würde ich es gestrichen haben.«

Ich konnte nichts tun, als ihm sagen, das Publikum könne gar nicht anders als solche Erklärung in solchen Blättern für richtig halten. Endlich bezeichnete ich als einen Punkt, der sogar sehr konservative, aber selbständige Personen befremde, daß man auf dem Palais des Königs noch die Fahne wehen sähe, obgleich Seine Majestät sich doch den Oberbefehl über die Armee vorbehalten habe und diese sich dem Feinde nähere. Hierauf wurde Bismarck wieder erregt und platzte mit der Äußerung heraus, er habe den König wiederholt gefragt, wann er abzureisen befehle? Zuletzt noch vorgestern. Darauf habe der König ärgerlich geantwortet, er werde selbst bestimmen, wann er abreisen wolle! Bismarck setzte hinzu, er könne doch die durchaus nötigen Dispositionen nicht in einem Augenblick treffen; aber da könne ich sehen, daß er selbst solche Dinge zuweilen nicht durchsetzen könne. Der König sei ein fast siebzigjähriger Mann. Die Königin spreche dazwischen.

Hier schaltete ich ein, man wisse wohl im Publikum, daß Bismarck einen sehr schweren Stand habe. So erzähle man sich, daß hinter dem Rücken Bismarcks mit des Königs Zustimmung der Versuch zur Anbahnung einer Aussöhnung mit Österreich gemacht worden, aber mißglückt sei. Ebenso sei bekannt, daß Bismarck unmittelbar nach dem Bundestagsbeschluß vom 14. Juni auf Grund einer schon vorher an die deutschen Staaten erlassenen Note habe in Hannover einrücken wollen, um die Zusammenziehung der hannoverschen Truppen zu verhindern, daß aber der König darauf bestanden habe, zuvor eine Sommation zu erlassen, durch die zwei wichtige Tage verloren gegangen seien. Schnelles Handeln tue jetzt not. Frauen hätten nicht mehr mitzureden. »Sie tun es aber doch«, antwortete Bismarck und desavouierte die eben erwähnten Tatsachen mit keinem Wort ...

Bismarck sprach wieder von dem großen Ziel seines sechzehnjährigen Strebens, während ich wiederholt darauf hinwies, daß der erste Schritt zur Versöhnung keinen Aufschub gestatte, daß derselbe besser vor vier Wochen als heute hätte geschehen sollen und heute besser als in acht Tagen, ich setzte jedoch noch hinzu, ich und meine politischen Freunde wüßten sehr gut, daß der Sieg, den wir unserer Armee dringend wünschten, vor oder ohne Wiederherstellung der Verfassung uns in eine sehr schlimme Lage bringen würde, aber die Niederwerfung Preußens durch Österreich sei ein viel größeres Unglück für Preußen und für ganz Deutschland. Das sähen auch viele Deutsche außerhalb Preußens ein. Bismarck akzeptierte diese Anschauung und meinte, daß der König nach dem Siege sich wohl bereitwilliger würde finden lassen; eine demnächstige Ausgleichung des Konflikts sei notwendig. Ich erklärte, ich zweifle nicht, daß Bismarck jetzt die Absicht hege; nicht so sicher sei ich, ob dies auch nach dem Siege der Fall sein werde; sehr zweifelhaft scheine es mir aber, ob Bismarck eine solche Absicht dann noch werde durchsetzen können? – Bismarck erwiderte, daß er alsdann nicht Minister bleiben würde, und deutete an, daß es mir freistehe, in solchem Falle von seiner jetzigen Äußerung Gebrauch zu machen.

Wir näherten uns dem Ausgange des Gartens, und ich benutzte die wenigen noch übrigen Momente, um Bismarck zu sagen, er mache eine starke Probe auf den preußischen Patriotismus, aber ich hoffe, dieselbe werde bestanden werden. Ich sei überzeugt, die Armee werde sich sehr gut schlagen, aber auf meine Frage, ob derselbe Geist in der Armee sei, der es Blücher gestattet hatte, 1813 in Schlesien wiederholt vor- und zurückzugehen, dem Feind stets auf den Fersen zu sitzen und 1815, achtundvierzig Stunden nach der verlorenen Schlacht bei Ligny, bei Belle-Alliance den Ausschlag zu geben, habe ein höherer Offizier vor wenigen Tagen die Achseln gezuckt und geantwortet, das wisse er nicht. Dazu gehöre, bemerkte ich, ein begeistertes Volk hinter der Armee. Bismarck rühmte hierauf die Bereitwilligkeit, mit der sich die Landwehr und Linie gestellt habe; ich aber richtete die Frage an ihn, ob er denn einen größeren militärischen Unfall, ja eine Niederlage für unmöglich halte, und was dann geschehen solle, wenn man jetzt nichts tue. Bismarck erwiderte, eine solche Unmöglichkeit könne niemand behaupten; aber, setzte er hinzu, wissen Sie, was dann geschieht? – dann dankt der König ab.

Ich habe das Gespräch mit Bismarck hier so vollständig als möglich erzählt, weil ich glaube, daß es zur Charakterisierung der damaligen Situation und vor allem Bismarcks selbst sehr geeignet ist. In meinen schriftlichen Notizen findet sich die Bemerkung, ich könne bei der Eile der Unterredung und dem schnellen Sprechen Bismarcks nicht für die Richtigkeit der Reihenfolge einstehen. Hier setze ich noch hinzu, daß ich auch den Wortlaut der Bismarckschen und meiner Äußerungen nicht verbürgen kann, aber wohl den Sinn.

Erinnerungen aus dem Leben von Hans Viktor von Unruh. Herausgegeben von H. v. Poschinger. 1895, S. 241 ff. (gekürzt).

Ankunft auf dem Kriegsschauplatz. – Gespräch mit dem Oberstleutnant Freiherrn von Loë in Reichenberg.

30. Juni 1866

Nach den Erinnerungen des Generalfeldmarschalls von Loë (1905). Im militärischen Gefolge König Wilhelms, der sich auf den Kriegsschauplatz begab, kam Loë am 30. Juni 1866 in Reichenberg an.

Außer einem Teile des Gefolges war auch der Ministerpräsident Graf Bismarck nach dem Eintreffen in Reichenberg zunächst auf dem Bahnhof verblieben, um sich zu überzeugen, daß die Reitpferde, die mit demselben Zuge befördert waren, unbeschädigt eingetroffen seien. Unter meinen vier Pferden, die dort ebenfalls ausgeladen wurden, befand sich ein breiter, starkknochiger, niedriger Fuchswallach, der durch seine Figur die Aufmerksamkeit des Grafen Bismarck erregte. Als ich auf seine Nachfrage mich als Eigentümer meldete, meinte er: »Ein solches Pferd suche ich schon lange. Wollen Sie es mir nicht verkaufen?« – Ich erwiderte, daß ich das Pferd erst vor wenigen Tagen für den Feldzug gekauft hätte und zur Zeit nicht gut entbehren könne. »Wenn aber Euer Exzellenz in Wien werden Frieden geschlossen haben, bin ich mit Freuden bereit, es für den Einkaufspreis zu überlassen.« »Einverstanden«, erwiderte Bismarck, »ich werde im geeigneten Augenblick auf den Kauf zurückkommen.« Graf Bismarck hat Wort gehalten; er kaufte allerdings nicht in Wien, aber in Nikolsburg, unmittelbar nach dem Abschluß des Waffenstillstandes am 26. Juli, das Pferd und hat es während langer Jahre als sein Lieblingspferd geritten.

Generalfeldmarschall Freiherr von Loë, Erinnerungen aus meinem Berufsleben. Deutsche Revue. Band 30[2], 1905, S. 26 ff.

Im Hauptquartier des Königs bei Gitschin. – Gespräch mit dem Vortragenden Rat von Keudell. 3. Juli 1866

Der folgende Bericht v. Keudells, der mit Bismarck im Hauptquartier des Königs weilte, schildert den Auftakt zur Schlacht von Königgrätz.

Gegen Abend kamen wir ins Quartier. Von dem ungewohnten Marschieren zu Pferde ermüdet, schlief ich einige Stunden recht gut in einer Bodenkammer auf den Dielen des Fußbodens. Um 1 Uhr trat der Hofmarschall Graf Perponcher mit einer Blendlaterne an mich heran und sagte wörtlich: »Heute früh soll bei Horsitz, etwa zwei Meilen von hier, ein Gefecht sein. Der König fährt mit ganz kleinem Gefolge um 5 Uhr dahin ab, die Pferde gehen um 4 Uhr voraus. Ich überlasse Ihnen ganz, ob Sie das dem Minister melden wollen oder nicht.«

Ich ging zwei Treppen hinunter nach dem Zimmer hin, wo Bismarck mit seinem Vetter Karl zusammen übernachtete. Die Türe war verschlossen. Nach meinem Klopfen hörte ich, daß Karl in übermäßiger Vorsicht den Hahn seiner Pistole knacken ließ, ehe er öffnete. Ich trat an das Bett des Chefs und meldete das Gehörte. Er sagte: »Das ist nun der unglückselige Biereifer der Herren Generale; da wollen sie dem König ein Arrière-Garde-Gefecht vormachen, und deshalb muß ich meine Nachtruhe verlieren, die ich so nötig brauche. Aber was hilft's, wenn der König geht, muß ich mit. Bestellen Sie die Pferde.«

In den Ställen wurde es sogleich lebendig; die Reitpferde gingen, gut gefüttert, um 4 Uhr ab. Eine Stunde später folgte im Anschluß an die offenen Landauer der Generale ein Halbwagen, in welchem Bismarck mit seinem Vetter saß und ich auf dem

Bocke neben dem Kutscher Platz fand. Freund Abeken, der damals nicht beritten war, sollte, wenn nötig, das Büro nach Horsitz schaffen.

Der ganze Himmel war von grauen Wolken bedeckt; hin und wieder fiel etwas Regen. Auf der breiten Heerstraße, die von Horsitz über Sadova nach Königgrätz führt, bewegten sich im Schritt lange Geschützreihen, neben welchen unsere Wagen vorbeifuhren. Zu beiden Seiten marschierte Infanterie durch die triefenden Kornfelder. Nirgends war der gewohnte Helm sichtbar. Offiziere und Mannschaften trugen Mützen, auf Befehl des Prinzen Friedrich Karl. Die Masse der langsam vorrückenden Truppen zeigte an, daß es sich wohl um mehr handelte als um ein Gefecht mit der österreichischen Nachhut.

Gegen 8 Uhr kamen wir nach dem hinter Horsitz gelegenen Dorfe Dub, bestiegen die Pferde und ritten einen sanft ansteigenden Hügel hinan, welcher zu der langen Kette niedriger Anhöhen gehört, die auf der Westseite das breite Wiesental des Flüßchens Bistritz begleiten. Gegenüber, auf der Ostseite, liegt näher am Wasser ein Laubwäldchen, der Holawald, und dahinter erhebt sich die kahle Hochebene von Lipa, nach Süden zu ausgebreitet; hinter Lipa die dominierende Höhe von Chlum. Nebel lagen über dem Flußtal, dem Wald und den unteren Höhen; aber durch den Nebel leuchteten Feuerblitze einer langen Reihe von Geschützen, die auf den Höhen postiert sein mußten.

Bismarck ritt an Moltke heran und fragte: »Wissen Sie, wie lang das Handtuch ist, dessen Zipfel wir gefaßt haben?« »Nein«, sagte Moltke, »genau wissen wir es nicht; nur, daß es wenigstens drei Corps sind, vielleicht ist es die ganze österreichische Armee.«

In dem Augenblick flog eine Granate heran und fiel etwa fünfundzwanzig Schritte vor dem König nieder, ohne zu platzen. Vielleicht gaben die etwa dreihundert Pferde der den König begleitenden Stabswache ein bequemes Ziel. Es wurde sogleich befohlen, daß das Hauptquartier sich im Gelände verteilen sollte. Der König, die Generale und Bismarck ritten nach Nordosten, hinunter in die Ebene. Ich sah, daß Karl Bismarck dem Minister folgte und blieb der Aussicht wegen noch fast zwei Stunden auf dem Hügel. Neben mir hielt Oberst von Albedyll, damals nach General von Tresckow der erste Offizier des Militärkabinetts.

R. v. Keudell, Fürst und Fürstin Bismarck. 1901, S. 281 ff.

Gespräche während der Schlacht von Königgrätz.

3. Juli 1866

Obwohl die folgenden von Keudell berichteten Äußerungen Bismarcks nur Bruchstücke von Gesprächen sind, die er am Nachmittag während der Schlacht gehabt, verdienen sie doch, um der denkwürdigen Situation und ihres Stimmungsgehaltes willen, hier aufgenommen zu werden.

Quer vor dem Walde von Charbusitz (Britzer Wald genannt), in der Richtung von Westen nach Osten, ritt der König mit Gefolge im Trabe über ein blühendes Kleefeld. Südlich vom Walde mußte sich eine feindliche Batterie postiert haben, um den Rückzug zu decken, denn es kamen Granaten über die Tannenwipfel und fielen im Felde nieder. Bismarck ersuchte Roon und Alvensleben, dem Könige die große Gefahr vorzustellen. Beide lehnten das ab mit den Worten: »Der König kann reiten, wo er will.« Da galoppierte Bismarck schnell heran und sagte: »Wenn Eure Majestät hier einen Schuß erhielten, wäre ja die ganze Siegesfreude dahin; bitte inständig, dieses Feld zu verlassen.« Der König wendete schnell nach links in einen Hohlweg, welcher hinter eine Hügelreihe führte. Nach wenigen Galoppsprüngen war man außer Gefahr. Ich hatte fünf Granaten zwischen Pferden der Stabswache in den Klee niederfallen gesehen und zwei vor dem Kopfe meines Pferdes vorbeizischen gehört. Es schien wie ein Wunder, daß keines der Geschosse geplatzt und niemand verletzt worden war.

Nach einigen Minuten kamen wir an eine Stelle, wo grausig entstellte Leichen lagen. Bismarck sagte, zu mir gewendet: »Wenn ich daran denke, daß künftig einmal Herbert auch so daliegen könnte, da wird mir doch schlecht.«

In welchem Zustande die feindliche Armee sich befand, war sicher nicht bekannt. Nach der Einnahme von Chlum mochte Benedek das Gefecht abgebrochen und einen geordneten Rückzug befohlen haben, früher als die Elbarmee und die Spitzen unseres IV. Corps sich die Hand reichen konnten. Es kam auch in Betracht, daß die Truppen seit 2 oder 4 Uhr morgens in Bewegung, viele seit 8 Uhr in schweren Gefechten gewesen waren. Es wurde gegen 6½ Uhr ein Ruhetag befohlen und dadurch die Verfolgung sistiert ... Der König ritt mit Gefolge bei sinkender Sonne nach Horsitz zurück, um dort zu übernachten.

Der Flügeladjutant Freiherr von Steinäcker sagte beim Nachhausereiten zu Bismarck: »Exzellenz, jetzt sind Sie ein großer

Mann. Wenn der Kronprinz zu spät kam, waren Sie der größte Bösewicht.«

Bismarck lachte herzlich. Doch hat er später manchmal ernsthaft geäußert, bei unglücklichem Ausgang der Schlacht würde er sich einer Kavallerieattacke angeschlossen und den Tod gesucht haben.

R. v. Keudell, Fürst und Fürstin Bismarck. 1901, S. 291 ff. (gekürzt)

Gespräch mit dem Kronprinzen Friedrich Wilhelm von Preussen in Horsitz. 4. Juli 1866

Auf die Kunde, daß der österreichische Feldmarschall von Gablenz mit der Bitte um einen Waffenstillstand bei den Vorposten eingetroffen sei, ritt der Kronprinz in Begleitung seines Oberquartiermeisters, des Generalmajors von Stosch, am Tage nach der Schlacht von Königgrätz ins Hauptquartier, wo aber der König gerade abwesend war. Der Kronprinz besprach mit Bismarck, Roon und Moltke zunächst die Frage des Waffenstillstandes, nach deren Erledigung das Gespräch eine andere Wendung nahm. Die dabei gemachten Ausführungen Bismarcks sind Stoschs Denkwürdigkeiten entnommen.

Der Kronprinz wandte sich mit der Frage an Bismarck, welche Resultate er nunmehr vom Kriege fordere. Bismarck entwickelte darauf wundervoll klar und anregend die Forderungen, die einem Frieden zugrunde zu legen wären: Ausschluß Österreichs aus Deutschland; Einigung des wesentlich protestantischen Norddeutschlands als Etappe zur großen Einheit; außer dem König von Sachsen sollte kein Souverän gestrichen werden, Hessen und Hannover nur so weit verkleinert, wie zur geschlossenen Verbindung unserer Ost- und Westprovinzen notwendig. Seine Art, den Verdiensten meines Herrn keine äußere, aber volle innere Anerkennung zu zollen, fand bei diesem freundliche Aufnahme. Er sprach das auch aus und bemerkte nur, daß zunächst die Schlichtung des inneren Konfliktes in Preußen notwendig sei. Bismarck stimmte bei und versprach damals schon, in der Eröffnungsrede der Kammern diesen entgegenzukommen. Dieses und daß er zur Durchführung seiner Pläne die Kraft des Kronprinzen forderte, führte sie einander näher, und es fand zwischen ihnen eine Art Aussöhnung statt. So wurden die Resultate gesichert, die die militärischen Erfolge des Krieges forderten; der König hatte die Vergangenheit noch nicht überwunden.

Die nächste Konsequenz dieses Vorganges war aber, daß der Kronprinz eine Einladung Bismarcks zum Diner annahm. Langjährige Differenzen wurden hier ausgeglichen.

Es war das erstemal, daß ich Bismarck im persönlichen Verkehr sah, und ich bekenne gern, daß der Eindruck, den ich von ihm empfing, mich geradezu überwältigte. Die Klarheit und Größe seiner Anschauungen boten mir den höchsten Genuß; er war sicher und frisch in jeder Richtung, bei jedem Gedanken eine ganze Welt umfassend. Daß wir außerdem ganz vortrefflich aßen und tranken, beeinträchtigte die glückliche Wirkung von Bismarcks Zauberkräften nicht.

Denkwürdigkeiten des Generals und Admirals Albrecht von Stosch. Herausgegeben von Ulrich von Stosch. 1904, S. 94 ff.

Napoleon bietet seine Vermittlung an. – Gespräch mit den Geheimräten Abeken und von Keudell in Horsitz.

5. Juli 1866

Bericht v. Keudells.

Am zweiten Tage nach der Schlacht kam nach Horsitz ein Telegramm des Kaisers Napoleon an den König. Österreich hatte ihm Venetien abgetreten und seine Vermittlung für Waffenstillstand und Frieden mit uns und Italien angerufen; dazu erklärte er sich bereit.

Der König erwiderte, daß er die angebotene Vermittlung annähme, aber auf Waffenstillstand weder ohne Zustimmung Italiens, noch ohne ein festes Friedensprogramm eingehen könne.

Bismarck erblickte in der plötzlichen Abtretung Venetiens ein Ergebnis der in den letzten Wochen zwischen Österreich und Frankreich gepflogenen geheimen Verhandlungen, und erkannte die Absicht Napoleons, die österreichische Südarmee für die Verteidigung von Wien verfügbar zu machen. Er äußerte zu Abeken und mir in ernstem Tone: »Nach einigen Jahren wird Louis voraussichtlich diese Parteinahme gegen uns bedauern; sie kann ihm teuer zu stehen kommen.«

Die unvermeidliche Vermittlung Frankreichs sollte nun nach Möglichkeit zu unseren Gunsten gewendet werden.

R. v. Keudell, Fürst und Fürstin Bismarck. 1901, S. 294 ff.

Der Konflikt um die Mässigung. – Bemerkungen Bismarcks in Gegenwart des Königs in Brünn. Juli 1866

Die Äußerung Bismarcks, von Keudell überliefert, muß in die Zeit vom 14. bis 17. Juli 1866 fallen.

Schon während das Hauptquartier in Brünn lag, waren Meinungsverschiedenheiten hervorgetreten. Bei einem in Gegenwart des Königs gehaltenen militärischen Vortrage wurde lebhaft befürwortet, erst in Wien Frieden zu schließen. Bismarck sagte darauf: »Wenn die feindliche Armee Wien preisgibt und sich nach Ungarn zurückzieht, müssen wir ihr doch folgen. Überschreiten wir einmal die Donau, so wird es sich empfehlen, ganz auf dem rechten Ufer zusammenzubleiben; denn die Donau ist ein so gewaltiges Defilée, daß man nicht à cheval derselben marschieren kann. Sind wir aber ganz drüben, so verlieren wir die Verbindungen nach rückwärts; es würde dann das Geratenste sein, auf Konstantinopel zu marschieren, ein neues byzantinisches Reich zu gründen, und Preußen seinem Schicksal zu überlassen.« Durch diesen Scherz war damals, wie der Minister erzählte, die Frage für den Augenblick erledigt worden. Später aber trat das Verlangen nach einem triumphalen Einzug in Wien noch stärker hervor; und Bismarck mußte es oft genug bekämpfen, nicht nur um die Möglichkeit künftiger Freundschaft mit Österreich offenzuhalten, sondern um überhaupt nach Erreichung des Kriegszweckes weiteres Blutvergießen zu verhüten.

Schwieriger noch war der Kampf gegen die bei mehreren einflußreichen Personen hervortretende Begehrlichkeit nach Landerwerb in Sachsen, Böhmen und Bayern.

R. v. Keudell, Fürst und Fürstin Bismarck. 1901, S. 297.

Nikolsburg. – Gespräch mit dem Regierungsrat Dr. Stieber. 18. Juli 1866

Aus einem am 19. Juli an seine Frau gerichteten Brief Stiebers, der als Chef der Feldpolizei im Hauptquartier weilte. Am 18. Juli wurde das Hauptquartier nach Nikolsburg verlegt.

Nikolsburg ist so bergig, wie ich noch nie eine Stadt gesehen, mit wunderbarer alpenartiger Umgebung. Dabei liegt das Schloß

Dietrichstein fast so schön wie Heidelberg und prächtig erhalten. Es ist eine Besitzung des österreichischen Ministers der auswärtigen Angelegenheiten, des Grafen von Mensdorff. Als Graf Bismarck gestern hier ankam, sagte er zu mir: »Mein Stammschloß Schönhausen ist ein bescheidenes Häuschen gegen diesen fürstlichen Sitz, aber ich tausche doch nicht mit Herrn von Mensdorff, wenn er auf meinem Stammschloß schlafen sollte. Es ist doch besser, ich schlafe bei ihm, als er bei mir in Schönhausen.«

Denkwürdigkeiten des Geh. Regierungsrates Dr. Stieber. Aus seinen Papieren bearbeitet von Leopold Auerbach. 1884, S. 234.

Nach der Unterzeichnung des Präliminarfriedens. – Gespräch mit dem hessischen Minister von Dalwigk.

30. Juli 1866

Sehr beunruhigt über das Schicksal seines Landes und namentlich die drohende Abreißung Oberhessens traf Dalwigk, der antipreußische Leiter der hessischen Politik, am 29. Juli von Wien in Nikolsburg ein, um mit Bismarck erst persönliche Fühlung aufzunehmen, nachdem auch die hessischen Truppen von Preußen geschlagen waren und am 26. Juli der Präliminarfriede zwischen Österreich und Preußen in Nikolsburg unterzeichnet worden war. Das Gespräch stellt den Auftakt der preußisch-hessischen Friedensverhandlungen dar.

Bismarck empfing mich sehr artig, beinahe herzlich, reichte mir wiederholt die Hand und bemerkte, daß wir ganz anders als Bayern und Württemberg behandelt würden. Unsere Stellung Preußen gegenüber sei stets eine viel freundlichere und bessere gewesen. Unsere Truppen hätten sich vortrefflich geschlagen, während die bayerische Kavallerie und Artillerie bei Dermbach die Flucht ergriffen habe. Die Württemberger hätten nicht wie Soldaten, sondern wie Bauernjungen gefochten. Der Empfang Pfordtens und Varnbülers sei auch ein anderer gewesen als der meinige. Die Provinz Oberhessen müßten wir abtreten, aber wir sollten dafür durch bayerisches Gebiet vollständig entschädigt werden. Ich bemerkte dagegen, daß Preußen recht habe, uns Vertrauen und Wohlwollen zu schenken. Der Großherzog und seine Regierung hätten sich zu jeder Zeit durch Festhalten am gegebenen Worte ausgezeichnet. Behandele uns Preußen versöhnend und entgegenkommend, so könne dasselbe sicher sein, in uns für alle Zeiten zuverlässige Bundesgenossen zu finden. Eben deshalb möge uns aber Preußen mit Gebietsabtretungen, wenn auch gegen Entschädigung, die ja auf Kosten eines alten nahen Verbündeten gegeben werden sollte, verschonen. Halte Graf Bismarck die Teilung Deutschlands in einen nord- und in einen süddeutschen Bund für nötig, und bestehe er darauf, daß der Norddeutsche Bund mindestens bis an den Main gehe, so könne ja der Großherzog mit seinem ganzen dermaligen Gebiete, auch mit dem diesseits des Mains gelegenen, dem Norddeutschen Bund beitreten. Wir würden dies einer Zerreißung des Landes, der Abtretung einer Provinz, die seit 600 Jahren dem herzoglichen Hause gehöre, vorziehen, um so mehr, als der Süddeutsche Bund doch eine lebensunfähige Schöpfung sei und früh oder spät unter die preußische Führung fallen müsse. Graf Bismarck gab dies zu, versicherte aber, vorerst den Norddeutschen Bund nicht auf Länder diesseits des Mains ausdehnen zu können, weil Frankreich, welches schon jetzt mißtrauisch sei, dagegen protestieren würde. Ich brachte sodann noch speziell, auf besonderen Wunsch des Großherzogs, Homburg und Meisenheim zur Sprache, indem ich den Affektionswert hervorhob, welcher sich an diese Besitzungen, als Vermächtnis des letzten Landgrafen und als Heimat der Mutter der Prinzessin Karl für das großherzogliche Haus und insbesondere für die Prinzessin Karl und ihre Kinder knüpfte. Bismarck sagte nicht nein und nicht ja, und ich beschränkte mich deshalb darauf, diese Angelegenheit nochmals dringend seiner wohlwollenden Berücksichtigung zu empfehlen. Er fragte mich dann, ob ich den König zu sehen wünsche, setzte aber hinzu, derselbe inspiziere dermalen Truppen, es sei ungewiß, wann er zurückkehre und ob er bei seiner Rückkehr durch Nikolsburg nicht bloß durchfahre. Unter diesen Umständen verzichtete ich auf eine Anmeldung bei dem Könige und reiste um 2 Uhr nachmittags von Nikolsburg wieder ab. Abends 9½ Uhr waren wir wieder in Wien.

Die Tagbeücher des Freiherrn Reinhard von Dalwigk zu Lichtenfels aus den Jahren 1860–71. Herausgegeben von Schüßler. 1920, S. 241 ff. (Vgl. auch S. 290 ff.)

Gespräch mit dem Prinzen Kraft zu Hohenlohe-Ingelfingen in Nikolsburg. 30. Juli 1866

Am 26. Juli wurde der Präliminarfriede in Nikolsburg unterzeichnet. Hohenlohe-Ingelfingen war am 16. Juni 1864 aus der Stellung eines Königlichen Flügeladjutanten ausgeschieden. Im Kriege gegen Österreich befehligte er als Oberst die Reserveartillerie des Gardekorps. Auf dem Rückmarsch der Truppe kam er durch Nikolsburg. Die folgende Äußerung Bismarcks nach den Erinnerungen des Prinzen.

Seine Majestät bereitete die Abreise vor. Ich sah viele Bekannte, hörte tausend interessante Dinge. Auch Bismarck sprach ich. Er fragte mich, ob die Armee wohl mit den Friedensbedingungen zufrieden sei. Er gebe sehr viel auf die Stimmung der Armee. Er fürchte, man werde die erlangten Bedingungen nicht den gehabten Mühen und Erfolgen entsprechend erachten.*

Prinz Kraft zu Hohenlohe-Ingelfingen: Aufzeichnungen aus meinem Leben. III. Band, 3. Aufl., 1906, S. 326.

Auf der Fahrt von Nikolsburg nach Brünn. – Gespräch mit dem Geheimen Rat Abeken. 2. August 1866

Am 2. August 1866 ging die Waffenruhe in den förmlichen Waffenstillstand über. Geheimrat Abeken, eine feingebildete und zartbesaitete Persönlichkeit, wurde von Bismarck als einer seiner tüchtigsten Mitarbeiter im Auswärtigen Amt geschätzt. – Das folgende Gespräch aus einem Brief Abekens an seine Frau datiert aus Brünn, den 2. August 1866. Von Brünn setzte Bismarck die Reise über Prag nach Berlin fort.

Wir hatten eine sehr angenehme Fahrt, ich mit dem Minister im offenen Wagen bei schönem Wetter, Sonnenschein und ziehenden Wolken, keine Hitze und kein Staub; der Minister war guter Laune und gesprächig. Er erwähnte, wie sich doch seine Lebensauffassung geändert, seit er geheiratet; wie wenig er früher sein Leben geachtet und ohne alle Ursache aufs Spiel gesetzt, während er dann vorsichtig geworden und nur da die Gefahr nicht mehr gescheut, wo ein Beruf, Pflicht oder wenigstens ein dringender Anlaß es verlange. Aber das erklärte er sehr bestimmt, daß er eine Niederlage Preußens, wie die jetzige

* Hohenlohe-Ingelfingen setzt hinzu: »1871 sprach Bismarck anders und fragte nicht nach dem Urteil der Armee.«

Österreichs, nicht würde überlebt haben. Hätte eine Schlacht vor Berlin geschlagen werden müssen, und wäre sie verloren worden, so wäre er nicht daraus zurückgekehrt. Dies Gefühl begreife ich vollkommen; ich glaube, ich teile es, obgleich ich nicht weiß, ob es ganz zu rechtfertigen ist. Danken wir Gott, daß es nicht so gekommen ist, daß er nicht nötig gehabt, den Tod in der Schlacht zu suchen, wo er leicht genug zu finden war.

Heinrich Abeken, Ein schlichtes Leben in bewegter Zeit, aus Briefen zusammengestellt. 3. Aufl., 1904, S. 343 ff.

Die Annektion Hannovers. – Gespräch mit dem General von Hartmann in Brünn. Anfang August 1866

Der preußische Generalmajor Julius von Hartmann, geboren in Hannover, war im Feldzuge Kommandeur der Kavalleriedivision der kronprinzlichen Armee. Er hatte Anfang August 1866, wohl am 2. August, die folgende Unterredung mit Bismarck, die er in einem Briefe aus Brünn vom 3. August an seine Gattin mitteilte.

Ich habe Dir noch Interessantes mitzuteilen. Zunächst – der Kronprinz und Bismarck haben sich versöhnt. Bismarck, Heydt und Roon arbeiten daran, ihr Ministerium durch liberalere Kollegen zu ergänzen ... Der Kronprinz dringt auf ein Parlament; Bismarck ist dazu entschlossen; die Militärpartei hält dagegen. Mit diesem allen stimmt eine Unterredung, die ich mit Bismarck hatte. Ich redete ihn an, ob er wohl einem geborenen Hannoveraner Gehör schenken wollte, sein Interesse für manches dort im Lande wachzurufen? Ich sagte ihm, wie notwendig es sei, den rechten Mann zu wählen für das Land, einen Mann, der es verstände, Zustände objektiv zu nehmen, der Herz hätte für die Eigentümlichkeit des Landes und seiner Bewohner ...

»Man kann nicht zum Frieden mit dem König von Hannover gelangen. Er bleibt andauernd ein vertriebener Fürst. Preußen erweitert seine Grenzen durch die Einverleibung der Herzogtümer Hannovers, Kurhessens, Nassaus und einzelner Teile von Hessen-Darmstadt. Es vollzieht sich dieses durch die erhoffte Annahme eines Gesetzvorschlages im Landtage. Hannover wird weiter regiert nach seinen Gesetzen, seiner Verfassung; nur die Einführung der Wehrverfassung wird durchgesetzt. Man bringt zunächst einen Militär-Gouverneur hin: General von Voigts-Rhetz.«

Ich machte Bismarck darauf aufmerksam, wie wichtig es sei, der Stadt Hannover ihren Verkehr zu lassen, möglichst einen Hof dorthin zu bringen. Er erwiderte, daß dies ganz seine Ansicht sei, das könne aber nur der Kronprinz sein. Ich griff das sehr lebhaft auf, erinnerte ihn daran, daß die Kronprinzessin auch eine hannoversche Prinzessin sei. »Ja, setzen Sie das mal durch!« war die Antwort. Ich sagte ihm, Hannover sei durch und durch konservativ-liberal; seine Staatsdienerschaft bürgerlich. Er antwortete: »Hannover ist nicht so liberal wie wir; wir sind ungesund liberal, die Hannoveraner sind gesunder. Man irrt sich, wenn man mich nach meiner Opposition vom Jahre 1848 her beurteilt. Mit den Ansichten der Kreuzzeitung kann man nicht regieren. Es kommt darauf an, eine Regierung zu führen nach den Ansichten der Denkenden in der Nation. Die Macht des Königtums in Preußen muß gestützt werden durch eine kräftige Armee, sie muß aber mit der Meinung der Nation gehen, und es ist die Pflicht jedes preußischen Ministers, den Willen des Königs als maßgebend anzusehen, zugleich aber den Willen des Königs von der Meinung der Nation sich sättigen zu lassen.« Die Ansichten der Kreuzzeitung könnten vielleicht maßgebend sein, wenn der Thronerbe ein Georg V. sei. Der Kronprinz aber mit seinen durch und durch liberalen Anschauungen fordere auch vom Ministerium des Königs, das an die Zukunft zu denken hätte, ein Hinübergehen nach links; eine Achtelschwenkung links sei durchaus Pflicht. »Hannover ist ein harter, schwerverdaulicher Klumpen in unserem Schlunde; aber wir mußten es haben, wir konnten nie wieder eine ähnliche Situation dulden, als die war, in die wir durch die Politik Hannovers versetzt wurden. Wir müssen die territoriale Verbindung mit den westlichen Provinzen und mit den Herzogtümern im Norden haben; wir mußten den Saum der Nordsee haben. – Wir müssen es wagen, Hannover zu verdauen; aber schwer wird es werden. – Es hieß erst, wir wollen halb Sachsen und halb Hannover haben – ich war dagegen. Ein beraubtes Gemeinwesen bleibt immer unzufrieden; man muß das Gemeinwesen zusammen lassen, dann gewöhnt sich das Ganze an das neue Regiment. Man mußte die südlichen Provinzen Hannovers haben wegen der Verbindung; das sind aber gerade alte Provinzen; auch Bremen, Verden, das Land Hadeln und Kehdingen sind alte Provinzen, und auch diese mußten wir der Nordsee wegen haben. – Es bleibt nach allen Erwägungen nichts übrig, als zuzugreifen. Ein Königtum von 800 000 Einwohnern dort bestehen zu lassen, wäre ein entsetzlicher Fehler gewesen.«

Bismarck fragte mich dann noch nach meiner Ansicht, ob Aufstände in Hannover zu erwarten wären. Ich war nicht der Ansicht; der Niedersachse habe weder Geschick noch Neigung zu Aufständen. Das einzige sei von der Stadt Hannover zu befürchten; man müsse ihr Nahrung geben durch Verkehr und sie durch eine Besatzung im Zaum halten. Er teilte diese Ansicht. Es war eine sehr interessante Unterredung, mit großer Rückhaltlosigkeit geführt.

Briefe aus dem Feldzug 1866 an die Gattin gerichtet von Julius Hartmann. 1898, S. 46 ff.

Rückkehr nach Berlin. – Gespräche mit dem französischen Botschafter Grafen Benedetti.

6. und 7. August 1866

Am 4. August erfolgte Bismarcks Rückkehr nach Berlin. Schon am 29. Juli war Drouyn de Lhuys, der französische Außenminister, mit dreisten Forderungen auf Abtretung der Bayerischen Pfalz und Rheinhessens mit Mainz hervorgetreten. Benedetti, der Botschafter Frankreichs, wagte zunächst diese Forderung Bismarck nur schriftlich zu übergeben (5. August). Erst am 6. August fand eine persönliche Unterredung mit Bismarck statt. Am 7. August lehnte auch der König die französischen Zumutungen ab, worauf in einer neuen Unterredung Bismarck seinen Standpunkt nochmals darlegte. Am 10. August traf Benedetti in Paris zur Meldung ein. – Nach Keudells Erinnerungen.

Benedetti hatte nun über die Wünsche seiner Regierung zwei Unterredungen mit Bismarck, welcher in ruhigem Tone u. a. folgendes sagte: »Ihr wißt ja, daß wir deutsches Gebiet nicht abtreten können. Ihr wollt also den Krieg: ihr sollt ihn haben. Wir werden die ganze deutsche Nation gegen euch aufrufen; ja, wir werden sofort um jeden Preis mit Österreich Frieden schließen, uns, wenn nötig, den alten Bundestag wieder gefallen lassen und dann, mit Österreich vereint, über euch herfallen, 800 000 Mann stark. Wir sind gerüstet, ihr seid es nicht. Wir werden euch Elsaß abnehmen. Alles das wird geschehen, wenn ihr bei eurer Forderung beharrt.« Benedetti bemerkte, er werde den Kaiser bald sehen und ihm raten, an seinen Forderungen festzuhalten, weil sonst seine Dynastie in Gefahr sei. »Fügen Sie hinzu«, sagte Bismarck, »daß es auch während unseres großen Krieges revolutionäre Stöße geben kann, und daß die kaiserliche Dynastie dagegen weniger gesichert sein würde als die deutschen Throne.« Vom König erhielt der Botschafter persönlich denselben schroff ablehnenden Bescheid. Nach vier Tagen konnte Graf Goltz melden, die Kriegsgefahr sei beseitigt; der Kaiser bedauere das während seiner schweren Krankheit entstandene Mißverständnis. Drouyn de Lhuys trat ins Privatleben zurück; Benedetti mußte uns dann anzeigen, daß in Paris seine letzte Mitteilung als nicht geschehen angesehen würde.*

R. v. Keudell, Fürst und Fürstin Bismarck. 1901, S. 305.

»Nehme ich Krieg oder Frieden mit nach Paris?« – Gespräch mit dem französischen Journalisten Vilbort in Berlin. 7. August 1866

Vilbort (vgl. das Gespräch vom 4. und 5. Juni 1866, S. 122 dieses Bandes) verabschiedete sich am 7. August von Bismarck, dessen freundliches Entgegenkommen vor, während und nach dem Kriege er rühmt. Das folgende Gespräch ist seinem Buch über Bismarck entnommen.

Gegen zehn Uhr abends, als ich mich im Arbeitszimmer des Ministerpräsidenten befand, meldete man Herrn Benedetti, den Gesandten Frankreichs. »Gehen Sie in den Salon und trinken Sie eine Tasse Tee«, sagte Herr von Bismarck, »ich werde Ihnen sofort nachkommen.« Zwei Stunden vergingen, es schlug zwölf und schließlich ein Uhr morgens. Ungefähr zwanzig Personen, die Familie und engsten Freunde warteten auf den Herrn des Hauses. Mit ruhigem Gesicht und lächelnd erschien er endlich. Man trank Tee, Bier und rauchte. Die Unterhaltung beschäftigte sich, bald leicht, bald ernsthaft, mit Deutschland, Italien und Frankreich. Wie ich schon sagte, zirkulierten damals Gerüchte über einen Krieg mit Frankreich in Berlin. »Herr Minister«, sagte ich im Augenblick des Aufbruchs, »erlauben Sie mir, daß ich eine ungemein indiskrete Frage tue: nehme ich Krieg oder

* Ein am 20. August unternommener Versuch Napoleons, maßvollere Landforderungen zu erheben, stieß ebenfalls in Berlin auf Ablehnung. Am 16. September ließ der Kaiser in aller Form seine Ansprüche fallen.

Frieden mit nach Paris?« »Freundschaft, dauernde Freundschaft mit Frankreich! Ich habe die feste Hoffnung, daß Frankreich und Preußen in Zukunft den Dualismus von Intelligenz und Fortschritt bilden werden.« Mir schien jedoch, als hätte ich ein merkwürdiges Lächeln auf den Lippen des Geheimen Rates von Keudell gesehen, eines Mannes, der bestimmt war, eine Rolle in der preußischen Politik zu spielen. Ich ging am nächsten Morgen zu ihm und gestand ihm, wie sehr dieses Lächeln mich verfolgt habe. »Sie fahren heute abend nach Frankreich«, sagte er, »gut, also geben Sie Ihr Ehrenwort, daß Sie das Geheimnis, das ich Ihnen jetzt anvertrauen werde, bis Paris für sich behalten. Binnen vierzehn Tagen werden unsere Truppen sich am Rhein gegenüberstehen, wenn Frankreich auf seinen territorialen Forderungen besteht. Es verlangt von uns etwas, was wir ihm weder geben können noch wollen. Preußen wird kein Haar breit deutschen Boden abgeben; wir könnten es gar nicht, ohne daß ganz Deutschland sich gegen uns erhöbe, und wenn es sein muß, dann werden wir uns mit ihm eher gegen Frankreich erheben.«

Übersetzung aus J. Vilbort, L'œuvre de M. de Bismarck. 1863–1866. Sadowa et la campagne des sept jours. 1869, S. 522 ff.

Ein letzter Versuch. – Gespräch mit dem Grafen Münster in Berlin. 7. August 1866

Das folgende Gespräch ist in einer Verteidigungsschrift überliefert, die der frühere hannoveranische Gesandte in Petersburg, spätere Botschafter des Deutschen Reiches in London und Paris, Graf Georg Münster, im Februar 1868 herausgegeben hat, um sich gegenüber Angriffen von welfischer Seite zu rechtfertigen, die gegen sein Verhalten im Jahre 1866 gerichtet worden waren. Münster, der als Sohn des bekannten Staatsmannes der Wiener Kongreßzeit einem der einflußreichsten hannoverschen Grafengeschlechter angehörte und Mitglied der Ersten Kammer der Ständeversammlung war, mißbilligte, wie er erzählt, schon vor Kriegsausbruch die Regierungspolitik und die Haltung der meisten Ratgeber des blinden Königs Georg V. Er sah den Krieg mit Preußen kommen, wenn Hannover nicht von Österreich abrückte, und war der Überzeugung, daß das Königreich auch eine beschränkte Unabhängigkeit nur dann werde retten können, wenn es mit Preußen ein Neutralitätsbündnis abschlösse. Man entschied sich für das

Gegenteil und die Dynastie rannte in ihr Verderben. Nach der Schlacht von Langensalza versuchte Münster, der von der Königin um Rat gebeten wurde, den halstarrigen Monarchen, allerdings ohne Erfolg, dahin zu beeinflussen, daß er mit Preußen Frieden schließe, bevor dessen Verhandlungen mit Österreich begönnen. Vergeblich war auch der neuerdings Mitte Juli, also nach erneuter Verschlimmerung der Lage, von Münster unternommene Versuch, den König, der ihm sehr ungnädig gesinnt war, zur Abdankung zugunsten des Kronprinzen zu bewegen, um eine günstigere Verhandlungsbasis zu gewinnen; ein Vorschlag, dem übrigens auch zahlreiche Standesgenossen des Grafen schriftlich zustimmten. Schließlich begab sich Münster am 4. August 1866 nach Berlin, um auf Wunsch der Königin zu versuchen, die Krone wenigstens für den Kronprinzen zu retten. Er erfuhr dort bald, daß die Einverleibung Hannovers fest beschlossen sei. Die erbetene Unterredung gewährte Bismarck am 7. August. Die Niederschrift dieses Gesprächs durch Münster erfolgte in Berlin, den 9. August 1866.

Graf Bismarck ließ mich um ein Uhr zu sich bescheiden. Ich eröffnete unser Gespräch damit, daß ich dem Grafen erklärte, wie ich durchaus nicht im Auftrag des Königs komme, durchaus keine politische Mission habe und nur nach Berlin gekommen sei, um mir über die Zukunft Hannovers Gewißheit zu verschaffen und ihn, den Grafen Bismarck, über die richtige Stimmung und namentlich die Stimmung im Adel aufzuklären und für die Erhaltung einer der ältesten Dynastien zu wirken.

Graf Bismarck sagte mir darauf, er bedauere sehr, mir nicht viel Angenehmes sagen zu können, es gehe ihm selbst jetzt manches zu rasch, er könne versichern, daß er die Annexion nicht beabsichtigt habe, daß er von vornherein die Selbständigkeit Hannovers habe achten wollen. Anfangs Mai habe er Hannover noch ein Neutralitätsbündnis angeboten ohne Reformprojekt und mit Garantie des ganzen Territorialbestandes; er habe immer gehofft, Hannover würde, wie im Siebenjährigen Kriege, zu Preußen halten und hätte nie glauben können, daß es solche vorteilhafte Anerbieten hätte ausschlagen können. Während über diese Anerbieten in Berlin verhandelt wäre, seien gleichzeitig in Wien sehr lebhafte Verhandlungen wegen eines Bündnisses mit Österreich und der Anschließung der hannoverschen Armee an die Brigade Kalick geführt; Prinz Karl Solms sei dann nach Hannover gekommen und die feindselige Haltung des Königs und seiner Regierung sei offen hervorgetreten. Der König habe keine Gelegenheit versäumt, seinem Hasse gegen Preußen Luft zu machen und habe jede Verhandlung unmöglich gemacht. Ich unterbrach den Grafen mit der Bemerkung, er möge von der Person des Königs absehen, es handle sich hier um das Schicksal einer der ältesten Dynastien in Europa; er möge die Abdikation verlangen und erklären, er wolle nur mit dem Kronprinzen verhandeln. Graf Bismarck erwiderte: Er habe diese Idee auch gehabt, habe auch den König darum in Wien sondieren lassen, habe aber wie immer die Antwort erhalten: »Ein Welf könne sich unter einen Hohenzoller nicht beugen.« Ich müsse ihm doch recht geben, daß es schwer sei, mit mir hier die Erhaltung der Dynastie zu besprechen, während deren Träger in Wien fortwährend gegen Preußen aufhetze und Intrigen anspinne. – Darauf kam ich noch einmal auf die Abdikation des Königs zurück, stellte dem Grafen Bismarck vor, daß es doch auch im Interesse Preußens liege, einen 2000000 starken Stamm sich durch ein Bündnis zum Freunde zu machen, statt ihn durch diesen plötzlichen Übergang sich zu verfeinden; daß die Stimmung von jeher antipreußisch gewesen sei und daß dieselbe Stimmung auch jetzt noch existiere, könne ich versichern. Für einen engen Anschluß an Preußen seien, da die Bundesverhältnisse nicht mehr zu halten, auch diejenigen, die es früher nicht gewesen wären, jetzt entschieden; für die Annexion niemand, und wollte man die neue französische Staatslehre, des suffrage universel, in Hannover anwenden, so würde man sich über das Resultat verwundern. Graf Bismarck bemerkte darauf, daß er mir schon am Anfange der Unterredung die Gründe angegeben habe, aus denen man keine Rücksicht auf die Ansicht der Völker nehmen könne und die Preußen zwängen, die Annexion, die, er könne es mir fest versichern, vom Könige beschlossen sei, möglichst bald auszuführen. Ich fragte den Grafen Bismarck, ob der König mich empfangen würde, wenn ich mich bei ihm meldete. Graf Bismarck sagte, er würde mich selbst bei ihm melden, wenn ich es wünsche, da er jetzt wisse, daß ich keine offizielle Mission habe; er zweifle auch nicht daran, daß Seine Majestät mich empfangen würde, es könne aber längere Zeit dauern, da er jetzt sehr beschäftigt sei; übrigens würde es dem Könige nur schmerzlich und unangenehm sein, und er bäte mich, davon abzustehen. Auf meine Anfrage, ob Seine Majestät und das Ministerium die Annexion schon bestimmt und formell beschlossen haben, sagte er: ja. Es stehe auch die Publikation der Annexion mit den Friedensverhandlungen durchaus in keinem Zusammenhange und sie werde geschehen, sobald hinreichende Truppen in Hannover verteilt wären ...

Aus dieser Unterredung hatte ich die feste Überzeugung gewonnen, daß die Annexion nicht mehr vermieden werden könne.*

G. Graf zu Münster, Mein Anteil an den Ereignissen des Jahres 1866 in Hannover. 1868, S. 26 ff. (gekürzt).

Unterzeichnung. – Gespräch mit dem hessischen Minister von Dalwigk in Berlin. 3. September 1866

Tagebuchaufzeichnung Dalwigks vom 3. September anläßlich der Unterzeichnung des Friedensvertrages zwischen Hessen und Preußen.

Abends zehneinhalb Uhr ging ich mit Hofmann ins Ministerium des Äußeren, wo wir mit Herrn von Savigny und dem Grafen Bismarck in dem zweiten Salon des letzteren zusammenkamen. Es wurden der Friedensvertrag und das Schlußprotokoll verlesen, unterzeichnet und untersiegelt. Graf Bismarck war anfangs sehr kühl und steif, zuletzt wurde er etwas wärmer. Ich sagte ihm vor der Unterzeichnung: »Eure Exzellenz haben uns schmerzliche Opfer auferlegt.« Er antwortete: »Sie uns ein viel schmerzlicheres, die Provinz Oberhessen. Dieselbe ist ein Flecken in der preußischen Landkarte.«

Er erzählte uns, ein russischer Arzt habe ihm in Petersburg, während er dort den preußischen Gesandtschaftsposten bekleidete, gegen einen Knierheumatismus ein Pflaster gegeben. Dieses Pflaster habe ihm eine Stockung in einer Ader zuwege gebracht, so daß sich eine Art Pfropfen gebildet habe, der nach ärztlichem Urteil nur durch große Ruhe und Vermeidung aller Erschütterungen ohne Gefahr habe beseitigt werden können, beim Losgehen aber lebensgefährlich habe werden müssen. Durch eine heftige Bewegung auf einem vierspännigen pommerschen Wagen sei aber der Pfropfen in der Tat losgegangen und habe ihm sofort eine heftige Lungenentzündung verursacht, infolge deren

* Graf Münster berichtete an König Georg nach Wien über den Erfolg seiner Bemühungen. Da Münster als Privatmann in Berlin gewesen war, schickte der König seinen Kultusminister v. Hodenberg nach der preußischen Hauptstadt, um eine Bestätigung der Berichte durch Münster zu erhalten. Hodenberg hatte am 15. September eine Unterredung mit Bismarck, der ihm die gleichen Eröffnungen machte wie Münster. Die Annexion war beschlossene Sache. Auch das offizielle Anerbieten der Abdankung zugunsten des Kronprinzen änderte nichts mehr. Bismarck lehnte deshalb jede Verhandlung ab.

er auf dem Gute eines Herrn von Below längere Zeit mit dem Tode gerungen habe. Er habe bereits mit erlöschender Stimme letztwillig verfügt gehabt, daß seine Frau die Vormundschaft über seine Kinder haben und das Vormundschaftsgericht ausgeschlossen sein solle, eine Maßregel, die jeder richtige Preuße in casu mortis treffe, weil die Vormundschaftsgerichte gewöhnlich die Vermögen aufzehrten.

Um elfeinhalb Uhr kam ich mit Hofmann wieder nach Haus und soupierte sehr vergnügt im Hotel.

Die Tagebücher des Freiherrn Reinhard von Dalwigk zu Lichtenfels aus den Jahren 1860–71. Herausgegeben von W. Schüßler. 1920, S. 262.

Man muss das Eisen schmieden, solange es glüht. – Zwischen Erschöpfung und Aktivität. – Gespräche mit dem Vortragenden Rat von Keudell in Berlin. September 1866

Bericht v. Keudells.

Im September klagte Bismarck häufig, seine Kräfte seien gänzlich erschöpft. Ich darf einschalten, daß nach dem Kriege Graf Karl Bismarck und ich eingeladen wurden, täglich am Mittagstisch zu erscheinen. Bei der Nachmittagszigarre aber äußerte sich der Minister häufig über Politik, was abends am Teetisch nicht zu geschehen pflegte. Er klagte also wiederholt über gänzliche Erschöpfung und Altersschwäche. »Das Beste für mich«, sagte er, »wäre, wenn ich jetzt meinen Abschied nähme. Ich könnte es in dem Bewußtsein tun, dem Lande etwas genützt zu haben und diesen Eindruck zu hinterlassen. Ob ich noch schaffen kann, was zu tun übrigbleibt, weiß ich nicht.« Ich meinte, daß er sich ganz zurückzöge, schiene mir unmöglich; ratsam aber, daß er für den Winter in den Süden, etwa an die Riviera ginge, um dann im Frühjahr für die Errichtung des Norddeutschen Bundes zu wirken.

Er entgegnete: »Es ist gut gemeint, aber unpraktisch. Man muß das Eisen schmieden, solange es glüht. Es ist nicht wahrscheinlich, daß im Frühjahr noch dieselbe patriotisch gehobene Stimmung vorhanden sein würde, wie jetzt, wenn sie nicht bald stoffliche Nahrung erhält, wenn die aufgeregten Leute nicht bald recht viel zu tun bekommen. In Pommern sagen die Frauen, wenn die Stunde der Entbindung naht: jetzt muß ich meiner

Gefahr stehen. Das ist gegenwärtig mein Fall. Wenn ich nicht ganz abgehe und ein anderer die Sache macht – ich weiß dazu allerdings niemanden vorzuschlagen –, dann muß ich es darauf ankommen lassen, ob ich zugrunde gehe oder nicht; dann kann ich nicht ein halbes Jahr spazierengehen, sondern muß an die Ramme, sobald meine ruinierten Nerven einigermaßen wieder zusammengeflickt sind. Ich will deshalb auf einige Wochen an die Ostsee gehen.« Am 20. September war Berlin festlich geschmückt zu Ehren der siegreich zurückkehrenden Truppen. Bismarck ritt als Generalmajor neben Moltke und Roon unmittelbar vor dem Könige.

R. v. Keudell, Fürst und Fürstin Bismarck. 1901, S. 309.

Von der Errichtung des Norddeutschen Bundes bis zum Ausbruch des deutsch-französischen Krieges

Mit dem Abschluß des Krieges gegen Österreich war der Weg zu der kleindeutschen Lösung der Deutschen Frage freigelegt. – Der Deutsche Bund war erloschen. Österreich war auf sich allein zurückgeworfen und mußte sich in der Strukturänderung seines Staatsaufbaues als Doppelmonarchie ohne hegemoniale Ansprüche auf die Führung der deutschen Staatenwelt mit deren Neuordnung abfinden. Auch die süddeutschen Staaten sahen sich gezwungen, in den neuen Zustand einer Loslösung von österreichischem Rückhalt und Einfluß hineinzuwachsen. Durch die Schutz- und Trutzbündnisse mit ihnen hatte Bismarck einen Riegel dagegen vorgeschoben, daß etwa dieser Schwebezustand in eine Anlehnung an Frankreich umschlagen könnte, d. h. in dessen alte Rheinbundaspirationen. Auch für Preußen galt es, eine Neuordnung der norddeutschen Verhältnisse zu finden. Man mußte möglichst reibungslos die neugewonnenen Gebiete in den preußischen Staatsverband eingewöhnen. Die Bindung der noch übrigen freien Staaten, wie vor allem Sachsens, mußte auf eine Weise erfolgen, die den Eintritt Süddeutschlands in diesen neuen norddeutschen Staatsverband ermöglichte. Dessen Form durfte sie nicht abschrecken, aber trotzdem mußte in ihm die preußische Führung absolut gesichert sein, ohne das Eigenleben der anderen gänzlich abzutöten. Diese Aufgabe wurde durch die Verfassung des Norddeutschen Bundes gelöst, die damit zugleich den Rahmen zur späteren Reichsverfassung von 1871 bildete. Sie ist eine geistige Schöpfung Bismarcks, wenn auch andere Persönlichkeiten dazu die Entwürfe erarbeiteten und der konstituierende Reichstag wichtige Modifikationen daran vornahm. Während seines Aufenthaltes in Putbus zwischen Oktober und Dezember 1866 (vergl. Gespräch Seite 157) wurden die entsprechenden Vorarbeiten geleistet. Als prinzipielles Zugeständnis hatte Bismarck den Bündnispartnern zugesagt, daß die kommende Bundesverfassung das gleiche, allgemeine und geheime Wahlrecht garantieren werde. Hierzu hatten Bismarck nicht nur innerpolitische Überlegungen bewogen, sondern auch Gründe der Außenpolitik, namentlich im Hinblick auf Frankreich. Die Verfassung selbst mußte jeden zentralistischen Charakter vermeiden, weshalb Bismarck die Form eines Bundes wählte. Die Wahrung des Übergewichts von Preußen wurde jetzt weniger durch die Zahl der preußischen Stimmen im Bundesrat gewonnen, sondern in einer eigentümlichen Konstruktion: das Amt des Bundeskanzlers als des einzigen verantwortlichen Ministers war nämlich mit dem Amt des preußischen Ministerpräsidenten verbunden. Das Organ der Bundesexekutive wurde nicht ein Bundesministerium, sondern der Bundesrat, der dessen Stelle gleichsam verkörperte. – Formal gesehen war diese Verfassung nicht das Ergebnis einer juristisch gelehrten Deduktion, sondern das Produkt realpolitischer Erfahrungen und der gegebenen Kräfteverteilung. Sie wurde zum Arbeitsinstrument, das auf seine Person zugeschnitten war und zu seiner Verfügung konstruiert wurde. Zur Herstellung der vier Jahre später erfolgten Deutschen Einigung hat sie zweifellos ein nützliches Instrument dargeboten und wie beabsichtigt die Tür für die süddeutschen Staaten offen gelassen.

K. F. R.

Ein Diner beim Fürsten Putbus zu Putbus auf Rügen. Ende Oktober 1866

Bismarck begab sich zur Erholung Anfang Oktober 1866 nach Rügen, wo er vom 7. Oktober bis 1. Dezember als Gast des Fürsten Putbus ein reizend gelegenes Sommerhaus bewohnte. Das folgende Gespräch wird von einem verspäteten Badegast auf Rügen, Arnold Wellner, überliefert, der zu einem Diner des Fürsten Putbus geladen war und hier Bismarck kennenlernte. Er hat seine Erinnerungen an diese Begegnung nicht ohne Weitschweifigkeit im »Daheim«, 3. Jahrgang 1867, Nr. 14, veröffentlicht. Dabei dürfte von Ursprünglichkeit und besonderer Färbung, auch vom feinen Schliff der Bismarckschen Ausdrucksweise, einiges in Wellners Darstellung verloren gegangen sein. Die feuilletonistisch ausgeschmückte Schilderung der äußeren Persönlichkeit Bismarcks mußte vom Herausgeber vereinfacht und geglättet werden. Am Sinn ist nichts geändert worden.

Hinter mir öffnet sich die Tür, einige Herren treten in den Salon. Mein Auge fällt auf den Herrn an der Seite meines fürstlichen Wirts und bleibt wie gebannt haften. Ich erkenne ihn auf den ersten Blick, ich sah ihn aber noch nie so nah. Es ist ein hoher stattlicher Mann, schlank und doch kraftvoll gebaut. Die Haltung ist militärisch straff, aber noch immer von jugendlicher Eleganz trotz seiner nun schon 53 Jahre. Die Bewegungen sind vornehm, kühn und doch leicht und ungezwungen. Der Kopf läßt sich schwer beschreiben, man wird nie müde, ihn anzuschauen, und vergißt ihn sein Leben lang nicht wieder. Die gedankenreich gewölbte Stirn wird von spärlichem dunkelblondem Haar, schon grau gemischt, leicht umschattet. Ein starker Schnurrbart gibt dem sonst glattrasierten Gesicht etwas Militärisches. Das etwas vorgebaute Auge ist klar und lebhaft, häufig von einem hellen Blick durchzuckt, so daß es schwerfällt, seine Farbe zu erkennen. Die Gesichtsfarbe ist matt, und von jener eigentümlichen Blässe, die auf körperliche Leiden, durchwachte Nächte und Tage voll geistiger Anspannung schließen läßt. Die schmalen Lippen umspielt ein geistreiches Lächeln, in diesem Augenblick ein liebenswürdiges, harmlos heiteres Lächeln, man sieht es ihm aber an, daß ein leichtes Zucken es in ein ironisch vernichtendes zu verwandeln vermag . . .

Bismarck kleidet sich schmucklos: ein dunkler Buckskinrock, eine gleiche Weste, graue Beinkleider. Das paßt aber zu der ganzen Erscheinung gut, ja gibt der Figur etwas jugendlich frisches, fast burschikos keckes. Und nun werde ich dem Grafen vorgestellt. Seine Verbeugung ist vornehm und höflich, sein

Gesicht freundlich ernst. Ein schneller, scharfer Blick aus den blitzenden Augen überfliegt mich, mir ist zumute, als bliebe keine Falte meines Innern verschlossen.

Der Graf redet mich an, seine Stimme klingt tief* und ruhig; er sagt mir in der höflichsten Weise, daß er am Morgen auf dem Schloßteiche im Parke schon fingerdickes Eis gesehen habe. Ich brachte glücklich hervor, daß ich in Sellin schon am 3. Oktober Eis gesehen habe. Gutmütig lächelnd sagte der Graf: »Ja, Rügen hat eigentümliche Temperaturverhältnisse, durch die Kleinheit und Zerrissenheit der Insel in viele Halbinseln bedingt, indem das Meer, das ja stets von einer viel gleichmäßigeren Temperatur ist, wie die Luft, überall tief in die Landeinschnitte eindringt und der Luft seine Temperatur mitteilt. Der Fürst sagt mir, daß es im Winter auf Rügen viel wärmer ist, wie bei uns in Berlin. Sie sind Badegast?« »Ein eingefrorener, Exzellenz!«

»Ich dachte schon, ich sei der letzte Badegast auf Rügen – jedenfalls werde ich aber wohl der letzte bleiben. Wenn ich hier auch jetzt keine Seebäder mehr nehmen kann, wie früher im Oktober und November in Biarritz, so erweisen sich mir doch die köstlich frischen Seeluftbäder von Putbus fast ebensosehr als ›Bäder der Verjüngung‹, wie die Herbstseebäder von Biarritz. Ich hoffe, auch jetzt nicht zum letztenmal in Putbus zu sein, ich habe es in diesen wenigen Wochen sehr lieb gewonnen. Wenn ich wieder nach Rügen komme, geht es auch in die See hinein. Und wie ruhig kann ich hier leben – wenn ich nach Biarritz gehe und dort zufällig mit IHM zu gleicher Zeit ›Bäder der Verjüngung‹ nehme – wie entsetzlich schreit die liebe Welt immer gleich über hohe, geheimnisvolle Politik. Meine Spaziergänge in dem selten schönen, naturfrischen Putbuser Parke, am Meeresstrande und in den nahen Wäldern tun mir sehr gut, vor allem aber die friedliche Stille des grünen Örtchens, das mit seinen sauberen, weißen Häusern lebhaft an eine Herrenhuter Kolonie erinnert. Ich begreife nicht, daß das Badepublikum sich in letzter Zeit von seinem schönen früheren Lieblinge fernhält – doch mutabile semper femina – und bei Familienbadereisen hat die Frau doch stets die erste Stimme!«

Inzwischen sind die Damen in den Salon getreten. Neben der schönen und geistreichen jungen Schloßherrin geht eine ältere Dame im einfachen, grauen Seidenkleide. Das schwarze, reiche Haar ist schlicht gescheitelt und ohne jeden Kopfputz. Das ist

* Die allgemeine Überlieferung spricht von einer hellen, nicht sehr lauten Stimme Bismarcks.

die Gräfin Bismarck. Ihre Tochter, die Komtesse Marie Bismarck, ist eine junge Dame von kaum achtzehn Jahren, mit weichen Zügen und stillen, dunklen Augen.

Die kleine Gesellschaft tritt in den Speisesaal. Schnell und zwanglos nimmt jeder Platz, wo er ihn findet. Das Diner wird mit Austern eröffnet. Es ist ein Vergnügen, zu sehen, mit welcher Eleganz und Praxis Graf Bismarck seine Austern schlürft.

»So gut wurde es uns nicht in Böhmen, meine Herren! – sagt der Graf heiter zu einigen Offizieren der Gesellschaft – da fehlte uns oft das liebe Stückchen Brot oder Fleisch oder gar alles beides!«

»Exzellenz, dafür waren wir im Kriege und in Feindes Land. Ein wunderliches Mittagsmahl werde ich übrigens nie vergessen. Es war nach der Schlacht bei Münchengrätz, und wir hatten uns redlich müde und hungrig geschlagen, und was gab's da zu essen? Trockene, ungesalzene Kartoffeln und – Champagner!«

»Der König hat selber alles mit durchgemacht« – sagt der Graf ernst – »da wurden dem Soldaten Entbehrungen und Strapazen leicht! Ich war in der Schlacht von Königgrätz in der Suite des Königs, und gar oft waren wir mitten im Gewühl des Kampfes. Um Mittag trat eine momentane Windstille im Brausen der Schlacht ein, der Kronprinz wurde auf dem Schlachtfeld erwartet – mit Sehnsucht erwartet. In dieser bangen Pause fragte der König seine Umgebung, ob niemand etwas zu essen habe, ihn hungere. Der Reitknecht hatte etwas Wein, ein Offizier zog verschämt ein winziges Stückchen Wurst aus seiner Ledertasche, und freudestrahlend trat ein Soldat heran, ein Stück Kommißbrot in freier Faust. ›Mein Sohn, hast du denn selber schon zu Mittag gegessen?‹ fragte der König. ›Nein, Majestät!‹ – ›So wollen wir ehrlich teilen!‹ Und der König brach das Stück Brot durch und reichte dem Soldaten die Hälfte. ›Da, nimm es nur; dein König dankt dir!‹ Nicht lange darauf rückte der Kronprinz mit seiner Armee heran, gerade zur rechten Zeit! Unsere plattdeutschen Soldaten nannten ihn fortan auch nur ›Prinz taur rechten Tied!‹ Die Schlacht wütete von neuem. Der König, mit seiner Suite auf einem Hügel haltend, hatte seine ganze Aufmerksamkeit auf den Gang des Kampfes gerichtet und achtete nicht im geringsten auf die ihn dicht umsausenden Granaten. Auf meine wiederholte Bitte, Majestät möge sich nicht so rücksichtslos dem mörderischen Feuer aussetzen, erhielt ich die königliche Antwort: ›Der oberste Kriegsherr steht dort, wohin er gehört!‹ Erst später, als der König beim Dorfe Lipa persönlich das Vorgehen der Kavallerie befohlen hatte und die Granaten wieder um ihn herum niederfielen, wagte ich aufs neue zu bitten: ›Majestät, da Sie keine Rücksicht auf Ihre Person nehmen, so haben Sie wenigstens Mitleid mit Ihrem Ministerpräsidenten, von dem Ihr getreues preußisches Volk seinen König fordern wird, im Namen dieses Volkes bitte ich: verlassen Sie diese gefährliche Stelle!‹ Da reichte mir der König die Hand: ›Nun, Bismarck, so lassen Sie uns weiter reiten!‹ Der König spornte auch wirklich seine Rappstute ›Sadowa‹, der er nach der Schlacht von Sadowa selbst diesen Namen gegeben hat, und setzte sie in einen so langsamen Galopp, gerade, als wäre es ein Spazierritt die Linden hinunter in den Tiergarten. Da zuckte es mir doch in den Händen und Füßen – Sie alle, und noch manche andere Leute, kennen ja den alten heißblütigen Bismarck – ich ritt meinen Dunkelfuchs dicht an die Sadowa heran und versetzte ihr einen kräftigen Stoß mit meiner Stiefelspitze; sie machte einen Satz vorwärts und der König blickte sich verwundert um. Ich glaube, er hat es gemerkt, aber er sagte nichts.«

»Führten Exzellenz während des Krieges einen Revolver bei sich.«

»Nein, ich habe ihn auch nur einmal mit wirklichem Bedauern vermißt. Es war gleich nach der Schlacht von Königgrätz. Ich ritt einsam über das Leichenfeld, es war ein Anblick, um das Blut in den Adern erstarren zu lassen, grausig, blutig, unvergeßlich! Da sehe ich vor mir ein armes schönes Pferd, beide Hinterfüße sind ihm durch eine Granate fortgerissen. So stemmt es sich zitternd und jämmerlich wiehernd auf die Vorderfüße und schaut mich mit den großen nassen Augen wie hilfeflehend an; da wünschte ich mir eine Kugel, sie der armen Kreatur ins Herz zu jagen. Aber auch Bilder voll rührender Poesie und unwiderstehlicher Komik hatte das Schlachtfeld aufzuweisen. So sah ich noch während des Kampfes einen blutjungen Offizier, bleich und schön wie ein Schlafender, an einen Gartenzaun lehnen. Er war tot. Drinnen im Garten standen die Rosen in voller Blüte. Ein Soldat brach sich soeben hastig eine Handvoll, dann stieg er über den Zaun und legte die Rosen dem jungen Helden auf die Brust, wo die Uniform ein kleines, rundes Loch zeigte. ›Kennen Sie den Offizier?‹ fragte ich. ›Nein, Herr Major‹, erwiderte er, ›aber ich sah ihn kämpfen wie ein Löwe und fallen wie ein Lamm, da wollt ich ihn doch wenigstens vor den Pferdehufen schützen und trug ihn an den Zaun; meiner lieben Mutter haben wir auch einst Rosen mit in die

Erde gegeben!‹ schwang sich auf sein Pferd und stürmte wieder in den Kampf hinein.«

»Lieber Graf, Sie sprachen auch von Komik auf dem Schlachtfelde?«

»Ja, Fürstin, ich habe wirklich trotz der ernsten Situation nie etwas Komischeres gesehen, wie den von der Berliner Garde-Artillerie aufgezogenen und mit ins Feld geführten riesigen Ziegenbock im wildesten Kugelregen an der Seite des Trompeters mit possierlichen Sätzen auf den Feind losstürmend! Die Österreicher sollen auch wahrhaftig geglaubt haben, in jenem Ziegenbocke stecke Herr Satanas, mit dem der arme Bismarck einen kleinen Privatpakt gegen die unüberwindliche eiserne Brigade gemacht habe!«

»Lieber Otto«, sagt die Gräfin herzlich, »dies Gericht solltest du lieber vorübergehen lassen, es tut deinen kranken Magennerven augenblicklich nicht gut!«

»Meine Damen, ist Ihnen schon ein solches Prachtexemplar von gehorsamem Ehemanne vorgekommen?« und Graf Bismarck schiebt die Schüssel zurück.

Einer der Tischgäste erzählte eine Geschichte, wie während des Krieges von 1866 ein Leutnant von Schwanefeld sich des Auftrags entledigte, auf einer böhmischen Eisenbahnstation für den französischen Botschafter Benedetti ein gutes Souper bereitzuhalten, das in ganz dünnem Tee ohne Rum, Sahne oder Zucker und einem Stückchen Komißbrot bestand – die Setzeier und das Stückchen Schinken waren von den Offizieren selbst gegessen worden.

»Ihr Leutnant Schwanefeld in seiner Sorge um das Anbrennen der Setzeier«, sagte Graf Bismarck heiter und schüttete kleine Stückchen Eis in seinen Champagner, »erinnert mich lebhaft an eine gute, alte Person, die sich redlich um meine Knabenzeit verdient gemacht hat. Sie hieß Trine Neumann und stammte von meinem väterlichen Gute Schönhausen in der Altmark. Als mein Bruder und ich auf das Gymnasium kamen, wurde Trine Neumann uns als Haushof-, Küchen-, Keller- und Sittenmeisterin von Hause mitgegeben. Sie hatte uns Jungen herzlich lieb und tat alles, was sie uns an den Augen absehen konnte. So machte sie uns zu Abend fast immer unser Leibgericht: Eierkuchen! Wenn wir gegen Abend ausgingen, ermahnte Trine Neumann uns regelmäßig: ›Bliewt hüt nich so lang ut, dat min Kauken nich afbacken!‹ und regelmäßig, wenn wir endlich nach Hause kamen, hörten wir die gute Trine schon von weitem wie einen Rohrsperling schimpfen: ›Dunnerwetter, Jungens, ut Juch wat in't Leben nix Vernünftigs – dei Kauken sünd all wedder afbackt!‹ Und dies Thema wurde in allen möglichen Variationen zu der Länge von Ciceros Philippika ausgesponnen, aber der Zorn der guten Trine war immer bald verraucht, wenn sie sah, wie vortrefflich ihre ›afbacken Kauken‹ uns Jungen schmeckten!«

»Und wo blieb Trine Neumann?«

»Als wir ihrer milden Zucht und ihren Eierkuchen entwuchsen, ging sie nach Schönhausen zurück, dort liegt sie nun schon längst unter dem grünen Rasen! Gute Trine Neumann, wie würdest du dich gefreut haben, wenn du noch erlebt hättest, daß aus deinem tollen Otto mit der Zeit doch noch etwas leidlich ›Vernünftigs‹ geworden ist!«

»Nach den Setzeiern Ihres Leutnants zu schließen, haben die Herren im Felde sich wirklich bedenklich hohe Aufgaben in der edlen Kochkunst gestellt!« sagte die Gräfin Bismarck zu dem Offizier, der vorhin die Geschichte von dem verfehlten Souper des Herrn Benedetti erzählte.

»Wenn Exzellenz . . .«

»Bitte, nennen Sie mich nicht Exzellenz, das ist ein Titel, den ich für mich daurchaus nicht hübsch finde. Es gibt Leute, die mir, um ihre Sache recht gut zu machen, die Exzellenz wohl zehnmal in einem Atemzuge ins Gesicht werfen, und das hat mir die Exzellenz recht herzlich verleidet. Am liebsten höre ich mich Frau von Bismarck nennen, das erinnert mich so freundlich an eine stille, frohe Zeit, wo Otto und ich als bescheidene Landedelleute an der Elbe auf unserem alten Schönhausen Muße hatten, einander und unseren Dorfleuten zu leben – jetzt gehört mein Mann der ganzen Welt an!«

»Liebes Kind, die Zeiten von Schönhausen kehren uns, so Gott will, noch einst wieder, wenn wir alt sind und die Welt uns nicht mehr gebrauchen kann!«, und Graf Bismarck nickte seiner Frau mit einem herzlichen Lächeln zu. »Wenn du *die* Bedingung stellst, dann ist es mit Herrn und Frau von Bismarck auf Schönhausen für immer vorbei; du wirst nie alt, solange noch eine Faser an dir lebt, und auch die wird die Welt noch gebrauchen! – Doch Sie wollten von der Kochkunst im Felde erzählen!«

»Ich wollte nur bemerken, gnädige Gräfin, daß unser redliches, gastrosophisches Streben im allgemeinen weit höher ging, als Eier und Speck in die Pfanne zu schlagen. Es ist wirklich erstaunlich, welch ein enormes Kochgenie die Offiziere zuzeiten entwickelten und welche Ungeheuerlichkeiten von unmöglichen Beefsteaks, Ragouts fins und halb oder ganz verbrannten Enten und Gänsen sie im Schweiße ihres Angesichts zustande brachten, als legten sie alle Abende Henriette Davidis oder den gastrosophischen Baron von Vaerst andächtig unter ihre Kopfkissen – nein, unter ihre Tornister, denn Kopfkissen gab es hin und wieder nur mal für Sonntagskinder.«

»Auf Kopfkissen« – fällt der Ministerpräsident ein – »hätte ich nun schon ganz gerne verzichtet, wenn es nur immer eine leidlich reine Streu gegeben hätte. Das Stroh war aber bei dem riesigen Häckselappetite unserer Pferde ein zu kostbarer und gesuchter Artikel, als daß er für unsere Bequemlichkeit verwendet werden konnte. Die verwetterten böhmischen Matratzen, in der Mitte hoch, an den Seiten abschüssig und oben und unten zu kurz, machen mir noch jetzt Kreuzschmerzen, sooft ich daran denke. Einmal habe ich sogar auf offenem Markte kampiert. Ich komme nach der Schlacht von Königgrätz in finsterer Nacht mutterseelenallein in ein abscheuliches böhmisches Nest mit einem unaussprechlichen Namen. Den König hatte ich, auf ein hartes Sofa gebettet, verlassen. Alle Häuser sind dunkel und verschlossen. Ich klopfe an ein halbes Dutzend Türen, zerklopfe ein Dutzend Fenster – keine Seele meldet sich. Da tappe ich durch einen Torweg auf einen ungepflasterten Hof – plötzlich hört der Boden unter meinen Füßen auf, und ich ruhe ziemlich sanft auf einem Düngerhaufen. Mit der Weichheit meines Lagers hätte ich nun schon zufrieden sein können – aber an die Odeurs wollte sich meine Nase durchaus nicht so schnell gewöhnen. Ich rapple mich also wieder auf, komme auf die Straße und endlich auf den Marktplatz. Da steht so etwas von Säulenhalle – ob es jonische oder dorische oder böhmische Säulen waren, kann ich nicht verraten, doch glaube ich das letztere. Ah! denke ich, Glückspilz, hier hast du doch wenigstens ein Dach über dem Kopfe – und strecke mich auf die bloßen Steine nieder. Da fühle ich nur zu deutlich, daß hier den Tag über schleppfüßiges Hornvieh gestanden hat – aber ich rücke und rühre mich nicht, so sehr hatte ich die Lust zu einer neuen Odyssee verloren. Ich war todmüde und schlief bald wie ein Murmeltier. Und doch war dies noch nicht das schlechteste Nachtlager, das ich in Böhmen fand – mit Grausen und Hüftweh denke ich an eine Nacht in einer Kinderbettstelle zurück!«

»Kinderbettstelle? – Preußens Ministerpräsident in einer Kinderbettstelle – wie stellten Sie das an, lieber Graf?«

»Oh, das war leider sehr einfach, meine Gnädige – ich klappte mich zusammen wie ein Taschenmesser!«

Solche Plaudereien, meistens an kleine Abenteuer und Anekdoten des jüngst beendeten Krieges anknüpfend, da fast sämtliche Herren der Gesellschaft als Johanniterritter oder Offiziere die Schlachtfelder gesehen hatten, flatterten heiter um die reiche Tafel. Kaffee, Likör und Zigarren werden im Salon gereicht.

»Den Wert einer guten Zigarre lernt man wirklich erst schätzen, wenn sie die letzte ihres Stammes und wenig Aussicht auf Ersatz ist«, sagt Graf Bismarck und gibt sich mit Behagen dem Genuß seiner vorzüglichen Havanna hin. »Bei Königgrätz hatte ich nur noch eine einzige Zigarre in der Tasche, und die hütete ich während der ganzen Schlacht, wie ein Geizhals seinen Schatz. Ich gönnte sie mir augenblicklich selber noch nicht. Mit blühenden Farben malte ich mir die wonnige Stunde aus, in der ich sie nach der Schlacht in Siegesruhe rauchen wollte. Aber ich hatte mich schon wieder verrechnet – mit dem einen Rechenfehler ist es also doch ein mißlich Ding!«

»Und wer machte Ihnen einen Strich durch die Rechnung?«

»Ein armer Dragoner. Hilflos lag er da, beide Arme waren ihm zerschmettert, und er wimmerte nach einer Erquickung. Ich suchte in allen Taschen nach – ich fand nur Gold – und das nutzte ihm nichts, doch halt, ich hatte ja noch eine kostbare Zigarre! Die rauchte ich ihm an und steckte sie ihm zwischen die Zähne; das dankbare Lächeln des Unglücklichen hätten Sie sehen sollen! So köstlich hat mir noch keine Zigarre geschmeckt, als diese, die ich – nicht rauchte!«

Der Graf war an das Fenster getreten und schaute in den mondhellen Abend hinaus. »Ah! dort liegt Mönchgut ja so klar vor uns wie am hellen Tage! Diese vom Meer fast bis auf die Gräten zerfetzte Halbinsel ist doch ein wunderlich Stücklein Erde. Ich kann lebhaft nachfühlen, daß die lieben, närrischen Mönchguter in ihrer schlichten Ursprünglichkeit und Abgeschlossenheit von aller Welt die glücklichsten Geschöpfe sind. Das, was wir Kinder der Welt Glück nennen, kennen sie kaum dem Namen nach, sie entbehren es also auch nicht. Ein Boot, eine Hütte, Weib und Kind . . . und sie haben alles! Wenn der Neid nicht ein gar zu garstig Ding wäre, ich könnte diese Naturkinder um ihr Leben ohne Sturm und Kampf, ohne Ehrgeiz und ohne schlaflose Nächte beneiden . . . Ich habe da von ureigenen, patriarchalischen Sitten auf Mönchgut gehört – was hat das mit der ›blauen Schürze‹ für eine Bewandtnis?«

»Diese originelle Volkssitte ist nun auch fast verschollen«, entgegnete ich. »Ich wanderte noch in diesen Tagen durch Mönchgut und fragte auch nach der blauen Schürze. Die Leute sahen mich groß an und dachten, ich wollte sie zum besten haben. Endlich traf ich eine uralte Frau, die hatte einst selber ihre blaue Schürze vor die Haustür gehängt. Sie erzählte mir auch davon. Die Mönchguter heiraten nur untereinander; man findet darum einzelne Namen auf der ganzen Halbinsel immer wiederkehrend. Wenn nun ein Mönchguter Mädchen der alten Zeit ein kleines Heiratsgut hatte, eine Hütte oder auch nur ein Heringsboot, so war sie dadurch berechtigt, sich selber einen Mann zu wählen. Wollte sie die ›Frijagd‹ – ihre Jagd auf einen Freier beginnen, so hängte sie ihre blaue Schürze vor die Haustür und stellte sich selber hinter die Tür. Die heiratslustigen Burschen gingen dann in ihrem besten Putze im langen Zuge, einer nach dem anderen, an der blauen Schürze vorüber ... bis der Rechte kam, da lief die Freijägerin geschwind hinaus, schlang ihre Arme um seinen Hals – und nach drei Wochen war Hochzeit!«

»Das ist wenigstens ein ebenso einfacher als ehrlicher Prozeß, um das Mädchen glücklich an den Mann zu bringen!«

Arnold Wellner: Ein Diner beim Fürsten Putbus auf Rügen. »Daheim«, 3. Jahrgang, 1867, Nr. 14 (gekürzt).

»Ich werde ums Geld gezeigt.« – Gespräch mit dem Freiherrn von Spitzemberg in Berlin. 12. Dezember 1866

In der Zeit der Vorbereitung der norddeutschen Bundesverfassung hielt Bismarck, von seiner Krankheit, die ihn auf Rügen festgehalten hatte, noch nicht ganz wiederhergestellt, alle Besucher von sich fern. Dem württembergischen Gesandten Freiherrn von Spitzemberg, aus gemeinsamen Petersburger Jahren Freund des Bismarckschen Hauses, gelang es nur mit Schwierigkeiten, zu Bismarck zu kommen. Aus einem von Poschinger im 2. Bande seiner »Tischgespräche« abgedruckten Brief von Spitzembergs vom 13. Dezember an seinen Schwiegervater, den Freiherrn von Varnbüler, ist das folgende Gespräch hier aufgenommen.

»Gestern endlich gelang es mir, Zutritt zu erlangen, nachdem ich vorher den beiden jungen Grafen auf der Straße begegnet und ihnen aufgegeben hatte, meinen Besuch bei ihrer Mutter anzusagen. Ich wurde mit der alten Herzlichkeit empfangen und blieb solange, bis auch der Graf erschien, eben im Begriffe, zum Vortrage bei dem Könige zu fahren. Er begrüßte mich in der gewohnten kordialen Weise und erwiderte mir, als ich ihm mein Bedauern aussprach, ihm nicht früher mich haben vorstellen zu können: ›Ich bin noch nicht hier!‹ Er war in Generalsuniform und sein Aussehen gesunder, besser, frischer, als ich es je früher gefunden habe. Er erzählte mir, daß er körperlich ganz wohl sei, daß er aber mit Geschäften sich sehr schonen müsse und jede größere Anstrengung mit Schlaflosigkeit zu büßen habe. Die Folge sei dann eine erhöhte Reizbarkeit, unter der seine Kollegen und Beamten zu leiden haben. Trotz der strengsten Befehle, die er seinen Beamten bei Gefahr der Versetzung auf dem Disziplinarwege nach den entferntesten Provinzen der Monarchie erteilt habe, niemand vorzulassen, dränge sich doch der eine oder andere ein, um ihn zu stören. Gestern habe gerade ein fremder General, der ohne Zweifel für Geld sich den Zutritt bei einem seiner Diener erkauft habe (denn er wisse, daß er ums Geld gezeigt werde), im Vorzimmer gewartet, als er seinem Kanzleidiener mit einem ›Schert Euch zum Teufel‹ die Tür gewiesen habe, was der General, dem es doch nicht gegolten, vielleicht auch auf sich bezogen habe. So fuhr er scherzweise fort, um zu zeigen, wie er von der Zudringlichkeit zu leiden habe und die kräftigsten Mittel zur Abwehr anwenden müsse. ›Aber‹, sagte er im Weggehen, ›wenn Sie geschmälzte Knödel (Verwechslung mit unseren Spätzlen) bei mir essen wollen, so sind Sie mir stets willkommen. Auch der Pfannkuchen soll nicht fehlen.‹ «

H. v. Poschinger, Tischgespräche. Band II, 1899, S.30 ff.

Absolutismus. – Gespräch mit einer Jagdgesellschaft des Gutsbesitzers Dietze in Barby. 20. Dezember 1866

Der Amtsrat und Rittergutsbesitzer Dietze war seit der Studentenzeit mit Bismarck bekannt. In den ersten Anfängen der öffentlichen Laufbahn Bismarcks erneuerte sich diese Bekanntschaft und festigte sich in der Zeit, da Dietze Reichstagsabgeordneter war, zu einem freundschaftlichen Verhältnis, das Dietze bei seiner Anwesenheit in Berlin als häufigen und gern gesehenen Gast in Bismarcks Haus führte. Bei den großen Winterjagden nahm wiederum Bismarck gelegentlich die Gastfreundschaft Dietzes an. So weilte er im Dezember 1866 in Barby. Poschinger gibt in »Fürst Bismarck und die Parlamentarier« einige Äußerungen Bismarcks aus einem Gespräch mit Jagdteilnehmern wieder. Sie folgen hier, obwohl Poschinger über seine Quelle nichts aussagt.

Eines Tages geriet die Unterhaltung auf das Thema der Verfassungskämpfe, und Bismarck sprach sich dabei über den Absolutismus wie folgt aus: »Ich kenne alle Souveräne Europas und empfinde außerordentliche Hochachtung vor vielen derselben; Sie werden aber, meine Herren, es nicht bloß als eine loyale Phrase ansehen, wenn ich Ihnen versichere, daß ich keinen von allen so tief verehre, wie Seine Majestät unsern König Wilhelm. Selbst diesen unseren König Wilhelm möchte ich jedoch nicht als absoluten Monarchen sehen – wie ich denn überhaupt den Absolutismus für die unglücklichste aller Staatsformen halte. Sie glauben nicht, welchen Anteil an den Geschicken eines absolut regierten Landes oft der Einfluß eines raffinierten Kammerdieners besitzt.«

Interessant ist noch folgende, an demselben Tage gefallene Äußerung Bismarcks. Einer aus der Gesellschaft hatte ihn um seine Meinung über Beust gebeten. Der Graf war sofort bereit, Rede zu stehen. »Wenn ich«, sagte er, »mir ein Urteil über die Gefährlichkeit eines Gegners bilden will, so subtrahiere ich zunächst von dessen Fähigkeiten seine Eitelkeit. Wende ich dies Verfahren auf Beust an, so bleibt als Rest wenig oder nichts.«

H. v. Poschinger, Fürst Bismarck und die Parlamentarier. Band II, 1894–1896, S. 49 ff.

Gespräch mit dem Kronprinzen Friedrich Wilhelm von Preussen in Berlin. 24. Januar 1867

Das Gespräch stammt leider aus zweiter Hand. Es geht zurück auf einen Brief des koburgischen Staatsministers von Seebach, den Herzog Ernst II. in seine Lebenserinnerungen auszugsweise aufgenommen hat. Aus dem sachlichen und zeitlichen Zusammenhang, in den der Herzog dieses Schreiben einfügt, geht hervor, daß es zu Ende Januar verfaßt ist, als die Bevollmächtigten der norddeutschen Bundesregierungen noch versammelt waren, der verfassunggebende Reichstag aber noch nicht zusammengetreten war. Einem Hofkonzert, wie es der Text des Seebachschen Briefes als den Ort des Gespräches erwähnt, wohnte Bismarck am 24. Januar bei. Der Inhalt der Unterredung zwischen Bismarck und dem Kronprinzen, die bei Gelegenheit dieses Hofkonzertes stattfand, wurde am Tage darauf dem Minister von Seebach vom Kronprinzen selber mitgeteilt. Dieser berichtet darüber dem Herzog befehlsgemäß folgendes weiter:

Habe ich richtig aufgefaßt, so hat Graf Bismarck im wesentlichen folgendes geäußert: Der Norddeutsche Bund sei für ihn nur ein Provisorium, sein aufrichtiges Streben sei auf die Einigung des gesamten Deutschlands gerichtet und habe er die Überzeugung, daß dieses Ziel auch in nicht zu ferner Zeit werde erreicht werden. Um es aber zu erreichen, müsse sich vor allem der Norden zu einem festeren Ganzen zusammengeschlossen haben, und schon aus diesem Grunde sei es nicht möglich, sich bereits in dem jetzigen Augenblicke auf Verhandlungen mit dem Süden einzulassen. Aber auch die Rücksicht auf Frankreich lasse dies jetzt nicht als statthaft erscheinen, die allgemeine Stimmung sei dort zweifellos für einen Krieg gegen Preußen, dem man seine Erfolge, namentlich seine militärischen Triumphe, durch die man sich in den Hintergrund gestellt fühlt, mißgönne. Er müsse daher alles vermeiden, was in Frankreich die Mißstimmung gegen Preußen zu erhöhen geeignet sei, wenn er auch nicht erwarte, daß damit der Krieg selbst werde vermieden werden, den er vielmehr für wahrscheinlich und nahe bevorstehend halte. Eben deshalb wünsche er um so mehr, mit dem Norddeutschen Bunde bald zustande zu kommen, und zwar in einer die verbündeten Staaten möglichst befriedigenden Weise. Er werde mithin auch die Wünsche sowohl der Königlich Sächsischen Regierung als die der kleineren Staaten in betreff der militärischen Verhältnisse soweit zu erfüllen suchen, als dies mit dem allgemeinen Interesse und dem Interesse Preußens vereinbar sei.

Die Militärkonvention, deren Aufrechterhaltung Koburg wünsche, sei freilich eine Warze auf der glatten Fläche. Die letztere Äußerung läßt wohl noch eine verschiedene Auslegung zu, scheint indes doch darauf hinzudeuten, daß Graf Bismarck nicht abgeneigt ist, auch seinerseits die Konvention als fortbestehend anzuerkennen.

Herzog Ernst II. von Sachsen-Koburg-Gotha, »Aus meinem Leben und aus meiner Zeit.« Band III, 1889, S. 634 ff.

Die geheimen Verträge. – Gespräch mit dem preussischen Gesandten Prinzen Reuss. 19. Februar 1867

Prinz Reuß war bisher preußischer Gesandter in München gewesen und ging in diesem Jahr in der gleichen Eigenschaft nach Petersburg. Das folgende nach einem Briefe des Prinzen an den bayerischen Ministerpräsidenten Fürsten Chlodwig zu Hohenlohe-Schillingsfürst. Datum: Berlin, den 20. Februar 1867.

Seit gestern früh bin ich hier und habe den Grafen Bismarck sogleich gesehen und ihm viel von München und von Ihnen erzählen müssen. Ich brauche Ihnen nicht erst zu sagen, daß er die besten Wünsche für das Reussieren Ihres Ministeriums hegt und alles tun wird, was in seinen Kräften steht, um Sie zu unterstützen. Ich besprach mit ihm Ihren Wunsch mit Beziehung auf ein eventuelles Eingeständnis der Existenz des geheimen Vertrages.[1] Graf Bismarck sah ein, daß es Ihnen und auch der württembergischen Regierung angenehm und für Ihre Stellung dem Lande gegenüber vorteilhaft sein würde, wenn Sie den geheimen Vertrag avouieren könnten. Er hat nichts dagegen, daß dies seinerzeit geschieht, und möchte nur abwarten, bis der Spektakel in der französischen Kammer sich etwas gelegt haben wird. Also vielleicht bis nach den Interpellationen über die auswärtige Politik des Kaisers.[2] Dann ist er der Ansicht, auf die Sache durch scheinbare Indiskretionen in den Zeitungen vorzubereiten; er würde aber gern Ihre Ansichten hören, falls Sie die Öffentlichkeit auf eine andere Weise haben möchten.[3] Er trug mir auf, Ihnen zu schreiben und Ihnen zugleich zu sagen, daß, wenn Sie das Bedürfnis fühlen sollten, in dieser oder einer anderen Angelegenheit sich direkt an ihn zu wenden, er sehr gern bereit sein würde, den Weg der direkten Privatkorrespondenz zu betreten. Er hat vollständiges Vertrauen in Werthern[4], glaubt aber, daß, bevor derselbe zu dem Grad von Vertraulichkeit Ihnen gegenüber gelangt sein sollte, es Ihnen vielleicht lieber sein dürfte, sich gegen ihn (Bismarck) auszusprechen. Montgelas[5] wird von ihm als ein guter Geschäftsmann und ehrlicher Mensch bezeichnet, er meint aber, daß es darüber hinaus aufhöre und intimere Geschäfte nicht leicht mit ihm anzuknüpfen seien.

Denkwürdigkeiten des Fürsten Chlodwig zu Hohenlohe-Schillingsfürst, herausgegeben von Fr. Curtius. Band I, 1906, S. 202 ff.

[1] Das gleichzeitig mit dem Friedensvertrag geschlossene Schutz- und Trutzbündnis. Vergleiche dazu die Gespräche vom 18. März 1867, S. 171 dieses Bandes.

[2] Diese Debatte der französischen Kammer fand vom 14. bis 18. März statt.

[3] Die Veröffentlichung des Schutz- und Trutzbündnisses erfolgte am 19. März 1867, unmittelbar nach der ersten Verhandlung des Norddeutschen Reichstags, die Luxemburg berührte.

[4] Der preußische Gesandte in München.

[5] Bayerischer Gesandter in Berlin.

Zwischen den Fronten und Interessen. – Gespräch mit dem Abgeordneten von Bennigsen in Berlin. 9. März 1867

Aus einem Brief Bennigsens an seine Frau, datiert »Berlin, 10. März 1867«.

Der Großherzog von Baden ist, wie ich vom Markgrafen Wilhelm und Roggenbach, die beide hier sind, erfahre, bereit, jetzt gleich in den Norddeutschen Bund zu treten. Die preußische Regierung will Baden allein aber nicht aufnehmen, ist überhaupt der Ansicht, daß es über die Aufnahme der Südstaaten zum Kriege mit Frankreich kommt... Bismarck, bei welchem ich gestern bei einem großen Diner saß – seine Frau war mit bei der Tafel und hatte die beiden ersten Präsidenten neben sich –, erzählte mir übrigens neben mancherlei interessanten Erlebnissen, Preußen habe bereits im vorigen Jahre geheime Militärverträge mit den süddeutschen Staaten zum Zweck der Verteidigung abgeschlossen.* Ferner: Als Frankreich während der Nikolsburger Verhandlungen angefangen mit Einmischung zu drohen, habe er, Bismarck, ganz allein gestanden. Der König, die Prinzen und Generäle hätten ihn für einen Verräter und Schwächling erklärt, daß er den Krieg nicht fortsetzen wolle. Nur der Kronprinz, welcher freilich auch nicht seiner Ansicht gewesen, habe seinem Urteil sich gefügt und ihn insoweit unterstützt. Die preußische Armee hätte bereits durch Krankheit erstaunlich gelitten und würde bei einem Feldzuge in Ungarn im Sommer die größte Gefahr der Vernichtung gelaufen sein. Er habe seine Entlassung angeboten und sich bereit erklärt, dem König als Offizier zu folgen, wohin es gehe, seinetwegen bis nach Konstantinopel. Das hätte geholfen.

Rudolf von Bennigsen, ein deutscher liberaler Politiker. Nach seinen Briefen und hinterlassenen Papieren von H. Oncken. Band II, 1910, S. 30 ff. (gekürzt).

* Deren Veröffentlichung 19. März. Vgl. dazu das folgende Gespräch vom 18. März 1867 mit dem Abgeordneten von Unruh und das Gespräch vom 10. April 1867 mit den Abgeordneten Bennigsen, Unruh und Forckenbeck, S. 177 dieses Bandes.

Die deutsche Einigung zeichnet sich ab. – Gespräche mit dem Abgeordneten von Unruh in Berlin. 18. März 1867

Das folgende erste Gespräch, das auch von Bennigsen erwähnt wird, muß in der Sitzung des Norddeutschen Reichstages vom 18. März 1867 stattgefunden haben, da am 19. März die Veröffentlichung der Schutzverträge mit den süddeutschen Staaten erfolgte. (Vergleiche dazu das Gespräch mit Rudolf von Bennigsen am selben Tag, S. 172 dieses Bandes.) Die andere von Unruh überlieferte Erzählung Bismarcks über den Abschluß mit Bayern dürfte vielleicht auf den 10. April 1867 fallen. Anläßlich einer längeren Konferenz mit den Abgeordneten v. Unruh, v. Bennigsen und v. Forckenbeck kam Bismarck, wie wiederum Bennigsen berichtet, auf seine auswärtige Politik zu sprechen. (Vgl. dazu das Gespräch mit Bennigsen vom 10. April, S. 177 dieses Bandes.) Jedoch kann die Mitteilung Bismarcks auch bei einer anderen Gelegenheit erfolgt sein.

In derselben Zeit, in welcher ein Konflikt mit Frankreich drohte*, setzte sich Bismarck während einer Reichstagssitzung auf die Bank vor mir zu einem befreundeten Abgeordneten, wendete sich dann zu mir und sagte: »Sie werden morgen im ›Staatsanzeiger‹ etwas sehr Wichtiges lesen.« Als ich ihn fragte, ob er nichts Näheres andeuten könne, da es morgen doch bekannt werde, erwiderte Bismarck: »Jawohl, es sind Schutz- und Trutzbündnisse mit Bayern, Württemberg und Baden abgeschlossen worden.« Natürlich war ich sehr erfreut und antwortete: Bravo!

Auch über das Zustandekommen jener Bündnisse machte Bismarck in seiner Behausung in meiner Gegenwart interessante Mitteilungen. Er erzählte, daß nach dem Abschluß der Friedenspräliminarien in Nikolsburg, in welche die süddeutschen Staaten nicht eingeschlossen waren, der bayerische Ministerpräsident von der Pfordten nach Berlin gekommen sei, um über den Frieden zu verhandeln. Zunächst habe Bismarck sehr weitgehende Forderungen gemacht, von hoher Kriegskontribution und erheblichen Landabtretungen gesprochen, auch auf Ansbach-Bayreuth hingedeutet, das ehemals zu Preußen gehört habe. Nachdem Herr von der Pfordten sehr niedergeschlagen und, wie Bismarck sich ausdrückte, hinreichend mürbe gewesen sei, hat dieser geäußert: »Sie können den Frieden sehr wohlfeil haben, ohne Landabtretungen, eine ganz kleine Grenzregulierung ausgenommen, und mit einer sehr mäßigen Kontribution.« Als Herr

* Des Luxemburger Handels wegen, den Napoleon einzuleiten versuchte.

von der Pfordten ganz überrascht und erstaunt Bismarck gefragt hatte, welche Gegenleistung er sonst noch verlange, antwortete dieser: »Nichts als den sofortigen Abschluß eines Schutz- und Trutzbündnisses.« Hierauf hat von der Pfordten Bismarck umarmt und geweint. Bismarck drückte sich noch drastischer aus.

Erinnerungen aus dem Leben von Hans Viktor von Uuruh.
Herausgegeben von H. v. Poschinger. 1895. S. 282 ff.

»Klug ist er wie eine Schlange.« – Gespräch mit dem Abgeordneten von Bennigsen in Berlin. 18. März 1867

Aus einem Briefe von Bennigsens an seine Frau aus Berlin, 21. März 1867, anläßlich der Veröffentlichung der Schutz- und Trutzbündnisse mit Bayern und Baden.

Dieses Schutz- und Trutzbündnis ohne Endtermin und Kündigungsklausel mit preußischem Oberbefehl im Krieg ist abermals ein Beweis der ausgezeichneten Weise, in welcher Bismarck die auswärtige und auch die deutsche Politik leitet. Dieses enge Bündnis mit Süddeutschland, in einem Augenblick abgeschlossen, wo niemand Preußen gehindert haben würde, statt dessen Bayerns Nordprovinzen bis zum Main zu annektieren, ist in seiner klugen Mäßigung ein sichereres Mittel der Abwehr gegen Frankreich, als eine Vergrößerung Preußens auf Kosten eines bitter verfeindeten Bayerns jemals gewesen sein würde. Graf Bismarck, welcher in dem Sitzungslokale beiläufig Herrn von Unruh und mich auf die Veröffentlichung aufmerksam machte,* sagte mir auf die Frage, ob man im Auslande werde folgern können, daß ein ähnliches Bündnis mit Württemberg nicht bestehe, mit Lachen: »Das Bündnis mit Württemberg lautet gerade so, die Württemberger waren aber noch immer gegen die Veröffentlichung; nachdem wir die Erlaubnis dazu von Bayern und Baden erlangt hatten und diese Verträge vorweg öffentlich bekanntmachten, wird Württemberg in einigen Tagen genötigt sein, ein Gleiches zu gestatten.« Klug ist er, wie die Schlangen, aber schwerlich ohne Falsch, wie die Tauben! Seine Reden über Polen und Nordschleswig waren Meisterstücke nach Form und

* Vergleiche dazu das vorhergehende Gespräch mit von Unruh vom 18. März 1867; der darin erwähnte Abgeordnete, zu dem sich Bismarck setzte, war demnach offenbar von Bennigsen.

Inhalt; dagegen seine Äußerungen über Luxemburg* oberfaul. Ich fürchte sehr, daß Luxemburg für Deutschland verlorengeht.

Rudolf von Bennigsen, ein deutscher liberaler Politiker. Nach seinen Briefen und hinterlassenen Papieren von H. Oncken. Band II, 1910, S. 32 ff.

Eine sehr ernste Erklärung. – Gespräch mit dem Abgeordneten Grafen Bethusy-Huc in Berlin.

Ende März 1867

Vor der Besprechung der im folgenden Gespräch erwähnten Interpellation Bennigsens im Reichstag hatte die freikonservative Fraktion den Grafen Bethusy-Huc zu Bismarck geschickt, um dessen Wünsche kennenzulernen. Seine Unterredung hat Poschinger, nach seiner Angabe auf Grund eigener Aufzeichnungen Bethusys, in »Bismarck und die Parlamentarier«, III, S. 283 ff. veröffentlicht. Dieses Gespräch fand also ganz kurz vor dem Gespräch mit Benedetti statt.

Abgeordneter Bethusy: »Glauben Eure Exzellenz, daß binnen jetzt und fünf Jahren ein Krieg mit Frankreich unvermeidlich eintreten wird?«

Graf Bismarck: »Ja, das glaube ich leider.«

Abgeordneter: »Glauben Eure Exzellenz mit mir, daß innerhalb dieses fünfjährigen Zeitraumes der gegenwärtige Moment der günstigste bezüglich des gegenseitigen Verhältnisses unserer Streitkraft ist?«

Graf Bismarck: »Das glaube ich ohne Zweifel.«

Abgeordneter: »Können Euer Exzellenz binnen jetzt und vierundzwanzig Stunden den Krieg herbeiführen?«

Graf Bismarck: »Die Regierung Seiner Majestät kann dies sicherlich. Ich brauche aber Ihre vierte Frage nicht abzuwarten. Sie würde logisch lauten müssen: Warum dann raten Sie Seiner Majestät nicht zum Kriege? und ich könnte nur antworten: weil ich ein sehr törichter oder sehr furchtsamer Mann bin, *wenn*

* Vom 18. März 1867 im Norddeutschen Reichstag. Das Großherzogtum Luxemburg stand in Personalunion mit dem Königreich der Niederlande. Bis 1866 hatte es dem Deutschen Bunde angehört. Seine Hauptstadt war Bundesfestung und hatte als solche eine preußische Besatzung erhalten; diese war auch dort verblieben, obwohl das Großherzogtum dem Norddeutschen Bunde nicht beigetreten war. Außerdem war Luxemburg Mitglied des deutschen Zollvereins.

ich das ›Ja‹ auf Ihre erste Frage in allem Ernst so bedingungslos ausgesprochen hätte, als es unterhaltungsweise geschehen durfte. Ja, ich glaube leider an einen deutsch-französischen Krieg in nicht allzu langer Frist. Die durch unsre Siege verletzte krankhafte französische Eitelkeit wird dazu drängen. Für absolut unvermeidlich vermag ich ihn aber nicht zu erachten, weil ich weder für Frankreich noch für uns ein ernstes Interesse sehe, welches die Entscheidung der Waffen erheischte. Für 200 000 Wallonen und eine bicoque wie die Luxemburger Festung werden wir einen großen Krieg nicht beginnen, solange Deutschlands Ehre nicht im Spiel ist. Die würden wir allerdings für gefährdet halten, wenn Frankreich ein nominell deutsches Land von einem Dritten käuflich erwürbe. Das aber hoffen wir ohne Krieg verhindern zu können. Gelingt es jetzt, diesen aufzuschieben, so ist die Dauer des Aufschubs schwer zu berechnen. Napoleon will den Krieg weniger als viele andere Franzosen, und doch ist er vielleicht der Befähigste, ihn zu führen. Eine Revolution, die ihn stürzt, kann den unmittelbaren Ausbruch des Krieges oder seinen Aufschub ad infinitum zur Folge haben. Chi lo sa?

Nur für die Ehre seines Landes – nicht zu verwechseln mit dem sogenannten Prestige –, nur für seine vitalsten Interessen darf ein Krieg begonnen werden. Kein Staatsmann hat das Recht, ihn zu beginnen, bloß weil er nach seinem subjektiven Ermessen ihn in gegebener Frist für unvermeidlich hält. Wären zu allen Zeiten die Minister des Äußeren ihren Souveränen bzw. deren Oberfeldherren in die Feldzüge gefolgt, wahrlich, die Geschichte würde weniger Kriege zu verzeichnen gehabt haben.

Ich habe auf dem Schlachtfelde und was noch weit schlimmer ist, in den Lazaretten die Blüte unserer Jugend dahinraffen sehen durch Wunden und Krankheit, ich sehe jetzt aus diesem Fenster gar manchen Krüppel auf der Wilhelmstraße gehen, der heraufsieht und bei sich denkt, wäre nicht der Mann daoben, und hätte er nicht den bösen Krieg gemacht, ich säße jetzt gesund bei »Muttern«. Ich würde mit diesen Erinnerungen und bei diesem Anblick keine ruhige Stunde haben, wenn ich mir vorzuwerfen hätte, den Krieg leichtsinnig oder aus Ehrgeiz oder auch aus eitler Ruhmessucht für die Nation gemacht zu haben.

Ja, ich habe den Krieg von 1866 gemacht in schwerer Erfüllung einer harten Pflicht, weil ohne ihn die preußische Geschichte stillgestanden hätte, weil ohne ihn die Nation politischer Versumpfung verfallen und bald die Beute habsüchtiger Nachbarn geworden wäre, und stünden wir wieder, wo wir damals standen, würde ich entschlossen wieder den Krieg machen. Niemals aber werde ich Seiner Majestät zu einem Kriege raten, welcher nicht durch die innersten Interessen des Vaterlandes geboten ist.«

H. von Poschinger, Fürst Bismarck und die Parlamentarier. Band III, 1895, S. 285.

Zwischen dem Auswärtigen Amt und dem Reichstag. – Gespräch mit dem französischen Botschafter Benedetti.

1. April 1867

Der folgende Bericht v. Keudells über die Unterredung Bismarcks mit dem französischen Botschafter gibt einen Teilabschnitt aus dem diplomatisch sehr verwickelten Luxemburger Handel Napoleons III., dem der König der Niederlande in seiner Eigenschaft als Großherzog von Luxemburg bereit war, dieses Ländchen gegen Entschädigung zu überlassen. Bismarcks Verhalten hatte in Paris den Anschein und den Glauben erweckt, man werde in Berlin die Dinge geschehen lassen. Als der Abschluß des Luxemburgischen Vertrages nahe bevorstand und kein Zweifel darüber war, daß der König der Niederlande ihn unterzeichnen werde, wenn Preußen ebenfalls damit einverstanden sei, erfolgte der von Keudell erzählte Gegenzug Bismarcks. Auf die Erklärung Bismarcks im Reichstag sah sich der Großherzog veranlaßt, vom Vertrage zurückzutreten und die napoleonische Politik mußte einen neuen Mißerfolg einstecken, den man Preußen auch nicht verzieh. Die Londoner Konferenz sicherte am 11. Mai den Frieden durch Beschlüsse über Neutralisierung Luxemburgs, Abzug der preußischen Besatzung und Schleifung der Festung. – Die Erzählung Keudells über Bismarcks Gespräch mit Benedetti hebt an mit der unmittelbar bevorstehenden Unterzeichnung des Kaufvertrages. (Vgl. dazu auch das Gespräch Bismarcks mit dem Herzog von Persigny vom 7. Juni 1867, S. 183 dieses Bandes.)

Inzwischen hatte Bismarck darauf Bedacht genommen, durch Beantwortung einer mit Bennigsen verabredeten Interpellation im Reichstage die aufgeregten Gemüter zu beruhigen. Das sollte am 1. April geschehen. In dem Augenblick, als er ausgehen wollte, erschien Benedetti, gratulierte zum Geburtstage und kündigte eine wichtige Mitteilung an. Bismarck erwiderte, er habe für neue Geschäfte jetzt keine Zeit, weil er im Reichstage eine Interpellation wegen Luxemburg beantworten müsse, und lud Benedetti ein, ihn dorthin zu begleiten. Sie gingen zusammen durch den Garten des Auswärtigen Amtes und um die Mauern der benachbarten Gärten herum nach dem Leipziger Platz, in dessen Nähe das damalige Reichstagsgebäude lag. Auf diesem kurzen Wege sagte Bismarck ungefähr folgendes:

»Bennigsens Interpellation lautet: Was ist der Regierung über die angebliche Abtretung Luxemburgs an Frankreich bekannt? Und ist sie fest entschlossen, auf jede Gefahr dieses deutsche Land bei Deutschland zu behalten? Ich denke zu antworten, der Regierung sei allerdings bekannt, daß solche Verhandlungen im Haag schweben. Der König der Niederlande habe über unsere Auffassung der Sache angefragt. Unsere Antwort habe dahin gelautet, zunächst wären wohl die anderen Großmächte zu befragen; auch müßten wir auf die öffentliche Meinung in Deutschland Rücksicht nehmen. Ob nun im Haag ein Vertrag abgeschlossen worden oder nicht, sei uns unbekannt. Ich sei deshalb zurzeit nicht in der Lage, auf die zweite Frage mit Ja oder Nein zu antworten, glaube aber, daß keine fremde Macht zweifellose Rechte deutscher Staaten beeinträchtigen werde. Auf diese Weise kann der Anlaß zu einem Bruch vermieden werden; wenn ich aber sagen müßte, ich wisse, daß ein Abtretungsvertrag geschlossen sei, dann wäre bei der hochgradigen Erregung der Gemüter im Reichstage eine Explosion zu erwarten, deren Folgen verhängnisvoll werden könnten.« Bei diesen Worten waren sie an der Türe des Reichstagsgebäudes angekommen. Auf Bismarcks Frage, »wollen Sie mir bei dieser Sachlage jetzt noch eine kurze Mitteilung machen«, antwortete Benedetti: »Nein«.

So erzählte der Minister den Hergang im Laufe des 1. April. Bennigsens kernige und schwungvolle Rede wurde von stürmischem Beifall des ganzen Hauses begleitet. Bismarcks Antwort hielt sich in dem oben angedeuteten Rahmen und, obwohl er durchblicken ließ, daß ein unanfechtbares Recht Preußens auf militärische Besetzung von Luxemburg nicht existiere, wurden seine Erklärungen doch beifällig begrüßt. Eine Besprechung der Interpellation fand nicht statt.

Im Haag machte nun ein Zeitungstelegramm über diese Reichstagssitzung den Eindruck, daß Preußen der Abtretung von Luxemburg keinesfalls zustimmen würde. Der König war froh, erklären zu können, daß er den Vertrag nicht genehmige, da die gestellte Bedingung nicht erfüllt sei.

R. v. Keudell, Fürst und Fürstin Bismarck. 1901, S. 356 ff.

Ein diplomatischer Sieg. – Gespräch mit dem Abgeordneten von Bennigsen in Berlin. 10. April 1867

Aus einem Briefe v. Bennigsens an seine Frau, »Berlin, 10. April 1867«, der immerhin den einen wichtigen Ausspruch Bismarcks und in den Schlußsätzen einen Reflex der Unterredung übermittelt.

Nachdem wir heute gegen halb zwei Uhr die Vorberatung des Verfassungsentwurfes beendigt hatten, habe ich mit den Herren von Forckenbeck und von Unruh zusammen eine dreistündige Konferenz mit dem Grafen Bismarck gehabt; um vor der Beratung der Regierungsbevollmächtigten, die heute abend beginnt, eine Verständigung über die endlichen Beschlüsse zur Verfassung zu versuchen. In der Hauptsache ist eine Verständigung über die Grundsätze mit Bismarck zustande gekommen, welche aber nicht in allen Punkten Deinen Beifall haben wird. Am Freitag abend soll noch eine Unterredung mit denselben Personen stattfinden ... Wir sind hier von der Überanstrengung, geistiger und körperlicher, mehr oder weniger kaputt und bedürfen einiger Erholung. In der letzten halben Stunde hat uns Bismarck noch eine Auseinandersetzung über seine auswärtige Politik gegeben, die höchst merkwürdig war, aber zu weitläufig zu schreiben. Übrigens sagte er ausdrücklich: »Nach menschlicher Voraussicht haben wir noch in diesem Jahr einen Krieg mit Frankreich.« Er hat die Franzosen in einer ganz fabelhaften Weise hinters Licht geführt. Napoleon, früher in den Augen der Welt sein eigentlicher Lehrmeister, ist wie der dümmste Junge von ihm genarrt. Die Diplomatie ist eins der verlogensten Geschäfte, aber wenn sie im deutschen Interesse in einer so großartigen Weise der Täuschung und Energie getrieben ist wie durch Bismarck, kann man ihr eine gewisse Bewunderung nicht versagen ...*

Rudolf von Bennigsen, ein deutscher liberaler Politiker. Nach seinen Briefen und hinterlassenen Papieren von H. Oncken. Band II, 1919, S. 61 (gekürzt).

* Auf dem Londoner Kongreß vom 11. Mai 1867 verzichtete dann Preußen auf sein Besatzungsrecht in der Hauptstadt des Großherzogtums, das, mit den Niederlanden auch künftig in Personalunion verbunden, im Kriegsfalle als neutrales Land von allen Mächten behandelt werden sollte. Die Festungswerke wurden geschleift, damit sie nicht etwa gegen Preußen gebraucht werden könnten.

Wiedersehen mit Reinhold von Thadden in Zimmerhausen und Vahnerow. 20. April 1867

Nach den Erinnerungen Thaddens (vgl. S. 11 dieses Bandes). Der Samstag vor Ostern 1867 war der 20. April. Bismarck war vom 18. bis 23. April in Pommern.

Bismarck habe ich erst am Samstag vor Ostern 1867 wiedergesehen. Er war mit Gemahlin und Herbert besuchsweise in Zimmerhausen und, nachdem er am Karfreitag dem altlutherischen Gottesdienste in Trieglaff beigewohnt, zu einem Abendbesuche mit den Seinigen in Vahnerow. Als ich in den Saal eingetreten war, erhob sich Bismarck von seinem Ruheplatz am Kamin und trat mir mit den Worten: Wir haben uns ja lange nicht gesehen, freundlich entgegen. Graf Bismarck war im Begriffe seine Dotation in Grundbesitz anzulegen, weshalb er mit Herrn von Blumenthal wegen Ankaufs der Herrschaft Varzin in Unterhandlung getreten war. Bismarck äußerte, daß er nicht begreife, was seinen ins Auge gefaßten Verkäufer zu solcher Eile nötigen könne, da nach seiner (Bismarcks) »Rechtskunde« Blumenthal doch nichts mehr zu befürchten habe. Die Unterhaltung wendete sich englischen Staats-, Gesellschafts- und Vermögensverhältnissen zu, wobei Bismarck vorbrachte, daß ein Pair mit 8000 Pfund Sterling Einkommen für so unbemittelt gegolten habe, daß ihm durch eine unter seinen Standesgenossen veranstaltete Sammlung hätte aufgeholfen werden müssen. Eine sehr anschauliche Beschreibung gab uns auch Bismarck von einer Göttinger Mensur. Ein angehender Arzt habe sich daran gewöhnen wollen, Blut sehen zu können, und hätte deshalb auch einem Bismarckschen Zweikampfe beigewohnt. Der abhärtungsbeflissene Schüler Aeskulaps habe sich anfangs dem grausigen Anblicke gegenüber sehr fest gezeigt, als aber Bismarck eine tüchtige Quart wegbekommen und mit der Zunge untersucht habe, ob die Wunde durchgekommen sei, wäre bei dem Anblicke seiner aus der Wange hervortretenden Zungenspitze der junge Medikus erblaßt und sofort in Ohnmacht gefallen.

Graf Bismarck unterließ es nicht, auch in den Albums meines Bruders zu blättern. Als er das Bild der Charlotte Corday betrachtete, meinte er, sie solle ja auch ganz hübsch gewesen sein und nur etwas starke Züge gehabt haben. (Marat umzubringen war allerdings ein ziemlich grober Zug der Heldin.) Mein Bruder Gerhard hatte den böhmischen Feldzug 1866 als Eskadronführer im 1. Garde-Dragonerregiment mitgemacht und ein darauf bezügliches Album zur Erinnerung an seine Waffentaten angelegt, welches aber nur zur Hälfte mit Bildern ausgestattet war.

Als Bismarck ans Ende der Sammlung, welche er durchgemustert hatte, gelangt war, äußerte er hocherfreut: »Da ist ja noch Platz für den nächsten Feldzug!« Als ich einwarf, »für den gegen Frankreich«, erwiderte Bismarck: »Den meine ich!«

Der Krieg war also schon damals deutlich in Sicht. Bei dem Anblicke des Bildes des Generals von Steinmetz kamen wir auch auf die Rede des Helden von Skalitz zu sprechen, worin er die alle Kosten erstattende Produktivität des Heeres hervorgehoben hatte, eine Anschauung, welche Bismarck mit einem sehr drastischen Ausdruck bespöttelte. – Von seiner wunderbaren Gedächtnisstärke lieferte Bismarck auch in Vahnerow Beweise. Ich erzählte ihm, daß ich ihm auf Batzwitzer Gebiet einen Gedenkstein mit passender Inschrift habe setzen wollen, wo er in seiner Kniephöfer Zeit den Zusammenstoß mit dem Fuhrwerke des Bauern Hermann Schnuchel gehabt hätte, der ihm und seinen zwei Gefährten nicht hätte ausweichen wollen, aber als Sieger unbeschädigt davongeeilt sei, während Bismarcks Wagen in Stücke gegangen wäre und ihn zu einem Ersatzholungsritte nach Vahnerow gezwungen hätte.

Bismarck bestätigte die richtige Darstellung des Vorganges, fügte aber hinzu, »das war gar nicht auf der Batzwitzer Strecke, das war auf der Vahnerower Feldmark, die sich da herüberzieht.« – Auf der Chaiselongue liegend, klagte Bismarck, daß er zu gut und viel in Zimmerhausen gespeist habe und fühle, daß er »gesündigt« hätte. Seine Besinnung hatte von der Mahlzeit aber nicht gelitten, denn als er von einem Unwetter sprach, welches »von Gruchow nach Batzwitz« gezogen sei, gab er von seiner Lagerstätte aus die Richtung der Wolkenbewegung vollkommen zutreffend an. Eine Fahrt durch eine von Überschwemmung bedrohte Gegend beschrieb Bismarck mit kartographischer Genauigkeit. Ebenso einen Ritt von Arnshagen nach Plathe, wo er in einem Forst das Unglück gehabt hatte, vom Pferde gegen einen Stein zu stürzen. Moritz fügte hinzu: »Ach ja, der Stein hat davon eine Berfte bekommen!«, was Bismarck sehr belustigte.

Als Bismarck zum Aufbruche rüstete, forderte er die Döberitzer Frau von Bülow wiederholt neckisch auf, ihn am ersten Ostertage nach Varzin zu begleiten, was dieselbe aber standhaft und beharrlich abwies. Bismarck vermißte seinen schwarzen

Klapphut; ich suchte, fand ihn und konnte der Versuchung nicht widerstehen, ihn heimlich aufzuprobieren, wobei ich zu meiner freudigen Genugtuung entdeckte, daß die Kopfbedeckung des staatsklugen Denkers für meinen Schädel zu groß war.

Marcks-v. Müller-v. Brauer, Erinnerungen an Bismarck, 1915, S. 139 ff.

Zwischen den Geschäften. – Gespräch mit dem vortragenden Rat von Keudell. 24. April 1867

Der Schluß des von Keudell berichteten Gespräches knüpft an den oben, S. 178 berührten Handel an.

In den Tagen vom 18.–24. April war Bismarck von Berlin abwesend wegen Besichtigung der in Hinterpommern gelegenen Herrschaft Varzin, durch deren Ankauf er bald darauf das ihm vom Landtage zuerkannte Dotationskapital angelegt hat. Am Tage seiner Rückkehr fuhr ich ihm entgegen bis zu der ungefähr eine Eisenbahnstunde von Berlin entfernten Station Angermünde, um ihm über die neuesten Eingänge Vortrag zu halten. Als ich in seinen Wagen stieg, war er vertieft in Erinnerungen an das Städtchen Angermünde und dessen Umgegend. »Hier«, sagte er, »war vor vielen Jahren mein Schwager Arnim Landrat, noch als Junggeselle. Wir hatten zusammen Reisen fuhr ich mehrmals mit ihm über die Oder nach seinem schönen gemacht und waren sehr gute Freunde. Von Angermünde aus Wiesen- und Waldgute Raduhn, das er später an Neumann* verkaufte, weil es von Kröchlendorf zu entfernt lag. Als er mich einmal auf dem Lande besuchte, lernte er meine Schwester kennen ... Er heiratete bald darauf und führte sie zunächst nach Angermünde. Ich fühlte mich tief unglücklich, als meine heißgeliebte Schwester mir entrissen wurde, obgleich Arnim doch mein bester Freund war und obgleich ich diese Heirat als ein großes Glück für beide Teile anerkennen mußte. Die Unvollkommenheiten der menschlichen Dinge, die engen Schranken alles menschlichen Glücks, kamen mir da zum erstenmal recht lebhaft ins Bewußtsein.« Nach einer Pause berichtete ich über die auffallenden französischen Rüstungen und erwähnte die –

* von Neumann, Besitzer der Rittergüter Hanseberg und Raduhn im Kreise Königsberg-Neumark.

ihm natürlich bereits bekannten – Ansichten Moltkes, daß wir mit dem Zündnadelgewehr den französischen Vorderladern weit überlegen sein würden, daß Fortdauer unserer Besatzung von Luxemburg wünschenswert und daher Aufnahme der französischen Herausforderungen zu empfehlen sei. Der Minister unterbrach mich nicht und sagte dann kühl: »Nein. Luxemburg ist nicht mehr Bundesfestung, unser Besatzungsrecht daher anfechtbar. Wenn die Großmächte uns von der Garnisonspflicht entbinden und das Ländchen neutralisieren, kommen wir ohne Schaden an der Ehre aus der Sache heraus. Man darf nicht Krieg führen, wenn es mit Ehren zu vermeiden ist; die Chance günstigen Erfolges ist keine gerechte Ursache, einen großen Krieg anzufangen.«

R. v. Keudell, Fürst und Fürstin Bismarck. 1901, S. 359 ff.

VON KEUDELL ERINNERT SEINEN CHEF AN EINEN AUSSPRUCH IN BERLIN. 29. MAI 1867

Bericht v. Keudells anläßlich der Umgestaltung des Zollvereins, die zur Errichtung eines Zollbundesrates und Zollparlaments führte. Am 8. Juli 1867 wurden die neuen Zollvereinsverträge von den Bevollmächtigten der süddeutschen Staaten unterzeichnet, die am 28. Mai zu Verhandlungen mit Preußen eingeladen worden waren.

Nach Lösung der Luxemburger Verwicklung faßte Bismarck eine Neugestaltung des Zollvereins ins Auge. Die Zollverträge wurden gekündigt und Bevollmächtigte aller beteiligten Staaten, auch Luxemburgs, zu Beratungen über neue Verträge auf den 3. Juni nach Berlin eingeladen. Am 29. Mai ließ der Minister mich rufen und sagte:* »Dem Bundeskanzler sind durch die Verfassung mannigfaltige Geschäfte der Bundesverwaltung zugewiesen, welche bald eine solche Ausdehnung erhalten werden, daß sie von den Arbeitskräften des Auswärtigen Amtes nicht bewältigt werden können. Es muß eine eigene Behörde dafür geschaffen werden, ein Bundeskanzleramt. Der Leiter dieser Behörde muß natürlich meinen Instruktionen folgen; er kann daher keine Ministerstellung erhalten und mag vielleicht Präsident genannt werden. Suchen Sie mir nun für diesen Posten

* Am 14. Juli unterzeichnete der König in Ems die Ernennung des Ministerpräsidenten zum Bundeskanzler.

einen Mann – womöglich von bürgerlicher Herkunft –, der in Zoll- und Handelssachen vorzugsweise erfahren ist.« Ohne Zögern erwiderte ich: »Der Mann scheint mir gegeben: Delbrück. Mit ihm könnte in diesen Fächern schwerlich ein anderer konkurrieren.« »Richtig«, bemerkte der Minister, »ich werde an ihn denken.« An demselben Tage wurde in der Kanzlei ein Versehen begangen, welches dem Minister einen heftigen, gesundheitsgefährlichen Ärger zuzog. Ich erlaubte mir, daran zu erinnern, daß er im Oktober 1865 im Hofgasteiner Tal gesagt hätte, wenn er einen preußischen Oberpräsidenten in Kiel erlebte, würde er sich nie mehr über den Dienst ärgern.* »Das war allerdings eine sehr leichtsinnige Äußerung«, sagte er. »Übrigens ist es für das ganze Räderwerk nützlich, wenn ich mich mitunter ärgere; das gibt stärkeren Dampf in die Maschine.«

R. v. Keudell, Fürst und Fürstin Bismarck. 1901, S. 363 ff.

Niemals werde ich zum Kriege herausfordern. – Gespräch mit dem Obersten Freiherrn von Loë in Berlin.

4. Juni 1867

Oberst von Loë, von 1863 bis 1867 als Militärattaché zur preußischen Gesandtschaft in Paris kommandiert, meldete sich am 4. Juni 1867 bei König Wilhelm als neuernannter Kommandeur des Bonner Königshusarenregiments Nr. 7. In seinen Berichten aus Paris hatte Loë noch während des Luxemburger Zwischenfalles betont, daß die französische Armee trotz ihrer fieberhaften Vorbereitungen nicht imstande sei, gegen Preußen Krieg zu führen. – Nach den 1905 erschienenen Erinnerungen des Feldmarschalls von Loë.

Als ich mich am 4. Juni beim König, einen Tag vor dessen Abreise zur Ausstellung nach Paris, meldete, traf ich den Grafen Bismarck im Vorzimmer.**

* Vgl. das Gespräch S. 105 dieses Bandes.

** Am Vortage äußerte sich Bismarck gegenüber dem hessischen Minister Freiherrn von Dalwigk über die Gefahren der Reise (vgl. BGI, Gespräch Nr. 167) »Im Augenblick des Weggehens sprach mir Graf Bismarck von der Pariser Reise, die er morgen nachmittag drei Uhr mit dem Könige antrete. Es sei wohl möglich, daß er in Paris in Mörderhände falle. Die preußische Polizei habe Spuren, daß eine ganze Bande, teilweise aus Amerika herübergekommener Deutscher, dort mit Kugeln und Orsinibomben auf ihn lauere.«

»Herr Oberst«, sagte der Minister, »ich gratuliere Ihnen zur Übernahme Ihres schönen Regiments. Ich habe Ihre Pariser Berichte mit großer Aufmerksamkeit gelesen.«

Als ich mich stumm verbeugte, fuhr Graf Bismarck fort: »Ich weiß schon, was Sie sagen wollen. Sie denken, der Ministerpräsident ist 1866 nicht kriegsscheu gewesen; warum war er es denn jetzt, wo er den Sieg sicher hatte? Das ist richtig. Kriegsscheu bin ich nie, wenn ich die Notwendigkeit für mein Vaterland erkenne, Krieg zu führen. Diese Notwendigkeit lag 1866 vor. Eine andere Möglichkeit, die jahrhundertealten Konflikte mit Österreich zu lösen, gab es nicht. Nachdem dies aber geschehen, wurde der Frieden ein ebenso unbedingtes Erfordernis. Denn ich kann nicht, nur weil Frankreich schwach ist, zu einem Kriege raten. Niemals werde ich zum Kriege herausfordern, weil wir die Stärkeren sind und um die Gelegenheit zu benutzen, einen späteren Krieg vielleicht zu vermeiden. Ich trage dem Könige, dem Vaterlande und Gott gegenüber die Verantwortung für die schweren Opfer, die jeder Krieg dem Lande auferlegt.«

Generalfeldmarschall Freiherr von Loë, Erinnerungen aus meinem Berufsleben. Deutsche Revue, Band 30², 1905, S. 266.

Über die Spielregeln der Diplomatie. – Gespräch mit dem Herzog von Persigny in Paris. 7. Juni 1867

Bei dem Diner, das Napoleon III. zu Ehren König Wilhelms gab, begegnete Bismarck unter den Gästen sein alter Bekannter, der Herzog von Persigny, der seit 1863 nicht mehr im Ministeramt war. Nach Tisch ging Bismarck lachend auf ihn zu und fragte ihn, indem er auf seine Unterredung im Jahre 1862 anspielte (vgl. S. 65 dieses Bandes) lachend: »Nun, habe ich Ihre Lehren gut befolgt?« »Ja«, erwiderte Persigny, »aber ich muß anerkennen, daß der Schüler den Lehrer weit übertroffen hat.« Über das folgende Gespräch, von dem wir nur den Anfang aufgenommen haben, vgl. BGI, Vorbemerkung zu Gespräch 169, S. 199 und S. 201 ff.

Als Herr von Bismarck mir am Tage, an dem der König von Preußen in Paris ankam, in den Tuilerien begegnete und mich fragte, ob er meine Lehren gut befolgt habe, hatte er mir seinen Besuch angekündigt. In der Tat erschien er, zwei Tage später, in meinem Haus in der Rue d'Elysée, und wir hatten da eine lange Unterredung. Bismarck begann das Gespräch mit der Luxemburger Frage, die dank der guten Dienste der Großmächte und besonders Englands zwischen Frankreich und Preußen geordnet worden war. Mit dem eigenartigen Gemisch von Offenheit und Verschlagenheit, das mir als hervorstechender Charakterzug von ihm in Erinnerung geblieben war, sagte er mir zuerst, er sei vom Verhalten der französischen Regierung sehr überrascht gewesen; er habe erwartet, es mit Staatsmännern zu tun zu haben, und habe dementsprechend gehandelt, er habe sich aber über die Maßen getäuscht, denn in Wirklichkeit habe er sich dem Grafen Benedetti gegenüber in der Lage eines Fechtmeisters befunden, der in dem Glauben, es mit einem ernstlichen Partner zu tun zu haben, sich durch einen Ungeschickten hat den Degen in den Leib rennen lassen.

Als ich Einspruch gegen diese Ausdrucksweise erhob, die entgegen jeder Wahrheit Bismarck zum Besiegten und die französische Regierung zum Sieger machen wolle, legte er seine Ansicht hierüber mit einer Klarheit dar, die jene recht überrascht hätte, die er als ungeschickt ausgab.

Er hätte, so führte er aus, keineswegs die Absicht, sich als Besiegten hinzustellen, sondern nur als Opfer der Ungeschicklichkeit eines Vertreters unserer Regierung; denn wenn wir von dem Ausgang dieser verwünschten Luxemburger Angelegenheit unangenehm berührt seien, so sei er es noch viel mehr. Wenn wir die Abtretung dieser kleinen Provinz nicht erreicht, so hätten wir wenig Grund, darüber zu klagen, während er im Gegenteil dabei vielleicht die einzige Gelegenheit verloren hätte, das Werk von Königgrätz zu festigen, dadurch, daß er durch diese territoriale Entschädigung die wirklichen oder eingebildeten Beschwerden (griefs) Frankreichs befriedigte. Da es ihm nicht verborgen blieb, daß die preußischen Erfolge hätten Frankreichs Empfindlichkeit verletzen und seine Eifersucht erregen müssen, da er gleicherweise wußte, wie schwer die französische Regierung es ertrug, daß ihr in diesen Ereignissen keine Rolle zufiel, sei er, Herr von Bismarck, beim ersten Wort, das er über das Verlangen Frankreichs nach Luxemburg vernahm, entzückt gewesen, diese Gelegenheit zu bekommen, der französischen Regierung sich gefällig zu erweisen und Balsam in die Wunden ihrer Eigenliebe zu gießen. Er war also vollkommen aufrichtig, wenn er Benedetti seinen Wunsch aussprach, die Absicht des Kaisers zu begünstigen. Die größte Probe seiner Ehrlichkeit aber, bemerkte er weiter, war, daß er im selben Augenblick, wo er diese Eröffnung so warm aufnahm, unseren Gesandten nicht im unklaren ließ über die Schwierigkeiten, die die öffentliche Meinung in Deutschland der Verwirklichung entgegensetzen konnte.

Er habe erkannt, daß tatsächlich, sowohl durch das Ereignis von Sadowa, welches den deutschen Bund von 1815 aufgehoben, als auch durch die Weigerung des Königs von Holland, dem neuen Bund beizutreten, die Festung Luxemburg nicht mehr Bundesfestung sei; er könne daher sehr leicht die Zurückziehung der preußischen Truppen aus der Festung und ihre Ersetzung durch holländische Streitkräfte rechtfertigen; die letzteren könnten dann den Platz an Frankreich ohne jede deutsche Einmischung abtreten. Er habe indessen als absolute Bedingung des Erfolges vollständige Verschwiegenheit anempfohlen, denn wenn die Verhandlungen in Deutschland vor der Zurückziehung der preußischen Truppen bekannt würden, so würde es ihm oder jedem anderen Minister unmöglich sein, dem Strome der öffentlichen Meinung Widerstand zu leisten. Im Interesse seiner eigenen Popularität würde er, worauf er die französische Regierung aufmerksam mache, sich vielleicht genötigt sehen, bei der Nachricht von der Abtretung Luxemburgs öffentlich über den König von Holland Klage zu führen und der Form halber gegen den Verkauf an Frankreich zu protestieren. Schließlich habe er um einige Frist gebeten, um den König auf die Verhandlung vorzubereiten oder vielmehr, wie er nun offen gestand, sich über die Aufrichtigkeit der Ansichten der französischen Regierung über diesen Gegenstand zu vergewissern.

Was hätte unter solchen Umständen, bemerkte Herr von Bismarck weiter, ein ernsthafter diplomatischer Agent, der mehr auf den Erfolg als auf den vorübergehenden Triumph seiner Eitelkeit sieht, tun müssen? Er hätte einfach seiner Regierung sagen müssen, daß der preußische Minister die ihm in bezug auf Luxemburg gemachte Eröffnung mit Wärme aufgenommen, weil er in dieser dem Kaiser gewährten Genugtuung eine Art Entschädigung Frankreichs für die Vergrößerung Preußens erblickte; er hätte die Schwierigkeiten, welche die öffentliche Meinung in Deutschland dem Wunsche des preußischen Ministers bereiten könnte, klar darlegen und dabei die Lage des letzteren schonend berücksichtigen sollen, endlich seiner Regierung zu verstehen geben müssen, daß es das schnellste und sicherste Mittel zur Erreichung einer günstigen Lösung sei, die preußische Regierung von dem aufrichtigen Bestreben des Kaisers nach

Herstellung guter Harmonie zwischen den beiden Mächten zu überzeugen.

»Aber«, sagte Herr von Bismarck, »Benedetti gehört jener politischen Schule an, welche die Intrige mit der Geschicklichkeit verwechselt. Seit langer Zeit gewohnt, gegenüber orientalischen Paschas allerhand Listen anzuwenden, bildete er sich ein, er könne mir die Festung Luxemburg entreißen, ohne Verpflichtung irgendwelcher Art. Um seiner Eitelkeit zu frönen und zu erreichen, daß der Erfolg allein seiner Geschicklichkeit zugeschrieben werde, legte er seiner Regierung weder den wahren Grund der Zustimmung Preußens, noch die Schwierigkeiten der Ausführung, noch endlich die Wichtigkeit der notwendigen Verschwiegenheit genügend dar. Indem er mein Zugeständnis, daß bei der neuen Lage der Dinge die Festung Luxemburg nicht mehr als Bundesfestung betrachtet werden könnte, aufgriff, machte er daraus den Hauptpunkt der ganzen Sache. In seiner orientalischen Moral glaubte er sich von jeder Reserve, von jeder Rücksicht gegen den Minister, der das Schwergewicht der Handlung zu tragen hatte, schon deshalb befreit, weil dieser Minister in gutem Glauben und freimütig eingeräumt hatte, daß das Recht des Inhabers auf Zurückhaltung der in seinen Händen befindlichen Sache durch die Ereignisse modifiziert worden sei. Wahrscheinlich ermangelte er auch nicht, seiner Regierung das von mir gemachte Zugeständnis so hinzustellen, als habe er es meinen Lippen mit Hilfe der Schlingen entrissen, die er meiner Einfalt gelegt hatte. Das Ergebnis war, daß trotz meines Entgegenkommens für die Absichten des Kaisers auf Luxemburg die Haltung der französischen Regierung uns gegenüber nicht nur ebenso steif, ebensowenig freundschaftlich wie vorher blieb, sondern daß auch die Herren Rouher und Lavalette glaubten, sie könnten durch die öffentliche Bekanntgabe der Verhandlungen, wie es geschah, als Herr Thiers das Wort über die deutschen Angelegenheiten im Parlament ergriff, die Räumung der Festung durch die preußischen Truppen trotz der darob in ganz Deutschland ausbrechenden Erregung erzwingen.«

»Was konnten wir«, fuhr Herr von Bismarck fort, »unter solchen Umständen tun? Wenn unser Rückzug aus Luxemburg von der französischen Regierung nur als eine Handlung auf Grund strikten Rechts angesehen wurde, wenn sie aufhörte, ein freundliches Zugeständnis von unserer Seite und ein moralisches Unterpfand der Aussöhnung zwischen beiden Mächten zu sein, wenn Frankreich endlich im Besitz der Festung bei demselben

Mißtrauen, bei der nämlichen Eifersucht wie bisher verbleiben wollte, so wäre es ein Verrat an den Interessen Preußens gewesen, Ihnen die Waffen zu seiner Bekämpfung zu liefern. Wir sind deshalb gezwungen gewesen, Widerstand zu leisten. Wir waren bereit, zu handeln, und Sie waren es nicht, und wenn wir unfehlbar Krieg mit Ihnen haben sollten, so lag es in unserem Interesse, ihn zu führen, wenn die Chancen zu unseren Gunsten waren.«

»Ich habe«, fügte er hinzu, »das Scheitern dieser Verhandlung bitter bedauert. Es war für Preußen ein außerordentlicher Vorteil, ein unverhofftes Glück, Frankreich nach der Wendung, die die Ereignisse genommen, eine Gelegenheit zur Genugtuung und zur Beschwichtigung seiner Empfindlichkeiten zu geben. Denn es hieß Gefahren für uns ausschalten, deren Schwere ich mir nicht verhehlte. Die Torheit, die Selbstgefälligkeit des Herrn Benedetti und die Unvorsichtigkeit der französischen Minister haben alles mißglücken lassen. Um uns zur Auslieferung Luxemburgs an Frankreich zu bestimmen, mußten wir Vertrauen haben können und die Überzeugung, daß die kaiserliche Regierung uns dafür Dank wisse. Aber nicht allein, daß man alles tat, uns dieses Vertrauen zu nehmen, hat man auch durch vorzeitigen Triumph über einen diplomatischen Sieg, der zunächst nur eine Hoffnung war, uns sogar die Mittel genommen, sie zu verwirklichen.«

Mémoires du Duc de Persigny. Herausgegeben von M. H. de Laive, Comte d'Espagny. 1896, S. 369 ff.

In Varzin. – Gespräche mit dem Justizrat von Wilmowski. Sommer 1867

Der Justizrat Wilmowski, eine im Schlawer Kreis sehr angesehene Persönlichkeit, hatte seit dem Jahre 1867 als juristischer Ratgeber Bismarcks, der ihn nach dem Erwerb von Varzin zu seinem Generalbevollmächtigten ernannte, häufig Gelegenheit, ihn zu sprechen, wobei keineswegs nur geschäftliche und juristische Angelegenheiten zur Erörterung kamen. Aus Notizen, die Wilmowski über einzelne Unterredungen mit Bismarck machte, gingen wesentliche Teile seiner Schrift »Meine Erinnerungen an Bismarck« hervor, die 1900 aus dem Nachlaß herausgegeben wurde. Die Notizen schlossen mit Ende 1869 ab; um diese Zeit verließ nämlich Wilmowski die Nähe von Varzin, das seit 23. April 1867 im Besitze Bismarcks war, und siedelte nach Breslau über. Die persönlichen Begegnungen mit

Bismarck wurden daraufhin seltener, ohne daß die Verbindung ganz abriß. Die Datierung der Gespräche ist leider selten scharf und die Wiedergabe oft nur in eine lockere Fassung gebracht; im einzelnen aber zeugen sie von Unmittelbarkeit des Ausdrucks und Echtheit des Inhalts.
Die eine der folgenden Äußerungen Bismarcks fällt nicht in den Sommer 1867, sondern in den Mai 1869.
Nach Wilmowskis Erinnerungen.

In seiner Offenherzigkeit machte Bismarck keinen Hehl daraus, daß er zur Königin nicht in demselben Verhältnis stehe wie zum Könige und daß er sich gern von ihr zurückziehe. »Meine geselligen Verbindungen«, sagte er einmal, »sind sehr mäßig; ich behalte in Berlin nicht Zeit dazu; außer Diners, zu denen ich mir für mich doch Zeit nehmen muß, gebe ich keine Gesellschaften und besuche auch die meiner Frau nur auf halbe Stunden. Der König ist auch damit einverstanden, daß ich selbst in seinen Gesellschaften nicht erscheine, wenn ich nicht Zeit habe, falls nicht ein besonderer Grund vorliegt; und der König hat mich auch ein für allemal bei der Königin für ihre Gesellschaften entschuldigt, die mir anfangs sehr übelnahm, daß ich ihre Gesellschaften nicht aufsuchte.« Im Sommer 1867 äußerte er zu einer anderen Zeit: »die Königin will die Politik immer mit Milde anfassen und durch Ausgleichung und persönliche Beeinflussung versöhnen; das ist Frauenpolitik und damit wird nichts gefördert. In Hannover sind unsere Opponenten der Hofadel und die Katholiken und was davon abhängt, das ist aber persönlichem Entgegenkommen durchaus unzugänglich. Die Königin ist glücklich, wenn sie einen katholischen Kammerherrn bekommen kann; der wird uns aber weder die Katholiken noch den Adel gewinnen helfen und noch weniger sie unschädlich machen.»

Es gilt als öffentliches Geheimnis und mag richtig sein, daß die Königin es liebte, in der Politik mit zu Rate gezogen zu werden, und daß Bismarck es positiv ablehnte, seine Politik auch mit ihr zu beraten ...

Auch über sein Verhältnis zum Kronprinzen sprach sich Bismarck mit unumwundener Offenheit aus. Im Anschluß an seine oben erwähnte Äußerung, daß er nicht länger im Amte bleiben würde, als der König lebe, bemerkte er: »Der politische Grundgedanke des Kronprinzen ist nicht der meinige; es ist bekannt, daß der hohe Herr immer mit der Majorität regieren will. Das ist meines Bedünkens bei uns nicht immer richtig, und es setzt eine Nachgiebigkeit des Charakters und der Überzeugung voraus, deren ich mich nicht fähig halte.« – Im Mai 1869 bei Besprechung des Steuerbewilligungsrechts des preußischen Landtags, welcher die damaligen Steuervorlagen der Minister ablehnte, sagte er: »die Nationalliberalen wollen aus der Steuerfrage eine Machtfrage gegen die Krone machen und deshalb die Steuereinnahme kontingentieren und nur zeitweise bewilligen; darauf geht der König niemals ein; der Kronprinz freilich wird sich das später alles gefallen lassen!« – Der persönlichen Liebenswürdigkeit des Kronprinzen ließ er volle Gerechtigkeit widerfahren. Im Sommer 1867, nachdem Bismarck die Varziner Güter eben übernommen hatte und hinsichtlich seiner häuslichen Wirtschaft in Varzin noch nicht eingerichtet war, kam der Kronprinz durch Schlawe, während Bismarck in Varzin war. Es war hier davon die Rede, ob der Kronprinz ihn in Varzin besuchen würde und Bismarck meinte: »Einladen kann ich ihn unter den jetzigen Umständen unmöglich; aber wenn er mich hier überfallen wollte, wie er es im Feldlager auch schon getan hat, so würde er natürlich herzlich willkommen sein; er würde es freilich auch ebenso finden wie im Feldlager, aber er ist auch eine Persönlichkeit, die das beneidenswerte Glück hat, wenn auch nur den bescheidensten Ansprüchen genügt wird, in behaglichster deutscher Weise nicht nur vergnügt zu scheinen, sondern es wirklich zu sein.«

*

Im Sommer 1867 sagte Bismarck schon auf eine gemeinplätzige Bemerkung, daß Napoleon, so schlau er auch gehalten werde, sich doch schon öfter verrechnet habe, in etwas wegwerfendem Tone: »Er hat ja in sechs Jahren nichts als Fehler gemacht; die abenteuerlichen Unternehmungen in Amerika, einem Lande, wo Frankreich noch nie Glück gehabt hat, und auch gar nichts zu suchen und zu wünschen hat, und die Halbheiten für und gegen Italien und ebenso für den Papst! Das ist gerade, wie wenn man jemanden mit raffinierter Berechnung nur halbsatt machen wollte, damit er das Gefühl der Befriedigung jedenfalls nicht bekommt und immer noch was zu wünschen übrig hat.« ... Weniger durch die Haltung Frankreichs als durch die Stimmung Süddeutschlands nach dem Kriege von 1866 bewogen, hatte Bismarck in der nächsten Zeit nach Abschluß der Friedens- und Allianzverträge keine besonderen Bestrebungen gemacht, um eine noch straffere Einigung von Süd- und Norddeutschland hervorzurufen. »Die Bayern und Schwaben«, meinte er damals wiederholt, »müssen von selber kommen.«

*

Ob Bismarcks persönliche religiöse Überzeugung später ganz dieselbe geblieben ist wie 1847, muß ich dahingestellt sein lassen. Jedenfalls aber faßte er in größerer Toleranz und in vollständigerer Erkenntnis des Verhältnisses von Staat und Kirche in der Zeit seiner maßgebenden politischen Stellung es nicht als seine Aufgabe auf, um das orthodoxe Christentum zu verwirklichen, der freieren Entwicklung des Christentums entgegenzutreten und die Juden von der Wählbarkeit zu legislatorischen Versammlungen oder von der Bekleidung obrigkeitlicher Ämter auszuschließen. »Es ist Gewissenszwang«, sagte er, »wenn man von allen verlangen will, daß sie sich ihren Glauben nach derselben Schablone zurechtlegen sollen. Man muß dergleichen nicht äußerlich und zwingend beherrschen wollen, was man doch in der Tat nicht beherrschen kann.« »Geheimrat Mathis (Präsident des Oberkirchenrats) hat wiederholt seinen Schematismus auch in Hannover einführen wollen; ich habe ihn zweimal abweisen müssen.« »So gut wie wir gegen andere tolerant sein müssen, so müssen wir auch die Toleranz von andern erwarten; wenn eine Sekte, wie die Ultramontanen, sich mit den Staatszwecken nicht vertragen kann und diese selbst angreift, kann der Staat sie auch nicht dulden.«

Auf eine gelegentliche Frage, ob ich katholisch sei, wie mein Name schließen lasse, antwortete ich: unsere Familie ist schon seit Jahrhunderten protestantisch und sei eben deshalb laut unserer Familientradition schon seit der Schlacht am weißen Berge (1620) aus dem österreichischen Schlesien, dem sie früher angehört, vertrieben und fortgezogen. Er äußerte: »Die Protestanten sind unter den Konfessionen so weitherzig und tolerant, wie die Deutschen als Kosmopoliten unter den Nationen; es wäre sehr ersprießlich, wenn wir etwas härter wären, ja, wenn wir so hart wären, wie die Österreicher bei ihrer Reaktion gegen den Protestantismus gewesen sind, so ständen wir in Hannover auch anders!«

G. v. Wilmowski, Meine Erinnerungen an Bismarck. Aus dem Nachlaß herausgegeben von M. v. Milmowski. 1900, S. 158 (gekürzt); S. 187 ff.; S. 833 (gekürzt).

Wahlsysteme. – Geheimräte und die Nase des Freiherrn vom Stein. – Gespräche mit dem Regierungspräsidenten von Diest in Ems und Nassau. August 1867

Vom 4. bis 10. August weilte Bismarck in Ems, wo er dem König, der sich zur Kur hier aufhielt, mehrfach Vortrag zu halten hatte. In dieser Zeit muß auch die Begegnung mit v. Diest stattgefunden haben, der über sie in seinen Lebenserinnerungen berichtet.

Graf Bismarck weilte im Sommer 1867 ebenfalls in Ems, nachdem er einige Monate vorher das System der geheimen und direkten Wahlen für den Norddeutschen Reichstag publiziert hatte. Ich konnte nicht anders, als dieses Wahlsystem für das verderblichste zu halten, das unserem Volke geboten werden könnte, und diese meine Ansicht äußerte ich, als ich mit Bismarck in den Bergen bei Ems einen längeren Spaziergang machte. Bismarck erklärte mir, daß dieses Wahlsystem lediglich ein Schachzug gegen Österreich sei, etwas Liberaleres könne Österreich als Paroli dem gegenüber nicht bieten. Er, Bismarck, müsse alle Parteien Deutschlands auf seine Seite bringen. Als ich ihm erklärte, daß kein Volk, selbst das kleine Athen nicht, ein solches Wahlsystem habe ertragen können, und daß er darum mit einem Perikles große Ähnlichkeit habe, nach dessen Tode ein Gerbermeister Kleon Beherrscher von Athen geworden sei, da blieb Bismarck stehen und rief mir erregt zu: »Was wollen Sie von mir? Wollen Sie mich überhaupt noch der konservativen Partei erhalten? Bin aber nicht ich und die Konservativen völlig verloren, wenn der Kronprinz zur Regierung kommt? Sobald der alte Herr die Augen zumacht, bekomme ich vom Kronprinzen einen Tritt; den Tritt kann er mir aber nicht geben, wenn ich der Majorität in den Volksvertretungen sicher bin, diese Majorität aber wiederum erlange ich jetzt nur durch ein solches Wahlsystem! In der Theorie stimme ich Ihren Gegengründen vollständig bei, und wenn das Wahlsystem in einigen Jahren nicht mehr nötig sein wird, oder wenn es mir nicht mehr gefällt, so nehme ich es wieder zurück!« Ich konnte nicht anders, als darauf ihm die Worte entgegenzuwerfen: »Die ich rief, die Geister, werd' ich nicht mehr los! Später werden Sie sich gerade so vorkommen, wie jener Zauberlehrling.» Und so ist es denn tatsächlich auch nachher gekommen!

Bei dem damaligen langen Gespräch mit Bismarck vertrat ich die Meinung, welcher Schiller in seinem »Demetrius« dichterischen Ausdruck gibt. Ja, ich zitierte Bismarck gegenüber die Worte Schillers:

»Was ist die Mehrheit? Mehrheit ist der Unsinn:
Verstand ist stets bei wenigen nur gewesen.
Bekümmert sich ums Ganze, wer nichts hat?
Hat der Bettler eine Freiheit, eine Wahl?
Er muß dem Mächtigen, der ihn bezahlt,
Um Brot und Stiefel seine Stimm' verkaufen.
Man soll die Stimmen wägen und nicht zählen;
Der Staat muß untergeh'n früh oder spät,
Wo Mehrheit siegt und Unverstand entscheidet.«

... Die beste Volksvertretung, so führte ich Bismarck gegenüber aus, würde es gewesen sein, wenn man statt der ganz willkürlichen indirekten Wahl nach drei Klassen für das preußische Abgeordnetenhaus ein organisch aufgebautes Parlament bewilligt hätte, d. h. so, daß aus den Kreistagen die Mitglieder des Provinzial-Landtages, aus den letzteren die Mitglieder des allgemeinen Landtages erwählt worden wären ... Der Reichstag hätte dann aus den Mitgliedern zusammengesetzt werden können, welche in den einzelnen Ländern Deutschlands von den betreffenden Landtagen gewählt wurden. Bismarck reichte mir am Schlusse unseres Spazierganges die Hand unter Wiederholung der Worte, daß er das System der direkten Urwahlen wieder ändern werde, falls der richtige Zeitpunkt dazu gekommen sein würde.*

*

Auf einer Fahrt nach Nassau, zu der Bismarck mich in Ems einlud, entwickelte er die fröhlichste Laune und den köstlichsten Witz. So erzählte er mir zum Beispiel seine Erlebnisse als Re-

* »Nach dem Kriege 1870/71«, so fährt Diest fort, »hatte ich noch einmal über diese wichtige Frage ein Gespräch mit Bismarck. Ich war Mitglied des Reichstags und konnte Bismarck die Mitteilung bringen, daß die konservativen Mitglieder des Reichstags für eine Änderung des verderblichen Wahlsystems gestimmt seien, und daß wohl eine Aussicht vorhanden sei, die erforderliche Majorität zu erlangen: denn Bismarcks Macht sei so groß und des Kaisers Macht stehe hinter ihm, so daß eine Zurücknahme des Wahlgesetzes unter Übereinstimmung aller verbündeten Regierungen Deutschlands möglich erscheine. Ich erinnerte Bismarck an unser Gespräch zu Ems im Jahre 1867 und an die mir damals von ihm eröffnete Hoffnung, wonach jetzt oder nie der richtige Moment gekommen sei, um Deutschlands Zukunft zu sichern. – Bismarck wollte aber nicht.«

gierungsreferendar bei den Königlichen Regierungen zu Potsdam und Aachen. Die ganze Lauge seines Spottes goß er über die alten Bürokraten aus, die an den grünen Tischen die Welt zu regieren meinten, und schlecht kamen namentlich auch die früheren Regierungspräsidenten fort. Ein gewisser Ingrimm darüber, daß er es in seiner Jugendzeit nicht so weit gebracht hatte, das große Examen als Regierungsassessor zu machen, leuchtete durch allen seinen Spott sichtlich hindurch, denn er hatte einen gewaltigen Haß gegen alles, was die Examina bestanden und dadurch nach seiner Meinung einen engen Horizont bekommen hatte, und so namentlich gegen alles, was den Titel »Geheimer Rat« führte. »Wie selten sind die Leute unter den höheren Regierungsbeamten, die ich brauchen kann. In der Welt sind sie nicht herumgekommen, fremde Sprachen verstehen sie nicht, und denken wunder, was sie sind. Endlich glaubte ich neuerdings einen gefunden zu haben, und in den schaute ich wie in einen goldenen Kelch, und auch der hat mich getäuscht.« Dies war nun einer meiner nächsten Freunde*, und es gab eine lebendige Diskussion zwischen Bismarck und mir, da ich denn meinen lieben Freund besser als er kannte, ihn mit Erfolg verteidigen und von ihm als einem wahren goldenen Kelch sprechen konnte ... Dem König**, der Interesse für alles, auch das kleinste, hatte, mußte ich, als er gehört hatte, daß mich Bismarck auf einer Wagenfahrt nach Nassau mitgenommen, genau erzählen, wie diese Fahrt verlaufen, wie Bismarck gegenüber der Büste von Stein und gegenüber den großen Marmortafeln in dem achteckigen Turm zu Nassau gestanden habe, welche auf Steins Befehl zur Erinnerung an die Errichtung des Bundestages gefertigt worden und in jenem Turme aufgestellt sind, wie Bismarck Steins Profil und namentlich die kolossale Nase mit dem Zeigefinger auf und ab befühlt und ausgerufen: »Donner-

* Der betreffende Freund Diests war der vortragende Rat im Ministerium des Innern, Arthur von Wolff, der als Kommissarius des damaligen Ministers Grafen von Eulenburg zur Einrichtung der neuen Verwaltungsbehörden in die annektierten Provinzen entsandt worden war.

** König Wilhelm hatte bei seinem ersten Besuch im Herzogtum Nassau nach dessen Einverleibung (1867) einen freudigen Empfang gefunden. v. Diest hatte als Regierungspräsident von Wiesbaden während des Emser Kuraufenthaltes des Königs fast täglich Gelegenheit, diesen zu sprechen. – Der folgende Nachtrag zu dem Gespräch mit Bismarck in Nassau wird sinngemäß hier angeknüpft, obwohl Diest im Texte seiner Lebenserinnerungen ihn in andrem Zusammhang berichtet (und zwar S. 366).

wetter, was für ein Erker«, wie er dann vor den Tafeln gesagt habe: »Ich glaube, Stein hätte 1866 dasselbe getan, was ich getan habe, er hätte sein eigenes Kind, den Bundestag, vernichtet.«

G. von Diest, Aus dem Leben eines Glücklichen.
Erinnerungen eines alten Beamten.
1904, S. 368 ff. (gekürzt); S. 370 ff. (gekürzt).

Die Politik ist die Lehre vom Möglichen. – Gespräch mit dem Journalisten Friedrich Meyer von Waldeck in Berlin. 11. August 1867

Der Journalist Dr. Friedrich Meyer, nach seinem Geburtsort von Waldeck genannt, kam in jungen Jahren als Erzieher nach Kurland, wurde 1852 in Petersburg Chefredakteur der »Petersburger deutschen Zeitung« und wirkte auch als Lektor der deutschen Sprache an der dortigen Universität. In dieser Stellung wußte er seine Pflichten gegen die neue Heimat mit einer entschiedenen Vertretung der deutschen Interessen, besonders während der Kriege von 1866 und 1870/71, geschickt zu vereinigen. 1874 legte er seine Petersburger Stellungen nieder und kehrte nach Deutschland zurück. 1880 habilitierte er sich in Heidelberg in der philosophischen Fakultät.

Am 11. August um halb neun Uhr abends wollte mich Graf Bismarck empfangen. Er war erst in der Nacht vorher in Begleitung des Legationsrats von Keudell nach Berlin von Ems zurückgekehrt, wo er bei Seiner Majestät dem Könige verweilt hatte. Punkt halbneun Uhr befand ich mich in dem Empfangszimmer des Bundeskanzlers. Er war ausgefahren, wurde aber in kürzester Frist zurückerwartet. Zehn Minuten später rollte ein Wagen auf die Rampe, und ich wurde ersucht, in das Kabinett des Bundeskanzlers zu treten.

Graf Bismarck kam mir entgegen und reichte mir die Hand. Er bat um Entschuldigung, daß er mich habe warten lassen, er habe jetzt viel mit der Einrichtung des Sitzungslokals für den Reichstag des Norddeutschen Bundes zu schaffen.

Nach einigen Worten von meiner Seite sagte Graf Bismarck: »Sie sind uns eine so kräftige, eine mit so viel Dank anerkennenswerte Stütze, daß ich, obgleich ich eben von der Reise zurückgekommen und mit Geschäften überhäuft bin, es mir nicht habe versagen können, Ihre Bekanntschaft zu machen.«

Der Graf reichte mir einen Sessel und ersuchte mich Platz zu nehmen. Wir setzten uns.

»Sie sind kein in Rußland geborener Deutscher«, fuhr Graf Bismarck fort, »man hört das sogleich an Ihrer Mundart.«

»Ganz richtig, Herr Graf«, erwiderte ich, »ich bin ein Waldecker. Eigentümlicherweise wollen aber gerade an meiner Sprache viele erkennen, daß ich aus Rußland komme.«

»Die müssen für die Nuancen der Dialekte kein feines Gehör haben; bei Ihnen kann durchaus kein Zweifel sein. – Ihre Stellung ist jetzt eine sehr schwierige geworden, wie ich höre.«

Ich bestätigte diese Ansicht und schilderte dem Bundeskanzler die ununterbrochenen Angriffe und Machinationen der nationalen Partei, ihren brennenden Haß gegen Deutschland und alles deutsche Wesen und ihre Versuche, das russische Volk gegen die Deutschen aufzuhetzen.

Ich bestätigte, daß die oberen und unteren Schichten des russischen Volkes von dem Haß der politischen Spitzführer (sic) gegen die Deutschen noch nicht infiziert worden, der seinen Herd vorzüglich in der mittleren Sphäre, den Kreisen der niederen Beamten usw. habe.

»Ich glaube nicht, daß dieser Haß jemals in andere Kreise vordringen wird«, sagte Graf Bismarck. »Es kann ja auch nicht anders sein. Der Russe wird den Deutschen nie entbehren können. Der Russe ist ein sehr liebenswürdiger Mensch. Er hat Geist, Phantasie, ein angenehmes Benehmen, gesellige Talente – aber täglich auch nur acht Stunden arbeiten, und das sechsmal in der Woche und fünfzig Wochen im Jahr – das wird in Ewigkeit kein Russe erlernen. Ich erinnere mich der treffenden Worte, die ein russischer Militär in meiner Gegenwart äußerte. Die Unterhaltung berührte den Umstand, daß so viele Offiziere deutscher Abstammung in der russischen Armee bis zum General avancieren. »Wie sollte ein Deutscher nicht General werden! sagte jener Militär, er trinkt nicht, er stiehlt nicht, er ist nicht liederlich, er reitet sein Pferd selbst – da muß er es schon zum General bringen.«

»Ein vortrefflicher Beitrag zur Charakteristik des russischen Volkes«, sagte ich, »ist die Schilderung der Art und Weise, wie der russische Edelmann zu Bette geht. »Jefim«, sagt er zu dem Diener, »entkleide mich!« Es geschieht. »Gib mir zu trinken!« Jefim gehorcht. »Leg mich ins Bett!« Jefim tut es. »Decke mich zu!« Jefim deckt ihn zu. »Bekreuzige mich!« Jefim schlägt das Kreuz über seinem Herrn. »Oh«, sagt derselbe, »nun kannst du gehen, das Erfrischen werde ich selbst verrichten!«

»Und ich bin überzeugt«, sagte Graf Bismarck herzlich

lachend, »daß gerade die ärgsten jener Schreier keine Arznei einnehmen würden, die ein russischer Apotheker bereitet hat. Die deutschen Apotheker, Bäcker, Wurstmacher usw. wird man in Rußland nie entbehren können; aber auch in anderen, viel höheren Sphären werden sich die eigentümlichen Eigenschaften des deutschen Namens stets Geltung verschaffen. – Der Reichskanzler Fürst Gortschakow war unter der Regierung des Kaisers Nikolai lange in unbedeutenden, untergeordneten Ämtern zurückgehalten worden; man hatte seine bedeutende Begabung nicht erkannt. Der Fürst schrieb die Zurücksetzung, die er erfahren, dem deutschen Einfluß zu, und als er ans Ruder kam, entfernte er, wo es irgend zulässig war, alle Deutschen aus dem Geschäftsgebiet seines Ministeriums. Sehen wir uns nun heute nach dem Resultat um: Die wichtigsten Gesandtschaften: London, Paris, Wien usw. sind mit Deutschen besetzt, die talentvollsten Redakteure des Ministeriums sind Deutsche; ja, Fürst Gortschakow selbst würde nicht die Arbeitskraft haben, die er besitzt, wenn seine Mutter nicht eine Deutsche gewesen wäre; ich habe ihm das selbst gesagt.«

Das Gespräch wendete sich nun zu den von der russischen Presse hier und da ausgesprochenen Befürchtungen, die deutsche Begehrlichkeit werde ihre Hände nach den baltischen Provinzen oder Polen ausstrecken. Ich erzählte dem Grafen, wie oft ich in ausführlichen Exposées den unwiderlegbaren Beweis geführt habe, daß der Erwerb der russischen Ostseeprovinzen für Preußen nur eine Schwächung sein könne, daß es mir aber nicht gelungen sei, die russischen Germanophoben zu überzeugen und zu beruhigen.

»Was sollte uns auch dieser lange vorgeschobene Streifen zwischen dem Meer und Polen, ohne Hinterland – ein Nichts, für das wir die ewige Feindschaft Rußlands eintauschen würden«, sagte Graf Bismarck. »Nein, es ist besser so. Die Deutschen in den Ostseeprovinzen müssen auch in Zukunft der Guano sein, der jene große russische Steppe düngt. Auch wäre den Bewohnern jenes Landstrichs durchaus nicht damit gedient, wenn sie preußisch würden. Unsere preußische Verfassung mit lettischen und estnischen Urwählern wäre für die kurländischen und livländischen Barone, wie ich sie kenne, ein sehr zweifelhaftes Vergnügen.«

Nachdem das Gespräch noch kurze Zeit bei den Ostseeprovinzen verweilt, fuhr der Bundeskanzler fort: »Was Polen betrifft, so haben wir niemals begehrliche Absichten gehegt und werden solche niemals haben können. In bezug auf Polen ist unsre Bestimmung, das Land im Verein mit Rußland zu pazifizieren; das haben wir deutlich genug kundgegeben.«

»Rußland und Preußen«, sagte der Graf nach einer kurzen Bemerkung von meiner Seite, »sind auf das freundschaftlichste Verhältnis zueinander angewiesen. Beide Reiche sind rein defensiver Natur und müssen sich gegenseitig stützen. Zur Zeit des Krimkrieges hatte Österreich mit Preußen die Abmachung getroffen, letzteres solle beim Eintritt bestimmter Eventualitäten eine Armee an der Grenze aufstellen. Österreich glaubte eines schönen Tages, der vorgesehene Moment sei gekommen, und verlangte von Preußen die stipulierte Aufstellung eines Heeres an Rußlands Grenze. Friedrich Wilhelm der Vierte, unser damaliger Herr, berief mich aus Frankfurt a. M., wo ich zur Zeit Bundestagsgesandter war, und wollte meine Ansicht in der Sache hören. »Stellen Sie eine Armee auf«, sagte ich, »aber nicht an der polnischen Grenze, sondern in Oppeln, dann können Sie Europa den Frieden diktieren.« Aber Friedrich Wilhelm der Vierte hatte für dergleichen energische Schritte ein zu zart beseitetes Nervensystem und meinte, wir hätten zum Demonstrieren nicht Geld genug. Man kannte eben damals noch nicht die Kraft unserer Armee.«

»Ich habe es dem Fürsten Gortschakow gesagt: Ihr Wohlwollen für Preußen haben Sie billig; Sie sind darauf angewiesen, mit diesem Nachbar Freundschaft zu halten. Preußen ist das Tampon zwischen Frankreich und Rußland, und wenn Sie ein Bündnis mit Frankreich in Aussicht stellen, so kann sich Preußen nur darüber freuen. Eine solche Allianz wäre die sicherste Gewähr, daß Sie uns Frankreich vom Leibe halten, denn uns können und dürfen Sie nichts tun.«

»Ja«, setzte der Graf lächelnd hinzu, »die Politik ist die Lehre vom Möglichen.«

Das Gespräch wendete sich wieder zu den Agitationen der enragierten russisch-nationalen Partei, der Katkow und Genossen, und der Graf meinte, dieses Treiben habe so wenig reelle Basis und sei eine solche Torheit, daß es sich notwendig im Sande verlaufen müsse. Er gab mir den Rat, jene Angriffe nicht immer ernst zu nehmen und mir dann und wann auch über den Kopf schießen zu lassen, ohne mir viel daraus zu machen.

»Es wäre eine große Torheit von Rußland«, sagte Graf Bismarck, »wenn es die Ostseeprovinzen entnationalisieren und russifizieren wollte. Es würde sich dadurch des Stammes ehrlicher Staatsdiener berauben, den es von dort bezieht. Ist es doch eine allgemein anerkannte Wahrheit, daß der zum Russen gewordene Deutsche viel ärger ist, als der Russe selbst. Der Russe stiehlt, um einem augenblicklichen Bedürfnis abzuhelfen, wenn aber der Deutsche stiehlt, so denkt er dabei an die Zukunft und sorgt für Frau und Kinder. Da kommt die énergie teutonique hinzu, wie mir ein geistreicher Russe einst sagte.«

Ich erwartete, daß mich der Bundeskanzler in üblicher Weise entlassen werde. Da er aber nicht die geringsten Anstalten dazu machte, hielt ich es für meine Pflicht, seine Zeit nicht länger in Anspruch zu nehmen und aufzubrechen. Zum Abschiede reichte er mir mit herzlichem Gruß beide Hände, wünschte mir glückliche Reise und entließ mich mit den Worten:

»Nun, werden Sie nicht müde und kämpfen Sie wacker, vergessen Sie aber auch nicht, daß Vorsicht der beste Gefährte der Tapferkeit ist!«

Graf Bismarck machte auf mich einen ungleich angenehmeren Eindruck, als alle Bilder, die ich bis dahin von ihm gesehen. Seine große, imposante Gestalt war damals noch schlank, seine Züge schön und ausdrucksvoll. Die Stimme, wie der Ausdruck seiner Mienen, hatte während der Unterhaltung etwas ungemein Mildes. Sein schalkhaftes Lächeln war überaus gewinnend.

Friedrich Meyer, Aus den Erinnerungen eines russischen Publizisten. Gartenlaube, 1876, S. 857 ff.

Ein vorausschauender Schritt. – Gespräch mit dem Sächsischen Minister Freiherrn von Friesen in Berlin. Herbst 1867

Nach den Lebenserinnerungen des Freiherrn von Friesen.

Es war im Herbste des Jahres 1867; ich befand mich in Berlin, um an den Sitzungen des Bundesrates Anteil zu nehmen. Der König von Preußen war bereits in Paris gewesen, um die dort stattfindende große Weltausstellung zu besuchen und befand sich damals, wie gewöhnlich in dieser Jahreszeit in Baden-Baden. Von dem Kaiser von Österreich war allgemein bekannt, daß er ebenfalls, um die Ausstellung zu sehen, in der nächsten Zeit nach Paris reisen werde. Da besuchte mich Graf Bismarck in meiner Wohnung im British Hotel und sagte mir: Er habe den lebhaften Wunsch, daß die Verhältnisse zwischen Österreich und Preußen bald wieder einen besseren, freundlicheren und vertraulicheren Charakter annehmen möchten. Der Krieg im vorigen Jahre sei durch die damalige Verwirrung aller Verhältnisse, durch die absolute Unhaltbarkeit der damaligen Zustände unvermeidlich geworden. Jetzt liege seiner Überzeugung nach zu einem dauernden Antagonismus zwischen beiden Staaten kein ausreichender Anlaß mehr vor; er glaube vielmehr, daß ein offenes und freundschaftliches Verhältnis, ein Zusammengehen derselben im beiderseitigen Interesse nicht nur wünschenswert sei, sondern künftigen, möglicherweise bald eintretenden europäischen Verwicklungen gegenüber vielleicht sogar bald notwendig werden könne. Die sofortige Herstellung solcher guten Verhältnisse sei zwar zunächst nicht wohl möglich, dazu seien in Wien die Erinnerungen an den Krieg und seine Folgen für Österreich noch zu neu, aber sie würden und müßten seiner Überzeugung nach in nicht langer Zeit möglich werden und da sei doch schon jetzt eine allmähliche Anbahnung derselben sehr wünschenswert. Da nun in der nächsten Zeit der Kaiser Franz Joseph auf seiner Reise nach Paris die Station Oos berühren werde, während der König Wilhelm sich in Baden-Baden, also in unmittelbarer Nähe von Oos befände, so würde eine persönliche Begegnung beider Monarchen leicht zu veranstalten sein und damit vielleicht ein Anfang zu besseren persönlichen Beziehungen gemacht werden können. Bei der noch immer fortdauernden persönlichen Spannung sei es aber von Berlin aus nicht möglich, eine Initiative in der Sache zu ergreifen, da man nicht sicher sei, daß dieselbe nicht falsch verstanden und vielleicht sogar zurückgewiesen werde. Er fragte daher bei mir an, ob ich wohl mit Herrn von Beust noch auf einem solchen Fuße stehe, daß ich mich zum Zwecke der Herbeiführung einer solchen Zusammenkunft in vertraulicher Weise mit ihm in Verbindung setzen könne. Ich erklärte mich natürlich sofort bereit und bemerkte dabei nur, daß nach der gegenwärtigen Lage der Verhältnisse dies meiner Ansicht nach doch immer nur in der Weise und dem Sinne geschehen könne, daß, auch wenn man in Wien mit einer persönlichen Begegnung einverstanden sei, der erste direkte Schritt zur Herbeiführung derselben doch noch von Preußen werde ausgehen müssen. Damit war Graf Bismarck auch einverstanden und sagte: er wolle durch meine Vermittlung nur Gewißheit darüber erlangen, daß ein solcher Schritt, wenn er von Berlin aus getan, in Wien nicht zurückgewiesen werde. In diesem Sinne habe ich damals sofort an Herrn von Beust geschrieben, und der damalige österreichische Gesandte in Berlin, Graf Wimpffen, hatte die Gefälligkeit, den Brief nach Wien zu übermitteln. Dort ist darauf auch eine vertrauliche Verständigung zustande gekommen, in deren Folge König Wilhelm sich von Baden-Baden nach Oos begab und eine Unterredung mit dem Kaiser Franz Joseph gehabt hat. Diese war freilich, weil der Zug sich nur sehr kurze Zeit in Oos aufhielt, auch nur eine sehr kurze und vermochte für die nächste Zeit keine Besserung der Verhältnisse herbeizuführen.

Richard Freiherr von Friesen, Erinnerungen aus meinem Leben. Band III, 1910, S. 64 ff.

Leidenschaftliche Erregung. – Gespräche mit den Abgeordneten von Bennigsen und Forckenbeck. Ende November und Anfang Dezember 1867

Der in dem folgenden Brief Bennigsens an seine Frau, »Berlin, 2. Dezember 1867«, berührte Zwist Bismarcks mit dem Abgeordneten Twesten spielte sich in der Sitzung der Budgetkommission am 29. November 1867 ab. In der Budgetkommission des preußischen Landtages hatte der Abgeordnete Twesten behauptet, das Verfahren der Regierung bzw. Bismarcks in der Verwendung eines Teils der Kriegskostenbewilligung zur Abfindung der entthronten Fürsten in Hannover und Hessen enthalte einen Vertrauensbruch. Bismarck verlangte Zurücknahme dieses Ausdrucks und drohte mit Stellung der Kabinettsfrage. Bennigsen trat beschwichtigend auf, indem dank seiner Geschicklichkeit die Budgetkommission sich dahin aussprach, daß sie sich Twestens Ausdruck »Vertrauensbruch« nicht zu eigen gemacht habe.

Gegen Forckenbeck, der mit ihm die letzten Tage eine Verhandlung allein und zwei mit mir stundenlang in der Twestenschen Angelegenheit hatte, hat er auch erklärt, wenn Twestens Beleidigungen gegen ihn nicht in angemessener Weise ausgeglichen würden, so bliebe er keinen Tag länger Minister; er könne es ohnehin mit seiner Gesundheit nicht mehr durchführen und sei Twesten sehr dankbar, daß er ihn mit solchen Injurien nötige, aus dem Amte zu scheiden. Würde die ganze Geschichte nicht schleunigst in Ordnung gebracht, so würde er seine Stelle positiv niederlegen und dem König den Ratschlag erteilen, mir und Forckenbeck die Bildung des Ministeriums zu übertragen.

Wir seien die herrschende Partei im Landtage und Reichstage, und gegen entschiedene Opposition und beleidigende Angriffe unsererseits könne er die Regierung nicht weiterführen. Forckenbeck erst allein und nachher wir beide haben ihm übrigens geradezu erklärt, daß er im Auswärtigen Amt zur Zeit nicht zu ersetzen sei. Weil dies auch unsere ernsthafte Meinung ist und wir gar nicht daran denken, uns in eine unhaltbare Position hineinzubegeben, haben wir uns auch die äußerste Mühe gegeben, diesen neuen Konflikt totzumachen... Seine Urteile über seine Kollegen überhaupt und über die unerträgliche Lage, in der er sich befinde, waren dabei wieder von der unglaublichsten Art. Er ist überhaupt so aufgeregt und leidenschaftlich, daß er es so nicht mehr lange treiben kann. Roon ist körperlich ruiniert, die anderen Minister verachtet Bismarck. Der König und er haben eher Haß wie Freundschaft gegeneinander, mit dem Nachfolger hat Bismarck ein ganz kaltes Verhältnis. So geht es ohne Schaden kein halbes Jahr mehr.

Rudolf von Bennigsen, ein deutscher liberaler Politiker. Nach seinen Briefen und hinterlassenen Papieren, von H. Oncken. Band II, 1910, S. 121 ff.

Gespräche mit dem Deutsch-Amerikaner K. Schurz in Berlin. 28. und 29. Januar 1868

Dem durch die Befreiung seines Lehrers und Freundes Kinkel aus dem Gefängnis bekannt gewordenen, nach Amerika ausgewanderten Achtundvierziger Karl Schurz hatte sich in den Vereinigten Staaten eine glänzende staatsmännische und militärische Laufbahn eröffnet. Im amerikanischen Bürgerkrieg kämpfte er als General auf Seite der Nordstaaten, war Gesandter in Madrid geworden, 1868 wurde er Senator. Schurz hatte am 28. und 29. Januar 1868 bei einem Besuch Deutschlands zwei Unterredungen mit dem Grafen Bismarck, über die eine doppelte Überlieferung aus der Hand von Karl Schurz vorliegt. Es wird hier zunächst die früher bekannt gewordene Fassung abgedruckt, die Schurz den Gesprächen in seinem anfangs der neunziger Jahre niedergeschriebenen zweiten Bande seiner Lebenserinnerungen gegeben hat. Über die Art seiner Wiedergabe der bismarckschen Äußerungen und den Gesamteindruck, den er von der Gesprächsweise Bismarcks empfing, hat sich Schurz im folgenden selber ausgesprochen. Wir haben hier die literarische Fassung vor uns, die zwar aus späterer Zeit stammt, aber ihren bestimmten Wert behält, auch nachdem unter ungeordneten Papieren des amerikanischen Staatsmannes im Frühjahr 1908 die fragmentarische Niederschrift seines ersten Gesprächs mit Bismarck vom 28. Januar 1867 auftauchte. Die literarische Fassung läßt aber den inneren Zusammenhang beider aufeinander folgender Gespräche vom 28. und 29. Januar klarer hervortreten und außerdem kommt ihr im Gesamteindruck doch die größere Fülle zu. (Vgl. auch BGI, S. 231, Vorbemerkung und Gespräch Nr. 190b.)

Nachdem ich in Wiesbaden mit den Meinigen Weihnachten gefeiert hatte, ging ich nach Berlin. Ich schrieb ein paar Zeilen an Lothar Bucher, den ich zuletzt vor sechzehn Jahren als Mitflüchtling in London gesehen hatte und den ich gern wieder begrüßen wollte. Bucher antwortete umgehend, daß er sich sehr darauf freue, mich wiederzusehen, aber ob ich denn nicht den »Minister« kennenlernen möchte, der den Wunsch geäußert habe, mich zu sprechen. Natürlich erwiderte ich gleich, daß ich diese Ehre zu schätzen wisse usw. Eine Stunde später erhielt ich eine eigenhändige Einladung des Grafen Bismarck, ihn um acht Uhr desselben Abends im Kanzlerpalais in der Wilhelmstraße zu besuchen. Pünktlich zur angegebenen Zeit wurde ich ihm gemeldet, und er empfing mich an der Tür eines mittelgroßen Zimmers, offenbar seines Arbeitskabinetts, dessen Tisch und sonstige Möbel mit Büchern und Papieren bedeckt waren. Da stand er also vor mir, der große Mann, dessen Name die ganze Welt erfüllte. Er war von hohem Wuchs, gerade aufgerichtet, breitschultrig; auf dem Hünennacken saß der gewaltige Kopf, der aus Bildern allgemein bekannt ist, die ganze Gestalt machte einen imponierenden, reckenhaften Eindruck. Er war damals dreiundfünfzig Jahre alt und auf der Höhe seiner körperlichen und geistigen Kraft. Er trug die Interimsuniform eines Generals, aufgeknöpft. Seine Züge, die offenbar sehr streng blicken konnten, wenn er wollte, waren von einem freundlichen Lächeln erhellt; er streckte mir die Hand entgegen und drückte die meinige kräftig. »Freut mich, daß Sie gekommen sind«, sagte er in einer wohlklingenden, aber für seine Hünengestalt merkwürdig hohen Stimme. Dann, während wir uns noch gegenüberstanden, waren seine ersten Worte: »Ich glaube, ich habe Sie schon einmal gesehen. Es war Anfang der fünfziger Jahre im Zuge von Frankfurt nach Berlin. Da saß mir ein junger Mann gegenüber – nach dem Bilde in einer illustrierten Zeitung, die ich mir gekauft hatte, hätten Sie es sein können.« Ich entgegnete, dies wäre nicht möglich, da ich zu jener Zeit nicht in Deutschland gewesen sei. »Übrigens«, fügte ich vielleicht ein wenig kühn hinzu: »hätten Sie mich dann nicht als Übeltäter arretieren lassen?« »O nein«, rief er mit gutem, herzlichem Lachen aus, »da kennen Sie mich schlecht. So etwas hätte ich nicht getan. Sie meinen wegen der Sache mit Kinkel? O nein, die hat mir Spaß gemacht. Und wenn es für den Minister Seiner Majestät des Königs von Preußen und den Kanzler des Norddeutschen Bundes nicht höchst unschicklich wäre, möchte ich einmal mit Ihnen nach Spandau fahren und mir an Ort und Stelle alles erzählen lassen. Nun nehmen Sie, bitte, Platz.« Er wies auf einen bequemen Lehnstuhl in der Nähe seines eigenen, setzte sich auch, zog eine Flasche Wein auf, die mit zwei Gläsern auf einem Präsentierbrett neben ihm stand, und schenkte ein. »Sie sind Rheinländer«, sagte er dabei, »diesen Tropfen werden Sie zu schätzen wissen.« – Wir stießen an, und ich fand den Wein in der Tat vorzüglich. »Sie rauchen natürlich«, fügte er hinzu, »dies sind gute Havannazigarren. Früher rauchte ich selbst sehr gern, ich habe jedoch den Aberglauben, daß ein jeder Mensch in seinem Leben nur eine gewisse Anzahl Zigarren rauchen darf. Ich fürchte, ich habe mein Teil schon aufgeraucht, so wende ich mich jetzt der Pfeife zu«. – Mit diesen Worten zündete er mit einem Fidibus seine lange Pfeife an und blies bald dichte Rauchwolken von sich.

Als die Pfeife ordentlich im Gange war, lehnte er sich behaglich in seinen Stuhl zurück und fragte: »Nun sagen Sie mir mal als amerikanischer Republikaner und als revolutionärer Achtundvierziger, welchen Eindruck machte Ihnen die gegenwärtige Lage in Deutschland? Ich würde diese Frage gar nicht an Sie richten«, fügte er hinzu, »wenn Sie ein Geheimrat wären, denn dann wüßte ich die Antwort schon im voraus. Aber Sie werden mir Ihre wirkliche Meinung sagen.« – Ich antwortete, ich sei erst ein paar Wochen in Deutschland und habe nur oberflächliche Eindrücke empfangen, aber ich habe die Empfindung, daß allgemein ein neubelebter nationaler Ehrgeiz sich betätige und daß Vertrauen und Hoffnung auf die Entwicklung von freien politischen Institutionen gleichsam in der Luft lägen. Ich habe nur in Frankfurt einen Bankier und in Nassau ein paar alte stockkonservative Philister getroffen, welche enttäuscht und niedergeschlagen waren. Bismarck lachte herzlich. Der mißvergnügte Nassauer, sagte er, sei sicher ein Hoflieferant des ehemaligen herzoglichen Hofes, und er wolle wohl wetten, daß der Frankfurter Bankier entweder ein Mitglied der alten Patrizierfamilien sei, welche meinten, sie wären der höchste Adel des Landes, oder ein Börsenspekulant, der es beklagte, daß Frankfurt nicht mehr wie ehemals das finanzielle Zentrum Süddeutschlands sei. Und nun ließ Bismarck seiner sarkastischen Laune die Zügel schließen. Er hatte in Frankfurt mehrere Jahre als Gesandter beim seligen »Bundestage« zugebracht und wußte eine Menge drolliger Anekdoten von den aristokratischen Ansprüchen der patrizischen Bürger jener alten freien Stadt zu erzählen sowie von ihrem würdevollen Zorn über die Einverleibung ihres Freistaates in das Königreich Preußen.

Dann erzählte er mir von den großen Schwierigkeiten, die er überwinden mußte, um den Konflikt mit Österreich zustande zu bringen. Eine der größten dieser Schwierigkeiten war die peinliche Gewissenhaftigkeit und das Zaudern des alten Königs Wilhelm, der nie in etwas einwilligen wollte, was im geringsten verfassungswidrig zu sein schien oder was nicht ganz und gar mit den strengsten Ansichten von Rechtschaffenheit und Treu und Glauben übereinstimmte. In unserem Gespräch nannte Bismarck den König fortwährend »der alte Herr«. Einen Augenblick sprach er vom alten Herrn mit fast zärtlicher Liebe und dann wieder in einem vertraulichen, ja ungenierten Tone, der wenig Achtung und Ehrfurcht verriet. Er erzählte mir Anekdoten vom König, die mich in höchstes Erstaunen versetzten, besonders bei dem Gedanken, daß ich den Premierminister des Königs vor mir hatte, dem ich ein vollkommen Fremder war und der nichts von meiner Diskretion und meinem Gefühl von Verantwortlichkeit wußte. Als wenn wir unser lebelang vertraute Freunde gewesen wären, enthüllte er mir, anscheinend ganz rückhaltslos und mit übersprudelnder Lebhaftigkeit, Bilder von Vorgängen, die sich hinter den Kulissen während der berühmten Konfliktsperiode zwischen der Krone und dem preußischen Abgeordnetenhause abgespielt hatten. Bismarck, der den Krieg mit Österreich unabwendbar kommen sah, hatte ohne gesetzliche Vollmacht Millionen über Millionen der öffentlichen Gelder dazu verwandt, das Heer für die große Krisis vorzubereiten. Die liberale Majorität der Kammern und die öffentliche Meinung erkannten beide nicht, daß die Einigung Deutschlands sein großes Ziel war, und erhoben sich hartnäckig und fest gegen dieses eigenmächtige Überschreiten seiner Machtbefugnis. Der König selbst schreckte vor einem derartigen Verfassungsbruch zurück, ja, er fürchtete eine neue Revolution, welche ihm und seinem Minister den Kopf kosten konnte. Diese Befürchtung hätte sich leicht erfüllen können, wenn man im Kriege mit Österreich unterlegen wäre. Da hatte Bismarck, wie er sich ausdrückte, »verzweifelt die Sporen gebraucht, damit der edle alte Renner das Hindernis nahm und die Sache wagte.« Und nun erzählte er weiter von der Heimkehr nach dem Siege. Da war von Schafott keine Rede, sondern sie wurden überall vom Volke begeistert empfangen. Das hatte dann dem alten Herrn sehr gefallen und hatte ihn in bezug auf seinen tollkühnen Minister um eine Erfahrung reicher gemacht.

Aber nicht nur die vorsichtige, konservative Gesinnung des Königs mußte er manchmal überwinden; noch mehr war er gehemmt und nicht selten gereizt durch das, was er die »bornierte alte Bureaukratie« nannte, die so schwer aus dem gewohnten ausgefahrenen Gleise zu bringen war, wenn irgend etwas Neues und Kühnes ausgeführt werden sollte. Er sprudelte geradezu über von lustigen Anekdoten und freute sich selbst an seinen drolligen Schilderungen eines alten, verknöcherten Geheimrats, der ihn mit weitaufgerissenen trüben Augen anstarrte, wenn irgend etwas Ungewöhnliches vorgeschlagen wurde, der überall nur unüberwindliche Schwierigkeiten vor sich sah und schließlich seine ganze Findigkeit aufbot, um den schönsten Aktendeckel hervorzusuchen, in welchem das Projekt zur seligen Ruhe begraben werden könnte. Wenn dem Minister endlich die Geduld riß, ging er zum König und klagte, daß mit dem und dem verknöcherten Beamten nicht mehr fertig zu werden sei, und daß notwendigerweise ein fähigerer Mensch an seine Stelle gesetzt werden müßte. Aber dann sagte der »alte Herr«, in Mitleid zerfließend, jedesmal: »O, er ist so lange schon ein treuer Diener des Staates gewesen. Es wäre doch zu grausam, ihn nun wie eine ausgepreßte Zitrone wegzuwerfen – nein, das vermag ich nicht.« Ich erlaubte mir die Anfrage, ob die Drohung, seinerseits ein Entlassungsgesuch einzureichen, wenn er seinen Willen nicht durchsetzte, den König weniger zart gegen seine unfähigen Freunde in hohen Stellungen stimmen könnte. »O«, lachte Bismarck, »das habe ich oft versucht, vielleicht zu oft! Das wirkt nicht mehr. Was meinen Sie wohl, was geschieht, wenn ich damit drohe, mein Amt niederzulegen? Der alte Herr fängt an zu schluchzen und zu weinen. Tatsächlich vergießt er Tränen und sagt: ›Nun wollen Sie mich auch verlassen?‹ Und wenn ich ihn Tränen vergießen sehe, was in aller Welt soll ich dann tun?« So erzählte Bismarck weiter; eine treffende Schilderung jagte die andere, eine lustige Anekdote die andere. Mein Erstaunen wuchs von Minute zu Minute über die anscheinend rücksichtslose Offenheit Bismarcks einem ihm Unbekannten gegenüber. Ich hätte mich weniger gewundert, wenn mir, was ich später erfuhr, damals schon bekannt gewesen wäre, daß diese Art der Unterhaltung bei Bismarck gar nicht ungewöhnlich war, und daß der alte König, wenn er davon hörte, nur ruhig lächelte.

Nun kam Bismarck auf den Krieg gegen Österreich zurück und enthüllte mir mancherlei von den diplomatischen Kniffen, durch welche er herbeigeführt wurde. Mit offenbarem Vergnügen erzählte er mir eine Geschichte nach der anderen, aus welchen hervorging, daß seine diplomatischen Gegner wie Marionetten in seiner Hand gewesen waren, und wie geschickt er die deutschen Fürsten behandelt hatte, je nachdem sie sich auf die eine oder andere Seite gestellt hatten. Dann kam er auf die Schlacht bei Königgrätz zu sprechen, besonders auf den »bangen Augenblick« vor dem Eintreffen des Kronprinzen im Rücken der Österreicher. Einige Angriffsbewegungen der Preußen waren zurückgeschlagen, und unter den Truppen wurden Zeichen von Unordnung bemerkbar. »Es war ein banger Augenblick«, sagte Bismarck, »ein Augenblick, von dessen Entscheidung das Schicksal des Reiches abhing. Was wäre aus uns geworden, wenn wir diese Schlacht verloren hätten? In wüstem Durcheinander zogen mehrere Schwadronen Kavallerie, Husaren, Dragoner und Ulanen an der Stelle vorbei, wo der König, Moltke und ich selbst standen. Wir rechneten aus, daß der Kronprinz längst im Rücken der Österreicher hätte erscheinen können, aber er erschien nicht. Die Sache wurde bedenklich, und ich gestehe es, ich war sehr besorgt. Ich blicke auf Moltke, der unbeweglich auf seinem Pferde saß und durchaus nicht beunruhigt von dem schien, was um ihn her vorging. Ich nahm mir vor, ihn auf die Probe zu stellen, ob er innerlich wirklich so ruhig war, wie er schien. Ich ritt auf ihn zu und fragte, ob ich ihm eine Zigarre anbieten dürfte, da ich bemerkte, daß er nicht rauchte. Er sagte, es würde ihm sehr lieb sein, wenn ich eine übrig hätte. Ich bot ihm meine offene Zigarrentasche an, in welcher sich nur zwei Zigarre befanden, eine sehr gute Havanna und eine minderwertige. Moltke sah sie prüfend an, nahm sie sogar eine nach der anderen heraus und prüfte sie aufmerksam auf ihre Güte und wählte dann langsam und bedächtig die Havanna. »Sehr fein«, sagte er gleichmütig. Dies beruhigte mich außerordentlich. Wenn Moltke soviel Zeit und Aufmerksamkeit auf die Wahl einer Zigarre verwenden kann, dachte ich, können die Dinge nicht besonders schlimm liegen. In der Tat hörten wir ein paar

Minuten später die Kanonen des Kronprinzen, bemerkten unruhige und verwirrte Bewegungen in den österreichischen Stellungen, und die Schlacht war gewonnen.«

Ich sagte, wir in Amerika hätten die Ereignisse mit der größten Spannung verfolgt und wären zur Zeit sehr überrascht gewesen, daß der Friede so bald auf die Schlacht von Königgrätz gefolgt sei und daß Preußen den Sieg nicht besser ausgenutzt hätte. Bismarck entgegnete, der schnelle Friedensschluß wäre vielen sehr überraschend gekommen, er hielte ihn aber für das beste, was er je getan hätte. Er hätte ihn gegen den Wunsch des Königs und der Militärpartei durchgesetzt, die sehr stolz auf den großartigen Sieg der preußischen Waffen gewesen wären und meinten, ein so großer Erfolg müsse eine größere Belohnung erfahren. Aber die Staatskunst erforderte, daß das österreichische Kaiserreich, dessen Existenz für Europa notwendig sei, nicht ganz zertrümmert oder zu einem bloßen Bruchstücke reduziert wurde. Es müßte zum Freunde werden, und als Freund dürfe es nicht ganz machtlos sein. Preußen hatte in diesem Krieg nur um die Führerschaft in Deutschland gekämpft; durch den Erwerb von österreichischen Provinzen mit einer Bevölkerung, die sich dem preußischen System nicht eingefügt hätte, wäre jene Führerschaft aber nicht gekräftigt, sondern geschwächt worden. Überdies meinte der Kanzler, daß man angesichts eines so entscheidenden Erfolges der Preußen klug daran getan hätte, weitere Gefahren und Opfer zu meiden. Die Cholera war unter den Truppen aufgetaucht, und es bestand auch, solange der Krieg dauerte, eine stete Gefahr der französischen Intervention. Diese französische Intervention hatte er bisher mit allen möglichen diplomatischen Manövern abgewehrt von denen er mir einige mit allen Einzelheiten erzählte. Aber Louis Napoleon wurde bei dem Wachstum der preußischen Macht und des preußischen Ansehens sehr unruhig und hätte gewiß nicht so lange gezögert, sich einzumischen, wenn das französische Heer nicht durch sein törichtes mexikanisches Abenteuer sehr geschwächt gewesen wäre. Jetzt aber, wo das Gros des preußischen Heeres sich immer weiter vom Rhein entfernte, schwere Verluste erlitten hatte und von böser Krankheit bedroht war, hätte er vielleicht den Mut gefunden, das zu tun, wonach er schon lange strebte.

»Dadurch wäre eine neue Lage der Dinge geschaffen worden. Aber um ihr zu begegnen, hätte ich doch noch einen Ausweg gehabt, der Sie vielleicht überrascht haben würde.«

In der Tat, ich war neugierig.

»Was wäre wohl die Wirkung gewesen«, fuhr Bismarck fort, »wenn ich unter solchen Umständen an das Nationalgefühl des ganzen Volkes appelliert hätte, indem ich die Frankfurter Verfassung des Deutschen Reiches von 1848 und 1849 proklamiert hätte?«

»Ich glaube, es hätte das ganze Land begeistert, und damit wäre vielleicht mit einem Schlage eine deutsche Nation geschaffen«, entgegnete ich. »Aber hätten Sie wirklich die arme Hinterbliebene, die Waise der Revolution von 1848, adoptiert?«

»Warum nicht?«, sagte der Kanzler. »Gewiß, die Verfassung hatte einige mir sehr unsympathische Züge. Aber eigentlich ist sie doch nicht so sehr verschieden von dem, was ich jetzt anstrebe. Ob der alte Herr einverstanden gewesen wäre, ist allerdings fraglich. Jedoch wenn er Napoleon vor den Toren gewußt hätte, hätte er vielleicht auch dieses Hindernis genommen. Der Krieg mit Frankreich aber«, fügte er hinzu, »den bekommen wir doch.«

Ich drückte mein Erstaunen über diese Prophezeiung aus. Sie war mir doppelt erstaunlich, wenn ich wieder bedachte, daß der große Staatsmann, der solche furchtbare Verantwortung auf seinen Schultern trug, mit einem ihm völlig fremden Besucher sprach. In ernstem, fast feierlichem Tone fuhr er fort:

»Glauben Sie ja nicht, daß ich den Krieg liebe. Ich kenne ihn genug, um ihn zu verabscheuen. Die furchtbaren Bilder, die ich mit eigenen Augen gesehen habe, werden mich nie verlassen. Nie werde ich einem Kriege zustimmen, der sich irgend vermeiden läßt, geschweige denn einen solchen Krieg herbeiführen. Aber dieser Krieg mit Frankreich, der wird kommen, der wird uns vom Kaiser der Franzosen aufgedrängt werden. Das erkenne ich klar und deutlich.«

Dann setzte er mir auseinander, daß die Lage eines »Abenteurers auf dem Throne«, wie Louis Napoleon, ganz und gar verschieden sei von der eines legitimen Herrschers, wie es der König von Preußen sei. »Ich weiß«, sagte er lächelnd, »daß Sie an das Königtum von Gottes Gnaden nicht glauben, aber viele glauben daran, besonders in Preußen, vielleicht nicht so viele wie vor 1848, aber doch mehr als Sie denken. Die Leute sind der Dynastie mit traditioneller Königstreue ergeben. Ein König von Preußen kann Fehler begehen, kann Unglück oder sogar Demütigungen erleiden, aber die traditionelle Königstreue läßt darum nicht nach. Sie kann wohl hier und dort etwas ins Wanken gebracht werden, aber ernstlich gefährdet wird sie nicht. Der Abenteurer auf dem Thron hingegen hat kein solches überliefertes Vertrauen hinter sich. Er muß fortwährend Aufsehen erregen. Seine Sicherheit hängt von seinem persönlichen Ansehen ab, und um dies Ansehen zu erhöhen, müssen sich sensationelle Begebenheiten in rascher Folge drängen. Sie müssen immer neu und frisch bleiben, um den Ehrgeiz, den Stolz oder meinetwegen die Eitelkeit des Volkes zu befriedigen, besonders eines Volkes wie die Franzosen. Louis Napoleon hat durch zweierlei viel von seinem Ansehen eingebüßt, erstens durch den abenteuerlichen Krieg in Mexiko, der ein erstaunlicher Fehler und eine phantastische Torheit war, und zweitens dadurch, daß er Preußen so mächtig werden ließ, ohne irgendeine ›Kompensation‹ zu erlangen, irgendeinen Erwerb an Land, welches den Franzosen wie eine glänzende Errungenschaft seiner Diplomatie erscheinen konnte. Es war bekannt, daß er eine solche ›Kompensation‹ erstrebte und daß ich sie ihm, ehe er sichs versah, wegmanövriert habe. Er ist sich wohl bewußt, daß er viel von seinem Ansehen eingebüßt hat, viel mehr, als er missen kann, und daß dieser Verlust, wenn er nicht bald wieder ersetzt wird, seinem Kaisertum gefährlich zu werden vermöchte. Sowie er also annehmen kann, daß sein Heer wieder in guter Ordnung und kriegsbereit ist, wird er Anstrengungen machen, jenes Prestige, das für ihn eine Lebensfrage ist, wiederzuerlangen. Dazu wird er unter irgendeinem Vorwande Streit mit uns anfangen. Ich glaube nicht, daß er persönlich diesen Krieg herbeisehnt, ich glaube sogar, er würde ihn lieber vermeiden, aber seine unsichere Lage wird ihn dazu treiben. Nach meiner Berechnung wird diese Krisis in etwa zwei Jahren eintreten. Wir müssen natürlich darauf vorbereitet sein, und wir sind es auch. Wir werden siegen, und das Ergebnis wird gerade das Gegenteil von dem sein, was Napoleon anstrebt, nämlich die vollständige Einigung Deutschlands außerhalb Österreichs und wahrscheinlich auch der Sturz Napoleons.«

Dies sagte mir Bismarck im Januar 1868. Der Krieg zwischen Frankreich und Preußen mit seinen Verbündeten brach im Juli 1870 aus, und die Errichtung des Deutschen Reiches und der Sturz Napoleons waren das Ergebnis. Keine Prophezeiung ist je scharfsinniger gemacht und genauer erfüllt worden.

Ich habe Bismarck hier immer in der ersten Person reden lassen. Ich tat es, um den Inhalt seiner Reden in knapper Form wiederzugeben, aber ich erhebe keinen Anspruch darauf, seine Redeweise getreu wiedergegeben zu haben. Die sprühende Lebhaftigkeit seiner dann und wann mit französischen oder englischen Sätzen vermischten Rede, die Geistesblitze, die den Gegenstand seiner Betrachtungen umspielten und mit scharfem Licht plötzlich einen hochgestellten Würdenträger, ein Ereignis oder eine Situation unheimlich beleuchteten, sein Lachen, oft behaglich ansteckend, oft bitter sarkastisch, die raschen Übergänge von ergötzlichem Humor und spielendem Witz zu rührenden Herzenstönen, die Freude, die der Erzähler offenbar an seinen eigenen Geschichten hatte, das stürmische Tempo, in dem diese Geschichten zum besten gegeben wurden, und hinter all dem jene gewaltige Persönlichkeit, die Verkörperung einer mehr als königlichen Macht, ein wahrer Atlas, der auf seinen Schultern das Geschick eines ganzen Volkes trug: das alles war unbeschreiblich. Es lag ein eigenartiger Zauber in der Gegenwart des Riesen, der bei aller Größe doch so menschlich erschien.

Während er noch mit unverminderter Lebhaftigkeit auf mich einredete, blickte ich zufällig auf die mir gegenüber befindliche Uhr und war überrascht, daß sie weit nach Mitternacht zeigte. Ich erhob mich sofort zum Abschied und entschuldigte mich beim Kanzler, daß ich seine kostbare Zeit so lange in Anspruch genommen hatte. »O«, sagte der Kanzler, »ich bin es gewohnt, spät zur Ruhe zu gehen, und wir haben ja noch nicht von Amerika gesprochen. Aber Sie haben ein Recht darauf, müde zu sein. Dann müssen Sie wiederkommen. Sie müssen mal bei mir essen. Können Sie morgen kommen? Ich habe eine Kommission für das Strafgesetzbuch eingeladen – wahrscheinlich lauter langweilige alte Juristen, aber vielleicht findet sich einer darunter, der neben Ihnen sitzen und Sie leidlich unterhalten kann«.*

Ich nahm die Einladung natürlich freudig an und befand mich am anderen Abend inmitten einer großen Gesellschaft von ernsten, gelehrt aussehenden Herren, alle mit einem oder mehreren Orden geschmückt. Ich war der einzige im Zimmer, der keine

* Die Einladung war an die Mitglieder der Kommission des Norddeutschen Bundes zur Ausarbeitung des Entwurfs einer Zivilprozeßordnung ergangen. Der spätere Reichsbankpräsident Dr. R. Koch hat seine Eindrücke von diesem Abend bei Bismarck veröffentlicht (vergleiche »Deutsche Revue«, 1908, Band 334, S. 162 ff.). Koch, der Protokollführer jener Kommission, saß bei Tisch neben Schurz. Nach Tisch soll Bismarck Schurz »vertraulich« auf die Schulter geklopft und gesagt haben: »Nun, Schurz, wie haben Sie sich mit den Juristen amüsiert?« Dann habe ihn Bismarck in eine längere Unterhaltung gezogen.

Orden hatte und merkte, daß verschiedene Gäste mich neugierig musterten, besonders als Bismarck mit lauter Stimme mich der Gräfin vorstellte: General Karl Schurz aus den Vereinigten Staaten von Amerika. Einige der Herren schienen überrascht, aber ich war sofort im Mittelpunkt des Interesses, und viele ließen sich mir vorstellen. Mein Tischnachbar war ein Richter aus Köln, der genug rheinisches Temperament besaß, um ein guter Gesellschafter zu sein. Das Essen war schnell beendet, es hatte wohl kaum drei Viertelstunden gedauert, länger gewiß nicht. Mein Richter aus Köln vertraute mir an, daß er nicht satt geworden sei. Kaffee und Zigarren wurden in einem einfachen Saale gereicht. Die Gäste bildeten Gruppen, unter denen der Kanzler hin und her ging und alle mit seinen witzigen Bemerkungen amüsierte. Aber ehe die Raucher ihre Zigarre halb beendet haben konnten, verabschiedete sich der Justizminister, der als Führer und Berater der Kommission für das Strafgesetzbuch zu fungieren schien, von dem Gastgeber, was von der ganzen Gesellschaft als Zeichen zum allgemeinen Aufbruch aufgefaßt wurde. Ich folgte ihrem Beispiele, aber der Kanzler sagte: »Warten Sie doch einen Augenblick. Warum wollen Sie denn draußen im Gedränge stehen, im Kampfe um Ihren Überzieher? Setzen Sie sich noch einen Augenblick zu mir und trinken Sie ein Glas Apollinaris.«

Wir setzten uns an einen kleinen Tisch, das Apollinariswasser wurde gebracht, und Bismarck begann nun, mich über die Verhältnisse in Amerika eingehend zu befragen.

Besonders interessierte ihn der Konflikt zwischen Präsident Johnson und der republikanischen Mehrheit des Kongresses, der sich damals gerade seinem Höhepunkt näherte.* Er betrachtete nämlich diesen Kampf als einen Prüfstein für die Macht des konservativen Elementes in unserem Staatsgebäude. Würde die

* Der Konflikt zwischen dem Präsidenten Andrew Johnson und dem Kongreß ging aus von Meinungsverschiedenheiten über die den Sezessionisten gegenüber einzuschlagende Politik, wobei der Kongreß eine größere Strenge wünschte, als sie Johnson vertrat. Dieser Gegensatz gewann bald verfassungspolitische Tragweite. Im Verlaufe dieser Streitigkeiten erklärte der Senat die von Johnson ausgesprochene Absetzung des mit dem Kongreß übereinstimmenden Kriegsministers Stanton für ungesetzlich; das Repräsentantenhaus nahm am 22. Februar 1868 mit 126 gegen 47 Stimmen eine Resolution an, den Präsidenten in Anklagezustand zu versetzen. Der Prozeß begann am 23. März vor dem Senat und dauerte bis zum 26. Mai, doch wurde Johnson freigesprochen, da die zur Verurteilung verfassungsmäßig notwendige Zweidrittelmajorität fehlte.

feierliche Anklage des Präsidenten und, falls er schuldig befunden würde, seine Amtsentsetzung wohl zu irgend weiteren, dem öffentlichen Frieden und der öffentlichen Ordnung gefährlichen Konflikten führen? Ich antwortete, nach meiner Überzeugung nicht. Die exekutive Gewalt würde einfach in andre Hände übergehen, wie das die Verfassung und die Landesgesetze vorschrieben, ohne von irgendeiner Stelle auf Widerstand zu stoßen. Würde andererseits Johnson freigesprochen, so würde man sich allgemein und selbstverständlich dem Urteilsspruch unterwerfen, wie hoch auch vorher die Wogen der Erregung im ganzen Volke wegen dieser Sache gegangen sein möchten.

Der Kanzler war zu höflich, um mir geradezu ins Gesicht zu sagen, daß er dies alles stark bezweifle, und doch wollte er mich nicht in dem Glauben lassen, daß er meine Ansicht teilte. Lächelnd fragte er mich, ob ich noch immer ein ebenso überzeugter Republikaner sei, als ich es gewesen, ehe ich nach Amerika kam und die Gelegenheit hatte, eine Republik von innen heraus kennenzulernen. Ich bejahte und versicherte ihm, daß ich zwar die Republik nicht in allen Teilen so schön und lieblich befunden hätte, wie ich sie mir in meiner jugendlichen Begeisterung vorgestellt hätte, hingegen praktischer in ihren Wohltaten für die große Menge und viel konservativer in ihren Tendenzen, wie ich sie mir je gedacht hätte. Bismarck entgegnete, vermutlich beruhten unsere Eindrücke und unsere Ansichten über viele Fragen auf Temperament, Erziehung und überlieferter Denkungsart. »Ich bin kein Demokrat«, fügte er hinzu, »und kann es nicht sein. Ich bin als Aristokrat geboren und erzogen. Wenn ich ganz ehrlich sein soll, war etwas in mir, was mich für die Sklavenhalter, als die aristokratische Partei in Ihrem Bürgerkriege, instinktiv sympathisieren ließ. Aber«, setzte er mit ernstem Nachdruck hinzu, »dies unbestimmte Mitgefühl beeinflußte in keiner Weise meine Ansichten über die Politik, die unsere Regierung den Vereinigten Staaten gegenüber befolgen müsse. Preußen ist durch Überlieferung und in wohlverstandenem eigenen Interesse ein treuer Freund Ihrer Republik und wird es auch bleiben, trotz seiner monarchischen und aristokratischen Sympathien. Darauf können Sie immer rechnen.«

Er richtete noch viele Fragen an mich über die politischen und sozialen Verhältnisse in den Vereinigten Staaten. Ihre Art und Reihenfolge bewiesen, daß er viel über diese Dinge nachgedacht hatte und viel davon wußte, mehr als irgendein anderer Europäer meiner Bekanntschaft, der nicht in Amerika gewesen war. Was ich ihm Neues mitteilen konnte, schien er mit großer Freude aufzunehmen. Aber immer wieder wunderte er sich darüber, wie es möglich sei, daß eine menschliche Gesellschaft glücklich und halbwegs geordnet sein könne, wo die Macht der Regierung so beschränkt sei und so wenig Ehrfurcht vor den eingesetzten Behörden herrsche. Mit herzlichem Lachen, in dem Zustimmung durchzuklingen schien, nahm er meine Bemerkung auf, daß das amerikanische Volk sich kaum zu einem so selbstvertrauenden, energischen, fortschrittlichen Volke entwikkelt hätte, wenn an jeder Pfütze in Amerika ein Geheimrat oder ein Schutzmann gestanden hätte, um die Leute davor zu bewahren, hineinzutreten. Auch schien er sehr frappiert, als ich den anscheinend paradoxen Ausspruch tat, daß in einer »wenigregierten« Demokratie die Dinge im einzelnen schlecht, im ganzen gut gehen könnten, während in einer Monarchie mit viel hervortretender und allgegenwärtiger »Regierung« die Dinge im einzelnen sehr glatt und gut, im ganzen aber schlecht gehen könnten. Mit solchen Ansichten konnte er in mir nur einen unverbesserlichen Demokraten erkennen. Aber, sagte er, würden die demokratischen Institutionen Amerikas nicht erst dann die wahre Probe zu bestehen haben, wenn die außergewöhnlich günstigen Chancen, welche aus unseren wunderbaren natürlichen Hilfsmitteln, die im gewissen Sinne Gemeineigentum seien, hervorgingen, aufgehört haben würden zu existieren? Würden dann die politischen Kämpfe Amerikas nicht naturgemäß ein Kampf zwischen reich und arm werden, zwischen den wenigen, die besitzen, und den vielen, die entbehren? Da öffnete sich uns ein weites Feld der Mutmaßungen.

Den Kanzler interessierte es sehr, von mir zu hören, ob die merkwürdigen Geschichten, die man über die Disziplin in unserem Heere erzählte, wahr seien. Ich mußte zugeben, daß die Art der Disziplin einen echten preußischen Offizier jedenfalls entsetzt haben würde, und ich erzählte ihm einige Beispiele von Äußerungen jenes Gefühls der Gleichheit, das der Amerikaner gern in alle Lebensverhältnisse hineinträgt und welches hin und wieder eine gewisse ungezwungene Vertraulichkeit zwischen den Offizieren und Mannschaften zeitigt. Über meine Geschichten amüsierte er sich köstlich. Sein preußischer Militärstolz lehnte sich aber jedenfalls dagegen auf, als ich sagte, daß nach meiner Meinung der amerikanische Soldat trotzdem nicht nur gut kämpfen würde, sondern auch in einem längeren Kampfe mit irgendeinem europäischen Heere, wenn auch zunächst durch dessen besseren Drill und bessere Disziplin im Nachteil sein, doch nach einiger Erfahrung sich ihnen allen überlegen erweisen würde.

Die Unterhaltung wandte sich dann den internationalen Beziehungen zu und insbesondere der in Amerika herrschenden öffentlichen Meinung über Deutschland. Sympathisierten die Amerikaner mit den nationalen Einheitsbestrebungen der Deutschen? Ich erwiderte, daß, soweit man sich überhaupt in Amerika mit der deutschen Einheit beschäftige, man ihr sympathisch gegenüberstehe. Unter den Deutsch-Amerikanern sei die Begeisterung für den Gedanken natürlich sehr groß. »Ist Louis Napoleon, der Kaiser der Franzosen, in Amerika populär?« Ich erwiderte, daß er im allgemeinen die Achtung des Volkes nicht genösse und nur populär wäre bei einer kleinen Anzahl von Parvenüs, die sich durch eine Vorstellung an seinem Hofe geschmeichelt fühlen würden. »Im Falle eines Krieges zwischen Deutschland und Frankreich würde also keine Gefahr dafür vorhanden sein, daß die amerikanischen Sympathien Louis Napoleon zuneigen würden?« Ich verneinte; es sei denn, daß Deutschland den Franzosen ungerechterweise einen Krieg aufzwänge.

Im Laufe unserer ganzen Unterhaltung sprach Bismarck verschiedentlich seine Freude über die freundlichen Beziehungen aus, welche zwischen ihm und den deutschen Liberalen von 1848 bestanden. Er erwähnte viele meiner alten Freunde, Lothar Bucher, Kapp u. a. m., die nach Deutschland zurückgekehrt wären, die sich in den neuen Verhältnissen sehr wohl fühlten und denen die Wege zu hohen öffentlichen Stellungen und zu hervorragenden und einflußreichen Tätigkeiten, die mit ihren Grundsätzen durchaus übereinstimmten, offenständen. Er betonte dies und ähnliches mehrmals und so nachdrücklich, daß es mir fast wie eine Aufforderung klang, es ebenso zu machen. Ich hielt es jedoch für besser, nicht darauf einzugehen, sondern flocht nur bei passender Gelegenheit die Bemerkung ein, daß meine Tätigkeit in den Vereinigten Staaten mich durchaus befriedigte und daß ich der Nordamerikanischen Republik durch ein tiefes Gefühl von Dankbarkeit verbunden wäre für die Auszeichnung, die sie mir so großmütig verliehen hätte.

Unsere Unterhaltung war durchweg so lebhaft gewesen, daß es wieder lange nach Mitternacht war, als ich mich verabschiedete. Meine alten achtundvierziger Freunde, die ich in Berlin traf, waren natürlich sehr begierig zu erfahren, was der große Mann mir wohl mitzuteilen gehabt hätte, und ich meinte ohne

Indiskretion sagen zu können, wie erfreut er sich über die gemeinsamen Ziele und das harmonische Zusammenwirken mit ihnen geäußert hatte. Einige von ihnen hielten Bismarcks Bekehrung zu liberalen Grundsätzen für wirklich aufrichtig; sie meinten, es schmeichele ihm, so beliebt zu sein, und er werde versuchen, sich die Popularität zu erhalten, indem er im wahren Sinne ein konstitutioneller Minister bleibe. Andere waren weniger sanguinisch. Wenn sie auch annahmen, daß er in seinen Bestrebungen, ein einiges Deutschland unter der Führung Preußens zu schaffen, aufrichtig sei, meinten sie doch, er werde mit den Liberalen nur so lange »flirten«, als er glaube, damit seine Zwecke am besten fördern zu können, aber daß seine wahre Autokratennatur schließlich doch wieder die Oberhand gewinnen und er seinen zeitweilig angenommenen Liberalismus ohne viel Federlesens über Bord werfen werde, wenn er ihn nicht mehr nötig habe und besonders, wenn er einsehe, daß er ihm bei der Ausübung seines Willens im Wege stehe. Außer bei Gelegenheit meines formellen Abschiedsbesuches* sollte ich Bismarck erst zwanzig Jahre später wiedersehen. Auch dann, unter so veränderten Umständen, hatte ich mit ihm mehrere höchst interessante Unterredungen.

Karl Schurz, Lebenserinnerungen. Band II, 1906, S. 487 ff.

Gespräch mit dem amerikanischen Gesandten George Bancroft in Berlin. 30. Januar 1868

George Bancroft, Geschichtsforscher und Politiker, war von 1867 bis 1874 als Gesandter der Vereinigten Staaten in Berlin tätig. Nach seinem »Life and Letters« traf er beim Jahresfest der Preußischen Akademie der Wissenschaften mit dem Ministerpräsidenten zusammen.

Karl Schurz ist hier gewesen. Anstatt an Vergangenes zu rühren, empfing Bismarck seinen Besuch und lud ihn zum Essen ein. Bei Tisch, so erzählte er mir die Geschichte, fragte ihn ein alter Konservativer mit starren Ansichten, wer der Herr mit dem roten Backenbart sei. »Um ihn ein wenig zu ärgern, sagte ich, dies sei der Mann, der vor Jahren Kinkel aus dem Gefängnis befreit und dann die Flucht ins Ausland ergriffen habe. Der

* Dieser Abschiedsbesuch fand am 31. Januar 1868 statt.

Konservative sah entgeistert aus, und ich freute mich an seinem Erstaunen.« So weit sprach Bismarck scherzend; dann nahm er einen ernsteren Ton an und sagte: »Ich wünschte ihn bei mir zu sehen als eine Persönlichkeit, der die amerikanische Regierung ein wichtiges Amt übertragen hat und als angesehenen Privatmann.«

George Bancroft, Life and Letters. Herausgegeben von De Wolfe Howe. Band II, 1908, S. 201.

Die schwarzweissen Grenz-Pfähle und der Katechismus der Kreuzzeitung. – Gespräch mit konservativen Edelleuten im Hause Bismarck. 2. Februar 1868

Der Balte Julius von Eckardt, damals Mit-Redakteur der »Grenzboten«, hatte auf Anregung Keudells eine Einladung zu einer Abendgesellschaft im Hause Bismarck erhalten, als er »im Februar« von Leipzig aus Berlin besuchte. Über einen Anhalt zu genauerer Datierung des Gesprächs vergleiche BGI, S. 243 f.

In dem mir bekannten Salon war diesmal eine größere Gesellschaft um den Teetisch versammelt. Zur Rechten des Hausherrn, der auf dem Sofa Platz genommen hatte, den bekannten dunkelblauen Uniformrock trug und hübscher aussah, als ich ihn mir gedacht hatte, saß ein alter Herr, der soviel ich verstand, von Arnim* hieß, als Verwandter des Hauses kurzweg »Onkel Alexander« genannt wurde und mit dem Grafen Bismarck in eine Unterhaltung über den ostpreußischen Notstand vertieft war. Zur Linken Bismarcks hatte eine junge Dame ihren Platz, mit der der älteste Sohn des Kanzlers, damals hoffnungsvoller Primaner, beschäftigt zu sein schien. Der Typus der Schönen, die ihrem jugendlichen Verehrer an Alter und Welterfahrung sichtlich überlegen war, ließ auf eine Slawin, mindestens auf eine Nichtdeutsche schließen. Dem Hausherrn gegenüber saß die Gräfin vor dem Teeapparat, den sie selbst bediente, rings um den Tisch hatte eine Anzahl jüngerer Personen Platz genommen... Ich hörte den »Onkel Alexander« in ernstem Tone Klagen über die schweren Opfer vorbringen, die »wir Konser-

* Offenbar handelt es sich nicht um einen Herrn von Arnim, sondern um Alexander von Below-Hohendorf, den Pietisten, der auch in Bismarcks Briefen als »Onkel Alexander« bezeichnet wird.

vativen« der Regierung und der im Zuge begriffenen neuen Ordnung der deutschen Dinge bringen müßten, und die »uns« um so schwerer ankämen, als es dabei nicht ohne Verletzung geheiligter Prinzipien abgehe. »Von was für Prinzipien reden Sie, Onkel Alexander?«, fragte Bismarck, «und welche Opfer haben Sie mir denn eigentlich gebracht?« Der alte Herr erwiderte, die Prinzipien, die er meine, seien diejenigen des Wiener Kongresses und von den gebrachten Opfern wollte er nur eines, die Entlassung »unseres würdigen B.*, der jetzt so schlecht behandelt wird«, erwähnen. »Sie reden von den Prinzipien des Wiener Kongresses«, fuhr Bismarck lebhaft auf, »was waren denn das für Prinzipien? Die revolutionärsten von der Welt! Länder und Völker wurden auf diesem Kongresse wie alte Hosen und Röcke zerschnitten, aus denen der jüdische Händler neue Kleider machen will. Wir sind bei den Annexionen, die wir 1866 vornehmen mußten, unvergleichlich konservativer verfahren, als damals in Wien geschehen war, wo man in Wahrheit gar keinen Prinzipien gefolgt ist. Und was Ihren B. anlangt, so kann ich Ihnen nur sagen, daß dieser gute Konservative ein schlechter Kerl ist. Er hat aus purer Feigheit die Flinte ins Korn geworfen, als es das Vorgehen gegen Österreich galt. Und dabei hat er schamlos gelogen! B. ist der größte Lügner, den ich kenne.« – »Nein, Otto«, unterbrach die Gräfin, »P.** war noch ein größerer Lügner als B.« – Bismarck aber fuhr in der begonnenen Auseinandersetzung weiter fort. »Sie reden von Opfern, die Sie, die Konservativen, mir gebracht haben, und nennen dabei einen Menschen wie B., der immer noch dem Vorstande Ihrer Partei angehört. Die Sache liegt umgekehrt – ich habe Ihnen die schwersten Opfer gebracht und bringe noch fortwährend solche Opfer. Rücksichten auf Sie verwickeln mich immer wieder in Schwierigkeiten, die ich mit den verständigsten Leuten der übrigen Parteien habe und die ich mir sonst sparen könnte. Und dafür wird mir von Ihnen mit schwarzem Undank gelohnt. Jetzt z. B., wo die prinzipiell und praktisch höchst wichtige Angelegenheit des hannöverschen Provinzialfonds vorliegt, ist die konservative Partei drauf und dran, gegen mich zu stimmen.«

Es darf eingeschaltet werden, daß die Frage, ob den Ständen der frisch annektierten Provinz Hannover die selbständige Ver-

* Gemeint ist der Finanzminister von Bodelschwingh.
** Gemeint ist Prokesch-Osten, Bismarcks österreichischer Kollege am Frankfurter Bundestag.

waltung ihres Provinzialvermögens und der aus ihm erhaltenen Anstalten, Wegeanlagen und so weiter, belassen werden solle, damals zur Diskussion des preußischen Landtags und inmitten der öffentlichen Aufmerksamkeit gestellt war.*

Auf Dinge, die von der Heerstraße altpreußisch-konservativer Routine so weit ablagen wie die Fragen der hannoverschen Selbstverwaltung, schien Herr von Arnim sich nicht einlassen zu wollen. Statt seiner ergriff jetzt der Abgeordnete von der Marwitz das Wort, der bisher schweigsam dagesessen hatte. »Ich muß dir sagen, lieber Bismarck«, hob er mit einiger Befangenheit an, »ich muß dir aufrichtig sagen, daß wir Konservativen dir in dieser Sache nicht zu folgen vermögen. Dergleichen Abweichungen von der erprobten altpreußischen Ordnung können unsere Sache nicht sein, wo die neuen Verhältnisse ohnehin immer wieder Störungen verursachen. Ich glaube, daß der größte Teil unserer Fraktion in beiden Häusern dagegen stimmen wird, und du wirst dich darüber nicht wundern können.« »Und ich«, fuhr Bismarck heftig heraus, »ich sage dir: Wenn ihr mir diese wichtige Sache verderbt, so sollt ihr eine Kreisordnung bekommen, die so aussehen wird, als wäre sie von lauter Kreisrichtern gemacht worden.«

Herr von der Marwitz stutzte: »Du sagst das wohl, lieber Bismarck«, lautete sein im Ton der Begütigung vorgetragener Einwurf, »aber tun wirst du es nicht.« –

»So!« fuhr der mehr und mehr in Feuer gekommene Minister auf: »Da kennt ihr mich schlecht. Im Jahre sechsundsechzig haben die Österreicher auch gesagt: Schießen wird der Bismarck nicht – das tut er doch nicht! Nun, habe ich geschossen?«

Daß und warum auf dieses unvergleichliche Argument die Antwort ausblieb, braucht nicht erst gesagt zu werden. Den Wortlaut von Bismarcks weiteren Ausführungen vermag ich nicht wiederzugeben, weil sie zu rasch und zu überstürzt vorgetragen wurden, als daß eine spätere Niederschrift mit der nötigen Genauigkeit hätte vorgenommen werden können. Der Sinn ging ungefähr dahin, daß freie Bewegung und schonungsvolle Behandlung der neuen Provinzen sowohl für das Zusammenwachsen derselben mit dem preußischen Staate als für den

* Die altpreußisch gesinnten Vertreter der alten Provinzen aus dem konservativen und fortschrittlichen Lager waren gegen die von den Hannoveranern aller Parteien geforderte ausgedehnte Selbstverwaltung; unter jenen befand sich auch der Führer der Altliberalen, Georg von Vincke.

gedeihlichen Fortgang des begonnenen nationalen Einigungswerkes unerläßliche Bedingungen seien.

In dem Katechismus der Kreuzzeitungspartei stand von Dingen, die jenseits der schwarzweißen Pfähle lagen, im Jahre 1868 noch nichts geschrieben. Den anwesenden Worthaltern der Doktrin von der »Solidarität aller konservativen Interessen« blieb darum nichts übrig, als den Rückzug anzutreten. Herr von Arnim,* dem man die Ermüdung ansah, verhielt sich (meines Erinnerns) stumm, von der Marwitz aber legte ein Bekenntnis ab, das nach Form und Inhalt bemerkenswert genug war, um in der Erinnerung haften zu bleiben.

»Lieber Bismarck«, lauteten seine Worte, »du weißt, daß wir Landleute sind, die einen Kuhschwanz vom Pferdeschwanz wohl zu unterscheiden wissen – auf deine große Politik, und was mit derselben zusammenhängt, verstehen wir uns dagegen nicht. Wenn an dieser hannoverschen Geschichte wirklich so viel gelegen ist, wie du sagst, so gibt es unserer Meinung nach nur ein Mittel, um mit ihr fertig zu werden. Auf dem nächsten Hofball muß Majestät dem einen oder dem anderen von uns sagen, Sie wünschten entschieden, daß wir für den hannoverschen Provinzialfond stimmen. So wird sich vielleicht die Sache machen lassen.«

Bismarck ließ sich diesen staatsmännischen Wandel seines Gastfreundes begreiflicherweise gefallen. »Übrigens«, sagte er mit sichtlich wiederkehrender guter Laune, »hat Majestät bereits auf dem vorigen Hofball in diesem Sinne gesprochen, wenn auch nicht mit Glück. Ich weiß nicht, aus welchem Grunde der König der Meinung war, Bethusy-Huc gehöre zu den Gegnern der Sache, während dieser und die übrigen Freikonservativen in Wirklichkeit auf meiner Seite stehen. Majestät geht also auf den Bethusy zu und sagt: »Lieber Graf, Sie haben sich sonst immer als patriotischer und einsichtiger Mann bewährt, und jetzt sind Sie Gegner des hannoverschen Provinzialfonds, der durchaus notwendig ist. Ich habe das zu meinem Bedauern gehört.« – »Majestät«, wendet Bethusy betroffen ein, »Majestät wollen mir allergnädigst gestatten, zu sagen...« – »Mein lieber Bethusy«, antwortet Majestät, »ich gestatte nichts! Ich weiß, was Sie mir sagen wollen, – Sie haben unrecht, und ich bedaure, wie ich Ihnen gesagt, lebhaft, daß Sie in dieser Frage Gegner meiner Regierung sind.« – Und damit läßt der König den be-

* Siehe Anmerkung 1 auf Seite 216.

gossenen Bethusy stehen und setzt die Runde durch den Saal weiter fort.

Mitternacht war längst vorüber, als die an diese Erzählung geknüpften Erörterungen ihr Ende nahmen. »Onkel Alexander« nahm den Hut, und uns übrigen blieb nichts übrig, als dem Beispiel des venerablen Greises zu folgen.

Julius von Eckardt, Lebenserinnerungen.
Band I, 1910, S. 137 ff.

Gespräche mit zwei Primanern des Werderschen Gymnasiums in Berlin. Anfang Februar 1868

Paul Zauleck, ein ehemaliger Mitschüler Herbert Bismarcks, veröffentlichte im Jahre 1913 Erinnerungen an eine Aufführung des von Schiller aus dem Französischen übertragenen Lustspiels von Picard »Der Neffe als Onkel«, die im alten Werderschen Gymnasium Ende Januar 1868 (nach Zauleck am 25.) stattfand. Herbert Bismarck spielte den Lormenil, Wilhelm Bismarck den Postillon. Graf Bismarck wohnte der Aufführung bei und spendete kräftigen Beifall. Zauleck und einem anderen Primaner fiel die Aufgabe des Festordners zu. Anläßlich dieser Liebhabervorstellung kam er auch mit den Eltern seines Schulkameraden in Berührung.

Wie waren wir überrascht, als acht Tage später Herbert Bismarck uns im Auftrage seiner Eltern zum Diner einlud! Das hatten wir wahrlich nicht erwarten zu dürfen geglaubt. Um so froher aber und stolzer betraten wir nun im Februar abermals das Bismarcksche Heim. Herbert stellte uns seiner gütigen, echt frauenhaften Mutter und seiner Schwester vor. Gleich darauf erschien Bismarck, begrüßte seine Gäste – es waren außer uns beiden noch einige Diplomaten und ein höherer Offizier da, deren Namen und Würden ich vergessen habe – und führte dann seine Gemahlin zu Tisch.

Als wir um die Tafel standen, legte Bismarck einen Augenblick seine Hände zu stillem Gebet auf die hohe Stuhllehne, und man nahm Platz. Während des Mahles schlug der hohe Herr an sein Glas, sprach Freude und Dank über die gelungene Abendunterhaltung aus, rühmte Bonnell, der seine Schüler so trefflich in Freiheit dressiere und brachte dessen Gesundheit mit den Worten aus: »Schuster soll leben.« So nämlich nannten sämtliche Werderaner wegen seiner unscheinbaren Gestalt, aber ohne jede

Despektierlichkeit, den von uns allen hochgeschätzten Mann. Nach dem Gläserklingen beauftragte uns Bismarck, Bonnell von dem ausgebrachten Toast Meldung zu machen. »Sie brauchen ihm nicht gerade zu verraten, daß wir ihn Schuster genannt haben«, fügte er lachend hinzu.

Als wir nach Tische wieder im Salon angelangt waren, rief Bismarck den anwesenden Offizier. »Freund, komm einmal her, wir müssen unbedingt feststellen, wer heut der Größte in unserem Kreise ist. Herbert ist größer als ich, das weiß ich, und du bist größer als Herbert. Aber hier der Herr Zauleck scheint größer zu sein als du.« Wir beiden Konkurrenten mußten uns nun mit den Rücken gegeneinander stellen, und Bismarck lachte froh, als ich bei der Prüfung den Sieg davontrug. Dann bot unser Wirt, frei aus der Hand, Manilazigarren an, forderte uns und seine Söhne zum Platznehmen im Salon auf, und als die übrige Gesellschaft sich ins Wohnzimmer zurückgezogen hatte, hob er liebenswürdig an, zu erzählen.

»Sie wissen gar nicht, wie gut Sie's auf dem Werder haben. Ich habe jedenfalls eine härtere Schulzeit durchgemacht, als Sie. Meine Eltern, die ja draußen wohnten, brachten mich ziemlich früh als Pensionär in die Plamannsche Anstalt in der Wilhelmstraße.* Da hatten wir täglich zwölf Stunden fast durch Unterricht, Arbeitsstunden, gemeinsamen Spaziergang und offizielle Spielzeit besetzt. Auf Anordnung meines Vaters mußte ich wöchentlich zwei englische und zwei französische Privatstunden nehmen, ja auch zweimal Klavierunterricht und sollte täglich eine Stunde hierfür üben. Das wurde mir denn doch zu viel, und ich bat meine Eltern dringend: Laßt mich wenigstens die Klavierstunden aufgeben; denn ein musikalisches Genie bin ich doch nicht. Mein Antrag wurde bewilligt, aber der unvermeidliche Zwang des Internats war mir auf die Dauer unerträglich, und ich erreichte endlich, daß ich aufs Graue Kloster kam.

Natürlich mußte ich in Pension gegeben werden, und meine Eltern brachten mich zu Bonnell, der damals Oberlehrer am Kloster war. Da atmete ich etwas auf. Aber Sie können sich wohl denken: so ein junger Lehrer, wie Bonnell zu der Zeit war, schwebte beständig in Sorgen, ich könnte einmal dumme Streiche machen. Deshalb hielt er mich immer am Bändel. Er ging selbst mit mir spazieren, und wenn ich mal allein aus-

* Vergleiche hierüber auch das Gespräch mit R. v. Keudell vom 18. Juni 1864, S. 98 dieses Bandes.

gegangen war, achtete er auf pünktliches Nachhausekommen. Als ich dann endlich zur Universität kam, da habe ich – Sie wundern sich gewiß nicht darüber – wie ein junges Füllen nach hinten und vorn ausgeschlagen. War ich doch endlich mal in Freiheit. Ich muß dankbar sein, daß aus mir doch noch etwas geworden ist. Mein Weg war freilich ein recht wunderlicher. Als ich mein erstes Examen gemacht hatte, arbeitete ich hier am Stadtgericht. Seltsamerweise bekam ich vertretungsweise das Ressort der Ehescheidungen. Damals war man viel leichter zur Trennung einer Ehe bereit, als heut, und ich habe manches Paar auseinandergebracht, ich glaube sogar, ich habe manchen Mann und manche Frau dadurch glücklich gemacht. Eigen ging mir's später, als mein Vater seine pommerschen Güter verkaufen wollte. Mein Bruder war auch Jurist, wie ich, und bei der Regierung beschäftigt. Damals wurde in der Familie viel hin und her beraten. Alle wünschten, die Güter möchten nicht veräußert werden, und ich erklärte mich sofort mit Freuden bereit, meine Karriere aufzugeben und Landwirt zu werden. Denn mir war die öde Arbeit bei der Regierung längst verleidet. Als ich meinen Entschluß kundgegeben, schrieb mir eine Kusine: Das finde ich nun höchst bedauerlich, daß gerade du den Staatsdienst quittieren willst. Ich habe immer gedacht, in dir stecke ein Diplomat. – Ich habe ihr geantwortet.* Was den Diplomaten betrifft, so magst du vielleicht recht haben. Auch ich fühle etwas in mir von seinem Geist. Wenn nur die Karriere nicht gar zu langwierig wäre! Ja, wenn ich gleich mit dem Minister anfangen könnte! Und nun denken Sie: als ich nach allerlei wunderlichen Wegen endlich in den Staatsdienst zurückkehrte, was war mein erster Posten? Bevollmächtigter Minister am Bundestag in Frankfurt.«

Freundlich lenkte nun Bismarck das Gespräch auf uns zurück, erhob sich, sprach uns gute Wünsche für die Zukunft aus und entließ uns, wieder mit liebenswürdigem Händedruck.

Paul Zauleck, Bismarckerinnerungen. Daheim, 1913, Nr. 27.

* Bismarck meint hier den bekannten Brief an seine Kusine Karoline, geb. Gräfin Bismarck-Bohlen, den er auszugsweise in dem Brief an seinen Vater vom 29. September 1838 (datiert aus Greifswald) mitteilt. Vgl. Fürst Bismarcks Briefe an seine Braut und Gattin. 4. Auflage, 1914, S. 23 ff.

Auf einer Parade. – Gespräch mit dem Reichstagspräsidenten Simson in Berlin. Frühjahr 1868

Nach Bancroft, »Life and Letters«. Das Gespräch stammt zwar aus zweiter Hand, Bancroft weist aber ausdrücklich darauf hin, daß er sich der Richtigkeit der Äußerungen versichert habe. Die erwähnte Parade fand am 29. Mai 1868 statt.

Letztes Frühjahr wohnte Bismarck zu Pferde einer Parade in Berlin bei; die Anstrengung war fast zu groß für ihn, denn es war ein heißer und staubiger Tag. Der Präsident des Reichstages kam auf ihn zu (er hat es mir selbst erzählt und auf meine Bitte wiederholt, damit ich nichts Falsches sage), um sich nach seiner Gesundheit zu erkundigen. »Kläglich«, antwortete Bismarck. – »Wieso, was fehlt Ihnen?« fragte Simson. Bismarck erwiderte, so daß die zwei Dutzend Umstehenden es hören konnten, »ich kann nicht schlafen, ich kann nicht essen, nicht trinken, nicht lachen, nicht rauchen, nicht arbeiten.« Simson riet ihm zu Dampfbädern. »Die Ursache meines Leidens«, sagte Bismarck, »können keine Bäder beseitigen«. – »Und was ist die Ursache?« – »Ach«, sagte Bismarck, »ich habe Nervenbankerott.«

George Bancroft, »Life and Letters«. Herausgegeben von De Wolfe Howe. Band II, 1908, S. 205.

»Ich gesund? Das ist kein Gehirn mehr.« – Gespräche mit dem Regierungspräsidenten und Abgeordneten von Diest in Berlin. Frühjahr 1868

Aus den Lebenserinnerungen Gustav von Diests, der zur konservativen Partei gehörte. Vergleiche über ihn oben, S. 127 dieses Bandes.

Vom März bis Ende Juni 1868 mußte ich wieder mit meiner Familie in Berlin wohnen, um meinen Sitz im Reichstag einzunehmen. – Auch aus dieser langen Session des Parlaments hebe ich nur folgende Erlebnisse heraus: In dem Arbeitszimmer Bismarcks, welches er hinter dem Sitzungssaal innehatte, mußte ich ihm einmal einen Vortrag halten, an dessen Schluß ich meine Freude darüber aussprach, daß er so gesund und kräftig aussehe. Da wandte er aber seine großen Augen fast zornig auf mich: »Ich gesund?! Sie ahnen gar nicht, wie traurig es mit mir steht, und wie es hier hinter (er strich mit dem Finger über seine Stirn) aussieht. Da ist kein Gehirn mehr, da ist nichts als eine gallertartige Masse!« Ich erschrak; aber gleich darauf hielt Bismarck eine gewaltige Rede im Reichstag, die nicht nach Gallerte schmeckte. Als die Verhandlungen im Zollparlament über die Eisenzölle ein arges Fieber bei den Tausenden von Interessenten hervorgerufen hatten und alle Tribünen voll waren, wurde ich plötzlich durch einen Parlamentsdiener zu Bismarck gerufen. Er kam aus dem Sitzungssaale im alten Abgeordnetenhause in seine Ministerstube und legte mir, dessen Gedanken ganz voll Eisenzölle waren, die wunderliche Frage vor, wie man jemanden vom Militärdienst freimachen könne. Er (Bismarck) kenne eine sehr schöne Frau in Belgien, deren kranker Vater einen treuen deutschen Diener und Pfleger habe, und dieser solle jetzt ins Militär gesteckt werden. Da habe ihn nun die wunderschöne Dame gebeten, den jungen Mann freizumachen. Ich versicherte nun Bismarck, daß diese Bitte unmöglich erfüllt werden könne, wenn der junge Mann brauchbar befunden würde, und Bismarck setzte sich sofort hin und begann seinen abschlägigen Bescheid an die belgische Gräfin mit den Worten: »Le plaisir de vous écrire, fait trotter ma plume.« Als ich ins Zollparlament zurückkehrte, erkundigte sich alle Welt dringend danach, was Bismarck mir über die Eisenzölle eröffnet hätte; ich tat natürlich sehr geheimnisvoll. Als ich damals an einem Abend im Bismarckschen Hause von meinen Berliner Erlebnissen im Jahre 1848 erzählte, beschrieb ich auch einen Hauptreaktionär, einen alten forschen Landwehr-Rittmeister Berger, dessen Wahlspruch gewesen sei: »Nie bereue, nie verzeihe!« Berger stammte aus dem Wendenlande und behauptete, das sei ein alter vortrefflicher wendischer Wahlspruch. Bismarck war entzückt über diesen Wendenspruch und erklärte, daß er schon lange das als den besten Grundsatz für das praktische Leben anwende.

G. von Diest, Aus dem Leben eines Glücklichen. Erinnerungen eines alten Beamten. 1904, S. 380.

Der Fall Goethe. – Gespräch mit dem Regierungspräsidenten von Diest. Frühjahr 1868

Nach den Lebenserinnerungen von Diests. Die Äußerung fällt in denselben Zeitraum wie die vorangehenden drei Gespräche mit Diest.

Mit dem amerikanischen Gesandten Bancroft, der in einer Gesellschaft behauptet hatte, daß Goethe aus einer Schneiderfamilie stamme, hatte ich gewettet, daß dies nicht der Fall sei, weil Goethe der Abkömmling einer alten Frankfurter Patrizierfamilie sei. Schon am anderen Morgen kam Bancroft in meine Wohnung mit Goethes Lebensbeschreibung von Lewes in der Hand und mit der daraus von ihm abgeschriebenen Stelle, welche lautete: »Der Großvater von Goethe war ein in Frankfurt eingewanderter Schneidergeselle, der zünftiger Meister wurde; aber nach einer Ehe mit einer Erbin starb er als Gastwirt.« Ich wollte meine Wette nicht gleich verloren geben und trug dieselbe Bismarck vor, der, wie in allem, so auch in der Literaturgeschichte vortrefflich bewandert war. Bismarck aber erklärte: »Von Goethes Abkunft weiß ich nichts Genaues, aber das weiß ich, daß Goethe eine Schneiderseele war. ›Selig, wer sich vor der Welt ohne Haß verschließt, einen Freund am Busen hält und mit ihm genießt‹ – wer so etwas dichten kann, ist 'ne Schneiderseele. Denken Sie doch, ohne Haß und am Busen halten!« Schallendes Gelächter begleitete diese Worte Bismarcks.

G. v. Diest, Aus dem Leben eines Glücklichen. Erinnerungen eines alten Beamten. 1904, S. 382 ff.

»Ich bin nie ein ängstliches Gemüt geblieben.« – Gespräche mit dem Ministerialrat Freiherrn von Völderndorff in Berlin. Mitte Mai 1868

Freiherr von Völderndorff war ein besonders kenntnisreicher Mitarbeiter des Fürsten Chlodwig zu Hohenlohe-Schillingsfürst, des damaligen bayerischen Ministerpräsidenten, mit dem er in naher Beziehung stand. Völderndorff, eine geistvolle und nationalgesinnte Persönlichkeit, hatte auch den Entwurf zur Verfassung eines süddeutschen Bundes abgefaßt. Das folgende Gespräch stammt offenbar aus dem Mai 1868, als Völderndorff von seinem Ministerpräsidenten, der im Zollparlament tätig war, in Sachen der Bundesliquidationskommission zu ihm nach Berlin gerufen worden war.

Über die Unterredung mit Bismarck, von der Völderndorff nach seiner Versicherung sich sofort im Hotel Aufzeichnungen machte, hat er in späteren Jahren an verschiedenen Orten berichtet, jeweils aber nur Teilpartien des Inhalts wiedergegeben. Im folgenden wurden sie ausnahmsweise, freilich mit allem kritischen Vorbehalt, zu einem einheitlichen Gespräch zusammengefaßt, natürlich ohne Gewähr, daß damit die genaue Abfolge der Themata getroffen wird.

Ich habe im Jahre 1868 einem Gespräche beigewohnt, in welchem der damalige Kanzler des Norddeutschen Bundes, Graf Bismarck, die Motive zu der politischen Maßregel des allgemeinen direkten und geheimen Wahlrechts ausführlich darlegte ... Der Kanzler erörterte zuvörderst, daß dem Systeme der Delegationen gegenüber, welches damals von Österreich und Bayern befürwortet wurde, der deutschen Nation notwendigerweise etwas ihr mehr Zusagendes geboten werden mußte und daß, wenn man überhaupt eine im Volke Boden fassende Institution schaffen wollte, ein von dem Volke unmittelbar gewähltes Parlament allein möglich und ein solches auch allein Deutschlands würdig gewesen sei. Er meinte, auf die Delegationen wären Schillers Verse passend gewesen: »Zum Teufel ist der Spiritus, das Phlegma ist geblieben.« Er fuhr dann fort – die Worte sind mir unvergeßlich – »Ängstlichen Gemütern hätte es nun wohl zugesagt, die Wahl durch allerlei Kautelen, als da sind Zensus, Klassenwahl, Abstufung durch Wahlmänner und anderes, einzuengen; aber ich bin nie ein ängstliches Gemüt gewesen. Einem anderen Volke als dem deutschen hätte allerdings auch ich ein so gefährliches Recht einzuräumen vielleicht nicht gewagt. Die Deutschen aber sind nach meiner Überzeugung – wenigstens im Norden – zu neun Zehnteilen königstreu gesinnt; die große Masse der Bevölkerung hält im Grunde ihres Herzens zu ihrer Regierung, wenn sie auch mit dem Munde räsonniert. Die Leute wissen, daß sie ehrlich und gewissenhaft regiert werden, und im entscheidenden Augenblick kann man sich auf sie verlassen.« Diese Anschauung der wirklichen Mehrheit, fuhr der Kanzler fort, habe bei der bisherigen komplizierten Wahlmaschinerie nicht zur Geltung kommen können, vielmehr sei durch sie die Entscheidung in die Hände von Führern gelegt, welche berufsmäßig der Regierung, und zwar meist um persönliche Zwecke zu verfolgen, Opposition machten. Gerade in denjenigen Kreisen, aus denen die Wahlmänner hervorgehen und welche bisher allein zu wählen hatten, herrsche jenes Besserwissenwollen und Gescheitersein als die Regierung. Wenn dagegen das Volk selbst unbeeinflußt und auf sich selbst verwiesen, frei und ungehindert und ohne sich überwacht zu fühlen, seine Stimme abgebe, werde die Regierung – vielleicht mit Ausnahme der großen Städte – in der Regel auf eine Mehrheit rechnen können. »Kinderkrankheiten«, bemerkte der Kanzler, »werden allerdings mitunter vorkommen.« Auf den Einwand, ob nicht gerade auf dem Lande bei dieser Wahlart die Pfarrer einen ungebührlichen Einfluß erhalten würden, erwiderte Graf Bismarck: »Man hat einmal sagen können, in Radetzkys Lager sei Österreich; ebenso darf man mit vollem Recht sagen: in den Zeiten nach Jena war Deutschland in den protestantischen Pfarrhäusern; also dieser Einfluß wird nur gut tun. Und was die katholischen Geistlichen betrifft, so habe ich auch zu ihnen das Vertrauen, daß sie – wenigstens bei uns – vor allem Preußen sind, und dann erst katholische Geistliche, die Polen und die im Collegium Germanicum erzogenen freilich ausgeschlossen. Aber alle Fünfer kann man nicht gerade machen.« Soweit meine Erinnerung an jenes Gespräch.

Otto von Völderndorff, Harmlose Plaudereien eines alten Mannes. 1892, S. 296 ff.

Einige Tage in Varzin. – Gespräch mit dem Grafen Alexander Keyserling und dessen Tochter.

10. Oktober 1868

Der Balte Graf Keyserling, ein Jugendfreund Bismarcks, von gelehrten und philosophischen Neigungen, eine in der Selbstverwaltung der estländischen Ritterschaft angesehene und erprobte Persönlichkeit, als Kurator um die Universität Dorpat sehr verdient, besuchte auf einer Urlaubsreise, zusammen mit seiner Tochter Helene, Bismarck in Varzin. Die folgenden Gespräche stammen aus den Tagebuchaufzeichnungen der jungen Gräfin Keyserling vom 10. und 11. Oktober. Aus diesen ist festzustellen, daß die Gäste am 9. Oktober abends eingetroffen sein müssen und am 11. Oktober wieder abreisten. Nach einer Bemerkung der Tagebuchschreiberin ist es nicht unwahrscheinlich, daß sie das, was Bismarck mit ihrem Vater besprach, etwas später, aber nach den Mitteilungen Keyerlings eintrug. Aus der Unterhaltung des ersten Abends gibt die Tagebuchschreiberin nur einige konventionelle Worte Bismarcks wieder, die keine Aufnahme verdienten. Ausgiebiger schildert sie die Unterhaltungen des folgenden Tages.

Graf Bismarck und mein Vater gingen voraus; zuerst besahen wir den Pferdestall, darauf gingen wir weiter in den Park hinein, der eigentlich ein schöner Buchenwald ist, weil er meist noch ganz ursprünglich und wild aussieht. Eine große Stille herrschte im Walde, nur von unseren Gesprächen unterbrochen. Obgleich ich nicht hören konnte, was mein Vater und Bismarck miteinander sprachen, da sie viel rascher als wir gingen, so will ich hinschreiben, was ich davon später von meinem Vater erfuhr. Bismarck sagte: In erster Jugend sei er ehrgeizig gewesen, später habe es aber ganz bei ihm aufgehört, und nun sei ihm die Politik und das ganze politische Wirken ein Ekel! Es handelt sich um wichtige Verbesserungen im Staate, und doch seien seine Gehilfen im Ministerium ganz unbrauchbare alte Leute; der König könne sich aber nicht entschließen, sie wegzuschicken, weil er an die alten Gesichter schon so gewöhnt ist. – Keyserling: »Kannst du aber die Sache forcieren?« – »Das wohl, wenn ich z. B. den Abschied einreichte und damit drohte, aber schließlich würde die Sache bedenklich werden, und man muß ihn schonen!« Dann sagte Bismarck, daß die Franzosen Preußen nicht verzeihen könnten, die erste Macht Europas zu sein, und immer mit Krieg drohten; – es würde wohl auch einmal dazu kommen.

Er wünschte es nicht; falls er es gewünscht, wäre es damals in der luxemburgischen Angelegenheit besser gewesen, den Streit gleich zu entscheiden, da Frankreich damals auch weniger gerüstet war. Aber das Leben von Millionen zu opfern, sei doch ein schwerer Schritt; – es wäre ihm schon in Sadowa so furchtbar gewesen, als er all diese zerfetzten Menschen sah und die ganze Verantwortung tragen mußte; so wollte er nur den Krieg, wo notwendige Ursachen ihn forderten, doch die Franzosen ließen ihm keine Ruhe. Schließlich, wenn die Preußen auch siegten, wozu würde es führen? Wenn man auch das Elsaß gewänne, müßte man es behaupten und die Festungen immer besetzt halten; das wäre unmöglich, denn schließlich würden die Franzosen wieder Bundesgenossen finden, und dann könnte es schlimm werden. – Keyserling: »Interessierst du dich aber nicht, da doch das Cäsarentum in Frankreich in Europa den Frieden unmöglich macht, für die Wiederherstellung der Republik in Frankreich?« – »Ja, die hat aber keinen Bestand.« – Sie redeten noch über die Ostseeprovinzen, und Bismarck sagte, daß er in diesen Sachen höchst schonend mit Rußland umgehe; der König suche dem Kaiser soviel Vertrauen als möglich einzuflößen, um von dieser Seite geschützt zu sein. Rußland verfahre sehr töricht mit den baltischen Provinzen, die seine beste Stütze seien; – er als Preuße könne diesem Tun ruhig zusehen, weil er doch kein Interesse habe, daß sein Nachbar so stark sei, und vielmehr dessen Abschwächung zu wünschen habe. Jetzt habe er aber keine anderen Annexionsgelüste als die seiner Nachbargüter. – Mittlerweile waren wir wieder unweit des Hauses an einem kleinen Teich, wo viele Gänse munter plätscherten, angelangt, und die Gräfin hatte uns eingeholt ... Marie erzählte mir von ihrem Leben in Varzin und ich in Dorpat. Da kam Frau von

Bismarck mit einer Rose in der Hand und schenkte sie mir als letzte Rose; sie zerfiel aber bald, die Blätter habe ich noch. – ... Nun gingen wir zum Frühstück, das sehr heiter war durch Bismarcks Losziehen über die Universitäten. Er sagte, die Universitäten seien nur da für die Professoren, die bei einem ziemsich kleinen lächerlichen Familienleben eine wissenschaftliche Gemeinschaft bilden und einen Lebensunterhalt jetzt haben, um ihre Bücher zu schreiben: »Die Vorträge sind pure Form, man lernt in acht Tagen aus den Heften, was zum Examen nötig ist. Für die Jungen ist es die heilloseste Anstalt; sie lernen nichts, als ihre Gesundheit verwüsten und ein nichtsnutziges Leben führen.« »Ach ja«, sagte die Gräfin, »als ich in Berlin die Universität wiedersah, so war ich ganz gerührt bei dem Gedanken, daß hier mein lieber Bismarck als Studentchen ein- und ausgegangen war, und ich sagte ihm ganz ergriffen: ›Ach, da bist du wohl täglich gewesen!‹ – ›Niemals‹, antwortete er mir ganz wild.« – »Ja«, sagte mein Vater, »so ist's; er war nie da, und zu seinem Examen präparierte er sich in einer Woche und bestand es; und als er davon zurückkam, war er noch ganz wütend, daß er so viel gelernt.« – Bismarck: »Natürlich, das meiste, was ich gelernt, danach wurde gar nicht gefragt; ich hätte noch viel weniger mich abmühen sollen.« – Darauf wurde von den Ärzten gesprochen, und Bismarck sagte, man müsse ihnen nie glauben oder höchstens das Gegenteil von dem, was sie sagten; daß sie immer falsch prophezeiten und daher besser täten, sich dessen zu enthalten und besonders nie einem Patienten den Tod anzukündigen. – »Ich erinnere mich, wie ich einst an einem heftigen Fieber in H. krank lag; ich bekam plötzlich große Lust, Wurst zu genießen, denn ich fühlte mich ganz matt. Ich fragte den Arzt, der sagt: »Um Gottes willen, woran denken Sie; das wäre Ihr sicherer Tod!« – Ich schweige, aber wie der Arzt aus dem Zimmer geht, sage ich meiner Aufwärterin, ich würde am Abend Besuch haben, sie solle mir etwas Wurst und Bier besorgen. – Das bringt sie, und wie ich allein bin, stehe ich auf, falle um vor Schwäche und krieche nun auf allen Vieren bis zur Wurst, schneide mir mit einem Federmesser ein tüchtiges Stück ab, und von diesem Augenblick fühle ich mich ganz gestärkt und wurde bald gesund.« – Wir lachten sehr über diese Anekdote; Bismarck erzählte auch, wie einmal seine Tochter so krank gewesen, daß die Ärzte schon angefangen hätten, miteinander lateinisch zu sprechen, und bekanntlich täten sie das, damit der Patient nicht die traurigen, hoffnungslosen Dinge merke und verstehe, welche sie einander mitteilten. – Fräulein von Bismarck hatte aber mit den Brüdern zufällig das Lateinische gelernt – und daher sagte ich den Ärzten, ich bäte sie, lieber vor meiner Tochter alles andere zu sprechen, als lateinisch; man kann sich nicht denken, welch bestürzte Gesichter sie da machten.« – Nach dem Frühstück machte man Projekte zu einer Reitpartie. Seine Tochter und Söhne, der witzige Bismarck-Bohlen begleiteten ihn; ... Die Gräfin, Keudell, mein Vater und ich setzten uns in einen kleinen Korbwagen, und so fuhren wir in den dichten Buchenwald ... Die Reiter natürlich sprengten voraus, doch zuweilen warteten sie uns ab; es machte sich sehr malerisch, wenn die ganze Kavalkade uns am Saum eines Abhanges oder des Waldes erschien. Bismarck schaute in seinem grünen Jagdrock trotzig und mutig drein, – und ich suchte mir das ganze Bild einzuprägen. Wie wir aus dem Walde heraustraten, zeigte uns Bismarck die angrenzenden Nachbarsgüter und sagte, an jedem Abend bekäme er einen Heißhunger nach dem Annektieren dieser Güter, am Morgen könne er sie ruhig betrachten ... Bismarck sagte, wir könnten an den See fahren, er würde so lange an der Wipper hin- und herreiten ... Wir kamen an einer romantisch gelegenen Mühle vorbei und fuhren dem See zu ... Nun sahen wir den großen, klaren See vor uns, von der Abendsonne beglänzt, von jungen Tannen spitzenähnlich umschlossen, und hinüber Hügel und Wald, und ein hübsches rotdachiges Wohnhaus nicht allzufern ... Wir fanden unsere Reiter wieder, und Bismarck schien sehr von seinem Ritt erquickt; er sagte ganz feurig, daß er an der Wipper noch einen ganz reizenden Punkt entdeckt habe. Dann fragte er seine Frau, ob man noch weiterfahren solle oder heimkehren; sie antwortete wie immer: »Wir folgen dir gern überall hin, tue nur, was dir lieb ist; du weißt, ich habe keinen anderen Willen, als den deinigen.« – Darauf wendete er sich an mich; ich wurde sehr verlegen und sagte, die Majorität solle entscheiden; da sagte die Gräfin: »Laßt uns weiterfahren.« ... Dann trabte er voraus mit seinen Begleitern und verschwand bald im Tannenwalde, in welchen auch wir hineinfuhren ... Als wir dem Schloßhofe nahten, blinkte uns das Licht aus den Fenstern entgegen, es war schon Abend. – Keudell wollte jetzt die Schubertschen Lieder singen ... zur Musik kam es aber nicht, denn zwei Damen, mit Bismarck verwandt, eine fromme Witwe und ein geistreiches Fräulein, ihre Schwester, waren angekommen, und wie ich in den Salon kam, fand ich sie vor, wußte aber nicht, was ich ihnen sagen sollte ... Frau von Bismarck kam, und endlich erschien der Graf selbst, und wir gingen zu Tisch. – Die fromme Witwe sagte zu Bismarck: »Der Aufenthalt auf dem Lande wird Ihnen gewiß sehr wohltuend sein.« Bismarck: »So wohltuend, daß ich mich in der Einsamkeit Berlins auszuruhen gedenke. Hierher kommen doch allerlei Leute, die ich nicht haben will, und auf ganze Tage.«*

Mein Vater sprach dann, wie er bei der Großfürstin Helene in Oranienbaum ein Gespräch über die Frage: »Was soll ein Fürst lernen?« angeregt hatte, und daß verschiedene Ansichten darüber herrschten. Bismarck sagte, ein Fürst müßte eigentlich auf persische Art erzogen werden, d. h. er müßte reiten, fechten lernen; – wollte er noch dazu sein eigentliches Metier studieren, so müßte er hauptsächlich lernen: sehr lange stehen zu können, jedem Fremden eine angenehme Phrase zu sagen und zu lügen; der Fürst brauche ja nie eine unangenehme Wahrheit zu sagen; das sei die Aufgabe seiner Minister. »Unser König versteht aber das Lügen gar nicht«, fügte Bismarck hinzu, »denn man sieht es ihm schon von zehn Schritt an, wenn er Anstalten dazu macht.«

Nun erschien der Vater der Gräfin, Herr von Puttkamer, und setzte sich stillschweigend hin. – Nach dieser Störung wurden die Gespräche fortgesetzt. Ich sagte, wie leid es mir getan, kein einziges großes Schauspiel auf unserer Reise gesehen zu haben, und Keudell meinte, man müsse sich sehr beeilen, sowohl die großen Trauerspiele in Berlin zu sehen sowie Glucks Opern; der Geschmack dafür gehe ganz verloren, und in anderen großen Städten, Paris z. B., würden seit der Rachel keine Trauerspiele gegeben. – »Wie«, rief Bismarck, sich an mich wendend, »Sie lieben Tragödien? – Da sieht man gleich, daß Sie eine Dame sind; denn Damen sind schadenfroh und haben immer Vergnügen an dem Unglück anderer.« – Ich verteidigte mich, indem ich sagte, daß mir an dem tragischen Unglück alles so schön erschiene, daß man es nicht wegwünschte so wie das Unglück im Leben, sondern sich selbst gern hineinversetzte. – »So«, antwortete Bismarck, »möchten Sie wie Wallenstein ermordet werden von einigen Spitzbuben in einer elenden Wirtshausstube?« –

* R. v. Keudell, der den Besuch des Grafen Keyserling in seinem Buch erwähnt und die nervöse Erschöpfung Bismarcks in jener Zeit hervorhebt, berichtet folgendes Wort, das dieser am zweiten Tag des Besuchs zu ihm gesprochen habe: »Ich bin so elend, daß die Gegenwart meines liebsten Jugendfreundes mir auf die Nerven fällt, ja, daß ich mich im stillen auf den Moment seiner Abreise freue.«

Ich dachte: Ja, wenn ich dafür Wallenstein sein könnte. – Keudell sprach: »Nach Aristoteles soll ja die Tragödie Furcht und Mitleid erregen und dadurch unsere Leidenschaften reinigen.« – Bismarck sagte ganz wild: »Ja, Furcht und Mitleid empfinde ich so sehr, daß ich im Theater gleich den Bösewicht an den Hals kriegen möchte; – es regt mich viel zu sehr auf, denn ich habe keine Freude an Grausamkeiten, ich gehe auch zu keiner Hinrichtung. Früher war es auch Mode, alle Damen liefen zu Hinrichtungen und ins Trauerspiel; jetzt tut man es nicht mehr.« – Ich antwortete, das Unglück im Trauerspiel würde gewöhnlich so schön getragen, daß dies erhebend auf uns einwirkte, und Keudell meinte, schließlich würde das Unglück überwunden und die Idee gehe siegreich hervor, und daran hätte man Freude. – Bismarck wandte sich jetzt dem Gänsebraten zu und fragte, wie man in den Ostseeprovinzen die Gänse esse, mit Kartoffeln oder Äpfeln. Er esse sie am liebsten mit Kartoffeln. – Ich antwortete, die Gänse seien sehr selten und mager bei uns. – Währenddessen machte Bismarck-Bohlen sehr viele Witze am anderen Ende des Tisches, wenigstens wurde da viel gelacht.

Graf Alexander Keyserling. Ein Lebensbild aus seinen Briefen und Tagebüchern, zusammengestellt von seiner Tochter Freifrau Helene von Taube von der Issen. Band I, 1902, S. 540 ff. (gekürzt).

Die denkbar schlechteste Verwaltungsform. – Russische Sitten. – Gespräche mit dem Justizrat von Wilmowski in Varzin. November 1868

Wilmowski, der die folgenden Ausführungen Bismarcks überliefert, erwähnt, der Graf habe so häufig von der notwendigen Dezentralisation der preußischen Verwaltung und ihrer Reorganisation gesprochen, daß er darin offenbar einen Kardinalpunkt der inneren Reform erblickt habe.
Wilmowski hat übrigens hier, wie auch die Anführung von Gesprächsstücken aus dem Jahre 1869 beweist, Äußerungen Bismarcks über denselben Gegenstand aus verschiedenen früheren und späteren Unterredungen thematisch einheitlich verwoben. Der Text Wilmowskis, auch die von ihm angeschlossenen Äußerungen Bismarcks aus dem Herbst 1869 und dem August 1867 werden des inneren Zusammenhangs und der besonderen Art der Wilmowskischen Übermittlung halber gleich an dieser Stelle mit abgedruckt und nicht auseinandergerissen.

Im November 1868 beklagte er sich, daß jetzt wieder die Bewilligung der notwendigen Steuern zur Machtfrage für die

Kammern dienen sollte. Auf die Bemerkung: die Kammern wünschten nicht bloß die Erhöhung ihres Machteinflusses hinsichtlich der Steuern, sondern auch namentlich Reform im Innern, und insbesondere schiene die Stimmung in den neuen Provinzen dahin zu neigen, daß man alle wünschenswerten Steuern zu tragen viel lieber bereit sei, wenn man eines freisinnigen Regiments im Innern sicher sei, erwiderte er: »Ich bin ja gern dazu bereit, ich will gern Selbstverwaltung einführen, alle Bürokratie und alle Regierungen abschaffen; eine solche umfassende Reform ist nur nicht so schnell ins Werk gesetzt.«

Die preußische Regierung erklärte er für die denkbarst schlechteste Verwaltungsform. »In unzähligen Fällen liegen ihnen die Objekte ihrer Tätigkeit viel zu fern, so daß sie in der Tat nur vom grünen Tische aus entscheiden, was ihnen gar nicht bekannt ist, wie es sich im Leben gestaltet und welchen Einfluß die Entscheidung weiter hat. Für die meisten Fragen paßt auch die kollegialische Form gar nicht; daß ein Forstrat, ein Medizinalrat, ein Schulrat und ein Konsistorialrat über allgemeine Verwaltungsfragen entscheiden, dazu sind sie durch ihre technische Vorbildung nicht besser qualifiziert, als irgendein anderer. Oft genug tut zu gesunden Entscheidungen der gesunde Menschenverstand mehr, als bürokratische Vorbildung. Die Schulbegriffe, welche jede Beamtenvorbildung beibringt, verderben sogar durch ihre rücksichtslose schablonenartige Anordnung den freien Blick für die Umstände des einzelnen Falles. Das schlimmste bei den meisten Akten der Regierungen ist ihre kollegialische Form. Es muß alles durch unzählige Hände gehen und wird von einem zum anderen geschoben; und ist etwas nicht richtig, so ist niemand da, der verantwortlich ist und der sich zur Verantwortlichkeit unzweifelhaft bekennen muß. Man kann keinen fassen und wird von einer unsichtbaren Macht geohrfeigt. Es ist in dem Mysteriösen, was hinter dem Kollektivnamen der Regierung liegt, eine femgerichtähnliche Macht, welche es einem immer unbehaglich macht, mit einer solchen mystischen Kraft zu tun zu haben. Man hat daher auch keine Sympathie selbst für gute Anordnungen, und es kann schon deshalb von keinem Vertrauen die Rede sein. Ich kenne keine Behörde, die so unpopulär ist und habe mich früher mit Vergnügen mit den Regierungen gezankt. Die Regierung Köslin hatte mir früher einmal als Gutsbesitzer ihr Mißtrauen zu erkennen gegeben, und ich antwortete ihr mit Behagen: ich freute mich, in diesem Punkte wenigstens die gleiche Ansicht zu haben; die Gefühle wären gegenseitig! –

Neben einem tüchtigen Kreisausschuß, welcher, aus Wahl von den Kreisinsassen hervorgehend, die meisten Regierungssachen auf Grund näherer Lokal- und Personalkenntnis weit richtiger entscheidet, als eine Regierung, sind freilich die Amtshauptleute sehr wesentlich; aber es ist ganz verkehrt, wenn man jetzt (Äußerung vom 25. Oktober 1869) die Amtshauptleute auch durch Wahl bestimmen lassen will. Bei der bedeutenden polizeilichen Autorität, die sie haben müssen, kann man sie ebensowenig wie die Gendarmen der Wahl unterwerfen; sie können nur durch den König ernannt werden. Eine wesentliche Garantie dagegen, daß solche Ämter nicht eine bürokratische Richtung bekommen, liegt darin, daß sie aus den Lokalkreisen besetzt werden, und daß sie als Ehrenämter verwaltet werden. Freilich ist die Personalfrage hier, wie eigentlich bei allen Stellen, das Schwierigste, und in den östlichen Provinzen ist der Gemeingeist noch nicht genügend entwickelt. Deshalb darf man aber die Idee nicht aufgeben; keiner lernt schwimmen, der nicht ins Wasser geht. Von den reichen Bauern an der Elbe würde jetzt wohl keiner ein Ehrenamt übernehmen wollen, obgleich sie ihren Kindern Hauslehrer halten und Klavierunterricht geben lassen und sich in den vordersten Reihen der Zivilisation fühlen.«

Die Schulzen in den Varziner Gütern hatten im Herbst 1869 das Verlangen gestellt, das Recht zum freien Moorholen aus den herrschaftlichen Forsten zu bekommen und Zulage zu ihren aus dem Nießgenusse einiger Wiesen usw. bestehenden Besoldungen zu erhalten.

Bismarck erkundigte sich nach den rechtlichen Verhältnissen der Stellung und ich erwähnte: Die Dorfschulzen hätten ein Recht auf Remuneration und pflegten dies auch geltend zu machen; das Obertribunal habe entschieden: in Ermangelung besonderer Festsetzungen seien die Schulzen halb vom Gutsherrn und halb von der bäuerlichen Gemeinde zu bezahlen, weil sie zugleich als Gehilfen des Gutsherrn in seiner Eigenschaft als Ortspolizeibehörde und zugleich als Vertreter der Gemeinde fungierten.

Dabei bemerkte Bismarck: »Unter solchen Umständen wäre es geradezu wünschenswert, wenn die Schulzen nur Streik machen möchten; wenn die Bauern nicht so viel Ehrgeiz haben, das Amt als Ehrenamt anzusehen und es durch einen aus ihrer Mitte verwalten zu lassen, ohne große Vorteile davon haben zu wollen, dann verdienen sie auch, daß man einen tüchtigen Tagelöhner ihnen als Schulzen ernennt.«

Die Abweisung bürokratischer Bevormundung fand in ihm auf allen Gebieten stets einen eifrigen Fürsprecher. Im August 1867 wurde davon gesprochen, daß die irrtümliche Ansicht aufgestellt war, durch das damalige sogenannte Gewerbenotgesetz des Norddeutschen Bundes sei auch die Notwendigkeit der Nachsuchung polizeilicher Genehmigung für die Anlage von Schankwirtschaften aufgehoben. Bismarck bemerkte dabei: »Das ist freilich der Wunsch der Linken, und es ist auch nicht zu leugnen, daß keine Behörde mit Sicherheit bestimmen kann, ob ein Bedürfnis vorhanden ist oder nicht. Der Verkehr regelt das am besten. Wie stark der Verkehr sein soll, und wieviel ein Erwachsener trinken soll, kann doch keiner vorschreiben. Es hat etwas für sich, daß man den Erwachsenen hierin auch nicht bevormundet, während bei vielen anderen gleich schlimmen Sachen eine Bevormundung auch nicht stattfindet.«

Bei anderen Gelegenheiten hatten in einem allerdings nur scherzhaften Gespräche einige Hausfreunde geäußert: Deutschland werde jetzt so ernst; wenn in den rheinischen Bädern nicht mehr gespielt werden dürfe, so höre auch dies Vergnügen auf. Bismarck äußerte darauf: »Meinethalben können Sie spielen, wo Sie wollen; übrigens gibt es ja immer eine Auskunft, wenn man etwas will. In einem Schiffe ohne nationale Flagge, eine Meile vom Strande, hört Preußen und Deutschland auf, und da kann jeder nach Herzenslust Bank halten. Freilich ist das nicht immer bequem, und es darf kein Seekranker dabei sein!«

*

Das vierte Kapitel seines Buches widmet Wilmowski vorwiegend dem Petersburger Aufenthalt Bismarcks. Als Anhaltspunkt für die Datierung dieses Gesprächs diente die im folgenden erwähnte Interpellation des Abgeordneten Dr. Löwe vom November 1868; ein bindender Schluß, daß nun alle angeführten Äußerungen über Petersburg und Rußland gerade in die Zeit dieses Varziner Aufenthalts fallen, kann bei der Art, wie Wilmowski die Bismarckgespräche überliefert, nicht daraus gezogen werden. Des inneren sachlichen Zusammenhangs halber werden diesem Gespräch auch die im neunzehnten Kapitel Wilmowskis abgedruckten Äußerungen und Betrachtungen Bismarcks über Rußland und seine eigene russische Politik angefügt, die zeitlich nicht näher festzulegen sind, aber doch wohl in den Ausgang der sechziger Jahre gehören.

Bismarck erzählte sehr gern von seinem Petersburger Aufenthalte und von den russischen Sitten und Verhältnissen.

Von den Russen, namentlich dem Durchschnittsschlage der

gewöhnlichen Klasse, war Bismarck gar nicht erbaut. Ohne Härte und Grobheit sei nichts zu erreichen, aber der Grobheit gäbe der Russe nach, besonders wenn man Militärkleidung oder Orden trage, was in Rußland unumgänglich nötig sei, wenn man nicht für einen ganz gewöhnlichen Menschen gehalten werden wolle, der keine Rücksicht verdiene. »Ich habe hinsichtlich der Behandlung der Leute auch erst mein Lehrgeld zahlen müssen«, erzählte Bismarck. »Als ich zuerst russischen Schlitten, die mit Heu und Holz beladen waren, begegnete, schimpfte mein Kutscher mörderisch und die Schlitten wichen uns aus. Gewohnt, beladenen Fuhrwerken auszuweichen, weise ich meinen Kutscher an, künftig in solchen Fällen selbst auszuweichen. Bei der nächsten Begegnung weicht der Kutscher auch aus; nun schimpfen aber die begegnenden Fuhrleute ihrerseits auf ihn, weil er nicht genügend ausgewichen sei! Der Kutscher lächelt mephistophelisch, und ich habe ihn nun nicht wieder ausweichen lassen.

Später an die nötige Grobheit in der Behandlung gewöhnt, habe ich mich richtiger benommen. Ich war von Zarskoje Selo nach Petersburg mit dem Kaiser gefahren; beim Aussteigen mich empfehlend, will ich, während der Kaiser zur einen Seite aus dem Salon herausging, zur anderen Seite fortgehen und finde unerwartet die Tür verschlossen und mich allein im Salon. Ein Beamter, der hinzukommt und welchen ich ersuche mir zu öffnen, will mir nicht glauben, daß ich allein in schwarzer Zivilkleidung ohne Orden mit dem Kaiser gekommen und auf diese Weise in den kaiserlichen Salon geraten sei. Er ruft einen Unteroffizier, der auch auf mich zugeht. Ich ergreife ihn aber sofort beim Kragen und herrsche ihm zu: »Sohn einer Hündin! Schaffe mir einen Fiaker!« Diese Behandlung überzeugte ihn einigermaßen und ich bekam einen Fiaker, der mich zum preußischen Gesandschaftshotel fuhr. Aber zwei Polizeibeamte folgten doch dem Fiaker bis dahin und erkundigten sich dort, wer der eben Angekommene gewesen sei. Am nächsten Tage machte mir ein Zivilgeneral in Gala seine Aufwartung und entschuldigte den Beamten im kaiserlichen Salon; der Beamte habe indes, da ich ohne Militärkleidung und ohne Orden dort gewesen sei, allerdings nicht glauben können, daß ich mit dem Kaiser gekommen wäre.

Als meine Frau zuerst nach Petersburg kam, und wir mit einem Fiaker nach Hause gefahren waren, gab ich dem Kutscher einen Rubel. Gewöhnlich gibt man einen halben Rubel, das ist, glaube ich, etwa das Vierfache des gesetzlichen Betrages. Der

Kutscher fordert, ins Haus nachgehend, zwei Rubel. Ich beseitige ihn jedoch, indem ich ihn am Kragen schüttele und ihm einen Tritt versetze. Meine Frau, welche von solcher Behandlungsweise noch keine Erfahrungen hatte, fragte mich erschrokken: Du bist doch nicht unwohl, und ich mußte sie dann mit der Auseinandersetzung beruhigen, daß eine solche Behandlung in Rußland Mode und mein Zorn nur aus Zweckmäßigkeitsgründen erkünstelt sei.«

Auch hinsichtlich der Unzuverlässigkeit der russischen Beamten machte Bismarck kein Hehl daraus, daß er keine bessere Meinung davon gewonnen habe, als die in Deutschland allgemein geltende. Bei der Diskutierung des Projekts eines benachbarten Gutsbesitzers in Pommern, einen Gutskomplex in Rußland für einen sehr annehmbaren Preis zu erwerben, sagte er geradezu: er würde entschieden nicht dazu raten, sich in einem Lande niederzulassen, in welchem man der Anwendung der Gesetze gar nicht sicher wäre.

Dagegen betonte er andererseits mit Entschiedenheit, daß wir auf ein gutes politisches Einvernehmen mit Rußland ein sehr großes Gewicht legen müßten. Als im November 1868 der Abgeordnete Dr. Löwe das preußische Ministerium interpellierte, ob beabsichtigt würde, das unheilvolle Zollkartell mit Rußland, dessen Vertragsdauer ablief, zu verlängern, befand sich Bismarck in Varzin und erklärte sehr entrüstet: dergleichen sollten die Herren nur der Regierung überlassen; es sei nicht nötig und nicht nützlich, dergleichen an die große Glocke zu hängen. »Das muß doch jeder einsehen, daß, wenn wir uns jetzt schroff gegen Rußland stellen, ein französisch-österreichisches Bündnis sofort gegen uns auftreten würde.«*

Ebenso mythisch wie Bismarcks Verhältnis zu Napoleon in der öffentlichen Meinung geworden war, wurde auch dasjenige zu Rußland. Es hat kaum einen Moment während der politischen Laufbahn Bismarcks gegeben, in welchem er nicht im Rufe stand, geheime Abreden mit Rußland zur Durchführung besonderer Zwecke getroffen zu haben; oft genug sollte das geheime Bündnis zugleich mit Rußland und Frankreich geschlossen sein. Jedenfalls tut aber die Sage Bismarck unrecht, wenn sie ihn als speziellen Russenfreund behandelt. Er hat im

* An dieser Stelle endet der Auszug aus dem vierten Kapitel Wilmowskis. Die folgenden Ausführungen sind dem neunzehnten Kapitel »Bismarcks politisches Programm und seine Bestrebungen«, S. 139 ff., entnommen.

Gegenteil ohne Rückhalt stets erklärt, daß er keinem Deutschen raten möchte, seinen Aufenthalt in Rußland zu nehmen. Man müsse gegen die Auswanderungen nach Rußland, wie nach Brasilien indirekt Maßregeln treffen; diese gingen größtenteils von der ländlichen Arbeiterbevölkerung aus, woran wir ohnehin keinen Überfluß hätten, und führten nach Ländern, deren Verkehr der gesetzlichen Regelung entbehre. Von der Unsicherheit in betreff der Anwendung der Gesetze in Rußland und von der Unzuverlässigkeit und Bestechlichkeit der Russen wurde er nicht müde, zu erzählen.

Bismarck charakterisierte unter anderen die Personen, deren sich die vornehmen Russen zu ihrer Vermögensverwaltung bedienen müßten, durch die Erzählung eines Besuchs, welchen er beim Fürsten Subow gemacht habe. Der Fürst habe während seiner Anwesenheit Besuch bekommen von einem anscheinend feinen Herrn, welcher mit einer herrlichen Troika (Dreigespann) angefahren kam. Der Herr benahm sich demnächst jedoch so kriechend demütig gegen den Fürsten, daß Bismarck nach seiner Entfernung nach seiner Stellung fragte. Der Fürst erwiderte: »Der Mann war Leibeigener meines Vaters und hat meinem Vater, dem er die Güter verwaltete, zwei Millionen genommen; zum Dank dafür hat ihn mein Vater in seinem Testamente freigelassen«; dann fügte der Fürst hinzu: »Nun werde ich Ihnen auch den Mann zeigen, der mir zwei Millionen nimmt, und den ich dafür in meinem Testament freilasse; ich wäre ohne ihn verloren; er hat die Übersicht über alles, und ohne ihn würde ich noch mehr verlieren!«

Obgleich alle diese Äußerungen nichts weniger als Sympathie für russische Zustände verraten, so entwickelte Bismarck bei der öfteren Erwähnung der russischen Allianz folgende Erwägungen: »Bei der Anfeindung der russischen Allianz wird zu häufig das natürliche und geographische Verhältnis von Preußen und Deutschland zu Rußland außer acht gelassen. Rußland selbst hat in seinem eigenen Reiche noch so gewaltige innere Aufgaben und für die, dem unzivilisierteren Reiche mehr als dem zivilisierten entstehende Neigung äußerer Ausdehnung gibt ihm Asien ein so großes Feld, für welches selbst Rußland kulturverbreitend auftreten kann. Eine aggressive Politik Rußlands gegen Deutschland liegt noch außer aller Zeitberechnung. Kollidierende Interessen Rußlands und Deutschlands sind zur Zeit nicht zu befürchten, zumal selbst Angriffe gegen das türkische Reich bei den weit größeren entgegengesetzten Interessen und bei der zeitigen Sachlage an sich für jetzt nicht wahrscheinlich sind. Der Punkt, worin die Interessen von Rußland und Deuschland zusammenstoßen könnten, ist Polen. Gerade in dieser Beziehung sind aber die richtig verstandenen Interessen von Rußland und Preußen nicht kollidierend, sondern identisch. Die nationalpolnischen Aufstände erstreben nach ihren eigenen Proklamationen die Herstellung eines polnischen Gesamtreichs in dem früheren Umfange von 1772; sie richteten sich gleichmäßig gegen Rußland und Preußen und wechseln nur ihre nächsten Operationsziele je nach der vermeintlich größeren Aussicht auf Erfolg. Wir haben daher beiderseits keine Ursache zu einer feindlichen Stellung, weder Rußland zu uns noch wir zu Rußland. Daß keiner dem anderen in seine inneren Verhältnisse hineinzureden hat, ist dabei eine diplomatische Voraussetzung gewöhnlicher Courtoisie. Wir haben dabei nur unsererseits nicht zu reizen und haben dazu keinen Grund, da wir von uns aus weder die Möglichkeit noch den Beruf haben, die Verhältnisse im Innern von Rußland zu ordnen. Unser ›vielgeschmähter Bundesgenosse‹ Rußland ist uns aber als Freund viel wert, schon damit er nicht gegen uns operiert und uns die Ruhe und die Freiheit der Bewegung für unsere deutschen Interessen läßt. Als Feind würde er durch die Möglichkeit des Angriffs auf der langgestreckten östlichen russisch-preußischen Grenze nicht zu unterschätzen sein. Wir haben daher immer das Interesse daran, daß Rußland nicht mit einem unserer sonstigen Gegner sich gegen uns verbündet, und Rußland hat das gleiche Interesse, daß, wenn es selbst mit anderen Mächten in Streit gerät, es von uns nichts zu befürchten hat. Man solle aus kosmopolitischem Idealismus und aus Antipathie gegen russische Kulturbegriffe nicht das naturgemäße Interesse eines friedlichen internationalen Verkehrs nebeneinander verkennen.«

Wie diese Anschauungen tatsächlich durchgeführt sind, hat die Geschichte gelehrt. Rußland hat uns während des dänischen, des österreichischen und des französischen Krieges stets in Ruhe gelassen, und wir waren seiner Neutralität so sicher, daß wir sowohl 1866 als 1870 von Anfang an nicht einmal als Beobachtungskorps Militärkräfte an der russischen Grenze zurückgelassen haben – sicherlich ein sehr erheblicher Gewinn zur Ermöglichung der Verwendung aller Kräfte gegen unsere Feinde.

G. von Wilmowski, Meine Erinnerungen an Bismarck.
Aus dem Nachlaß herausgegeben von M. v. Wilmowski.
1900, S. 180 ff., S. 29 ff., ferner S. 139 ff.

»Sagen Sie dem Grafen Andrássy.« – Gespräch mit dem Grafen Seherr-Thosz in Berlin. 2. Januar 1869

Graf Seherr-Thosz (vergleiche das Gespräch vom 2. November 1862, S. 78 dieses Bandes) war 1866 in Berlin als Major in die neugebildete ungarische Legion eingetreten, die unter dem Befehl des Generals Klapka stand. Nach dem Überschreiten der ungarischen Grenze fiel Seherr-Thosz bei Ausführung eines dienstlichen Befehls in österreichische Gefangenschaft. Er wurde vom Kriegsgericht zum Tode durch den Strang verurteilt, aber im Gnadenwege zu sechzehn Jahren schweren Kerkers begnadigt und bald darauf, schon im September, über die Grenze zurückgeschickt. Die glimpfliche Behandlung und Freilassung des Ungarn war auf den Druck Bismarcks hin erfolgt, der gedroht hatte, die Hinrichtung des Grafen mit der von zehn verhafteten Trautenauer Bürgern zu beantworten.
Nachdem der Ausgleich zwischen Österreich und Ungarn (1867) zustande gekommen war, kehrte Seherr-Thosz versöhnt und amnestiert in sein Vaterland zurück.
Als Graf Seherr-Thosz Ende Dezember 1868 in geschäftlichen Angelegenheiten nach Berlin zu reisen hatte, bat ihn der ihm befreundete ungarische Ministerpräsident Graf Andrássy, in Berlin darauf hinzuweisen, daß der zwischen den deutschen und den österreichisch-ungarischen Blättern fortdauernde Zeitungskrieg hüben und drüben die Stimmung verbitterte, und daß es wünschenswert sei, ihm ein Ende zu machen. Ferner erklärte Andrássy, es trieben sich noch eine Anzahl preußischer Agenten im Lande herum, die Unfrieden mit Österreich zu säen versuchten, aber natürlich nach der Neuordnung der Beziehungen von Österreich und Ungarn hier keinen Boden fänden. Sollte der Grund dieser Agitation darin zu suchen sein, daß Preußen die Mainlinie zu überschreiten wünsche und deshalb die beiden habsburgischen Länder zu entzweien versuche, so ermächtige Andrássy den Grafen Seherr-Thosz, zu sagen, daß er, Andrássy, nichts gegen die Überschreitung der Mainlinie habe, deren Feststellung im Prager Frieden überhaupt nicht das Werk von Österreich, sondern das Frankreichs sei.
Seherr-Thosz erwirkte sich durch Keudell, dem er zunächst diese Dinge vortrug, eine Audienz bei Bismarck, von der er in seinen Erinnerungen berichtet.

Am 2. Januar des neuen Jahres 1869 war ich abends acht Uhr ganz reisefertig, als Herr von Keudell kam, um mich zu Bismarck zu führen. Der Graf war allein in seinem kleinen Arbeitskabinett. »Na, Sie waren nahe daran! Es freut mich, Sie gerettet zu sehen«, sprach er zu mir, hieß mich auf dem Sofa Platz nehmen, rückte einen Fauteuil davor und begann eine Rede, die mit wenigen Unterbrechungen anderthalb Stunden währte. Der Kanzler drückte erst, ebenso wie drei Tage früher Keudell, seine Verwunderung darüber aus, daß man in Pest nicht besser unterrichtet sei, von wem die vermeintliche preußische Agitation ausgehe; dann fuhr er fort: »Sagen Sie dem Grafen Andrássy, daß ich ihm unter Ehrenwort tausend Dukaten für jeden Agenten zahle, der sich als von mir geschickt erweist. Ich habe nicht nur selbst keine agents provocateurs nach Ungarn geschickt, sondern ich habe sogar der rumänischen Regierung mit der sofortigen Abberufung unseres Gesandten gedroht, wenn nicht binnen vierzehn Tagen die rumänische Agitation in Ungarn aufhöre. Auf Ihren Einwurf, daß die Gegenwart preußischer agents provocateurs in Ungarn eine Tatsache sei, kann ich nur erwidern, daß es für jedermann leicht ist, einige preußische Individuen zu mieten, ihnen preußische Taler in die Hand zu drücken und sie für preußische Agenten gelten zu lassen. Ihre Frage, wer diese Agenten sende und besolde, will ich nicht beantworten. Man soll die Kerls einfangen, und man wird darauf kommen, wer sie geschickt hat. Preußen hat gar kein Interesse daran, Zwietracht zwischen Ungarn und Österreich zu stiften. An die Überschreitung der Mainlinie denken wir nicht im entferntesten. Wir haben alles Interesse daran, daß die österreichisch-ungarische Monarchie erstarke, in enge Freundschaft zu uns trete. Die Aufrichtigkeit dieses Wunsches begründet sich eben in der jetzigen Umgestaltung Österreich-Ungarns. Die dualistische Gestaltung der Monarchie bringt es mit sich, daß wir von dieser Seite eine Aggression wenig zu fürchten haben; denn wer immer in Zukunft auf meinem Platze steht, müßte sehr ungeschickt sein, wenn er sie nicht abzuwenden wüßte. Dagegen ist Österreich-Ungarn uns als Bundesgenosse von großem Werte. Man hat uns in Wien das Jahr 1866 noch nicht vergessen. Das wird sich geben, sobald man erkannt haben wird, welche Kraft Österreich-Ungarn aus einer innigen Verbindung mit uns schöpfen kann. Indessen hört Beust nicht auf, gegen uns zu intrigieren, sowohl in Paris wie bei den süddeutschen Höfen. (Hier folgen eine Menge Details über das Wirken Metternichs in Paris.) Mit Frankreich werden wir Krieg bekommen, da es uns Sadowa nicht verzeiht, als wäre es eine französische Niederlage. Je später es zum Kriege kommt, desto besser für uns; aber er kommt sicher. Wir werden siegen, jawohl, wir werden siegen, denn unsere Soldaten sind ebensogut wie die französischen, und unsere Generale sind besser. Eine längere Periode wird dann eintreten, während welcher wir gegen Frankreich auf der Hut sein müssen. Vielleicht wird es noch eines zweiten Krieges bedürfen, um

Frankreich zu beweisen, daß wir ihm ebenbürtig sind. Sind die Franzosen erst zu dieser Erkenntnis gekommen, so ist kein Grund mehr vorhanden, warum nicht Franzosen und Deutsche gute Nachbarschaft halten sollten. Der wahre Feind für das zivilisierte Europa kann dann Rußland werden; wenn dieses sein Eisenbahnnetz ausgebaut, seine Armee reorganisiert hat, kann es mit zwei Millionen Soldaten marschieren. Dann muß sich Europa koalisieren, um dieser Macht zu widerstehen.« Nach diesem Blick in die Zukunft, der sich für einen Teil schon prophetisch erwiesen hat, kam der Kanzler auf die Ränke zurück, die in Wien gegen Preußen geschmiedet würden. Ich versicherte ihm, daß Andrássy seinen ganzen Einfluß aufbieten werde, um den bezeichneten Intrigen ein Ende zu machen, fügte aber die Bitte hinzu, der Kanzler wolle den offiziösen Federkrieg einstellen lassen, welcher der aufrichtigen Annäherung zwischen Preußen und Österreich hinderlich sei. Graf Bismarck erwiderte, daß es nicht die deutschen Zeitungen wären, die den Streit angefangen hätten. »Gleichviel«, entgegnete ich, »Sie sind der Stärkere und in Wien klingt noch das Gefühl der erlittenen Niederlage nach. Tragen Sie diesem Gefühle Rechnung und geben Sie einen Beweis Ihrer Aufrichtigkeit, indem Sie, der Erste, die Hand zum Frieden reichen.« Nach einigem Nachdenken willigte der Kanzler ein; die »Norddeutsche Allgemeine Zeitung« brachte wenige Tage darauf die Erklärung, daß sie den Federkrieg einstelle, neue Provokationen unbeantwortet lassen werde.

Ehe ich den Grafen verließ, bat ich ihn nochmals, mir eine Andeutung zu machen, wer nach seinem Wissen oder Meinung der Entsender jener Aufwiegler sei und wer ein Interesse daran haben könne, sie als »preußische« Agenten passieren zu lassen. Der Kanzler zögerte erst, gab aber dann meinem Andringen nach. Die Lösung des Rätsels war eine Monstrosität! Das ist alles, was ich darüber zu sagen vermag.

Graf Seherr-Thosz, Erinnerungen aus meinem Leben.
Deutsche Rundschau. Band 28, 1881, S. 79 ff.

Zur Unterrichtung eines Bundesfürsten. – Gespräch mit dem Sächsischen Minister und Bevollmächtigten Freiherrn von Friesen in Berlin. 18. Februar 1869

Friesens Bericht über das folgende sehr inhaltsreiche Gespräch geht aus von den Versuchen Beusts, des früheren sächsischen, jetzt österreichischen Ministerpräsidenten, Mißtrauen zwischen Preußen und Sachsen zu säen und den entgegengesetzten Bemühungen Bismarcks, die Beziehungen der beiden Staaten so ungetrübt und harmonisch als nur möglich zu gestalten. In diesem Zusammenhang erwähnt Friesen, der seit dem 26. Oktober 1866 auch das auswärtige Ministerium Sachsens führte und bei Bismarck Vertrauen genoß, den freundlich aufgenommenen Besuch des Kanzlers am Dresdner Hof (12. Dezember 1868) und wiederholte Äußerungen Bismarcks, die darauf abzielten, den König Johann von seiner persönlichen Hochachtung zu überzeugen, seine eigene Politik in und vor dem Jahre 1866 ins rechte Licht zu setzen. Andrerseits sollte, wie Friesen hervorhebt, die würdige Stellung, die der sächsische König innerhalb des Bundes einnehme, und die Zufriedenheit darüber, die Bismarck in dem Monarchen zu erwecken hoffte, offenbar auch die süddeutschen Könige günstiger für einen Eintritt stimmen. Über die Fassung des vorliegenden Berichts vergleiche in folgendem Friesens eigene Erläuterungen.

Bei jedem dieser Gespräche fügte Bismarck das ausdrückliche Verlangen bei, daß ich den König Johann von allem, was er mir sage, vollständig in Kenntnis setzen möge. Ich habe dies auch stets getan. Über eine der wichtigsten und interessantesten dieser Mitteilungen, die er mir am 18. Februar 1869 machte, habe ich unmittelbar darauf und am folgenden Tage eine möglichst wortgetreue Darstellung niedergeschrieben und dieselbe dem König Johann eingesendet. Des Interesses wegen, welches diese Darstellung auch jetzt noch gewähren dürfte, will ich sie hier mit Ausnahme einiger Stellen, die auf Nebenpunkte sehr speziell eingingen und jetzt weniger Interesse mehr gewähren dürften, wörtlich und genau so, wie ich sie damals niedergeschrieben und dem Könige eingesendet habe, wiedergeben.

»Am 18. Februar 1869 bat mich Graf Bismarck zu Tisch. Außer der Familie des Grafen und mir war nur noch der damalige Legationssekretär von Schlözer anwesend. Unmittelbar nach dem Kaffee begann Graf Bismarck ein Gespräch mit mir, welches er anfänglich im Salon, dann aber längere Zeit hindurch in seinem Arbeitzimmer fortführte, in welches er mich einzutreten gebeten hatte. Da er hierbei wiederholt versicherte, daß er mir seine Mitteilungen zu dem Zwecke mache, damit ich Seine Majestät den König Johann davon in Kenntnis setze, und daß ihm sehr viel daran gelegen sei, daß Seine Majestät die Vorgänge ganz genau kennenlerne, um ihn richtig beurteilen zu können, und er auf das Urteil des Königs den höchsten Wert lege, so habe ich, um diesem Wunsche genügend entsprechen zu können, den Inhalt des ganzen Gesprächs unmittelbar darauf möglichst genau und vollständig niedergeschrieben. Graf Bismarck begann das Gespräch mit der allgemeinen Bemerkung, daß man so selten Fürsten fände, die neben dem Bewußtsein ihrer Rechte auch ein lebendiges Bewußtsein ihrer Pflichten hätten, und sagte dabei: »Außer unseren beiden allergnädigsten Herren kenne ich jetzt keinen Fürsten, von dem ich das sagen möchte! Wenn mein König in dieser Beziehung nicht ganz auf der Höhe des Ihrigen steht, so liegt dies nicht in Mängeln des Charakters, sondern in Mängeln der Erziehung.« Der König Friedrich Wilhelm III. habe, fuhr er fort, das unglückliche Prinzip gehabt, nur seinem ältesten Sohne eine gründliche und vollständige Bildung zu geben, bei den übrigen aber dies nicht für nötig erachtet, es vielmehr mit einer gewöhnlichen Durchschnittsbildung bewenden lassen. Wenn man das bedenke, so sei es geradezu der Bewunderung wert, mit welchem Pflichtgefühle der König Wilhelm sich seinem Regentenberufe hingebe, und wie er keine Arbeit, keine Anstrengung scheue, um denselben zu erfüllen. Aber eine gewisse Unsicherheit und Unklarheit könne er nicht überwinden, weil er eben in den wichtigsten Dingen, ohne eigens selbständiges Urteil, von fremdem Rate abhängig sei und solchen von verschiedenen Seiten her und in verschiedenem Sinne erhalte. Diesen Umstand müsse man fortwährend im Auge behalten, wenn man die preußische Politik der letzten Jahre und namentlich seine, des Grafen Bismarck, Mitwirkung dabei richtig beurteilen wolle.«

Damit war der Übergang zu dem eigentlichen Gegenstande des Gesprächs gewonnen. Es folgte nun zunächst eine ausführliche Darstellung der Vorgänge von seiner Anstellung als preußischer Minister an bis zum Ausbruch des Krieges, die natürlich ganz von dem preußischen Standpunkte aus gegeben wurde, aber für mich nichts Neues enthielt. Er vermied dabei jede Rekrimination, jeden Vorwurf über die Haltung der anderen deutschen Staaten, insbesondere Sachsens. Beust wurde nicht einmal genannt. Die ganze Darstellung ging vielmehr dahin, nachzuweisen, daß Preußen damals, das heißt in den letzten Jahren vor Ausbruch des Krieges, keine Vergrößerung für sich beabsichtigt habe: »Es sei ihm, Bismarck, damals nur darauf angekommen, die revolutionären Tendenzen zu bekämpfen und namentlich das ›Augustenburgertum‹, welches in Deutschland populär gewesen sei, nicht weil der Herzog von Augustenburg der bestberechtigte Erbe von Schleswig-Holstein gewesen sei, sondern weil er sich der Demokratie in die Arme geworfen habe, welche durch ihn würde zur Macht gelangt sein. Der Föderalismus sei zur Besiegung solcher Gefahren nicht stark genug, das habe das Jahr 1848 bewiesen, wo auch die Rettung nicht vom Bunde, sondern von den größeren Einzelstaaten ausgegangen sei. Später sei jede Verbesserung des Föderalprinzips mißlungen, der Dualismus mit einem ungeteilten Deutschland habe sich auch als unausführbar erwiesen; es sei daher nur der Dualismus mit geteiltem Deutschland übriggeblieben, und den habe er, Graf Bismarck, zu jener Zeit angestrebt. Es sei ihm auch im Jahre 1865 gelungen, Österreich eine Zeitlang für diese Idee zu gewinnen, später aber habe letzteres seine Auffassung geändert und eine Schwenkung nach Frankreich gemacht. Die damaligen preußischen Rüstungen seien nicht mit der bestimmten Absicht auf einen Krieg gemacht worden, sondern mehr nur, um den Verhandlungen einen größeren Nachdruck zu geben. Dies beweise auch die »Gablenzsche Mission«*, auf deren richtige Würdigung er großen Wert lege. Etwa zwei bis drei Wochen vor dem Ausbruch des Krieges sei der in Berlin lebende Herr von Gablenz, den er bis dahin nur wenig gekannt habe, zu ihm gekommen, legitimiert durch einflußreiche Persönlichkeiten in Wien, und habe sich erboten, dort noch einmal den Versuch einer gütlichen Vermittlung zu machen. Er, Graf Bismarck, habe damals mit Rücksicht auf die Stimmung des Königs dringend gewünscht, entweder den Krieg ganz vermeiden zu können oder, wenn dies nicht möglich sein sollte, wenigstens einen klaren Beweis dafür in die Hände zu bekommen, daß es eben nicht möglich sei. Er habe daher durch Herrn von Gablenz folgende Vorschläge nach Wien bringen lassen: Auflösung des Deutschen Bundes; Bildung zweier getrennter Bünde, eines norddeutschen mit Preußen, eines süddeutschen mit Österreich an der Spitze; enges Bündnis zwi-

* Anton von der Gablenz war ein Bruder des österreichischen Statthalters in Holstein. Über die einzelnen Stadien, Motive und Aussichten dieses Vermittlungsversuchs, die in obenstehendem Gespräch Bismarcks nicht scharf hervortreten, vergleiche die Darstellung von E. Brandenburg: Die Reichsgründung. Band II, 1916, S. 148 ff. Ferner Brandenburg in seinen Untersuchungen und Aktenstücken zur Geschichte der Reichsgründung. S. 517 ff.

schen beiden mit vollständiger Garantie des Bundesbesitzes inklusive Venetiens für Österreich. Die innere Organisation der beiden Bünde habe sich nur auf die militärischen Verhältnisse und deren Konzentrierung auf das Zollwesen, die Post usw. beziehen sollen. Er habe auch durch Herrn von Gablenz in Wien noch besonders darauf hinweisen lassen, daß in diesem Augenblicke, wo beide Teile bis an die Zähne gerüstet und bewaffnet seien, eine solche Umgestaltung der Dinge ganz Europa gegenüber leicht durchführbar sei. Herr von Gablenz habe sich auch seinem Auftrage mit Eifer und Geschick unterzogen, er sei bis zu Seiner Majestät dem Kaiser vorgedrungen und habe bei demselben eine längere Audienz gehabt. Hierbei habe der Kaiser, der von allem genau unterrichtet gewesen sei, die Idee nicht unbedingt abgewiesen, sich im Gegenteil ziemlich geneigt gezeigt, darauf einzugehen, aber doch keinen bestimmten Entschluß ausgesprochen, sondern sich eine Besprechung darüber mit seinen Ministern vorbehalten. Von den letzteren seien einige, namentlich Graf Moritz Esterházy, für die preußischen Vorschläge gewesen, andere aber, insbesondere Graf Belcredi und der Finanzminister, entschieden dagegen; letzterer habe geradezu gesagt, Österreich müsse einen Krieg haben, es brauche notwendig einen solchen, um sich zu retten; es müsse entweder einige Hundert Millionen preußische Kriegskontributionen haben, und die bekomme es, wenn der Krieg glücklich ausfalle, oder die Möglichkeit eines ›anständigen Bankerotts‹, und die erlange es durch einen unglücklichen Krieg. Graf Mensdorff endlich, der doch eigentlich die gewichtigste Stimme hätte haben sollen, habe weiter nichts gesagt, als: er halte sich ganz neutral und werde das ausführen, was der Kaiser ihm befehlen werde. So sei die Mission erfolglos geblieben, und dann erst sei der König zum Kriege zu bestimmen gewesen.«

Graf Bismarck wiederholte mir mehrmals, daß ihm sehr viel daran läge, daß Seine Majestät der König von Sachsen von dem Hergange der Gablenzschen Mission genau unterrichtet werde; es würde ihm lieb sein, wenn ich mir Herrn von Gablenz selbst einmal wollte kommen lassen, er wolle ihn zu mir schicken, wenn ich es wünschte, damit er mir persönlich alles bestätigen könne. Wenn aber Seine Majestät etwa wünschen sollte, selbst mit Gablenz zu sprechen, so könne derselbe auch nach Dresden gehen und dort referieren.

Ich lehnte jedoch dies alles ab, da ich überzeugt sei, daß auch Seine Majestät der König, ebenso wie ich selbst, um die eben gehörte Mitteilung für vollkommen richtig und tatsächlich begründet anzusehen, keines weiteren Beweises bedürfe, als die Erzählung des Herrn Grafen Bismarck selbst.

»Mit dem wirklichen Beginn des Krieges«, fuhr Graf Bismarck fort, »seien natürlich die Ansprüche Preußens gestiegen, indessen sei der Ausgang des Krieges doch sehr ungewiß gewesen, und der König habe selbst für den günstigsten Fall an nicht mehr gedacht, als etwa an Holstein und Schleswig. Der Sieg von Königgrätz habe die kühnsten Erwartungen übertroffen; unmittelbar darauf sei aber ein politisches Motiv von der höchsten Bedeutung, die Einmischung Frankreichs, eingetreten, durch welche die Lage gänzlich geändert worden sei. Es sei nämlich unmittelbar nach der Schlacht ein persönliches Telegramm des Kaisers Napoleon an den König Wilhelm eingegangen, welches in seinem ersten Teil eine sehr lebhafte Beglückwünschung über den Sieg und den Ausdruck der Bewunderung über die Haltung und die Tapferkeit der preußischen Armee enthalten, im zweiten Teile aber die Erwartung ausgesprochen habe, daß der König sich hiermit begnügen und nunmehr ohne weiter vorzugehen, Frieden schließen werde, wobei angedeutet worden sei, daß, wenn der Frieden Territorialveränderungen in Deutschland bringen sollte, Frankreich solche Kompensationen am Mittelrhein beanspruchen müsse, daß das seitherige Machtverhältnis zwischen Frankreich und Preußen nicht alteriert werde. Der König habe nur auf den ersten Teil des Telegramms Wert gelegt, sich darüber sehr gefreut und dadurch geschmeichelt gefühlt. Er habe dann das Telegramm ihm, dem Grafen Bismarck, mit einem Handbillet zugesandt und darin zugleich die Bedingungen angegeben, unter denen er bereit sei, Frieden zu schließen: Diese seien auch damals noch sehr bescheiden gewesen; der König habe nichts weiter verlangt, als neben Schleswig und Holstein noch die Abtretung von Ostfriesland – wenn das nicht zuviel verlangt wäre – und sodann, daß diejenigen deutschen Fürsten, die gegen ihn gekämpft und sich persönlich besonders feindselig erwiesen hätten, zugunsten ihrer Nachfolger resignieren sollten. Er, Graf Bismarck, habe dieses Handbillett nebst dem Telegramm des Kaisers Napoleon in einer kleinen Dorfschenke erhalten, wo er die Nacht auf einer hölzernen Bank zugebracht habe. Den Inhalt des Telegramms habe er anders aufgefaßt als der König. Er habe auf die darin enthaltenen Glückwünsche und Belobungsatteste für die Armee gar keinen Wert gelegt, einen sehr großen aber auf den Vorbehalt wegen der Kompensation für Frankreich und dies um so mehr, als er gleichzeitig aus Paris die Nachricht erhalten habe, daß man dort die Abtretung der bayerischen Rheinpfalz und der hessischen Gebietsteile auf dem linken Ufer des Rheins einschließlich von Mainz verlange und dafür die Annexion von Hannover, Kurhessen, Nassau, Schleswig und Holstein an Preußen zugestehen wolle. Ihm sei nun sofort die Gefahr der Situation klar gewesen; der Moment sei von Frankreich sehr geschickt gewählt worden.

Um mir das letztere klarzumachen, schaltete Graf Bismarck folgende Auseinandersetzung ein: Man habe in Berlin ursprünglich nicht erwartet, daß alle deutschen Mittelstaaten mit Österreich gehen würden, vielmehr bei einigen derselben auf Neutralität gerechnet; als nun das Gegenteil eingetreten, seien bei den höheren Militärs Zweifel entstanden, ob Preußen allein mit Österreich und den zu ihm haltenden Staaten fertig werden könne, namentlich habe der König selbst Bedenken gehabt und die Befürchtung geäußert: er werde von der Übermacht erdrückt werden. Er, Graf Bismarck, habe jedoch vom politischen Standpunkt aus die entgegengesetzte Ansicht vertreten, er habe angenommen, daß unter allen Armeen der Bundesgenossen Österreichs nur von der sächsischen und der hannoverschen ein ernster Widerstand zu erwarten sei; auf die Armeen der süddeutschen Staaten habe er nach allem, was er von dem Zustande derselben gewußt, damals keinen sehr großen Wert gelegt, schon deshalb nicht, weil er überzeugt gewesen sei, daß sich Bayern, Württemberg, Baden und Hessen in keinem Falle einem einheitlichen Kommando unterwerfen, nicht einmal zu einer gemeinschaftlichen Aktion sich vereinigen würden. Da man nun die Sachsen in Böhmen zu bekämpfen haben werde, so sei seiner Ansicht nach alles darauf angekommen, die Vereinigung der Hannoveraner mit den Bayern zu verhindern. Gelänge dies, dann würden, wie er geglaubt habe, dreißigtausend Preußen, gut geführt, hinreichen, um die gesamte Armee von Bayern, Württemberg, Baden und Hessen, wenn auch nicht zu besiegen, so doch im Schach zu halten. Diese Ansicht sei durchgedrungen und man habe die ganze Macht gegen Österreich geworfen und nur ein verhältnismäßig kleines Korps im Westen und Süden Deutschlands aufgestellt. Frankreich sei damals zwar zu einem großen Kriege nicht gerüstet und nicht vorbereitet gewesen, aber dreißig- bis vierzigtausend Mann bei Straßburg vollkommen kriegsbereit über den Rhein zu schieben, das würde dem Kaiser binnen wenigen Tagen möglich gewesen sein. Damit würde sich aber die ganze Lage sofort geändert haben, »denn unsere süddeutschen Brüder«, sagte Bismarck, »haben die Eigentümlichkeit, daß sich keiner dem anderen unterordnet, daß sie auch von Österreich keine Befehle annehmen, sich aber stets bereitwillig unter französischen Oberbefehl gestellt haben. Ein französischer General würde sofort den Oberbefehl in die Hände genommen und mit Hilfe von selbst nur vierzigtausend Franzosen leicht hundertzwanzig- bis hundertdreißigtausend Mann unter seinen Befehlen vereinigt haben. Dadurch würde natürlich die größte Gefahr entstanden sein. Da Preußen nur etwa dreißigtausend Mann in Westdeutschland hatte, so hätten sofort aus Böhmen hundertfünfzigtausend Mann dorthin geschickt werden müssen, und das sei natürlich unmöglich gewesen, ohne alle Vorteile, die dort errungen waren, wieder in Frage zu stellen. Er habe daher sofort die Notwendigkeit eingesehen, zunächst Frankreich durch diplomatische Hilfsmittel von jeder Aktion abzuhalten und sodann Österreich gegenüber alle Mittel zu benutzen und rücksichtslos anzuwenden, die hier von Nutzen sein könnten. Von dieser Absicht geleitet, habe er damals den Befehl gegeben, die ungarische Legion ins Leben zu rufen, von der zwar schon lange die Rede gewesen, die aber noch nie wirklich organisiert worden sei.«

In der Niederschrift, mit welcher ich den Inhalt dieses Gesprächs Seiner Majestät dem König Johann mitteilte, bemerkte ich zu dieser Stelle, daß mir in der Erklärung des Grafen Bismarck, daß die ungarische Legion in einem Augenblicke großer Gefahr für Preußen einberufen und organisiert worden sei, ein Hauptzweck des ganzen Gesprächs mit mir zu liegen scheine. Graf Bismarck hatte nämlich zur Erläuterung der bekannten Usedomschen Note* gesagt: Preußen habe zu jener Zeit wegen

* Graf Usedom, preußischer Gesandter in Florenz, übersandte am 17. Juni 1866 dem italienischen Generalstabschef, La Marmora, eine Note, worin er einen durchgreifenden Krieg, Umgehung des Festungsvierecks, Insurgierung Ungarns und den Marsch an die Donau forderte; denn »um Italien den dauernden Besitz Venetiens zu sichern, müsse man zuvor die österreichische Macht *ins Herz* getroffen haben.« Ein Ratschlag, den der empfindliche La Marmora nicht beantwortete. Als er aber besiegt wurde und das preußische Generalstabswerk die zögernde Kriegführung Italiens rügte, veröffentlichte er 1868 diese Note (die sogenannte Stoß-ins-Herz-Depesche), um sich an der preußischen Regierung zu rächen und durch diese Indiskretion Österreich aufzustacheln, das in der Tat sich aufs tiefste beleidigt fühlte.. – Da Usedom jene Note aus eigener Initiative entworfen und abgeschickt hatte, wurde er für die von ihm gebrauchten Ausdrücke zur Verant-

der Übermacht seiner Gegner auch außergewöhnliche Kriegsmittel anwenden müssen, und Graf Beust hatte dem entgegengehalten, daß die ungarische Legion erst nach der Schlacht bei Königgrätz, also nachdem die angebliche Übermacht bereits gebrochen, organisiert worden sei.

Die weiteren Verhandlungen seien nun, fuhr Graf Bismarck fort, äußerst schwierig für ihn gewesen. Er habe jedenfalls sehr wesentliche Rücksicht auf die Stimmung Frankreichs nehmen müssen, aber auch Österreich und die süddeutschen Staaten nicht so behandeln dürfen, daß daraus eine dauernde, unversöhnliche Feindschaft entstehen könnte. Demgemäß habe er sein Programm für den Frieden gebildet, ganz so, wie es schließlich ausgeführt worden sei. Den König habe er damals etwa vierzehn Tage lang nicht gesehen, erst in Nikolsburg sei er mit ihm wieder zusammengekommen. Dort aber habe er denselben gänzlich verändert gefunden; vierzehn Tage ausschließlichen Umgangs mit höheren Militärs hatten genügt, den König total umzustimmen, er habe jetzt viel weitergehende Forderungen gemacht und sehr bedeutende Landabtretungen von Österreich und den deutschen Staaten verlangt, die gegen Preußen gekämpft hatten. Er, der Graf Bismarck, habe zwar darauf versucht, dem Könige die ganze politische Situation klarzumachen und nachzuweisen, wie äußerst gefährlich eine Fortsetzung des Krieges werden könne und wie es selbst im Falle eines endlichen günstigen Ausgangs des Krieges doch höchst unpolitisch sein müsse, Österreich Gebietsteile zu entreißen und es dadurch für alle Zukunft zu verbittern und ein späteres Zusammengehen mit ihm unmöglich zu machen. Es sei aber alles vergeblich gewesen; der König habe gesagt, solange Preußen existiere, sei noch nie eine solche Gelegenheit zur Vergrößerung dagewesen wie jetzt, wenn er diese nicht gehörig und vollständig benütze, werde er dies seinen Vorfahren, dem Lande gegenüber nicht verantworten können und so weiter. Diese Stimmung des Königs sei die des ganzen Lagers, der ganzen Armee gewesen. Er, Graf Bismarck, sei der einzige Mann in Nikolsburg gewesen, der noch einer ruhigen Überlegung fähig gewesen sei; er habe die ganze Schwere seiner Verantwortlichkeit gefühlt und sich gesagt, daß, wenn er hier nachgebe und großes Unglück daraus entstehe, man

wortung gezogen, wenn auch der preußische »Staatsanzeiger« unterm 11. August 1868 erklärte, daß der in der Note empfohlene Kriegsplan die Billigung der Regierung hatte. Zur Frage der historischen Quellen dieses Fragenkomplexes. Vgl. BGI, S. 285, Anmerkung.

doch nur ihn dafür verantwortlich machen werde, daß er nicht fest und entschieden an seiner besseren Überzeugung festgehalten habe. Als daher am folgenden Tage der König bei seinem Verlangen beharrte und seine Absichten wiederholt ausgesprochen habe, sei ihm, Bismarck, nichts übriggeblieben, als den äußersten Schritt zu tun; er habe daher dem König erklärt, daß er um seine Entlassung bitte und sofort abreisen werde. Darüber sei der König in die größte Aufregung geraten und habe ihm vorgeworfen, daß er ihn, den König, in diesem kritischen Momente verlassen wolle, wenn er nicht seinen Willen durchsetze, obgleich er wisse, daß jetzt niemand da sei, der ihn ersetzen könne! Das sei geradezu Verrat! Am folgenden Tage sei der König ruhiger gewesen, aber tief betrübt und verstimmt, und habe endlich verlangt, daß der Kronprinz herbeigerufen und um seine Ansicht befragt werde. Dies sei geschehen und er, Bismarck, habe dem Kronprinzen die ganze Sachlage auseinandergesetzt und seine Ansichten entwickelt, worauf ihm dieser geantwortet habe, er getraue sich zwar nicht die politische Lage sicher und vollständig zu beurteilen, habe aber zu ihm, dem Grafen Bismarck, das Vertrauen, daß er sie verstehe und richtig beurteile, er schließe sich also seiner Ansicht an und werde deshalb mit seinem Vater sprechen. Dies letztere sei auch geschehen, und nach einer langen Unterredung zwischen dem König und dem Kronprinzen habe ersterer die Bismarckschen Vorschläge signiert, aber eine Bemerkung beigefügt, aus der deutlich hervorgegangen, wie überaus schwer ihm dieser Entschluß geworden sei.

Damit wäre die Sache abgemacht gewesen. Er aber, Graf Bismarck, habe in Nikolsburg die unangenehmsten Tage seines Lebens zugebracht; er könne bei seinen monarchischen Gefühlen und seiner Liebe und Hingebung für den König sich keine peinlichere und schmerzlichere Lage denken, als demselben so entgegentreten und geradezu moralische Gewalt antun zu müssen, aber es sei doch gar nicht anders möglich gewesen, da die Fortsetzung des Krieges wahrscheinlich zum Verlust aller bis dahin errungenen, im günstigsten aber unwahrscheinlichsten Falle zu einem ganz unhaltbaren Zustande und zu einem baldigen neuen Krieg mit ganz Europa geführt haben würde. Während man gewöhnlich annehme, er habe in Nikolsburg nur Triumphe gefeiert, sei gerade das Gegenteil wahr; er sei von den dort anwesenden Militärs wie ein Verräter behandelt worden, der alles wieder verderbe, was die Armee gut gemacht habe. Auch jetzt noch werde er von vielen Generalen deshalb gehaßt und gemieden. Er wisse recht gut, daß er gerade unter den höheren Militärs viele einflußreiche und unversöhnliche Feinde habe.

Diesen Mitteilungen fügte Graf Bismarck noch einige bittere Bemerkungen über das Verhalten Österreichs bei den Nikolsburger Verhandlungen bei. Der einzige anständige Zug dabei sei die Verwendung für Sachsen gewesen, obgleich hierbei das Verdienst mehr dem Grafen Karolyi persönlich gebühre, da die offizielle Verwendung doch nur eine sehr schwache gewesen sei und man z. B. nicht einmal gewagt habe, die Erhaltung der Dynastie bestimmt und mit klaren Worten zu verlangen, sondern sich hinter dem ganz unbestimmten Ausdruck »Integrität« versteckt habe. Das Verhalten Österreichs Bayern gegenüber sei aber geradezu »schmählich« gewesen, er, Bismarck, habe Abschrift der Konvention in Händen gehabt, in welcher Österreich versprochen habe, keinen Frieden oder Waffenstillstand ohne Teilnahme und Zustimmung Bayerns abzuschließen. Er habe daher die österreichischen Kommissare gefragt, ob sie nichts für Bayern vorzubringen hätten und als dies verneint worden sei, ihnen gesagt: aber Sie haben doch der bayrischen Regierung in einer besonderen Konvention versprochen, nicht ohne ihre Teilnahme Frieden zu schließen. Darauf habe Graf Karolyi mit sichtlicher Verlegenheit erwidert: ihm sei von einem solchen Vertrage nichts bekannt, auch enthalte seine Instruktion nichts darüber.

Damit schloß das ganze stundenlange Gespräch, von dem ich nur einen kurzen Abriß gegeben habe und dem Graf Bismarck nochmals die Bitte beifügte, den Inhalt desselben dem König Johann möglichst vollständig mitzuteilen, da ihm viel daran läge, von demselben richtig beurteilt zu werden.

R. Freiherr von Friesen, Erinnerungen aus meinem Leben. 1910, S. 73 ff.

Parlamentarischer Abend. – Gespräche mit Abgeordneten in Berlin. 24. April 1869

Der 24. April 1869 eröffnete die Reihe der parlamentarischen Abende, an denen der Kanzler politische Persönlichkeiten zu zwanglosem Zusammensein in seinem Hause empfing. Der nationalliberale Abgeordnete Dr. Hans Blum lieferte damals für die »Gartenlaube« (Nr. 20, 1869) eine breit ausgeschmückte

Schilderung des ersten parlamentarischen Abends bei Bismarck, die damals anonym erschien; später wurde sie von Blum in sein Buch »Persönliche Erinnerungen an Bismarck« aufgenommen. In gekürzter Form wird sie im folgenden wiedergegeben, soweit Gespräche Bismarcks in Betracht kommen.

Die Versammlung und die Hitze wuchsen mit jeder Minute. Der Graf, sagt man, ist im großen Saal. Wir eilen dorthin. Hart am Eingang steht unser Wirt, in lebhaftem Gespräch mit seinen Gästen, doch aufmerksam jeden neuen Ankömmling freundlich grüßend; oft reicht er beide Hände zugleich nach links und rechts. Er sieht so wohl, so munter aus! Das ist immer der erste Gedanke, wenn man den Mann wieder erblickt, dem auch die Demokratie bedeutende Arbeitskraft und Tätigkeit niemals wird absprechen können. Sein Gesicht hat infolge seines langen Landaufenthaltes in Varzin wieder Farbe gewonnen; die Augen sind nicht mehr so tief beschattet durch die Wolken der gefurchten Stirn und zugleich durch die außerordentlich langen Brauen, wie voriges Jahr ... Seine Haltung ist stramm und fest bei seinen vierundfünfzig Jahren. Er trägt auch an diesem Abend die Uniform, wohl aber schwerlich ganz vorschriftsmäßig. Moltke wenigstens lächelt mit den feinen schmalen Lippen, als er der militärischen Dekolletierung des Kanzlers ansichtig wird. Denn der kurze Waffenrock steht offen, von Degengurt und Degen ist gar nicht die Rede, und eine einfache schwarze Tuchweste bekleidet des Grafen Brust. Auch nur gerade die unentbehrlichsten Orden sind aufgesteckt, darunter kokett einige kleinstaatliche. Sind die Herzen der eingeladenen kleinen Bundesräte einzufangen? Wer Bismarck sich nach den Bildern denkt, die von ihm umlaufen, selbst wer ihn im Reichstag hat reden hören und wer ihm auf seinen Spaziergängen begegnet ist, der kennt ihn fast nur von der offiziellen Seite, als Staatssorgen- und Würdenträger ...

Er reichte uns die Hand und redete einzelne an. Mir sagte er: »Sie sind seit dem Vorjahr wieder erheblich stärker geworden. Sie sollten reiten.«

»Das würde ich gern tun«, erwiderte ich, »aber am letzten Geburtstag Euer Exzellenz, am 1. April dieses Jahres, bin ich Advokat geworden, und wenn mich der Leipziger reiten sähe, so würde er sagen« – mit sächsisch-provinzieller Betonung: »Heeren Se, der Advogade had gewiß nischd zu dhun.« Bismarck lachte und wandte sich dann an uns gemeinsam. »Ich habe die Herren gern einmal bei mir sehen wollen. Man kann sich da viel leichter sprechen und verstehen, als im Reichstag. Und außerdem, wenn Sie das Bedürfnis empfinden, mich oder einen Bundesrat oder Regierungskommissar zu interpellieren, so macht sich das hier meist in fünf Minuten in einer Ecke ab . . .«

Der Kanzler wurde heute sofort beim Wort genommen. Denn durch die Reihen der Räte und Abgeordneten drängte sich alsbald, wenn auch mühsam, die umfangreiche Gestalt des tapferen »roten Becker«*, so rot an Haar wie Gesinnung, aber ein lebendiger Beweis dafür, daß auch der geborene Demokrat und Agitator es zu einem höchst anständigen Leibesumfang bringen kann. Becker hatte sich heute im Reichstag selbst übertroffen. Er, der ständige Referent des Abgeordnetenhauses und des Reichstages über Post-, Telegraphen- und Eisenbahnsachen, hatte den unglaublichen Mißbrauch drastisch geschildert, der seitens der deutschen Fürstenhäuser mit der Paketporto- und Telegraphengebührenfreiheit getrieben werde. Er hatte dargelegt, wie alle Bestandteile des ganzen fürstlichen Küchenzettels vom Koch telegraphisch gebührenfrei requiriert werden; wie endlose telegraphische Kleiderbestellungen zwischen den deutschen Höfen und Paris kostenfrei hin- und hergehen; wie der Bürgersmann, von dessen Depesche vielleicht Gut und Leben abhängt, warten muß, bis der fürstliche Koch für einen Taler Petersilie durch den Telegraphen bestellt hat; wie dann all die umfangreichen bestellten Pakete portofrei an den Ort ihrer Bestimmung versandt werden müssen. Und schließlich hatte er zur großen Erheiterung des Hauses aus dem genealogischen Kalender nachgewiesen, daß in Lippe allein sechzig Prinzen und Prinzessinnen mit angeborener Portofreiheit existieren.

Jetzt pflanzte er sich vor dem Bundeskanzler auf, wie gewöhnlich die Hände auf dem Rücken zusammengelegt, und sah Bismarck mit einem Gesicht an, auf dem geschrieben stand: »Nun, haben Sie von all' diesem fürstlichen Unfug mit der Telegraphen- und Portofreiheit schon eine Ahnung gehabt?« Aber Bismarck lachte herzlich und sprach: »Glauben Sie mir, ich weiß noch viel tollere Dinge.« »Nun, so erzählen Sie doch, Exzellenz«, sagte der rote Becker mit großer Behaglichkeit. »Ja, das kann ich nicht«, erwiderte Bismarck, »denn ich habe die Mitteilungen vom Generalpostdirektor von Philippsborn – der weiß noch viel tollere Dinge als ich.« Eine Gruppe Gäste drängte sich zwischen uns und die Sprechenden . . .

* Später Bürgermeister von Dortmund und Oberbürgermeister von Köln.

Mein verehrter Freund und Fraktionsgenosse Apotheker Neubronner aus dem vormaligen Herzogtum Nassau, den gewiß niemand für einen mordsüchtigen Jäger von Profession halten wird, hatte, als er dem Kanzler vorgestellt wurde, daran erinnert, wie sie weiland, als Bismarck Bundestagsgesandter in Frankfurt gewesen, zusammen in der Nähe Frankfurts gejagt hatten.

»Ach, ja wohl«, erwiderte Bismarck und schilderte nun den umstehenden, meist der annektierten Provinz Nassau angehörigen Abgeordneten die ihnen bekanntesten Persönlichkeiten Nassaus und Frankfurts jener Tage mit einer Lebendigkeit und Lustigkeit, daß die Heiterkeit dieser süddeutschen Gruppe die allgemeinste Aufmerksamkeit erregte. Namentlich war es die Schilderung des »dicken Daumer« mit seiner kolossalen Todesfurcht, welche die Söhne des jetzigen preußischen Bezirks Wiesbaden entzückte. Dann fuhr Bismarck fort:

»Mit diesem ›dicken Daumer‹ war ich eines schönen Herbstmorgens in der Nähe von Frankfurt auch auf der Jagd gewesen. Als wir uns am Rande des Waldes hoch im Gebirge zur Rast niedersetzten, entdeckte ich zu meinem Schrecken, daß ich kein Frühstück bei mir hatte. Der ›dicke Daumer‹ dagegen zog eine mächtige ›Wurscht‹ hervor, die für mich allein gerade ausgereicht hätte und von der er mir edelmütig die Hälfte anbot. Das Mahl begann; ich sah das Ende meines Wurstteils herannahen. Ich hätte vor Wehmut frankfurterisch reden mögen. Da fragte ich den ›dicken Daumer‹ von ungefähr: ›Ach, sage Sie mir, Herr Daumer, was is doch das Weiße da unne, was aus de Zwetzschebaim herausschaut?‹ ›Gott, Exzellenz, da möcht eim' ja der Appetit vergehn – das is der Kirchhof.‹ ›Aber, lieber Herr Daumer, da wollen wir uns doch beizeiten ein Plätzchen suchen, da muß sich's wunderbar friedlich ruhen.‹ ›Nu, Exzellenz, nu leg i awer die Wurscht weg!‹ Der ›dicke Daumer‹ blieb bei diesem Entschlusse, und ich hatte mein ordentliches Frühstück.« Ringsum anhaltende Heiterkeit.

Neben mir stehen zwei der größten Juristen der Welt im tiefdurchdachten Gespräch. Alle Viertelstunde wird ein einziges Wort eines der Paragraphen des zukünftigen norddeutschen Strafgesetzbuches fertig . . .

Da höre ich des Kanzlers Stimme wieder hinter mir. »Stoßen wir auf die alten Farben Blau, Rot, Gold der Hannovera in Göttingen an, Herr Korpsbruder«, ruft Bismarck seinem alten Verbindungsbruder, dem Oberbürgermeister Fromme aus Lüneburg zu. Und die beiden »alten Herren« gedenken in einem vollen, mit einem Zuge geleerten Glase Maiwein der schönen Jugendstunden ... Bismarck war ja damals in Göttingen weithin gefürchtet durch seine Klinge ... Freilich gibt auch seine linke Wange vernarbte Kunde von dem treulosen Wechsel des Waffenglücks. Der böse Feind, der ihm diese Quart »hineingebracht«, genießt sogar das Vertrauen eines Bruchteils der norddeutschen Bevölkerung in dem Maße, daß er in den konstituierenden Reichstag (Februar 1867) gewählt ward. Als er hier Bismarck sich vorstellen ließ, rief dieser mit bezeichnendem Hinweis auf seinen »Schmiß«: »Sind Sie der?«

»Jawohl, Exzellenz.«

»Aber das war doch ein Sauhieb.«

»Ja, Exzellenz, das haben Sie damals schon gesagt, aber unser Paukbuch beweist das Gegenteil.«

Bekanntlich antwortete Bismarck schon in Göttingen auf die Frage, was er studiere: »Diplomatie«. Und seine diplomatischen Studien haben inzwischen sichtlich Früchte getragen. Schade, daß die vielfachen Geschäfte in seinem dreifachen Amte als Minister, Kanzler und Branntweinbrenner dem Grafen nicht gestatten, auch noch als Privatdozent der Diplomatie aufzutreten. Ich vermute, manch ein Lehrstuhl der »praktischen« und »theoretischen« Politik würde dann in Deutschland eingehen. Die diplomatische Vorlesung, die der Graf an diesem Abend zum besten gab, behandelte das Thema der Blaubücher, das er zwei Tage zuvor, durch Twesten und Lasker veranlaßt, schon im Reichstage besprochen hatte.* »Wenn Sie absolut ein Blaubuch bei mir bestellen, so werde ich versuchen, im nächsten Jahre etwas Unschädliches zusammenzustellen«, hatte er dort unter großer Heiterkeit des Hauses erklärt. Jetzt erläuterte er an einem schlagenden Beispiel den trügerischen Wert dieser Depeschensammlungen. »Da kommt z. B. Lord Loftus (der englische Botschafter in Berlin) zu mir und fragt mich, ob ich geneigt sei, einen Privatbrief seines Ministers, Lord Clarendon, anzuhören. Er liest mir nun ein kleines eigenhändiges Manuskript des edeln Lords vor, wir unterhalten uns ungefähr eine Stunde darüber und – nach fünf Tagen läßt er sich wieder melden. Diesmal hat er ein großes amtliches Schreiben des großbritannischen Auswärtigen Amtes bei sich. Er fängt an zu lesen.

* In der Sitzung des Norddeutschen Reichstages vom 22. April 1869, vergleiche : Die politischen Reden des Fürsten Bismarck. Herausgegeben von *H. Kohl.* Band IV, S. 196 ff.

›Bitte um Vergebung Exzellenz‹, sage ich, ›das haben Sie mir ja schon am Montag einmal vorgelesen.‹ ›Ja, aber jetzt soll die Depesche ins Blaubuch.‹ – ›Da soll ich Ihnen nun wohl auch noch einmal dieselbe Antwort für Ihr Blaubuch geben?‹ ›Gewiß, wenn Euer Exzellenz nichts dagegen haben, wird dies gar nicht zu umgehen sein.‹ ›Na, da haben Sie die Antwort noch einmal.‹ Und nun brauche ich noch einmal eine Stunde, nur um des Blaubuchs willen, und dabei muß ich sehr oft dem Engländer noch sagen: ›Aber diese Stelle meiner Erklärung bringen Sie nicht in Ihr Blaubuch – z. B. die, daß ich das Blaubuch überhaupt für ein sehr zeitraubendes und überflüssiges Institut ansehe.‹ «

Doch bereits war es elf Uhr geworden, und in immer größerer Zahl verabschiedeten sich die Gäste beim Kanzler. Auch ich reichte ihm dankend die Hand zur Empfehlung. Er sagte allen: »Auf Wiedersehen.«

Hans Blum, Politische Erinnerungen an Bismarck.
1900, S. 40 ff. (gekürzt).

Ausritt im Tiergarten. – Gespräch mit dem amerikanischen Gesandten George Bancroft 7. Juni 1869

George Bancroft, der ausgezeichnete amerikanische Geschichtsforscher und Politiker, war als Gesandter der Vereinigten Staaten von 1867–74 in Berlin tätig. Er stand in gleichermaßen erfreulichen Beziehungen zur diplomatischen Welt wie zu den Berliner Gelehrtenkreisen, denen er auch als korrespondierendes Mitglied der Akademie der Wissenschaften näher trat. Die folgenden Briefe über Gespräche mit Bismarck stammen aus dem nach seinem Tode veröffentlichten Buch »Life and Letters« (1908) und sind an Verwandte und Freunde in Amerika gerichtet.

Am Montag, dem 7. Juni, sah ich im Tiergarten einen Mann vor mir, der sehr aufrecht im Sattel saß und sein Pferd im Schritt gehen ließ, ein Reitknecht begleitete ihn. Mein Pferd ist ein guter Läufer, und so holte ich ihn bald ein. Es war Bismarck, den ich hier zum erstenmal nicht in Uniform sah, er trug einen weichen Schlapphut und einen einfachen bürgerlichen Rock und sah aus, als ob er eben noch halb krank aus dem Bette käme. Wenn ein Lächeln über sein Gesicht geht, so kann er unbeschreiblich liebenswürdig aussehen, und das fiel heute bei seiner Mattigkeit besonders auf. Seine Arbeitsüberlastung, das sage ich dir im

Vertrauen, hat seine Kräfte so angegriffen, daß er vorhat, gegen Ende dieses Monats auf sein Gut nach Varzin zu gehen. Die Krankheit reibt seine Nerven auf, so daß er den Konflikten im Parlament und dem Widerspruch seiner entschiedenen Gegner nicht gewachsen wäre. Er sprach ziemlich viel von Politik, von Österreichs Verhältnis zu Frankreich vor der Schlacht von Königgrätz, von der Königin usw. Sein scharfes Auge beobachtet alles in der Natur, und als ich von Nachtigallen sprach, kam er auf seinen Garten, wo ein Nachtigallennest ist. Ein Raubvogel, der Neuntöter heißt, weil er neun Vögel tötet, ehe er einen frißt, hatte die Brut vernichtet. Bismarck ging mit jemandem hinaus, um den Mörder zu bestrafen. Er beschrieb die Schwierigkeiten, das Verbrechernest aufzufinden; schließlich flatterten die anderen Vögel, die die Polizei erkannten, immer rings um die Stelle her und leiteten so den Arm der Gerechtigkeit auf die richtige Spur. Dann fragte er mich nach der Zeit und meinte, er wolle versuchen, zu traben, falls er dazu kräftig genug sei; er dürfe nicht zu spät zu Tisch zu Hause sein, um keine Schelte von seiner Frau zu bekommen. »Ihre Frau schilt sicher niemals.« Er lachte und sagte, in bezug auf Zeit sei sie sehr genau, und er lasse sie nie beim Mittagessen auf sich warten. Übrigens ist sie eine der liebenswertesten Frauen, die es gibt, wenn auch gar nicht hübsch; sie hat ihn mit ihrer großen Herzensgüte gewonnen, die eine gute Ehe erhoffen ließ.

George Bancroft, Life and Letters. Herausgegeben von De Wolfe Howe. Bd. II, 1908, S. 226 ff.

Die Stellung Süddeutschlands. – Gespräch mit dem bayerischen Ministerpräsidenten Fürsten Chlodwig zu Hohenlohe-Schillingsfürst in Berlin. 23. Juni 1869

Eigene Aufzeichnungen des Fürsten Hohenlohe: »Gespräch mit Graf Bismarck. Berlin, 23. Juni 1869.«

Der preußische Minister sprach zuerst von der Beendigung des Parlaments* und dessen Resultaten und von der Haltung der Parteien, er erklärte sich sehr zufrieden, daß wenigstens etwas

* Die zweite Session des Zollparlaments wurde am 22. Juni 1869 geschlossen; am selben Tage erfolgte auch der Schluß des Norddeutschen Reichstages.

zustande gebracht worden sei. Was die politischen Diskussionen betrifft, so habe er die Parteiführer darauf aufmerksam gemacht, daß es gegenüber der Stimmung in Süddeutschland ganz unfruchtbar sei, Fragen zu berühren, bei welchen doch nur eine süddeutsche Minderheit über die süddeutsche Mehrheit mit Hilfe der Norddeutschen den Sieg davontragen werde...

Auf die deutsche Frage zurückkehrend, erging sich Graf Bismarck in einer längeren Darlegung der Gründe, weshalb Preußen gar nicht daran denke, irgendwie die Selbständigkeit Bayerns oder der anderen süddeutschen Staaten zu beeinträchtigen. Baden habe für Preußen keinen Wert, und das Entgegenkommen Badens könne von Preußen nicht berücksichtigt werden. Dort seien Offiziere, aber keine Soldaten – politisch gesprochen. Damit könne man nichts machen. Die Entwicklung in Deutschland werde sehr langsam gehen, und Preußen habe noch zuviel im Norddeutschen Bund zu tun, um sich darauf einzulassen, heterogene Elemente in den Bund aufzunehmen oder mit denselben einen Bund einzugehen, der den Kristallisationsprozeß des Norddeutschen Bundes nur stören würde.

Darauf bemerkte ich, es liege in dem gegenwärtigen Zustand von Deutschland eine große Gefahr sowohl für den Norden als den Süden. Solange Frieden bleibe, habe dies nichts zu sagen, aber breche der Krieg aus, so würde man sich in Süddeutschland fragen, wozu führen wir den Krieg? Siegen wir, so werden wir nachher in den Norddeutschen Bund eintreten, werden wir besiegt, so sind wir auch verloren. Um solche Erwägungen zu beseitigen, um den Süden zu rückhaltloser freudiger Mitwirkung zu bringen, sei es notwendig, ihm die Garantie seiner Selbständigkeit nach dem Kriege zu verschaffen, und dies geschehe durch einen weiteren Bund nach Analogie des alten Deutschen Bundes zwischen Süddeutschland und dem Norden. Ich fragte also Graf Bismarck, ob er auch diese Verbindung als eine solche ansehe, welche die Entwicklung und Ausbildung des Norddeutschen Bundes störe. Er erwiderte eifrig, da müsse er sich nicht klar ausgedrückt haben, dieser Gedanke sei ihm fern, jede Verbindung, die wir ihm böten, werde er dankbar annehmen. Jene Befürchtungen seien aber unbegründet; erstens werde Preußen nach dem Krieg, wenn er mit Hilfe Süddeutschlands geführt werde, nicht so niederträchtig sein, seinen Bundesgenossen Bedingungen vorzuschreiben, die sie nicht annehmen könnten, und dann werde der Krieg jedenfalls für Preußen siegreich ausfallen, da Frankreich Preußen nicht gewachsen sei. Er führte das durch

Aufzählung der preußischen Truppen und durch Vergleichung mit den Franzosen weitläufig aus. Außerdem wies er auf die Allianz mit Rußland hin, widerlegte meine Einwände bezüglich einer antipreußischen Stimmung in Rußland, indem er nachwies, daß dies nur die Preßmanöver der Hietzinger Intriganten seien, welche durch Vermittlung des Großfürsten Konstantin gleichzeitig dieselben Artikel in die »Moskauer Zeitung«, den »Beobachter« und die »Sächsische Zeitung« einrücken ließen.

An den Bruch der Allianzverträge seitens der süddeutschen Staaten glaube er nicht im entferntesten. Auch sei dies für Bayern viel zu gefährlich, da trotz seiner deutschen Gesinnung und seinem guten Willen im Fall des Bruchs der Allianzverträge dann eine Strömung eintreten könne, die zur Teilung Bayerns zwischen Norddeutschland und Österreich führen würde. Er würde dagegen sein, aber er werde es in einem solchen Falle nicht hindern können. Die Allianz Frankreichs mit Italien habe für ersteres keinen Wert, die Italiener würden nicht marschieren, wenn auch Viktor Emanuel, der durch Geld und Frauenzimmer zu allem zu bringen sei, einen Vertrag mit Frankreich abschließen wolle . . .

Das Resultat des Gesprächs ist, Bismarck will zur Zeit nichts von Süddeutschland, er glaubt nicht an den Krieg mit Frankreich, er ist aber im Fall des Krieges ebenso wie Moltke überzeugt, daß Preußen siegen wird, und er wird Bayern zu vernichten trachten, wenn es den Allianzvertrag nicht hält.

Denkwürdigkeiten des Fürsten Chlodwig zu Hohenlohe-Schillingsfürst. Herausgegeben von Friedrich Curtius.
Band I, 1906, S. 377 ff.

Erneut in Varzin. – Die Donau. – Gespräch mit dem Justizrat von wilmowski. 1869

Ein Anhalt zu näherer Datierung ergibt sich nicht. Bismarck war in diesem Jahr mehreremal in Varzin, Ende März und im Mai für einige Tage, vom 1. Juli ab monatelang bis zum Anfang Dezember.

Bei einer gelegentlichen Erwähnung, daß für Deutschland der Lauf der Donau, die Donauschiffahrt und damit die Donaumündungen wichtig seien, meinte Bismarck: »Die Bedeutung der Donau für Deutschland wird gewöhnlich sehr überschätzt; die

Donau ist innerhalb Deutschlands eigentlich noch gar kein schiffbarer Fluß, und namentlich hat der Verkehr donauaufwärts, zumal von den Mündungen her, für Deutschland keine Bedeutung. Die Schiffe, welche donauabwärts fahren, werden, fast nur mit Ausnahme der Dampfschiffe, am Ende des Stroms bloß als Brennholz benutzt. Außerdem ist Deutschland auch nicht in der Lage, auf die kulturbedürftige Bevölkerung am unteren Stromlauf erheblich zu wirken. Ungarn ist zwar ein reiches Land an allen Produkten, Getreide, Wein, Mineralien; es wird sich schon heraufarbeiten. Aber Rumänien ist zwar ein gutes Getreideland, jedoch ohne alle Zivilisation; es gibt nur wenige Leute dort, welche man ›Sie‹ nennen kann. Alle Zustände dort sind unsicher, wohl weniger, solange der jetzige Fürst (Karl von Hohenzollern 1869) am Ruder ist; aber die Rumänier könnten ihn auch leicht wegjagen, und es könnte ihm selbst bald angenehmer sein, abzudanken.«

G. von Wilmowski, Meine Erinnerungen an Bismarck.
Aus dem Nachlaß herausgegeben von M. v. Wilmowski.
1900, S. 143.

Zehn Monate vor dem deutsch-französischen Krieg. – Gespräch mit dem sächsischen Staatsminister Freiherr von Friesen in Berlin. Herbst 1869

Nach den Lebenserinnerungen des Freiherrn von Friesen.

Schon im Herbst 1869 hatte mir Graf Bismarck einmal in einem vertraulichen Gespräche gesagt: Er sehe einen baldigen Krieg mit Frankreich als eine unabweisliche Notwendigkeit an. Der Kaiser Napoleon III. werde in seiner Stellung nach innen immer unsicherer, habe aber auch seine frühere klare Entschiedenheit größtenteils verloren und mache in seiner inneren Politik Fehler aller Art, wodurch die Unzufriedenheit im französischen Volke sich immer mehr verbreite und die Macht sowie der Einfluß seiner prinzipiellen Gegner täglich wachse und für ihn gefährlicher werde. Es werde daher dem Kaiser bald nichts übrigbleiben, als durch einen Krieg die Aufmerksamkeit der Nation von der inneren Lage ab nach außen zu wenden und womöglich durch einen siegreichen Feldzug der Eitelkeit der Franzosen, die seine ruhmlose, schwächliche Haltung im Jahre 1866 noch immer nicht vergessen hätten, zu schmeicheln, um dadurch seine eigene Stellung und die seiner Dynastie von neuem zu befestigen. Auch für den Norddeutschen Bund sei ein Krieg mit Frankreich nicht nur unvermeidlich, sondern auch notwendig, denn solange die jetzige unsichere Lage Frankreich gegenüber dauere, sei an eine gedeihliche Entwicklung und Sicherstellung der Verhältnisse auch bei uns nicht zu denken. Indessen, fügte er bei, der Norddeutsche Bund müsse sich zwar für alle Fälle vorbereiten, habe aber gar keinen Grund, selbst den Ausbruch eines Kriegs zu veranlassen oder auch nur zu beschleunigen, wenn er von Frankreich beabsichtigt würde. Der Bund könne ruhig zuwarten und bei einem Aufschub des Krieges nur gewinnen, denn seine militärische Kraft, die Zahl der in den Waffen geübten Soldaten, über die er gebieten könne, wachse noch mehrere Jahre hindurch sehr bedeutend. Die preußische Militärverfassung, durch welche den Reserven der Armee alljährlich eine große Menge geübter Soldaten zugeführt und eine ebenso große neu ausgebildet werde, sei in den neu erworbenen Provinzen, im Königreich Sachsen und in den übrigen Bundesstaaten erst seit wenigen Jahren eingeführt, die Landwehr dieser Länder und Provinzen hätte daher ihre normalmäßige Höhe noch nicht erreicht, so daß für die nächsten vier bis fünf Jahre noch eine Vermehrung unserer Streitkräfte um jährlich etwa 40 000 Mann zu erwarten sei. Auch mit Rücksicht auf die Verhältnisse des Bundes zu den süddeutschen Staaten liege es, wie Graf Bismarck noch besonders hervorhob, in unserem Interesse, nicht selbst den Anlaß zu einem Kriege zu geben, denn auf Grund der mit diesen Staaten im Jahre 1866 abgeschlossenen Verträge könnten wir, wenn der Krieg von Frankreich erklärt oder unvermeidlich gemacht würde, mit voller Bestimmtheit auf ihre Hilfe rechnen, was, wenn wir der angreifende oder provozierende Teil wären, wohl kaum der Fall sein dürfte. Diese Ansichten schienen mir der wirklichen Sachlage vollkommen zu entsprechen, sie gewährten zwar auf der einen Seite die Sicherheit, daß von seiten des Norddeutschen Bundes keine Provokation zum Kriege erfolgen werde, erregten aber doch auf der anderen Seite die Befürchtung, daß der Kaiser Napoleon, der ja unsere Militärverfassung, in deren Folge die Armee des Bundes noch einige Jahre hindurch stetig anwachsen mußte, ebenfalls genau kannte, geneigt sein möchte, den Ausbruch des nun einmal von allen Seiten als unvermeidlich angesehenen Krieges eher zu beschleunigen, als zu verschieben. Indessen lagen doch auch in dieser Richtung damals noch keine bestimmten Anzeichen vor. Im Frühjahr 1870 trat der König von Preußen seine gewohnte Badereise nach Ems an, Graf Bismarck begab sich aufs Land, und die preußischen Gesandten an den großen Höfen gingen zum großen Teil in gewöhnlicher Weise auf Urlaub.

R. von Friesen, Erinnerungen aus meinem Leben. Band III, 1910, S. 106 ff.

Gefährliche Stimmungen. – Gespräch mit dem Vortragenden Rat von Keudell in Berlin.

Anfang Dezember 1869

Keudell war als Vertreter des Norddeutschen Bundes beim Handelskongreß, der anläßlich der bevorstehenden Eröffnung des Suezkanals vom Khediven nach Alexandrien eingeladen war, im Gespräch mit französischen Kollegen wiederholt der Meinung begegnet, der Krieg zwischen Preußen und Frankreich sei unvermeidlich seit Sadowa und der Begründung des Norddeutschen Bundes, da Frankreich von der ersten Stelle in Europa verdrängt sei; die ganze Geschäftswelt sei von dem Gedanken beherrscht, daß Vertrauen in die Zukunft nicht eher eintreten könne, als bis die Waffen entschieden haben würden. – So der Bericht v. Keudells.

Als ich Anfang Dezember dem Chef* hierüber mündlich berichtete, sagte er, leider sei die Rückwirkung dieser französischen Auffassung auch in unserer Geschäftswelt zu spüren. Selbst Bleichröder habe ihn neulich gebeten, er möge einen Krieg herbeizuführen suchen, um die Lage zu klären. Diese Ansicht sei jedoch verwerflich. Man müsse fortfahren, die Ursachen eines möglichen Kriegsfalles wegzuräumen und der beruhigenden Wirkung der Zeit vertrauen. Niemand könne die Verantwortung für den Ausbruch eines Kampfes übernehmen, der vielleicht nur der erste einer Reihe von Rassenkriegen sein würde. Lange Erhaltung des Friedens scheine um so eher möglich, da Kaiser Napoleon durch schwere Krankheit immer mehr geschwächt werde und mit dem Ministerium Ollivier liberale Reformen einzuführen begonnen habe.

R. v. Keudell, Fürst und Fürstin Bismarck. 1901, S. 419 ff.

* Bismarck war am 4. Dezember aus Varzin wieder in Berlin eingetroffen.

DR. MORITZ BUSCH WIRD BISMARCKS MITARBEITER.

24. FEBRUAR 1870

Die folgende Erzählung Buschs über sein erstes Gespräch mit dem Bundeskanzler wird eingeleitet durch einen kurzen Bericht über seine Anstellung im Auswärtigen Amt. Busch war dem Wirklichen Geheimen Legationsrat von Keudell, der damals die Personal- und Finanzsachen des Amts bearbeitete, von dem Geheimen expedierenden Sekretär Dr. Metzler, der damals vornehmlich in Presseangelegenheiten beschäftigt war und mit Busch seit 1867 in Verbindung stand, empfohlen worden. Busch war dafür ausersehen, nach den Weisungen Bismarcks in der Presse zu wirken; es handelte sich also um einen wichtigen Vertrauensposten. Er stellte die Bedingung, daß er von der Direktion des sogenannten »Literarischen Bureaus« vollkommen unabhängig gestellt werde, das dem Ministerium des Innern unterstand und die Presse mit Nachrichten im Sinne der Regierung versorgte. Das Auswärtige Amt besaß damals keine derartige Einrichtung. Die Einwirkung auf die Presse erfolgte von dieser Stelle aus durch Metzler, teils unmittelbar, teils durch Literaten, die sich von ihm unterrichten ließen. Gelegentlich schrieb auch Lothar Bucher im Auftrage des Kanzlers für offiziöse oder nichtoffiziöse Blätter. Der Mitarbeiterschaft Buschs, dessen Feder von Bismarck späterhin auch in einigen heiklen Fragen benutzt wurde, ist eine ganze Reihe höchst wertvoller Gespräche Bismarcks in der folgenden Zeit zu danken, da Busch sich sofort genaue Aufzeichnungen über alle Äußerungen des Kanzlers zu machen pflegte.
Von der Tafelrunde Bismarcks wurde denn auch die Tatsache, daß Busch sozusagen über jedes in diesem Kreis gesprochene Wort Tagebuch führte, gelegentlich scherzhaft erörtert.*
Was Busch aufgezeichnet hat über das Zusammensein mit Bismarck, beruht auf einer eigentümlichen Verbindung von aufrichtiger persönlicher Ergebenheit für den großen Mann und Reporterbeflissenheit, für die man freilich als Geschichtsforscher in diesem Fall nur dankbar sein kann. Denn Moritz Busch hat auf diese Weise der Nachwelt eine Fülle von persönlichen Bemerkungen Bismarcks erhalten, die der Kanzler aus den verschiedensten Stimmungen heraus, in freudiger oder zorniger Erregung, im engsten Kreis beim Glase Wein und der Pfeife hervorgesprudelt hat. An der Treue der Überlieferung ist nicht zu zweifeln, obwohl da und dort die sprühende Feinheit der Bismarckschen Prägung bei der Fassung Buschs gelitten haben mag.
Überhaupt ist es leicht, die persönlichen Schwächen Buschs aus seinem dreibändigen Werke herauszulesen, gewisse Mängel an

* So z. B. in der für diese Ausgabe ausscheidenden Unterhaltung vom 25. Dezember 1870. Hier sagt Bismarck auf die Bemerkung, daß Buschs Tagebuch einst eine wichtige Geschichtsquelle werden würde, lächelnd: »Ja – dann wird es heißen: Conferas Buschii, Kapitel drei, Seite 20.«

gesellschaftlicher Erziehung und Takt, Züge von Subalternität. Man wird indessen gut tun, demgegenüber zu betonen, daß seine Aufzeichnungen für die Erkenntnis Bismarcks sachlich sehr großen Wert haben, und daß Moritz Busch zu den Personen gehörte, deren Gesinnung sich auch der gestürzten Größe gegenüber nicht wandelte.

Herausgewachsen ist Buschs Werk, wie gesagt, aus Tagebuchaufzeichnungen. Sie bildeten schon den Hauptbestandteil des Buches: »Fürst Bismarck und seine Leute während des Krieges 1870/71«, das 1878 erschien. Kurz nach Bismarcks Tode veröffentlichte Busch dann »Tagebuchblätter«. Sie stellen sich als stark vermehrte Auflage dieses Werkes dar, sachlich und zeitlich ergänzt namentlich durch eine Darstellung der weiteren amtlichen und persönlichen Beziehungen Buschs zu Bismarck in den Jahrzehnten nach dem Feldzug bis in die Friedrichsruher Zeit nach der Entlassung des Kanzlers.

Es verdient Erwähnung, daß die englische Ausgabe (Bismarck, some secret Pages of his History, 1898), die der deutschen voranging, einige Äußerungen enthält, die in der letzteren fortgelassen sind. Auch ist die starke Ausdrucksweise Bismarcks da und dort leider geglättet worden. Für die wissenschaftliche Benutzung sind beide Fassungen – die englische und die deutsche – heranzuziehen.

Soweit die folgenden Unterredungen Bismarcks während des Feldzuges nicht mit Busch allein, sondern im Kreise der Tafelrunde geführt sind, werden sie kurzweg als »Tischgespräche« bezeichnet.

Am 21. Februar hatte ich eine Unterredung mit Keudell, die befriedigend verlief und zum Abschlusse der Sache zwischen ihm und mir führte. Am 23. ließ er mich brieflich wissen, daß auch der Kanzler mit meinen Bedingungen einverstanden sei, und daß er mich bei diesem für den folgenden Abend zu einer Besprechung angemeldet habe. Am 24. nachmittags leistete ich vor dem Geheimen Hofrat Roland, dem Vorstande des Zentralbüros im Ministerium des Auswärtigen, den Beamteneid, und abends, kurz nach acht Uhr, fand die von Keudell veranlaßte Audienz beim Bundeskanzler statt. Ich hatte Bismarck bis dahin erst einmal, und zwar von der Journalistentribüne im Reichstage, also nur aus der Ferne, gesehen. Jetzt, zwei Jahre später, stand ich vor ihm, der in militärischer Uniform an seinem Arbeitstische saß und ein Bündel Akten vor sich hatte, ganz nahe – wie vor dem Altar!

Er reichte mir die Hand und lud mich durch eine Bewegung ein, mich ihm gegenüber zu setzen. Dann begann er damit, daß er bemerkte, er habe mich eigentlich länger sprechen wollen, müsse sich aber für jetzt darauf beschränken, meine persönliche Bekanntschaft zu machen. »Denn« – so fuhr er fort – »ich habe wenig Zeit übrig. Ich bin heute im Reichstage durch lange, unerfreuliche Reden mehr aufgehalten worden, als ich hoffte. Dann habe ich hier (er zeigte auf den Aktenstoß) Depeschen zu lesen, ebenfalls gewöhnlich nichts, was Vergnügen macht. Und um neun Uhr muß ich zu Hofe, was auch wenig Erfreuliches hat. Was haben Sie denn bisher getrieben?«

Ich erwiderte: »Ich habe die Grenzboten redigiert – ungefähr ein nationalliberales Blatt, von dem ich aber abging, als der eine der Besitzer in der schleswig-holsteinischen Frage im fortschrittlichen Wasser gefahren wissen wollte.«

Er: »Ja, ich kenne sie.«

Ich: »Und dann übernahm ich im Auftrage der Regierung eine Stelle in Hannover, wo ich während des Übergangsjahres dem Zivilkommissar, Herrn von Hardenberg, beigegeben war, um die Interessen Preußens in der dortigen Presse zu vertreten. Zuletzt habe ich, aus dem Auswärtigen Amte dazu veranlaßt, eine Anzahl von Aufsätzen für verschiedene politische Blätter geschrieben, unter anderem auch für die Preußischen Jahrbücher, für die ich schon früher tätig gewesen war.«

Er: »Da kennen Sie also unsere Politik und besonders die deutsche Frage. Ich habe nämlich die Absicht, Sie sollen nach meinen Angaben und Intentionen – denn selber kann ich doch keine Leitartikel schreiben – Aufsätze und Korrespondenzen machen für die Zeitungen und andere dazu veranlassen. Es kommt zunächst auf einen Versuch an. Ich muß dazu jemand besonders haben, nicht bloß so nebenbei wie jetzt, wo ich auch vom Literarischen Büro gar nicht genügend unterstützt werde. Aber« – so schien er die Unterredung, indem er auf die Uhr zu seiner rechten Hand blickte, schließen zu wollen – »wie lange bleiben Sie hier?«

Ich entgegnete, ich hätte mich aufs Dableiben eingerichtet.

Er: »Nun gut, da werde ich dieser Tage länger mit Ihnen sprechen. Inzwischen reden Sie doch mit Herrn von Keudell und dem Legationsrat Bucher; der ist in diesen Sachen gut zu Hause.«

Ich meinte damit entlassen zu sein und machte Miene, mich zu erheben. Er kam aber noch einmal auf den Reichstag zurück, indem er fragte: »Sie wissen doch, was heute auf der Leipziger Straße auf der Tagesordnung war?«

Ich verneinte es, indem ich bemerkte, ich hätte zu viel anderes zu besorgen gehabt, um von den Berichten der Zeitungen über die Reichstagssitzung schon Notiz nehmen zu können.

»Nun«, versetzte er, »die Frage war wegen des Anschlusses Badens.* Daß die Leute das nicht abwarten können, immer alles vom Parteistandpunkte aus behandeln zu müssen und als Redner! Recht unerfreulich, solches Reden, um nicht zu sagen solches Geschwätz, beantworten zu müssen. Es ist wirklich mit diesen beredten Herren wie mit manchen Damen, die einen kleinen Fuß haben und immer zu enge Schuhe anziehen und die Füße vorstrecken, damit man sie sehen soll. So, wenn einer das Unglück hat, beredt zu sein, da hält er zu lange Reden und zu oft. Wir haben die deutsche Frage in gutem Gange. Aber sie hat ihre Zeit – ein Jahr vielleicht – fünf Jahre – zehn möglicherweise. Ich kann sie nicht schneller machen, und diese Herren auch nicht. Aber sie können nicht warten.«

Damit erhob er sich und gab mir die Hand zum Abschied für diesmal.

So war ich denn unter seine Mitarbeiter aufgenommen. Zu der von ihm ins Auge gefaßten Besprechung und Anleitung kam es nicht; ich mußte sofort in die Aktion gehen. Am nächsten Abend schon wurde ich zweimal zu ihm hinaufgerufen, um Aufträge zu Artikeln zu erhalten, später zuweilen noch häufiger, auch am Vormittag, mitunter vier-, fünf-, an einem Tage nicht weniger als achtmal, wobei es die Ohren steif zu halten, wohl aufzumerken und die eine Information nicht über der rasch auf sie folgenden zu vergessen oder beider Gedanken miteinander zu vermischen galt. Indes fand ich mich bald in diese erst ungewohnte und anstrengende Tätigkeit, da er seine Meinungen und Befehle meist in eine sich leicht einprägende und feststehende Form kleidete und die Hauptpunkte in der Regel mit anderen Worten wiederholte, und da ich mich zwang, dabei nichts als Gehör zu sein, so daß ich es durch Übung allmählich dahin brachte, lange Sätze, ja ganze Vorträge wörtlich und so gut wie lückenlos mit hinwegtragen und zu Papier bringen zu können. – – – –

M. Busch, Tagebuchblätter. Band I, 1899, S. 2 ff.

* Bei der dritten Lesung des norddeutsch-badischen Vertrags über gegenseitige Rechtshilfe vom 14. Januar 1870 brachte Lasker den Antrag ein, den Bismarck mit den bekannten Gründen bekämpfte.

Gespräche mit dem Schriftsteller Dr. Moritz Busch in Berlin. 31. März 1870

Tagebuchaufzeichnungen von M. Busch.

Ich soll Zitelmann (Regierungsrat im Staatsministerium, der hier für Preßangelegenheiten tätig ist) im Auftrage des Chefs darauf aufmerksam machen, daß die Zeitungsausschnitte, die aus seinem Büro (durch die Hände des Ministers) an den König gehen, besser gesichtet und geordnet sein sollten. »Was sich für ihn eignet, muß getrennt von dem aufgeklebt werden, was sich für ihn nicht eignet. Alle solche partikularistischen Lügen und Dummheiten, wie hier Kiel, den 25., und Kassel, den 28., gehören in das letztere Kapitel und dürfen ihm nicht vor die Augen kommen. Wenn der so was sieht, schwarz auf weiß, denkt er, 's ist wahr. Der kennt ja den Charakter des Blattes nicht.«

*

4. April 1870

Heute morgen zum Minister hinaufgerufen, wurde ich mit der Frage empfangen: »Ich hatte Sie neulich gebeten, einen Artikel über das Thema: Lippe-Lasker zu machen.* Ist das geschehen?«

Ich erwiderte: »Ja, Exzellenz, er ist auch schon gedruckt, und ich habe ihn nur nicht vorgelegt, weil ich weiß, daß Sie die Braßsche Zeitung täglich heraufbekommen.«

Er: »Ja, ich hatte heute noch keine Zeit; ich werde ihn aber gleich ansehen.«

* Über den ihm am 1. April vom Kanzler erteilten Auftrag berichtet Busch auf S. 24 f. seiner Tagebuchaufzeichnungen: Der Minister sagte ungefähr: »behandeln Sie doch einmal das Thema Lippe-Lasker. Er ist zwar wegen seiner letzten Äußerungen von seinem Fraktionschef – Bennigsen – zurechtgewiesen worden, aber es kann nichts schaden, wenn es noch in der Presse behandelt wird und immer wiederholt. Er will wie Lippe, daß die preußische Verfassung über den Nationalbedürfnissen steht. Les extrèmes se touchent. Lippe ist das parlamentarische Junkertum mit absoluter Tendenz, Lasker das parlamentarische Junkertum mit partikularistischen Konsequenzen. Es war mit Vincke ebenso. Der hat mit seiner ewigen Rechthaberei eine große Partei, der noch dazu die Umstände günstig waren, in wenigen Monaten so ruiniert, daß zuletzt nur noch ein kleiner Rest blieb. Den Artikel bitte ich Braß zum Abdruck zu schicken, dann lassen Sie ihn durch das ›Literarische Bureau‹ in anderer Form vervielfältigen.«

Nach einer Viertelstunde ließ er mich wieder zitieren, und als ich vor ihm erschien, sagte er: »Ich habe ihn jetzt gelesen, den Artikel. Er befand sich unter den Ausschnitten. Er ist vortrefflich – ganz, was ich wünschte. Nun aber lassen Sie ihn breittreten und von den Blättern der Provinz wiederholen. Es kann dabei noch die Wendung gebraucht werden, wenn Graf Bismarck Lasker und seine Fraktion des Partikularismus beschuldigte – ich meine nicht alle Nationalliberalen, sondern vorzüglich die preußischen, die Fraktion Lasker –, so wäre das wohl begründet. Auch Lippe hätte in demselben Saale den Grundsatz ausgesprochen, daß der Preußische Landtag vom Reichstag unabhängig sei.«

»Dann«, fuhr er fort, »hier die Kölnische. Die läßt sich schreiben von Erregtheit. Ich soll eine Erregtheit gezeigt haben, die an die Konfliktszeit erinnert hätte. Das ist unwahr. Ich habe nur erregte Angriffe in demselben Tone zurückgewiesen, den sie anschlugen – sagen Sie das, wie das parlamentarischer Brauch sei. Nicht Bismarck hätte die Initiative ergriffen, sondern Lasker und Hoverbeck. Sie fingen wieder mit persönlichen Ausfällen und Injurien an, und ich habe wieder in wohlwollendem Tone gebeten, man möge doch nicht wieder in diesen Stil verfallen. Ob denn die Kölnische die stenographischen Berichte nicht gelesen hätte, woraus doch hervorgehe, daß Graf Bismarck diese Zänkerei nicht angefangen habe? Sie wäre doch – abgesehen von ihrem Plädoyer für die dänischen Ansprüche – ein Blatt von verständiger Richtung. Was ihr denn Graf Bismarck getan hätte, daß sie von ihrem Korrespondenten eine so arge Entstellung der wahren Sachlage schreiben ließe? Übrigens hat Bennigsen Lasker zur Vernunft ermahnt. Und sie sehen jetzt selber ein, daß sie einen falschen Ton angeschlagen haben; denn Lasker kam am Sonnabend und entschuldigte sich bei mir.«*

M. Busch, Tagebuchblätter. Band I, 1899, S. 23, S. 25 ff.

* Es handelt sich um die Reichstagsdebatte am 1. April 1870 über den Antrag von Hoverbecks, den Lasker unterstützte und der Kanzler lebhaft bekämpfte, nämlich den Posten von 30 840 Talern »als Aversionalentschädigung Preußens an den Norddeutschen Bund für die Besorgung speziell preußischer Angelegenheiten« im Reichsetat zu streichen.

Nach zweiundzwanzig Jahren. – Gespräch mit dem Abgeordneten Dr. Hans Blum. 23. Mai 1870

Der nationalliberale Abgeordnete Dr. Blum, Sohn des 1848 in Wien standrechtlich erschossenen Abgeordneten der Paulskirche Robert Blum, stimmte bei den Beratungen des Norddeutschen Reichstages über das künftige Strafgesetzbuch für Beibehaltung der Todesstrafe, die auch für Mord und Mordversuch gegen Bundesfürsten vorgesehen sei. Bei der namentlich erfolgenden Abstimmung wurde Blums Stimmabgabe von einigen Bänken der Sozialdemokraten und des Fortschritts mit Pfuirufen begleitet. Blum, tief getroffen durch diese Behandlung, die er als Roheit empfinden mußte, weil sie ihn im Andenken an seinen Vater treffen sollte, brach darüber in Tränen aus. Zahlreiche Abgeordnete drückten ihm alsbald mitfühlend die Hand, der Präsident Simson rief unter dem Beifall des Hauses die Zwischenrufer zur Ordnung. Bismarck verließ nach der Abstimmung, die eine knappe Mehrheit für das Gesetz ergab, die Sitzung und ließ durch einen Diener den Abgeordneten Blum zu sich in sein Zimmer bitten. – Das Folgende nach den Erinnerungen Blums.

Er kam rasch auf mich zu, sobald ich sein Gemach betreten hatte, drückte meine Rechte in der seinen und sprach dann, mir tief in die Augen blickend, langsam und nachdrücklich, aber durch ein freundlich-sonniges Lächeln mich ermutigend: »Ich habe Sie zu mir bitten lassen, um Ihnen in dieser Stunde, von der ich hoffe, daß sie für ganz Deutschland segensreich sein wird, ein Bündnis anzubieten« – meine von seiner gewaltigen Rechten umschlossene Hand zuckte bei diesen Worten in der seinen, und meine Augen verdüsterten sich.* »Nicht ein Bündnis zwischen uns« – fuhr aber Bismarck noch freundlicher fort – »nicht ein Bündnis zugunsten eines Lebenden, sondern zugunsten eines Toten. Ich möchte Sie bitten, daß Sie, wenn jemals wieder Ihr Vater von den Herren, die heute Ihre Abstimmung mit ihrem ›Pfui‹ begleiteten – den Herren Bebel und Hausknecht** – dadurch herabgewürdigt werden sollte, daß sie ihn für einen der Ihrigen erklären, daß Sie dann über alle Macht verfügen wollen, die ich etwa besitze, namentlich in der Presse, um dieses

* Auf dem Gang zu Bismarck war Blum der Argwohn durch den Kopf gegangen, der Ministerpräsident könne ihm am Ende eine Stelle im Bundesdienste anbieten, was von seinen Gegnern natürlich leicht hätte mißdeutet werden können.

** So der gedruckte Text! Man erwartet natürlich den Namen »Liebknecht«.

Bild reinzuhalten. Ich bin damals, 1848 und die Folgezeit, ein scheußlicher Junker gewesen. Ich würde Ihren Vater auch haben erschießen lassen, wenn ich das hätte tun können.* Ich würde auch Gottfried Kinkel haben erschießen lassen, obwohl ich mit ihm auf dem Fuße gegenseitiger Hochachtung stand. Aber ich urteile jetzt gerechter. Ihr Vater war liberal – sehr liberal – aber auch gut national. Er würde, wenn er heute noch lebte und im Reichstag säße, wohl auf denselben Bänken (unter den Nationalliberalen) Platz genommen haben wie Sie.« Nach dieser herzbewegenden, überwältigenden Ansprache** entließ er mich. Im Innersten ergriffen und gerührt, dankte ich ihm für eine so liebevolle Auszeichnung in dieser großen Stunde!

Hans Blum, Persönliche Erinnerungen an Bismarck. 1900, S. 79 ff.

Die Rede des Herzogs von Gramont. – Gespräch mit dem Vortragenden Rat von Keudell in Varzin. 8. Juli 1870

Die in Keudells Bericht erwähnte Rede des Herzogs von Gramont über die Hohenzollernkandidatur für den spanischen Thron enthielt u. a. folgende Sätze: »Wir glauben nicht, daß die Achtung vor den Rechten eines Nachbarvolkes uns verpflichtet zu dulden, daß eine fremde Macht, indem sie einen ihrer Prinzen auf den Thron Karls V. setzt, dadurch zu ihrem Vorteil das gegenwärtige Gleichgewicht der Mächte Europas derangieren und so die Ehre und die Interessen Frankreichs gefährden könnte. Wir hoffen, daß diese Eventualität sich nicht verwirklichen wird; wir rechnen dabei auf die Weisheit des deutschen und die Freundschaft des spanischen Volkes. Wenn es anders kommen sollte, so würden wir, stark durch Ihre Unterstützung und durch die der Nation, unsere Pflicht ohne Zaudern und ohne Schwäche zu erfüllen haben.« Großer Jubel der französischen Kammer und Kriegsgeschrei der Presse antwortete dieser amtlichen Äußerung.

Am 21. Mai kam der Kanzler nach Berlin, ging aber schon am 8. Juni wieder nach Varzin, um dort in möglichster Ruhe Karls-

* Vergleiche Bismarcks Gespräch mit Beust im November 1848 (S. 26 dieses Bandes).

** Am 8. August 1870 bei der Abendtafel im Gasthofe in Homburg war Bismarcks Blick auf Robert Blums lithographisches Bild gefallen, welches an der Wand hing. »Wenn der noch lebte«, sagte er, »würde er nicht so radikal sein wie Lasker; er hat überhaupt manche gute Seite gehabt, besonders, daß er gar nicht sozialistisch angehaucht gewesen ist.« Poschinger, Tischgespräche. II, 47.

bader Wasser zu trinken. Bucher wurde auf einige Monate dorthin kommandiert. Am 6. Juli fuhr auch ich nach Varzin, da der Chef einige Personalfragen mit mir besprechen wollte. Am 8. früh kamen die Zeitungen an, welche die am 6. in der Pariser Kammer vom Herzog von Gramont über die mögliche spanische Königswahl gehaltene Rede brachten.

Als der Kanzler beim Frühstück dieses Telegramm las, sagte er sogleich im Tone des Erstaunens: »Das sieht ja aus wie der Krieg. Diese rücksichtslose Sprache könnte Gramont nicht führen, wenn der Krieg nicht beschlossene Sache wäre. Man sollte jetzt sofort die ganze Armee mobil machen und über die Franzosen herfallen; das wäre der Sieg. Leider geht das aber nicht aus verschiedenen Gründen.«

R. v. Keudell, Fürst und Fürstin Bismarck. 1901, S. 429.

Die Würfel sind gefallen. – Gespräch mit dem Kriegsberichterstatter William Russell in Berlin.

23. Juli 1870

William Russell hatte sich seit dem Krimkrieg als Kriegsberichterstatter nicht nur in England, sondern auch in Deutschland und Amerika einen Namen gemacht durch seine anschaulichen Schilderungen des Feldzugslebens. Seine Erlebnisse im deutsch-französischen Kriege als Vertreter der »Times« veröffentlichte er unter dem Titel My Diary during the Last Great War (1874), eine Zusammenfassung von Aufzeichnungen, die an Ort und Stelle niedergeschrieben waren.
Die von Max Schlesinger im selben Jahre herausgegebene Übersetzung »William Russells Kriegstagebuch« stellt nur einen Auszug aus dem englischen Werke dar, der von Willkür nicht ganz frei ist, da der Übersetzer sich wesentliche Veränderungen des Russellschen Ausdrucks erlaubte. Die folgenden Gespräche werden daher in eigener Übertragung nach dem Original gegeben. Die folgende erste Unterredung wurde durch das Gesuch Russells, am Feldzuge teilnehmen zu dürfen, veranlaßt.

Um zwei Uhr ging ich zum Fürsten Bismarck, der ein großes Haus mit schmuckloser Front bewohnt. Kein äußerlicher Prunk, keine Wachen an der Tür, kein Gedränge in den Gängen ... Bismarck saß bei meinem Eintritt vor einem mit Papieren bedeckten Tisch; der Tabakduft im Zimmer bewies, daß er ein Freund guter Zigarren ist. Der Graf stand auf und kam in ungezwungener Liebenswürdigkeit mit ausgestreckter Hand auf mich zu. Er trug einen militärischen Überrock mit zurückgeschlagenen Schößen und glich in seinem Aussehen weit mehr einem Soldaten als einem Staatsmann ... Während gute Photographien und feine Stiche zuweilen versagen, vermögen Karikaturen gelegentlich eine Vorstellung von der großen Feinheit des Ausdrucks zu geben, vom Spiel des Mundes und – wenn man das noch besonders erwähnen muß – dem wechselnden Ausdruck der Augen.

Zuerst kam das Geschäftliche. Er sagte: »Sie dürfen mitkommen. Ich besitze zwar nicht die Ermächtigung, Ihnen die Erlaubnis auszustellen, das ist die Sache des Kriegsministers. Wir verbieten im allgemeinen den Zeitungskorrespondenten den Zutritt zu unserer Armee, aber Sie sollen eine Ausnahme sein und binnen kurzem Ihre Legitimation erhalten.« Dann fand Graf Bismarck noch Zeit, mir mehr als eine Stunde lang die Lage auseinanderzusetzen, seine Ansichten über Frankreich, die Franzosen, ihre Staatsmänner und den Kaiser zu äußern. Er warf einen Blick auf die Geschichte der französischen Einmischung in die deutsche Politik, sowie sein eigenes Verhalten in seinen Unterredungen mit dem Kaiser. Dinge von höchster Wichtigkeit besprach er mit einer rückhaltlosen Offenheit, die für ihn charakteristisch, für einen Zuhörer in meiner Lage aber fast peinlich ist. Sein Englisch ist vorzüglich, hier und da bedient er sich eines weniger gebräuchlichen Wortes, bleibt aber immer logisch korrekt. Die Zeit liegt noch nicht weit genug zurück, als daß ich mir jetzt schon gestatten dürfte, Bismarcks Worte zu wiederholen, obwohl er bei einer späteren Gelegenheit bemerkte, er erwarte nicht, daß ich etwas von dem Gesagten geheimhalte. Auf Luxemburg anspielend tat er eine Äußerung, die mich überraschte: »Wenn damals die Franzosen nicht so töricht gewesen wären«, sagte er, »hätten sie Luxemburg haben können, denn ich bin überzeugt, daß Deutschland nicht von mir verlangt hätte, seinetwegen Krieg anzufangen. Wie Ihr Shakespeare von Kent sagt: ›Gens malsana in patria sana‹* oder so ähnlich. Zitat und Anspielung sind mir gleich unverständlich.«

William Russell, My Diary during the Last Great War.
1874, S. 24 ff. (gekürzt).

* Die angeführte Stelle, die sich auf das Land und Volk von Kent bezieht, findet sich im 2. Teil von Heinrich IV., 4. Akt, 7. Szene, wo auf Märten's Frage »Was sagt Ihr von Kent!« Lord Say antwortet: »Nichts als dies: es ist bona terra, mala gens.«

Vom Ausbruch des Krieges mit Frankreich bis zum Frieden von Frankfurt

Der Krieg von 1870/71 wurde von Bismarck mit dem eindeutigen Ziel geführt, durch ihn zur deutschen Einigung zu gelangen, unter Ausschaltung jeglicher Einmischung oder Kompensationsforderungen Frankreichs. In der selben Weise wie 1866 unterwarf er auch jetzt alle seine Überlegungen und Handlungen diesem politischen Hauptzweck der Auseinandersetzung. Die militärischen Aktionen waren für ihn nur Mittel zur Erreichung seiner politischen Absichten. Aber nur seiner überragenden Persönlichkeit gelang es erneut, den politischen Primat vor dem militärischen zu behaupten, obwohl der Konflikt mit dem Generalstabschef Moltke und dessen Mitarbeitern erbittert und tief war. Die Konfliktsituation zwischen dem Staatsmann und der Heeresführung trat aber erst offen zutage, als es dieser gelungen war, die beiden Hauptgruppen des französischen Heeres, die in Süddeutschland einbrechen sollten, nach einer Reihe siegreicher Grenzschlachten zu besiegen. Das geschah durch die Zurückdrängung der Armee des Generals Bazaines auf Metz und die Einschließung dieser Festung. Darauf gelang es Moltke, die zweite Armeegruppe unter General MacMahon, die nach Norden ausgewichen war, bei Sedan an der belgischen Grenze durch eine Umfassungsschlacht zu schlagen und zur Übergabe zu zwingen, unter gleichzeitiger Gefangennahme Kaiser Napoleons III. Mit Abschluß dieser ersten Phase der militärischen Operationen war der Krieg praktisch gewonnen, anderthalb Monate nach seinem Beginn. Die Militärs drängten nun auf den totalen und perfektionierten Endsieg, d. h. die völlige Unterwerfung Frankeichs, während Bismarck so rasch wie möglich den Frieden und den Abschluß der militärischen Operationen forderte. Dazu bewegten ihn mehrere Überlegungen. Er wollte jede Einmischung der Großmächte oder irgendwelcher anderer neutraler Staaten vermeiden, um so die Gefahr einer Ausweitung des Krieges zu bannen. Höhepunkt des Streites mit den militärischen Fachleuten war die Frage der Beschießung von Paris. Für Bismarck spielte der Zeitfaktor eine ausschlaggebende Rolle, da er auch unter dem Elan der militärischen Erfolge und der Hochstimmung des deutschen Volkes die deutsche Einigung zur Lösung und zum Abschluß bringen wollte, ehe evtl. dynastische Bedenken oder Sonderinteressen die Oberhand gewinnen konnten. Für die Militärs standen ausschließlich die Fragen zur absoluten Niederwerfung des Gegners zur Debatte.

Der König entschied schließlich zu Gunsten Bismarcks, der dann in eigener und selbständiger Verantwortung die Kapitulationsverhandlungen von Paris, die Waffenstillstands- und Friedensverhandlungen zu Ende führte.

Neben den Bemühungen Bismarcks um den Frieden, die durch den Umsturz in Frankreich, die Ausrufung der Republik und die Umwandlung des Krieges durch die neuen Machthaber in einen Volkskrieg verzögert und erschwert wurden, liefen die Verhandlungen mit den deutschen Fürsten. Sie bezweckten, den Norddeutschen Bund zum Bundesstaat des deutschen Reiches zu erweitern. Auch diese Verhandlungen bereiteten große Schwierigkeiten. Sie waren überschattet von den Reaktionen der europäischen Staaten, die durch die Niederlage Frankreichs die Machtkonzentration eines deutschen Großstaates in der Mitte Europas auf sich zukommen sahen. Diese Momente verstärkten den Zeitdruck auf Bismarcks politische Konzeptionen.

Die Gespräche des folgenden Abschnitts sind ein Spiegelbild dieser Vorgänge. Bismarcks Sorgen bilden aber oft mehr den Hintergrund, während die farbigen und rasch wechselnden Szenen der Kriegsereignisse häufig den Vordergrund beherrschen. Im »fliegenden Auswärtigen Amt« gab es aber auch immer wieder Ruhepausen beim Stillstand der Ereignisse, wie sie der Krieg mit sich brachte. Dann kommt in die Tischgespräche oft auch etwas Beschauliches, so daß gerade dieser Abschnitt unseres Bandes auch viele allgemeine Betrachtungen Bismarcks beisteuert, Rückblicke auf seine Kindheit, die Entwicklungsjahre, den werdenden Politiker und Staatsmann.

K. F. R.

Auf dem Vormarsch. – Gespräch mit dem Fabrikanten Kupferberg in Mainz. 3. August 1870

Bei Beginn des Krieges nahm das preußische Hauptquartier und auch das fliegende Auswärtige Amt seinen Sitz in Mainz. Bismarck wohnte in der Zeit seiner Anwesenheit in Mainz, die vom 2. bis zum 7. August dauerte, im Hause der Familie Kupferberg.
Bericht Keudells in seinen Lebenserinnerungen über den Vormarsch in Frankreich.

Wir waren in Mainz einquartiert bei Herrn Kupferberg, dem damaligen Chef der bekannten Firma. Am zweiten Abend saßen wir mit ihm zusammen in seinem Garten bei einem Glase Bier. Er meinte, die Strenge des preußischen Dienstes würde im Kriege wohl etwas gemildert werden. »Im Gegenteil«, sagte der Kanzler, »im Kriege ist dienstliche Strenge noch nötiger als im Frieden; aber sie wird gemildert bei uns durch die christliche Nächstenliebe der Offiziere zu ihren Leuten. Ich habe Vertrauen zu unseren Waffen, weil der Offizier den gemeinen Mann wirklich liebt und ihm in der Not beisteht wie seinem Bruder.« Herr Kupferberg flüsterte mir zu: »Das ist ja herrlich! Das habe ich mir nicht gedacht!«

R. v. Keudell, Fürst und Fürstin Bismarck. 1901, S. 446.

Gespräch mit der Familie Kupferberg in Mainz. Anfang August 1870

Die Erinnerungen der Familie Kupferberg an die Einquartierung Bismarcks und »des Auswärtigen Amtes« wurden in der »Voss. Ztg.« 1899 (von H. R. Fischer) veröffentlicht. Ein kurzes Gespräch, das in diesen Erinnerungen enthalten ist, wird hier wiedergegeben. Es liegt darin noch ein Nachhall von jener erbitterten Feindschaft gegen den Bismarck des Jahres 1866, der die alte Ordnung des deutschen Bundes zugunsten des preußischen Staates zerstörte.

In einer Plauderstunde kam die Rede darauf, daß die Anschauungen des Volkes – auch in Mainz – über ihn, Bismarck, in verhältnismäßig kurzer Zeit völlig andere geworden seien. Bismarck wußte das am besten. Er hatte sogar Kenntnis davon, daß viele süddeutsche Damen die Photographie des Attentäters Blind als Reliquie in ihren Albums aufbewahrt hatten. Meine Mutter wurde bei diesem Gespräch feuerrot, und Bismarck neckte:

»Also auch Sie, Frau Kupferberg?« Und die verlegene Antwort lautete: »Ich zwar nicht, aber meine Tochter.« »Na, sehen Sie, daß ich recht hatte«, antwortete der Kanzler.

»Voss. Ztg.«. 1899, S. 345: H. R. Fischer. Erinnerungen der Familie Kupferberg in Mainz.

Nach Überschreitung der französischen Grenze. – Tischgespräch in St. Avold. 11. August 1870

Moritz Busch berichtet in seinen Aufzeichnungen unmittelbar vorher vom Vormarsch und der Überschreitung der französischen Grenze.

So ging es bergauf und talab, durch Wäldchen, durch Dörfer nach Saint Avold, wo wir etwa halb fünf Uhr eintrafen und allesamt mit dem Kanzler auf der Rue des Charrons Nr. 301, im Hause eines Herrn Laity, einquartiert wurden. Es war ein einstöckiges Haus mit weißen Jalousien, das in der Front nur fünf Fenster, aber eine bedeutende Tiefe hatte, und deshalb ziemlich geräumig war. Nach hinten zu öffnete es sich auf einen gutgepflegten, von Gängen durchschnittenen Obst- und Gemüsegarten. Der Besitzer, der ein verabschiedeter Offizier sein sollte und dem Anschein nach wohlhabend war, hatte sich am Tage vor unserer Ankunft mit seiner Frau entfernt und nur ein altes Weib, das lediglich französisch sprach, sowie eine Magd zurückgelassen. Der Minister bewohnte das eine Vorderzimmer, die übrigen teilten sich in die Stuben, die auf den Gang mündeten, der zu den hinteren Gemächern führte. In einer halben Stunde war in dem ersten jener hinteren Räume das Büro eingerichtet, das zugleich als Schlafstätte für Keudell dienen sollte. Das Zimmer daneben, das ebenfalls auf den Garten hinaussah, wurde für Abeken und mich bestimmt. Dieser schlief in einem Himmelbett in einer Wandnische, wobei er zu Häupten das Bild des Gekreuzigten und über den Füßen eine Mutter Gottes mit dem blutenden Herzen hatte – die Leute im Hause waren also wohl katholisch. Für mich machte man ein bequemes Lager auf den Dielen zurecht. Das Büro begann sofort fleißig zu arbeiten, und da es für mich vorläufig in meinem Fache nichts zu tun gab, versuchte ich beim Dechiffrieren von Depeschen zu helfen, einer Manipulation, die keine erheblichen Schwierigkeiten bietet.

Abends nach sieben Uhr aßen wir mit dem Grafen in der an

dessen Zimmer anstoßenden kleinen Stube, deren Fenster sich auf den mit Blumenbeeten geschmückten schmalen Hof öffneten. Die Unterhaltung bei Tische war lebhaft, doch sprach vorwiegend der Minister. Er hielt einen Überfall nicht für unmöglich; denn, wie er sich auf einem Ausfluge überzeugt hatte, standen unsere Vorposten nur drei Viertelstunden Weges von der Stadt und sehr weit auseinander. Er hatte eine Feldwache gefragt, wo die nächste wäre, aber die Leute hatten es nicht gewußt. Dann erzählte er: »Bei dem Gange sah ich, wie mir einer auf den Fersen folgte, der eine Axt auf der Schulter hatte – ich hielt die Hand am Degen – man weiß nicht, was unter Umständen – aber ich wäre wohl eher fertig geworden als er.« Später bemerkte er, unser Hauswirt habe bei seiner Flucht alle Schränke voll Wäsche zurückgelassen, und fügte hinzu: »Wenn nach uns etwa ein Lazarett hierher kommt, wird man die schönen Hemden seiner Frau zu Charpie und Binden zerschneiden, und zwar von Rechts wegen. Dann aber wird's heißen, der Graf Bismarck hat sie mitgenommen.«

Kanonendonner aus Richtung Metz. – Tischgespräch in Herny. 14. August 1870

Aufzeichnung Buschs. Sie enthält im folgenden unterm selben Datum auch journalistische Aufträge Bismarcks zur Widerlegung von Artikeln des Constitutionel und der »Neuen Freien Presse«.

In Herny angelangt, sahen wir, daß der Kanzler im ersten Stock eines langen, niedrigen, weißgetünchten Bauernhauses, etwas abseits von der Hauptstraße, Wohnung genommen hatte, wo sein Fenster auf die Düngerstätte hinausblickte. Das Haus war ziemlich geräumig, und so zogen wir sämtlich zu ihm, ich wieder mit Abeken zusammen. Hatzfeldts Stube war zugleich das Büro. Der König hatte sein Quartier beim Pfarrer gegenüber von der hübschen altertümlichen Kirche, deren Fenster Glasmalereien zeigen. Das Dorf ist eine breite, langgestreckte Gasse mit einem gutgebauten Mairiegebäude, das zugleich die Gemeindeschule enthält, und mit großenteils dicht aneinander stehenden Häusern, die sich unten nach dem kleinen Bahnhofe des Ortes abzweigt. In dem Stationsgebäude fanden wir eine arge Verwüstung, herumgestreute Papiere, zerrissene Bücher und dergleichen. Daneben bewachten Soldaten zwei französische Gefangene. Nach vier Uhr ließ sich mehrere Stunden lang aus der Gegend von Metz dumpfer Donner wie von Kanonenfeuer hören. Beim Tee sagte der Minister: »Das hätte ich vor vier Wochen auch nicht gedacht, daß ich heute mit den Herren meinen Tee in einem Bauernhause zu Herny trinken würde.« Dann war unter anderem von Gramont die Rede, und der Graf wunderte sich, daß dieser gesunde, kräftige Mann nach solchem Mißglücken seines Vorgehens gegen uns nicht in ein Regiment eingetreten sei, um seine Dummheit zu sühnen. Groß und stark genug dazu wäre er reichlich. »Ich hätte es anders gemacht 1866, wenn es nicht gut gegangen wäre«, fügte er hinzu. »Ich wäre sofort in ein Regiment eingetreten; ich hätte mich ja sonst nicht mehr sehen lassen können.«

M. Busch, Tagebuchblätter. Band I, 1899, S. 74.

Nach der Reiterattacke von Mars la Tour. – Tischgespräch in Pont à Mousson. 17. August 1870

Über das Schicksal der beiden Söhne Bismarcks bei dem großen Reiterangriff und die Besorgnis, die darüber in der Umgebung des Kanzlers entstanden war, berichtet *Abeken* in »Ein Lebensbild«, S. 397, einige Einzelheiten, die bei Busch im folgenden Gespräch nicht erwähnt werden.

Der Chef erzählte bei Tische, daß er seinen während eines Massenangriffs von Reiterei bei Mars la Tour durch einen Gewehrschuß in den Oberschenkel verwundeten ältesten Sohn, Graf Herbert, besucht habe, der im Feldlazarett von Mariaville untergebracht war. Nach ihm ausreitend, hatte ihn der Minister endlich in einem Gehöft auf einem Hügel gefunden, wo auch andere Verwundete in ziemlicher Anzahl lagen.* Die Besorgung der Verwundeten hatte ein Oberarzt in den Händen gehabt, der

* Darüber *Abeken,* Pont à Mousson, den 18. August: Als wir gestern bei der Suite des Königs ankamen, ritt Graf Bismarck gerade mit seinem Vetter (Bismarck-)Bohlen fort, nach dem eine Stunde entfernten Campement der (Garde-)Dragoner, bei dem seine beiden Söhne stehen, die so furchtbar im Gefecht waren. Du kannst denken, wie uns das Herz schlug in banger Erwartung, und wie wir nach den Zurückkehrenden ausschauten ... Nach stundenlangem Harren kam Bismarck-Bohlen zurück. Dem Chef war zuerst gesagt worden,

kein Wasser zu beschaffen gewußt und die Puten und Hühner, die auf dem Hofe herumgewandelt, aus einer Art Prüderei nicht für seine Kranken habe in Anspruch nehmen wollen. »Er sagte, er dürfe nicht«, berichtete der Minister weiter. »Vorstellungen in Güte, die ihm gemacht wurden, halfen nichts. Da drohte ich ihm erst, die Hühner mit dem Revolver totzuschießen; dann gab ich ihm zwanzig Franken, dafür sollte er fünfzehn Stück kaufen. Zuletzt besann ich mich, daß ich ja preußischer General war, und jetzt befahl ich ihm, worauf er gehorchte. Das Wasser aber mußte ich selber suchen und in Fässern heranschaffen lassen.«

M. Busch, Tagebuchblätter. Band I, 1901, S. 84 ff.

Bismarck kritisiert die Militärs. – Tischgespräch in Pont à Mousson. 19. August 1870

Tagebuchaufzeichnung von M. Busch.

Der Graf hatte sich, wie man erfuhr, während der Schlacht vom 18., in der die Entscheidung bei Gravelotte erfolgt war, mit dem König etwas weit vorgewagt und sich gleich diesem eine Zeitlang in Gefahr befunden. Später hatte er die Schwerverwundeten eigenhändig mit Wasser erfrischt. Abends neun Uhr sah ich ihn wohlbehalten in Pont à Mousson anlangen, wo wir allesamt wieder mit ihm zu Nacht speisten. Die Unterhaltung bei Tische drehte sich natürlich in der Hauptsache um die beiden letzten Schlachten und den Gewinn und Verlust, den sie zur Folge gehabt hatten. Die Franzosen hatten Massen von Leuten auf dem Platze gelassen. Der Minister hatte ihre Garde bei Gravelotte reihen- und haufenweise von unserer Artillerie niedergestreckt liegen sehen. Aber auch unsere Verluste waren, wie er sagte, groß. Erst die vom 16. August waren bis jetzt

sein zweiter Sohn Bill (Wilhelm) sei tot, aber es war nicht der Fall; er war beim Einhauen in ein Karee mit dem Pferde gestürzt, das erschossen war, aber er war wieder aufgekommen und vorwärts, und der Vater traf ihn frisch und gesund. Seinen ältesten Sohn Herbert fand er in einem etwas entlegenen Lazarett in einem großen Gehöft, Mariaville, mit einer ganz ungefährlichen Fleischwunde im Schenkel; der Knochen nicht getroffen, die Kugel wieder hinausgegangen und gar keine Gefahr.«

bekannt. »Eine Menge von preußischen Adelsfamilien werden Trauer anlegen müssen«, bemerkte der Chef. »Wesdehlen und Reuß in ein Grab gelegt, Wedell tot, Finkenstein tot, Rahden (der Mann der Lucca) durch beide Backen geschossen, eine Masse von Regiments- und Bataillonskommandeuren gefallen oder schwer verwundet. Das ganze Feld bei Mars la Tour war gestern noch weiß und blau von gefallenen Kürassieren und Dragonern.« Zur Erklärung der letzten Äußerung erfuhr man, daß bei jenem Dorfe eine große Reiterattacke gegen die in der Richtung von Verdun vordringenden Franzosen stattgefunden hatte, die zwar von der feindlichen Infanterie im Stil von Balaklawa abgewiesen worden war, aber insofern genützt hatte, als sie die Gegner aufgehalten hatte, bis Verstärkung eingetroffen war. Am Abend war die Armee Bazaines definitiv nach Metz zurückgewichen, und die gefangenen Offiziere selbst hatten dem Minister gestanden, sie seien der Meinung, es sei jetzt mit ihrer Sache zu Ende. Die Sachsen, die an den beiden vorhergehenden Tagen sehr starke Märsche gemacht hatten und zuletzt in der Lage gewesen waren, beim Dorfe Saint Privat tüchtig mit in den Kampf einzugreifen, standen auf der Straße nach Thionville, und damit war Metz ringsum von unseren deutschen Truppen umschlossen.

Wie es schien, war der Kanzler mit der einen und der anderen Maßregel der Militärs bei der Dirigierung der beiden Schlachten nicht einverstanden. Unter anderem sagte er von Steinmetz, daß er »die wahrhaft ungeheure Bravour unserer Truppen mißbrauche – Blutverschwender!« Mit heftiger Entrüstung sprach er auch von der barbarischen Kriegsführung der Franzosen, die auf die Genfer Kreuzfahne und sogar auf einen Parlamentär geschossen haben sollten.

M. Busch, Tagebuchblätter. Band I, 1899, S. 89 ff.

Gespräch mit dem Kronprinzen Albert von Sachsen in Pont à Mousson. 21. August 1870

In einem Brief an den König Johann vom 22. August 1870 aus Jeandelize hat der Kronprinz Albert über eine Unterredung mit Bismarck berichtet, der ihm als dem ersten deutschen Fürsten Mitteilungen von seinen Kriegszielen machte, für deren Förderung er die Unterstützung des sächsischen Königs erstrebte. Der Brief ist abgedruckt bei Hassel: König Albert,

Bd. I, S. 392, und wird auch erwähnt bei Friesen: Erinnerungen. Bd. III, S. 126.

»Bismarck begann damit, daß bereits indirekte Friedensanträge an Preußen gelangt seien, ebenso Vermittlungsvorschläge von Österreich, Rußland und Italien in Aussicht stünden, und zwar zugunsten des Feindes. Nun habe sein König zwar das Recht, allein Frieden zu schließen, wolle aber bei dieser wichtigen Gelegenheit nicht handeln, ehe er seine Bundesgenossen gehört habe. Er will daher alle nord- und süddeutschen Fürsten in einem Fürstenkongreß um sich versammeln, ehe er Bedingungen stellt oder akzeptiert. Sollte ein europäischer Kongreß vorgeschlagen werden, so werde auch dieser nicht eher beschickt werden, als bis die deutschen Fürsten gehört seien. Im Falle es den deutschen Fürsten zu unbequem sei, wolle er sich auf den Bundesrat beschränken. Als Ort bezeichnete er Nancy, eventuell Paris. Auf die Friedensbedingungen selbst übergehend, meinte er, der Krieg müsse positive Resultate ergeben, sonst würde das monarchische Prinzip geschädigt. Als solche bezeichnete er Abtretung von Elsaß und Deutsch-Lothringen. Diese Länder sollen im Besitz von Gesamtdeutschland verbleiben; dadurch werde sich ein näheres Verhältnis von Nord und Süd am natürlichsten herstellen lassen. Hierauf kam er zum Hauptpunkt; er hoffe bei der erwähnten Zusammenkunft die deutsche Frage regeln zu können. Zu der freiwilligen Einigung aber hoffe er wesentlich auf Deine Hilfe. Gegen Preußen herrsche immer noch das Mißtrauen, es hege dynastische Gelüste; daher Du der rechte Mittelsmann seiest.«

P. Hassel, König Albert von Sachsen. Band I, 1898, S. 392.

Eine journalistische Anweisung. – Gespräche mit dem Schriftsteller Dr. Moritz Busch. 22. August 1870

Die folgenden Tagebuchaufzeichnungen Moritz Buschs enthalten in ihrem ersten Teil eine journalistische Anweisung Bismarcks, die aber wegen ihrer besonders lebensvollen Fassung wiedergegeben sei.

Früh mit Willisch wieder baden gegangen, bevor der Chef aufgestanden war. Um zehneinhalb Uhr werde ich zu ihm gerufen. Er fragt zuerst, wie mir's gehe, und ob ich nicht auch Anfälle von Dysenterie gehabt hätte. Ihm wäre es in vergangener Nacht nicht gut gegangen. Der Graf und Dysenterie? Gott behüte ihn davor. Es wäre schlimmer als eine verlorene Schlacht. Unsere ganze Sache käme darüber ins Wanken und Schwanken.

Es ist jetzt kein Zweifel mehr, daß wir im Falle einer endgültigen Besiegung Frankreichs das Elsaß und Metz mit seiner Umgebung behalten werden, und zwar ist der Gedankengang, der den Kanzler zu diesem Entschlusse führte, und der in der englischen Presse «in akademischer Weise« entwickelt werden soll, etwa folgender:

Eine Kontribution würde, wenn sie auch noch so groß wäre, die von uns gebrachten ungeheuren Opfer nicht ausgleichen. Wir müssen namentlich Süddeutschland mit seiner offenen Lage besser vor französischen Angriffen sichern, wir müssen dem Druck, den Frankreich seit zwei Jahrhunderten auf Süddeutschland übt, ein Ende machen, zumal da dieser Druck zur Zerrüttung der deutschen Verhältnisse überhaupt in dieser ganzen Zeit wesentlich beigetragen hat. Baden, Württemberg und die anderen südwestlichen Landstriche dürfen ins künftige nicht wieder von Straßburg aus bedroht sein und nach Belieben überfallen werden können. Auch von Bayern gilt dies. Seit dritthalb Jahrhunderten haben die Franzosen mehr als ein Dutzend Eroberungskriege gegen den Südwesten von Deutschland unternommen. 1814 und 1815 hat man in schonender Behandlung Frankreichs Bürgschaften gegen Wiederholung solcher Friedensstörungen gesucht. Diese Schonung half aber nichts und würde auch jetzt unfruchtbar und erfolglos sein. Die Gefahr liegt in der unheilbaren Anmaßung und Herrschsucht, die dem französischen Volkscharakter innewohnen, Eigenschaften, die sich von jedem Herrscher – keineswegs bloß von den Bonapartes – zu Angriffen auf friedliche Nachbarn mißbrauchen lassen. Unser Schutz gegen dieses Übel liegt nicht in fruchtlosen Versuchen, die Empfindlichkeit der Franzosen momentan abzuschwächen, sondern in der Gewinnung gut befestigter Grenzen. Frankreich hat sich durch fortgesetzte Aneignung deutschen Landes und aller natürlichen Schutzwehren an unserer Westgrenze in den Stand gesetzt, mit einer verhältnismäßig nicht sehr großen Armee in das Herz von Süddeutschland vorzubrechen, ehe von Norden her Hilfe da sein kann. Seit Ludwig dem Vierzehnten, unter ihm, unter seinem Nachfolger, unter der Republik, unter dem ersten Kaiserreiche haben sich diese Einfälle stets wiederholt, und das Gefühl der Unsicherheit zwingt die deutschen Staaten, den Blick unausgesetzt auf Frankreich gerichtet zu halten. Daß den Franzosen durch die Wegnahme eines Stück Landes ein Gefühl der Bitterkeit erweckt wird, kommt nicht in Betracht. Diese Bitterkeit würde auch ohne Landabtretung vorhanden sein. Österreich hat 1866 keine Quadratrute seines Gebietes hergeben müssen, und haben wir etwa Dank dafür gehabt? Schon unser Sieg bei Königgrätz hat die Franzosen mit Mißgunst gegen uns, Haß und schwerem Verdruß erfüllt; wie viel mehr werden in dieser Weise unsere Siege bei Wörth und Metz auf sie wirken! Rache für diese Niederlagen der stolzen Nation wird daher, auch wenn man ihr kein Land nimmt, fortan das Feldgeschrei in Paris und den von da beeinflußten Kreisen in der Provinz sein, wie man jahrzehntelang dort an Rache für Waterloo gedacht hat. Ein Feind aber, den man nicht durch rücksichtsvolle Behandlung, nachdem er unterlegen ist, zum Freunde gewinnen kann, muß unschädlich gemacht werden, und zwar auf gründliche, dauernde Weise. Nicht Schleifung der östlichen Festungen Frankreichs, sondern ihre Abtretung allein kann uns dienen. Wer die Abrüstung will, der muß zunächst wünschen, daß die Nachbarn der Franzosen auf diese Maßregel eingehen können, da Frankreich der alleinige Friedensstörer in Europa ist und es bleiben wird, solange es dies bleiben kann.

Es ist erstaunlich, wie geläufig einem solche Gedanken des Chefs schon jetzt aus der Feder fließen. Was vor zehn Tagen noch wie ein Wunder aussah, ist heute ganz natürlich und selbstverständlich. – Vielleicht gehört dahin auch die Idee von einem deutschen Kaiser, von der bei dem Besuche des Kronprinzen die Rede gewesen sein soll. Viel Segen auf einmal; aber man darf eben alles mögliche jetzt für wahrscheinlich ansehen.

M. Busch, Tagebuchblätter. Band I, 1899, S. 94 ff.

Während der Kampfhandlungen. – Gespräch mit dem Schriftsteller Dr. Moritz Busch bei Busancy.

30. August 1870

Am 29. August war in Grandpré Quartier bezogen worden. Die folgenden Gesprächsäußerungen fielen am 30. August auf dem Wege nach Busancy, wohin Busch auf seine Bitte den Kanzler begleiten durfte, während die Schlacht von Beaumont in Gang kam.
Tagebuchaufzeichnung von M. Busch.

Als ich am nächsten Morgen hörte, daß König und Kanzler gleichzeitig wegfahren wollten, um dem großen Kesseltreiben nach dieser zweiten französischen Heeresmacht beizuwohnen, faßte ich mir, eingedenk der Worte, die der Chef in Pont à Mousson nach seiner Zurückkunft in Rezonville zu mir gesprochen, und des ein andermal von ihm zitierten Spruches: »Wer sich grün macht, den fressen die Ziegen«, ein Herz und bat ihn, als der Wagen vorgefahren war, mich mitzunehmen. Er entgegnete: »Ja, wenn wir nun aber die Nacht draußen bleiben, was soll aus Ihnen werden?« Ich erwiderte: »Einerlei, Exzellenz, ich werde mir dann schon zu helfen wissen.« – »Nun, dann gehen Sie mit«, sagte er lächelnd.

Es war kurz nach neun Uhr, als wir abfuhren. Zuerst ging es ein Stück auf der Landstraße zurück, die wir tags vorher gekommen waren, dann links durch Weinberge hinauf und über mehrere Dörfer in hügeliger Gegend, wo allenthalben marschierende oder rastende Truppenkolonnen und Geschützparks vor uns und auf einem anderen Wege rechts im Tale zu sehen waren, nach dem Städtchen Busancy, wo wir um elf Uhr eintrafen und auf dem Marktplatze halt machten, um den König zu erwarten. Unterwegs war der Graf sehr mitteilsam. Er klagte zuerst, daß er beim Arbeiten so oft durch Reden draußen vor der Tür gestört werde, »besonders da einige von den Herren eine so laute Stimme besitzen. Ich werde«, fuhr er fort, »durch gewöhnliches Geräusch, unartikuliertes, nicht irretiert. Musik, Wagengerassel macht mich nicht irre, wohl aber geschieht das durch Gespräche, bei denen ich Worte unterscheide. Ich will dann wissen, was es ist, und darüber verliere ich den Faden meiner Gedanken.« Weiterhin machte er mich darauf aufmerksam, daß es nicht passend von mir wäre, wenn Offiziere vor dem Wagen salutieren, den Gruß durch Handanlegen an die Mützenblende zu erwidern. Der Gruß gelte nicht einmal ihm in seiner Eigenschaft als Minister oder Bundeskanzler, sondern lediglich seinem Range als General, und die Grüßenden könnten es übelnehmen, wenn ein Zivilist sich dabei für mitgemeint hielte.

Er befürchtete dann, daß es heute zu nichts Rechtem kommen werde, was preußische Artillerieoffiziere, die hart vor Busancy überm Straßengraben bei ihren Kanonen standen, von ihm darauf angeredet, ebenfalls meinten. »Das geht«, sagte er, »wie mir's zuweilen auf der Wolfsjagd in den Ardennen, die hier beginnen, auch ging. Da waren wir tagelang hoch oben im Schnee und hörten, daß man die Fährte eines Wolfs gespürt hatte.

Aber wenn wir dann nachfolgten, war er entwischt. So wirds heute mit den Franzosen auch sein.«

Indem er die Hoffnung äußerte, seinen zweiten Sohn hier herum zu treffen, nach dem er sich wiederholt bei Offizieren erkundigt hatte, bemerkte er: »Da können Sie sehen, wie wenig Nepotismus bei uns herrscht. Er dient nun schon zwölf Monate und hat es noch zu nichts gebracht, während andre nicht viel länger als vier Wochen dabei und schon zum Fähnrich vorgeschlagen sind.« Ich erlaubte mir zu fragen, wie das kommen möge. »Ja, ich weiß es nicht«, versetzte er, »ich habe mich genau erkundigt, ob er sich was hat zuschulden kommen lassen, betrunken gewesen und dergleichen; aber nichts, er hatte sich ganz gut aufgeführt, und bei dem Reiterkampf vor Mars la Tour ist er so brav wie sonst einer mit auf das französische Karree losgeritten. Beim Zurückreiten hat er in jeder Hand einen entsattelten Dragoner mit fortgeschleppt, bis auch ihm das Pferd unterm Leibe erschossen wurde.*. Kein Nepotismus ist gewiß was schönes, aber Zurücksetzung ist doch bitter.« – Einige Wochen nachher waren beide Söhne zu Offizieren befördert.

Später, nach mancherlei anderm, erzählte er seine Erlebnisse am Abend des 18. August noch einmal: »Sie hatten die Pferde eben zu Wasser geschickt, und wir standen in der Dämmerung bei einer Batterie, die feuerte. Die Franzosen schwiegen, aber« – so fuhr er fort – »während wir dachten, ihre Geschütze wären demontiert, konzentrierten sie nur ihre Kanonen und Mitrailleusen seit einer Stunde zu einem letzten großen Vorstoße. Plötzlich fingen sie ein ganz fürchterliches Feuern an mit Granaten und ähnlichen Geschossen – ein unaufhörliches Krachen und Rollen, Sausen und Heulen in der Luft. Wir wurden vom Könige, den Roon zurückschickte, abgeklemmt. Ich blieb bei der Batterie und dachte, wenn wir zurückgehen müssen, setzest du dich auf den nächsten Protzkasten. Wir erwarteten nun, daß französische Infanterie den Vorstoß unterstützen würde, und da hätten sie mich gefangennehmen können, wenn ich auch ein rollendes Revolverfeuer auf sie unterhalten hätte – ich hatte sechs Schuß für sie und noch sechs Reservepatronen. Endlich kamen die Pferde wieder, und nun machte ich mich fort, wieder zum König. Aber wir waren aus dem Regen in die Traufe ge-

* Nicht ganz richtig nach seiner späteren Mitteilung und Graf Bills eigener Erzählung.

raten. An der Stelle, wo wir hinritten, schlugen gerade die Granaten ein, die vorher über uns weggeflogen waren. Am anderen Morgen sahen wir die Schweinskuhlen, die sie gewühlt hatten.

»So mußte denn der König noch weiter zurück, was ich ihm sagte, nachdem die Offiziere mir das vorgestellt hatten. Es war nun Nacht. Der König äußerte, daß er Hunger habe und was essen möchte. Da gab es aber wohl zu trinken – Wein und schlechten Rum von einem Marketender –, aber nichts zu beißen als trocken Brot. Endlich trieben sie im Dorfe ein paar Koteletten auf, gerade genug für den König, aber nichts für seine Umgebung, und so mußte ich mich nach etwas anderem umsehen. Majestät wollte im Wagen schlafen, zwischen toten Pferden und Schwerverwundeten. Er fand später ein Unterkommen in einer Kabache. Der Bundeskanzler mußte sich woanders unter Dach zu bringen suchen.« – »Das beste bei der Geschichte war übrigens«, sagte Bohlen, »daß eigentlich gar keine solche Not um Unterkommen gewesen wäre. Denn unterdessen hatten sie entdeckt, daß nahe dabei ein elegantes Landhaus für Bazaine instand gesetzt worden war – mit guten Betten, Sekt im Keller und was weiß ich alles –, höchst fein, und da hatte der Kriegsminister sich einlogiert und hatte ein opulentes Abendmahl mit seiner Gesellschaft gefunden.«

Die Militärs schweigen. – Gespräch mit dem Vortragenden Rat von Keudell beim Dorf Sommauthe.

30. August 1870

Lebenerinnerungen v. Keudells.

Am 30. August ritt man von dem Schlosse Busancy nach einem bei dem Dorfe Sommauthe gelegenen Hügel, von dessen Gipfel das breite bewaldete Tal der Maas und die dort angeblich zu erwartende Schlacht gut zu übersehen war. Bismarck äußerte zu mir: »Als Bundeskanzler bin ich eigentlich für die Kosten eines jeden Schusses, der abgefeuert wird, verantwortlich; aber von dem, was heute vorgehen soll, weiß ich nicht mehr als jeder Reitknecht.«

R. v. Keudell, Fürst und Fürstin Bismarck. 1901, S. 453.

Sedan. – Gespräch mit dem Schriftsteller Dr. Moritz Busch. 1. September 1870

Tagebuchaufzeichnung von M. Busch.

Am 1. September näherte sich die Jagd auf die Franzosen im Maasgebiet nach allem, was man hörte, offenbar ihrem Ende, und es war mir vergönnt, diesem am nächsten Tage beizuwohnen. Nachdem ich sehr früh aufgestanden war ... ging ich aus dem Hause, wo man mich einquartiert hatte, nach dem Baudelotschen, wo ich gerade eintraf, als ein gewaltiges Reitergeschwader, bestehend aus fünf preußischen Husarenregimentern, grünen, braunen, schwarzen und roten (Blücherschen), am Geländer des Gärtchens vor den Fenstern des Chefs vorüberzog. Man hörte, daß dieser die Absicht habe, in einer Stunde mit dem Könige nach einem Aussichtspunkte bei Sedan zu fahren, um Zeuge von der nun mit Bestimmtheit erwarteten Katastrophe zu sein. Als der Wagen kam und der Kanzler erschien, sah er sich um, und sein Blick fiel auf mich. »Können Sie dechiffrieren, Herr Doktor?« fragte er. Ich bejahte das, und er sagte: »Dann lassen Sie sich einen Chiffre geben und gehen Sie mit.« Ich ließ mir das nicht zweimal sagen, und nach einer Weile setzte sich der Wagen, in dem diesen Morgen Graf Bismarck-Bohlen an der Seite des Ministers Platz nahm, in Bewegung. Nach einigen Hundert Schritten hielten wir vor dem Hause, wo Verdy einquartiert war, hinter dem Wagenzuge des Königs, der selbst noch erwartet wurde. In dieser Zeit kam uns Abeken mit Schriftstücken nach, um darüber Befehle einzuholen. Der Chef setzte ihm gerade etwas auseinander, wobei er ihm seiner Gewohnheit gemäß das zu Erklärende wiederholt erläuterte, als der Prinz Karl mit seinem bekannten morgenländisch gekleideten Neger vorbeifuhr. Nun hatte unser alter Herr, der sonst bei solchen Gelegenheiten sicher nur Ohr und Gedächtnis für die Worte seines Chefs war, das Unglück, daß er ein übergroßes Interesse für alles, was zum Hofe gehörte, empfand, und das kam ihm in diesem Augenblicke nicht zugute. Die Erscheinung des Prinzen war ihm offenbar wichtiger als der redende Minister, und als dieser, der das bemerkt haben mußte, ihn nach dem soeben Gesagten fragte, gab er eine etwas verwirrte Antwort. Er mußte dafür die herbe Ermahnung hören. »So hören Sie doch darauf, was ich sage, Herr Geheimrat, und lassen Sie Prinzen in Gottes Namen Prinzen sein. Wir reden hier in Geschäften.« Später äußerte er zu uns: »Der alte Mann ist rein weg, wenn er etwas vom Hofe gewahr wird« – dann wie entschuldigend: »Ich möchte ihn aber doch nicht entbehren; er ist unter Umständen recht wohl zu brauchen.«

Nachdem der König erschienen und, die bunte Stabswache voraus, weggefahren war, folgten wir ihm, wobei wir ... bei einem Dorfe, das links von der Chaussee in einer Bodenvertiefung liegt, am Fuße eines kahlen Hügels auf einem Stoppelfelde zur Rechten der Landstraße halt machten. Hier stieg der König mit seinem Gefolge von Fürsten, Generalen und Hofleuten zu Pferde, unser Chef tat desgleichen, und alles begab sich nach dem flachen Gipfel der Anhöhe über uns. Wie uns ferner Kanonendonner verkündete, war die erwartete Schlacht bereits im vollen Gange. Heller Sonnenschein am wolkenlosen Himmel leuchtete dazu.

M. Busch, Tagebuchblätter. Band I, 1899,
S. 145 ff. (gekürzt).

Zwölf Stunden im Sattel. – Tischgespräch in Donchéry. 2. September 1870

Tagebuchaufzeichnung von M. Busch.

Um zehn Uhr war der Minister noch nicht zurück, und wir waren in Sorge und Verlegenheit. Es konnte ihm ein Unfall widerfahren sein, oder er konnte sich mit dem Könige vom Schlachtfelde nach Vendresse begeben haben. Nach elf Uhr indes kam er an, und ich speiste mit ihm. Der weimarische Erbprinz, als hellblauer Husar gekleidet, und Graf Solms-Sonnenwalde, früher bei der Gesandtschaft in Paris, jetzt eigentlich zu unserem Büro gehörig, aber bisher selten zu sehen gewesen, aßen auch mit.

Der Kanzler erzählte allerlei von seinem Ritt über die Walstatt. Er war mit kurzen Unterbrechungen fast zwölf Stunden im Sattel gewesen. Sie hatten das ganze Schlachtfeld besucht und überall in den Lagern und Biwaks große Begeisterung getroffen. In der Schlacht selbst sollten über fünfundzwanzigtausend, in Sedan nach der gegen Mittag abgeschlossenen Kapitulation mehr als vierzigtausend Franzosen zu Gefangenen gemacht worden sein.

Der Minister hatte die Freude gehabt, seinem jüngeren Sohne zu begegnen. »Ich entdeckte an ihm«, so berichtete er bei Tische,

»eine neue rühmliche Eigenschaft: er besitzt ausnehmende Geschicklichkeit im Schweinetreiben. Er hatte sich das fetteste ausgesucht, da die am langsamsten gehen und nicht leicht entwischen. Zuletzt trug er es fort auf dem Arme wie ein Kind. Es wird den gefangenen französischen Offizieren komisch vorgekommen sein, einen preußischen General einen gemeinen Dragoner umarmen zu sehen.« »An einer anderen Stelle« – so erzählte er weiter – »roch man plötzlich einen kräftigen Duft wie von gebratenen Zwiebeln. Ich bemerkte aber, daß er von Bazeilles herüberkam, und es waren vermutlich die französischen Bauern, die von den Bayern, weil sie aus den Fenstern auf sie geschossen, niedergemacht worden und dann in ihren Häusern verbrannt waren.« Man sprach dann von Napoleon, der am folgenden Morgen nach Deutschland, und zwar nach Wilhelmshöhe, abreisen sollte. »Es handelte sich«, sagte der Chef, »darum, ob über Stenay und Bar le Duc oder über Belgien.« »Hier wäre er aber nicht mehr Gefangener«, versetzte Solms. – »Nun, das schadete nichts« – erwiderte der Minister – »auch wenn er da eine andere Richtung einschlüge. Ich war dafür, daß er über Belgien ginge, und er schien auch geneigt dazu. Wenn er sein Wort nicht hielte, so täte uns das keinen Schaden. Aber wir müßten bei dieser Tour erst in Brüssel anfragen und hätten unter zwei Tagen keinen Bescheid.«

M. Busch. Tagebuchblätter. Band I, 1899, S. 163 ff.

Der 2. September 1870.

Die folgende Darstellung der Ereignisse des 2. September aus Bismarcks Munde ist kein einheitliches Gespräch. Vielmehr hat Busch nach seinem eigenen Zeugnis hier alle Gespräche Bismarcks, die er zu verschiedenen Zeiten über diesen Gegenstand gehört hat, zusammengefaßt. Weil sie ein geschlossenes Bild geben, sind sie hier aufgenommen.
Tagebuchaufzeichnung von M. Busch.

Moltke und ich waren nach der Schlacht vom 1. September zum Zweck von Unterhandlungen mit den Franzosen nach Donchéry, ungefähr fünf Kilometer von Sedan, gegangen und die Nacht dort geblieben, während der König und das Hauptquartier nach Vendresse zurückkehrten. Die Verhandlungen dauerten bis nach Mitternacht, ohne zum Abschluß zu kommen.

Von uns waren außer Moltke und mir, Blumenthal und drei oder vier andere Generalstabsoffiziere dabei.

Für die Franzosen führte der General Wimpffen das Wort. Die Forderung Moltkes war kurz: Die ganze französische Armee ergibt sich in Kriegsgefangenschaft. Wimpffen fand das zu hart. Die Armee habe durch die Tapferkeit, mit der sie sich geschlagen, besseres verdient. Man solle sich damit begnügen, sie unter der Bedingung abziehen zu lassen, daß sie während dieses Krieges nicht mehr gegen uns diene und nach einer Gegend Frankreichs, die wir bestimmen sollten, oder nach Algier abmarschiere. Moltke blieb kühl bei seinem Verlangen. Wimpffen stellte ihm seine unglückliche Lage vor. Er sei erst vor zwei Tagen aus Afrika bei den Truppen angekommen, habe erst gegen das Ende der Schlacht, als Mac Mahon verwundet worden* sei, das Kommando übernommen und solle nun seinen Namen unter eine solche Kapitulation setzen. Lieber würde er sich in der Festung zu halten suchen oder einen Durchbruch wagen. Moltke bedauerte, auf die Lage des Generals, die er würdige, nicht Rücksicht nehmen zu können. Er erkannte die Tüchtigkeit der französischen Truppen an, erklärte aber, Sedan sei nicht zu halten und ein Durchschlagen ganz unmöglich. Er sei bereit, einen der Offiziere des Generals unsere Stellungen besichtigen zu lassen, damit er sich davon überzeuge. Wimpffen meinte nun, vom politischen Standpunkte aus sei es für uns geraten, ihnen bessere Bedingungen zu gewähren. Wir müßten einen baldigen und dauernden Frieden wünschen, und den könnten wir nur haben, wenn wir uns großmütig zeigten. Schonung der Armee würde diese und das ganze Volk zur Dankbarkeit verpflichten und freundschaftliche Gefühle erwecken. Das Gegenteil wäre der Anfang endloser Kriege. Darauf nahm ich das Wort, weil das in mein Gewerbe einschlug. Ich sagte ihm, man könne wohl auf die Erkenntlichkeit eines Fürsten, aber nicht wohl auf die eines Volkes bauen, und am wenigsten auf die der Franzosen. Hier gebe es keine dauerhaften Verhältnisse und Einrichtungen, unaufhörlich wechselten die Regierungen und Dynastien, von denen die eine nicht zu halten brauche, wozu die andere sich verpflichtet fühle. Säße der Kaiser fest auf seinem Throne, so wäre mit seiner Dankbarkeit für die Gewährung

* MacMahon wurde schon am frühen Morgen im Osten der Stadt von einem Granatsplitter (wahrscheinlich aus einer sächsischen Batterie) verwundet, dann erhob Ducrot Anspruch auf den Oberbefehl, und erst später ging er auf Wimpffen über.

guter Bedingungen zu rechnen. Wie die Dinge stünden, würde es Torheit sein, wenn man seinen Erfolg nicht voll ausnutzte. Die Franzosen seien ein neidisches, eifersüchtiges Volk. Sie hätten Königgrätz übelgenommen und nicht verzeihen können, das ihnen doch nichts geschadet habe, wie sollte irgendwelche Großmut von unserer Seite sie bewegen, Sedan uns nicht nachzutragen? Wimpffen wollte das nicht wahr haben, Frankreich habe sich in der letzten Zeit geändert, es habe unter dem Kaiserreiche gelernt, mehr an friedliche Interessen als an den Ruhm des Krieges zu denken, es sei bereit, die Verbrüderung der Völker zu proklamieren und dergleichen mehr. Es war nicht schwer, ihm das Gegenteil zu beweisen, und daß seine Forderung, wenn sie bewilligt würde, viel eher eine Verlängerung des Krieges als seine Beendigung zur Folge haben werde. Ich schloß damit, daß wir bei unseren Bedingungen bleiben müßten. Darauf nahm Castelneau das Wort und erklärte im Auftrage des Kaisers, dieser habe am Tage vorher dem Könige seinen Degen nur in der Hoffnung auf eine ehrenvolle Kapitulation übergeben. Ich fragte: Wessen Degen war das, der Degen Frankreichs oder des Kaisers? Er erwiderte: Nur des Kaisers. – Nun, dann kann von anderen Bedingungen nicht die Rede sein, sagte Moltke rasch, indem über sein Raubvogelgesicht ein Zug vergnügter Befriedigung ging. – Wohlan, dann werden wir uns morgen noch einmal schlagen, erklärte Wimpffen. – Um vier Uhr werde ich das Feuer wieder beginnen lassen, versetzte Moltke, und die Franzosen wollten darauf fort. Ich bewog sie aber, noch zu bleiben und sich die Sache noch einmal zu überlegen, und es kam schließlich dahin, daß sie um eine Verlängerung des Waffenstillstandes baten, damit sie sich über unsere Forderungen mit ihren Leuten in Sedan beraten könnten. Moltke wollte erst nicht darauf eingehen, gab aber endlich nach, als ich ihm vorgestellt hatte, daß es nichts schaden könne. –

Am zweiten früh gegen sechs Uhr erschien vor meiner Wohnung in Donchéry der General Reille und sagte mir, der Kaiser wünsche mich zu sprechen. Ich ziehe mich gleich an und setze mich beschmutzt und staubig, wie ich war, in alter Mütze und mit meinen großen Schmierstiefeln zu Pferde, um nach Sedan zu reiten, wo ich ihn noch vermutete. Ich traf ihn aber schon bei Fresnois, drei Kilometer von Donchéry, auf der Chaussee. Er saß mit drei Offizieren in einer zweispännigen Kutsche, und drei andere waren zu Pferde bei ihm. Ich kannte davon nur Reille, Castelneau, Moscowa und Vaubert. Ich hatte meinen

Revolver umgeschnallt, und wie ich mich ihm und den sechs Offizieren allein gegenübersah, mag ich unwillkürlich einen Blick nach dem hingetan haben. Vielleicht, daß ich auch instinktartig danach gegriffen habe. Das wurde vermutlich vom Kaiser bemerkt; denn er wurde aschenfahl. Ob er wohl daran dachte, es solle sich die Geschichte – ich glaube es war der Prinz von Condé, der als Gefangener nach einer Schlacht ermordet wurde.* Nun denn, ich grüßte militärisch, er nahm die Mütze ab, und die Offiziere taten das gleichfalls, worauf ich sie auch zog, obwohl das gegen das Reglement ist. Er sagte: Couvrez vous donc. Ich behandelte ihn durchaus wie in Saint Cloud und fragte nach seinen Befehlen. Er erkundigte sich, ob er den König sprechen könne. Ich sagte ihm, das sei unerfüllbar, da seine Majestät zwei Meilen von hier entfernt sein Quartier habe. Ich wollte aber nicht, daß er eher mit ihm zusammenkäme, als bis wir wegen der Kapitulation mit ihm ins reine wären. Dann fragte er, wo er bleiben könne, was darauf hindeutete, daß er nicht nach Sedan zurückkehren konnte, indem er dort Unannehmlichkeiten erfahren hatte oder befürchtete. Die Stadt war voll betrunkener Soldaten, die den Einwohnern sehr beschwerlich fielen. Ich bot ihm mein Quartier in Donchéry an, das ich sogleich räumen wollte. Er nahm das an. Aber ein paar hundert Schritte vor dem Orte ließ er halten und meinte, ob er nicht in dem Hause, das dort war, bleiben könnte. Ich schickte meinen Vetter hinein, der mir inzwischen nachgeritten war, und sagte nach dessen Bericht, es wäre sehr ärmlich. Er antwortete, das schadete nichts. Ich stieg nun, nachdem er hinübergegangen und wieder zurückgekommen war, da er wahrscheinlich die Treppe, die hinten hinaufging, nicht gefunden hatte, mit ihm hinauf in den ersten Stock, wo wir in ein kleines einfenstriges Zimmer traten. Es war das beste im Hause, hatte aber nur einen fichtenen Tisch und zwei Binsenstühle. Hier hatte ich nun eine Unterredung mit ihm, die fast dreiviertel Stunden dauerte. Er beklagte zuerst den unseligen Krieg, den er nicht gewollt habe. Er sei zu ihm durch den Druck der öffentlichen Meinung genötigt worden. Ich entgegnete, auch bei uns hätte niemand und am wenigsten der König einen Krieg gewünscht. Wir hätten die

* So lautet dieser unvollendete Satz im Text! – Ludwig von Condé wurde am 12. März 1569 nach dem Treffen bei Jarnac, als er sich bereits einem Offiziere des königlichen Heeres ergeben hatte, von dem Gardehauptmann Montesquiou, der gerade vorüberritt, meuchlerisch erschossen.

spanische Frage eben als eine spanische angesehen und nicht als eine deutsche, und wir hätten von den guten Beziehungen des fürstlich hohenzollernschen Hauses zu ihm erwartet, daß dem Erbprinzen eine Verständigung mit ihm leichtfallen würde. Dann kam er auf die gegenwärtige Lage zu sprechen. Er wollte dabei vor allem eine günstigere Kapitulation. Ich erklärte, auf Verhandlungen hierüber nicht eingehen zu können, da dies eine rein militärische Frage sei, bei der Moltke gehört werden müsse. Dagegen ließe sich über einen etwaigen Frieden sprechen. Er antwortete, er sei Gefangener und folglich nicht in der Lage, hier sich zu entscheiden, und als ich darauf fragte, wen er hierin für kompetent hielte, verwies er mich an die Pariser Regierung. Ich bemerkte ihm, daß sich dann die Dinge seit gestern nicht geändert hätten, und daß wir darum auf unseren alten Forderungen in betreff der Armee in Sedan bestehen müßten, um ein Pfand dafür zu haben, daß die Resultate der gestrigen Schlacht uns nicht verloren gingen. Moltke, der mittlerweise, von mir benachrichtigt, eingetroffen war, war derselben Meinung und begab sich zum Könige, um ihm das zu sagen.

Draußen vor dem Hause lobte der Kaiser unsere Armee und ihre Führung, und als ich ihm darauf zugab, daß die Franzosen sich ebenfalls gut geschlagen hätten, kam er auf die Kapitulationsbedingungen zurück und fragte, ob es nicht möglich sei, daß wir die in Sedan eingeschlossenen Korps über die belgische Grenze gehen und dort entwaffnen und internieren ließen. Ich versuchte ihm nochmals begreiflich zu machen, daß dies eine Sache des Militärs sei und nicht ohne Einverständnis mit Moltke entschieden werden könne. Auch habe er soeben erklärt, als Gefangener die Regierungsgewalt nicht ausüben zu können, und so könnten Verhandlungen über derartige Fragen nur mit dem in Sedan kommandierenden Obergeneral geführt werden. Inzwischen hatte man nach einem besseren Unterkommen für ihn gesucht, und die Offiziere des Generalstabes hatten gefunden, daß das Schlößchen Bellevue bei Fresnois, wo ich ihm zuerst begegnet war, zu seiner Aufnahme geeignet und auch noch nicht mit Verwundeten belegt sei. Ich sagte ihm das und riet ihm, dahin überzusiedeln, da es in dem Weberhause unbequem sei, und er vielleicht der Ruhe bedürfe. Wir würden den König benachrichtigen, daß er dort sei. Er ging darauf ein, und ich ritt nach Donchéry zurück, um mich umzukleiden. Dann geleitete ich ihn mit einer Ehreneskorte, welche eine Schwadron des ersten Kürassierregiments stellte, nach Bellevue. Bei den Verhandlungen, die hier begannen, wollte der Kaiser den König haben – er dachte wohl an Weichheit und Gutmütigkeit –, doch wünschte er auch, daß ich teilnehme. Ich dagegen war entschlossen, daß die Militärs, die härter sein können, das allein abmachen sollten, und so sagte ich, als wir die Treppe hinaufgingen, zu einem Offizier leise, er möge mich nach fünf Minuten abrufen – der König wollte mich sprechen, was denn auch geschah. In betreff des Königs teilte man ihm mit, daß er diesen erst nach Abschluß der Kapitulation sehen könne. So wurde die Angelegenheit zwischen Moltke und Wimpffen geordnet, ungefähr wie wir es am Abend vorher gewollt hatten. Dann kamen die beiden Majestäten zusammen. Als der Kaiser darnach wieder heraustrat, standen ihm die dicken Tränen in den Augen. Gegen mich war er ruhiger und durchaus würdig gewesen.

M. Busch, Tagebuchblätter. Band I, 1899, S. 155 ff.

In galliger Laune. – Gespräch mit dem Vortragenden Rat von Keudell in Reims. 6. September 1870

Die zeitlich etwas später fallende Rüge für Abeken und Keudell ist mit aufgenommen, um die Stimmung Bismarcks zu kennzeichnen.

Am 5. September erreichten wir Reims. Am 6., abends zehn Uhr, wollte der Chef auf die Straße gehen, um Luft zu schöpfen, und nahm mich mit. Er fragte nach meiner Kindheit, ließ sich manches Erfreuliche davon erzählen und sagte dann: »Meine Kindheit hat man mir in bester Absicht verdorben. Die damals berühmte Plamannsche Anstalt, in der ich sechs Jahre aushalten mußte, war eine Art Zuchthaus.« Und nach einer kurzen Pause: »Wir werden nun bald daran denken müssen, die Mächte darauf vorzubereiten, daß wir ohne Straßburg und Metz nicht Frieden machen können. Nicht um Elsaß und Lothringen wieder an Deutschland zu bringen, sondern nur, um den Franzosen einen neuen Angriffskrieg zu erschweren, müssen wir die beiden Festungen besitzen. Man hat uns schon Sadowa nicht verziehen und wird unsere jetzigen Siege noch weniger verzeihen, mögen wir beim Frieden noch so großmütig sein. Es ist ja schon in Pont à Mousson davon mehrmals die Rede gewesen. Der König hat auch schon vor der Schlacht von Beaumont aus Busancy in diesem Sinne an den Kaiser Alexander geschrieben, um ihn vertraulich vorzubereiten; wir werden aber bald auch amtlich an Rußland und die anderen Mächte herangehen müssen. Mir ist zwar die Erwerbung von Lothringen politisch unerwünscht; aber die Generale halten Metz für unerläßlich, da es den Wert von wenigstens 120000 Mann repräsentiert.«

Während der zehn Tage des Aufenthaltes in Reims gab es so viel zu tun, daß Abeken und ich nicht einen Moment aus der Stadt ins Freie gelangen konnten. Dort, und dann im Hauptquartier Meaux, wurden über die unerläßlichen Basen des Friedens zwei ausführliche Rundschreiben von Abeken entworfen und vom Chef mit Bleistift vielfach umgeändert. Beide gingen zu mechanischer Vervielfältigung nach Berlin. Die Vorschrift, daß Bleistiftzüge des Chefs in der Kanzlei mit Tinte nachgezogen werden sollen, war in diesen Fällen beim Vorhandensein metallographischer Exemplare nicht ausgeführt worden. Im Hauptquartier Ferrières aber bemerkte der Kanzler diesen Mangel in den Akten, ließ Abeken und mich rufen und sagte zu uns beiden: »Sie halten das Büro nicht in Ordnung. Wir machen keine Vergnügungsreise. Wenn Sie mich alle im Stich lassen und krank ärgern, so ist der Moment schlecht gewählt, da ich jetzt sehr schwer zu ersetzen bin.« Derartige Äußerungen tiefer Verstimmung sind im Laufe der folgenden Monate mehrmals vorgekommen. Wir waren alle der Meinung, jeden, auch scheinbar unbegründeten Tadel schweigend anhören zu sollen, um nicht durch irgendeine Entgegnung die Schmerzen des nervenleidenden Chefs zu steigern.

R. v. Keudell, Fürst und Fürstin Bismarck. 1901, S. 457.

Gespräch mit dem Kriegsberichterstatter Russel in Reims. 11. September 1870

Über Russell vergleiche das Gespräch vom 23. Juli 1870, S. 272 dieses Bandes.

Um halb zwölf kam die alte Kathedrale von Reims in Sicht. Große Truppenmassen biwakierten im Felde und lagen in den Vorstädten im Quartier. Ich erfuhr, daß hier das Königliche Hauptquartier sei. ... Graf Bismarcks Wohnung lag in dem schönen Hause eines hohen Beamten nahe der Kathedrale. Einige Franzosen, einige »Décorés«, warteten auf ihn, aber der Graf war nicht zu Hause. Ich sah Major von Keudell, quantum mutatum ab illo in Berlin, dort sehr schlank, diplomatisch und glatt aussehend im schwarzen Rock und Schlapphut, jetzt mit der Militärmütze, im eng anschließenden, bis zum Halse geknöpften Kavalleristenrock. ... Der Graf wurde, wie Keudell sagte, jeden Augenblick erwartet. Ich schlenderte inzwischen durch die Straßen und sah bald in der Nähe der Kathedrale die bekannte Erscheinung, wie er aufrechten Hauptes, eine Zigarre im Mund, seinen Weg durch die Menge bahnte, mit dem raschen Schritt eines Mannes, der den Wert der Zeit kennt. Er trug seine gewöhnliche, schmucklose Kürassieruniform. »Was«, sagte er, »wir glaubten, Sie wären verlorengegangen oder tot! Keiner wußte, was aus Ihnen geworden ist, und wir waren tagelang Ihretwegen in großer Sorge.« Dann erzählte ich von meiner Reise nach London und meinem Wunsche, nun den Kronprinzen einzuholen. »Kommen Sie mit mir nach Hause, wir wollen die Sache besprechen«; und so, während des Gehens plaudernd, eilten wir zur Wohnung des Grafen, wobei es keine Kleinigkeit war, mit ihm Schritt zu halten. Er nahm mich mit in sein Schlafzimmer. »Sie werden nichts dagegen haben, daß ich Toilette mache, während wir plaudern. Ich habe nicht viel Zeit, denn ich muß zum König, und Sie wissen, wir speisen früh.« Er bot mir eine Zigarre an und sprach weiter von den Ereignissen der letzten paar Tage. Niemand kann liebenswürdiger sein als der Kanzler, wenn er bei Stimmung ist, lebhaft, offen und freundlich. Ich stand auf und zündete meine Zigarre an. »Ich bitte sehr um Entschuldigung, daß ich Ihnen kein Feuer gab«, sagte er, »seien Sie mir nicht böse«.

Über die gegenwärtige Lage bemerkte der Graf noch: »Unsere Truppen müssen weiter, solange sie noch einen Feind vor sich haben. Wer sind die Leute, mit denen wir in Paris zu tun haben? Wir können nicht mit ihnen unterhandeln. Welche Bürgschaften vermöchten sie uns zu geben? Unmöglich können wir die Früchte unserer Taten aufs Spiel setzen. Es wird Ihnen nichts anderes übrigbleiben, als mit uns nach Paris zu marschieren.«

In der Eile hatte Graf Bismarck seinen Orden Pour le mérite in das Innere seines Militärrockes geknöpft. »So geht's nicht«, sagte er, indem er ihn herausnahm. »Ihren Wert haben diese Dinge doch nur, wenn sie gesehen werden.« Ich ging mit ihm zusammen fort und verabschiedete mich an der Tür der Königlichen Behausung.

William Russell, My diary during the last great war. 1874, S. 257 ff. (gekürzt).

Gespräch mit dem englischen Botschaftssekretär Edward Malet in Meaux. 15. September 1870

Nach der Schlacht von Sedan versuchte die britische Regierung im Sinne einer Friedensvermittlung zwischen den beiden kämpfenden Parteien zu sondieren. Sie ließ in einer Note Bismarck fragen, ob er bereit sei, mit der neugebildeten Regierung der nationalen Verteidigung zu verhandeln. Die Beförderung der Depesche wurde der Pariser englischen Botschaft aufgetragen, die den Botschaftssekretär Malet ins preußisch-deutsche Hauptquartier schickte. Bei der Ausführung seines Auftrages hatte er in Meaux, wo damals das Hauptquartier sich befand, eine längere Unterredung mit Bismarck, über die er sich Aufzeichnungen machte, sobald er sich von dem Bundeskanzler verabschiedet hatte. Diese Aufzeichnungen sind in sein Erinnerungsbuch »Diplomatenleben« übergegangen, dem der folgende Text entnommen ist. – Malets Vater war in den Frankfurter Jahren Bismarcks englischer Gesandter am Bundestage gewesen, so daß der junge Malet für Bismarck kein Fremder war.

Als er (Bismarck) mich in Meaux sah, waren seine ersten Worte: »Wie sehen Sie Ihrer Mutter ähnlich!« Nachher kam er nochmals auf die Frankfurter Tage zurück und sprach mit großer Achtung von meinen Eltern; alte Erinnerungen lebten in ihm auf, und er erläuterte Deutschlands augenblickliche Haltung gegenüber Frankreich durch eine mich selbst betreffende Anekdote, die in meinem eigenen Gedächtnis keine Spur hinterlassen hatte.

»Obgleich Sie noch ein reines Kind waren«, erzählte er, »hatten Sie doch schon in bezug auf Damen Ihren eigenen Geschmack, und ich erinnere mich, daß Sie einmal zu einem Ball, den Ihre Mutter geben wollte, sehr dringlich eine gewisse Dame eingeladen zu sehen wünschten. Leider hatte nach der Ansicht Ihrer Mutter die Dame, ihrer gesellschaftlichen Stellung nach, keinen Anspruch auf eine Einladung, und Ihre kleine Bitte fand taube Ohren, worauf Sie sich auf den Fußboden niederwarfen und sagten, Sie würden nicht eher wieder aufstehen, als bis Ihr Wunsch erhört sei. In derselben Weise haben auch wir uns auf Frankreichs Boden hingeworfen und werden nicht eher aufstehen, als bis unsere Forderungen anerkannt sind.«

Seine Worte in bezug auf die von mir ihm überbrachte Depesche lauteten sehr entmutigend. Er sagte, er beabsichtigte zu antworten, daß er vor Eintreten auf irgendwelche Verhandlungen wissen müsse, welche Sicherheiten die Regierung der Nationalverteidigung dafür geben könne, daß sie etwaige Abmachungen auch durchzuführen imstande sei. Damals waren ja auch noch nicht einmal zwei Wochen verstrichen, seitdem sie die Zügel der Herrschaft in die Hand genommen und das Kaiserreich für erloschen erklärt hatte. Ob sie sich würde aufrechterhalten können, war noch eine offene Frage.

Im Laufe des Abends wurde die von ihm entworfene Antwortdepesche für Lord Granville ihm zur Unterzeichnung vorgelegt, und ich konnte meine Bekümmernis nicht verhehlen, daß ich eine so magere Erwiderung zurückzubringen hätte. Ein paar Minuten später wurde das Schreiben versiegelt aus der Kanzlei zurückgebracht. Es war elf Uhr. Der Graf stand auf und legte die Depesche in meine Hand. Dann sagte er: »Und nun will ich zu Ihnen als Freund noch ein Wort sagen. Wenn ein Mitglied der Regierung der Nationalverteidigung mich besuchen will, so will ich mit Vergnügen den Herrn empfangen.« Ich fühlte mich wesentlich erleichtert und rief lebhaft: »Darf ich diese Botschaft ausrichten?« – »Ja«, versetzte er. »Die Depesche, die Sie zu überbringen haben, enthält meine offizielle Antwort auf Lord Granvilles Anfrage, aber Sie können das, was ich Ihnen gesagt habe, wiederholen. Wenn jemand kommt, so braucht er nicht zu befürchten, daß ich ihn nicht angemessen empfange.« Und so kam es, daß ich im Kopf eine bessere Antwort hatte als in meiner Tasche, als ich nach Paris zurückkehrte. Nachdem ich vom Bundeskanzler Abschied genommen hatte, ging ich in meinen Gasthof und brachte sofort alles zu Papier, was mir noch von seinen Worten im Gedächtnis war. Hier sind diese Worte: »Meine Antwort auf die Depesche lautet, daß wir zu wissen wünschen, welche Sicherheiten dafür bestehen, daß die gegenwärtige Regierung einen etwa mit ihr abgeschlossenen Friedensvertrag auch durchführen kann. Herrn Favres Erwiderung enthält nichts als Worte. Erkennt Bazaine die gegenwärtige Regierung an? Tut die Flotte es? Einen Waffenstillstand lehnen wir rundweg ab; von einem solchen würden nur die Franzosen Vorteil haben. Die französische Regierung selber kann einen Hinweis darauf, daß das Kaiserreich und nicht das französische Volk den Krieg erklärt habe, nicht für irgendwie stichhaltig ausgeben wollen. Kein einziger Abgeordneter, mit Ausnahme der Herren, die jetzt die Regierung bilden, hat gegen den Krieg gesprochen; und diese Regierung führt jetzt, wo sie die Macht in Händen hat, eine sehr trügerische Sprache, indem sie das Volk zum Glauben ermutigt, sie könnte den Krieg fortsetzen, und ihm in den Kopf setzt, die Vermittlung neutraler Mächte werden es aus der Klemme befreien, in die es durch seine Niederlage geraten ist. Dies ist der siebenundzwanzigste Krieg, den im Laufe von zweihundert Jahren die Franzosen gegen Deutschland geführt haben, und würde jetzt ein Friede geschlossen werden, der den Franzosen ihr bisheriges Gebiet beließe, so wäre dies einfach ein Waffenstillstand, der nicht länger dauern würde, als bis sie die Lücken ihrer Streitkräfte ergänzt und Verbündete gefunden hätten. Ich stand in Preußen allein, als ich bei der Luxemburgischen Frage den Ausbruch des Krieges verhinderte; ich handelte so, weil ich glaubte, daß die damals bestehende Empfindlichkeit mit der Zeit sich legen und ganz verschwinden könnte, wie die durch die Niederlage bei Waterloo hervorgebrachten Gefühle geschwunden sind. Aber ich irrte mich mit dieser Annahme, und soviel ist gewiß: Solange Frankreich durch den Besitz von Straßburg und Metz imstande ist, Deutschland jederzeit anzugreifen, so lange werden wir immer wiederkehrenden Kriegen ausgesetzt sein. Dies sage ich Ihnen lediglich als einem alten Freunde.

Ich wünsche dagegen bekanntzumachen, daß wir nicht den leisesten Wunsch hegen, Frankreich in der Wahl seiner Regierungsform zu beeinflussen. Wir haben bis jetzt in den in unserem Besitz befindlichen Provinzen fortgefahren, den Kaiser als Herrscher von Frankreich zu betrachten, aber das ist offensichtlich nur ein Akt der Höflichkeit und soll keine Kundgebung unserer politischen Auffassung sein. Uns ist es gleichgültig, ob Frankreich eine Republik oder eine orleanistische Monarchie ist oder ob es unter Heinrich dem Fünften steht.

Was die Friedensbedingungen angeht, so tragen wir kein Verlangen nach dem Elsaß oder Lothringen; Frankreich mag die Provinzen unter Bedingungen behalten, die sie zu Stützpunkten einer Kriegführung gegen uns unbrauchbar machen. Aber wir müssen darauf bestehen, daß wir Straßburg und Metz bekommen. Straßburg wird binnen kurzem unser sein. Wie wir hören, sind sie in Metz schon dabei, ihre Pferde zu essen, und wir glauben, es wird bald fallen. Paris beabsichtigen wir an allen Verbindungen abzuschneiden; mit 70000 Mann Reiterei werden wir dazu imstande sein. Fünfzehn Divisionen Kavallerie werden genügen, um die Zufuhr von Hilfsmitteln zu verhindern und vielleicht, um dadurch die Stadt zur Übergabe zu veranlassen; aber wenn ein Bombardement nötig ist, werden wir davor nicht zurückschrecken. 250000 Mann werden durch den Fall von Metz verfügbar werden, und das Land wird für ihren Unterhalt aufzukommen haben. Wir selber« – (hiermit meinte er vermutlich nur den König und sich) – »wir selber gedenken nicht weiter als Meaux zu gehen.

Alle Kundgebungen, die die provisorische Regierung nach und nach veröffentlichte, haben die Friedensaussichten nur vermindert. Sie hätten offen vortreten und sagen sollen: ›Das Kriegsglück ist gegen uns, und wir sollten daher uns bemühen, unter möglichst billigen Bedingungen Frieden zu machen.‹ Statt dessen sagen sie, obwohl die Ostprovinzen tatsächlich in unserem Besitz sind, sie wollen keinen Zoll breit Landes, keinen Stein ihrer Festungen herausgeben und sie bieten eine Geldentschädigung für den Krieg an! – Man kann unmöglich die Frage außer acht lassen, wie ihre Haltung uns gegenüber gewesen wäre, hätte der Feldzug das entgegengesetzte Ergebnis gehabt. Würden sie einen Augenblick gezögert haben, die völlige Zerstückelung Deutschlands zu vollziehen? Und sie verlangen von uns, Geld anzunehmen, das wir nicht brauchen, und Frankreich genau im Zustande vom Beginn des Krieges zu lassen! ›Ich bitte Sie, sagen Sie, wenn Sie wieder nach Paris kommen, wir wären weder Kinder noch Narren.‹«

Als ich in Paris ankam, fand ich Lord Lyons im Garten der Britischen Botschaft, und ich erstattete meinen Bericht, während wir auf dem Rasen auf und ab gingen.

Sir Edward Malet, Diplomatenleben. 1901, S. 174 ff.

Das Vorspiel zur deutschen Einigung beginnt. – Gespräch mit dem General von Suckow in Meaux.

17. September 1870

General von Suckow, in Württemberg der Hauptförderer des Anschlusses an Preußen und den Norddeutschen Bund, war von seinem Monarchen ins Hauptquartier geschickt, um König Wilhelm das Großkreuz des württembergischen Militärverdienstordens zu überbringen. Das folgende kurze Gespräch mit Bismarck über den Stand der deutschen Frage ist dem Tagebuch Suckows entnommen. Suckow hatte schon 1866 als württembergischer Generalstabschef mit Moltke und Bismarck den möglichen Fall eines deutsch-französ. Krieges besprochen.

Nachher hatte ich die Besprechung mit Bismarck; er sagte: »Unser Grundsatz war und ist, wie Sie wissen, Süddeutschland keinen Zwang anzutun, und gegen Bundesgenossen wäre dies nun vollends unmöglich. Also erwarten wir in der deutschen Sache Ihr freiwilliges Anerbieten. Um aber dieselbe anzuregen, soviel wir vermögen, haben wir eine Fürstenzusammenkunft von Preußen, Bayern und Württemberg in Versailles vorgeschlagen, was nun aber durch ein Verhandlungsanerbieten des bayerischen Ministers Bray gekreuzt worden ist, und worauf Delbrück jetzt nach München abgereist ist. Aber die Fürstenzusammenkunft bleibt trotzdem festgehalten.« Ich sagte, es werden doch wohl die Verhandlungen mit uns getrennt von den Bayern stattfinden, und Bismarck bestätigte mir dies auch als seine Ansicht.

A. v. Suckow, Rückschau. Herausgegeben von W. Busch. 1909, S. 167.

Differenzen mit der militärischen Führung. – Tischgespräch in Ferrières. 19. September 1870

Am 19. September 1870 bezog Bismarck mit seinen Mitarbeitern in Ferrières Quartier, und zwar im Schloß des Barons Rothschild.
Tagebuchaufzeichnung von M. Busch.

Beim Diner hatte der Chef, daran anknüpfend, daß der König nach Clayes gefahren war, um einen Angriff von unserer Seite zu verhüten, unter anderem davon gesprochen, daß manche unserer Generale »die Hingebung des Troupiers in unverantwortlicher Weise gemißbraucht haben, um zu siegen«. »Zwar mögen«, so fuhr er fort, »die hartherzigen Bösewichter im Generalstabe recht haben, wenn sie sagen, falls die fünfmalhunderttausend Mann, die wir jetzt etwa in Frankreich haben, draufgingen, so wäre das eben unser Einsatz beim Spiel, wenn wir nur gewännen. Aber den Stier bei den Hörnern fassen, ist leichte Strategie.« – »Die obere Leitung ist«, so bemerkte er ferner, »im Kriege überhaupt oft nicht viel wert – Strategie der Studierstube. Man macht einen Plan fertig, bei dem man aber immer auf die ungeheure Tüchtigkeit des Soldaten und des Regimentsoffiziers vor allem rechnet. Diese allein haben alles getan. Unsere Erfolge kommen daher, daß unsere Soldaten physisch stärker als die Franzosen sind, daß sie besser marschieren, mehr Geduld und Pflichtgefühl haben, daß sie ungestüm draufgehen. Wenn MacMahon preußische Soldaten unter sich gehabt hätte, Alvensleben französische, so würde der geschlagen worden sein, obwohl er mein guter Freund ist*. – Aus dem Sattel kommandieren, wie im Siebenjährigen Kriege, geht nicht mehr. Dazu sind die Armeen zu groß. 's ist aber auch kein richtiges Ineinandergreifen und Zusammenspiel. Die Schlachten fangen gewöhnlich an wie die Kämpfe der Griechen bei Homer: etliche necken sich, sprechen einander Hohn, es kommt zum Schießen, andere sehen's und laufen herzu, und so gibt's endlich eine allgemeine Schlacht. – Umgehung ist das Richtige, und das war eigentlich nur bei Sedan. Der Sechzehnte bei Metz war ganz in der Ordnung; denn hier mußten die Franzosen, allerdings auch mit Opfern, aufgehalten werden. Die Opferung der Garde am Achtzehnten war nicht nötig, es war ein Unsinn aus reiner Eifersucht auf die Sachsen. Man hätte bei Saint Privat warten sollen, bis die ihren Umgehungsmarsch vollendet hatten.«

Keudell und Bohlen wollten später wissen, dieses Urteil erkläre sich daraus, daß sich der Chef in Reims mit Moltke überworfen habe. Bohlen wollte ferner erfahren haben, daß in der zu Lagny untergebrachten zweiten Staffel des großen Hauptquartiers offener Zwiespalt ausgebrochen sei, und zwar wegen Rangstreitigkeiten. Wenn der Graf sich nur diese frivole Manier, von regierenden Herrschaften zu reden, abgewöhnen wollte: Abeken errötet in einem fort darüber, und mein Tagebuch, wenn ich's einschreibe, gleichermaßen.

Während des Essens hatten wir auch eine Probe von der Gastlichkeit und dem Anstandsgefühl des Herrn Baron Rothschild zu bewundern, dessen Haus der König mit seiner Gegenwart beehrte, und dessen Besitz infolgedessen in jeder Weise geschont wurde. Herr von Rothschild, der hundertfache Millionär und überdies bis vor kurzem Generalkonsul Preußens in Paris, ließ uns durch seinen »Regisseur« oder Haushofmeister patzig den Wein verweigern, dessen wir bedurften, wozu ich bemerke, daß dieser wie jede andere Lieferung bezahlt werden sollte. Vor den Chef zitiert, setzte der dreiste Mensch seine Renitenz fort, leugnete erst ganz und gar, überhaupt Wein im Hause zu haben, und gab dann zwar zu, daß er »ein paar Hundert Flaschen Petit Bordeaux im Keller habe« – in Wahrheit lagen etwa 17000 darin –, erklärte aber, uns davon nichts abtreten zu wollen. Der Minister machte ihm jedoch den Standpunkt in sehr kräftiger Rede klar, hob hervor, was das für eine unartige und

* Gemeint ist der Überfall des IV. Korps bei Beaumont.

filzige Art sei, mit der sein Herr die Ehre erwidere, die ihm der König dadurch erwiese, daß er bei ihm abgestiegen sei, und fragte, als der vierschrötige Patron Miene machte, sich wieder aufzubäumen, kurz und bündig, ob er wisse, was ein Strohbund sei. Jener schien das zu ahnen; denn er wurde blaß, sagte aber nichts. Es wurde ihm dann bemerkt, daß ein Strohbund ein Ding sei, worauf halsstarrige und freche Regisseure so gelegt würden, daß ihre Rückseite oben sei, und das weitere könne er sich vielleicht vorstellen. – Anderen Tags hatten wir, was wir verlangten, und auch später kam meines Wissens keine Klage vor. Der Herr Baron aber erhielt für seinen Wein nicht nur den geforderten Preis, sondern, wie man hörte, obendrein Pfropfengeld, so daß er an uns noch etwas Anständiges verdiente.

M. Busch, Tagebuchblätter. Band I, 1899, S. 213 ff.

Tischgespräche in Ferrières. 22. September 1870

Tagebuchaufzeichnung von M. Busch.

Beim Essen war Graf Lehndorff zugegen, und es gab eine lebhafte Unterhaltung. Als von der Besteckung des alten Fritz vor den Linden mit schwarz-rot-gelben Fahnen die Rede war, mißbilligte der Minister, daß Wurmb* die Aufrührung des Streits über die Farben zugelassen habe. »Wenn Wurmb«, so bemerkte er, »gestattet hat, daß der dumme Zank über die Farben wieder aufgerührt wird, so zeigt das seine Unfähigkeit von neuem. Er ist jetzt in meiner Achtung um zwei Stockwerke weiter gefallen. Für mich«, sagte er ferner, »ist die Sache abgemacht, seit die norddeutsche Fahne einmal angenommen ist. Sonst ist mir das Farbenspiel ganz einerlei. Meinethalben grün und gelb und Tanzvergnügen, oder auch die Fahne von Mecklenburg-Strelitz. Nur will der preußische Troupier nichts von schwarz-rot-gelb wissen« – was ihm, wenn man sich an die Berliner Märztage und an das Erkennungszeichen der Gegner im Mainfeldzuge von 1866 erinnert, von Billigdenkenden nicht übel genommen werden wird. Der Chef sprach hierauf davon, daß der Friede noch fern sei, und fügte hinzu: «Wenn sie nach Orleans gehen, so folgen wir ihnen nach, und wenn sie noch

* Polizeipräsident zu Berlin.

weiter gehen, bis ans Meer.« Er las alsdann die eingelaufenen Telegramme vor, darunter die Liste der in Paris befindlichen Truppen. »Es sollen hundertachtzigtausend Mann sein«, sagte er, »'s sind aber kaum sechzigtausend wirkliche Soldaten darunter. Die Mobilgarden und die Nationalgardisten mit ihren Tabatieren* sind nicht zu rechnen.«

Nach halb elf Uhr ließ er herunterfragen, ob noch jemand beim Tee sei. Man meldete ihm: »Doktor Busch.« Er kam, trank ein paar Tassen Tee und etwas Kognak, den er mit Recht für gesund erklärte, wenn er gut sei, und aß ausnahmsweise einige Bissen kalte Küche. Später nahm er sich eine Flasche voll kalt gewordenen Tee mit, den er als Nachttrunk zu lieben scheint, da ich ihn während des Feldzugs mehrmals am Morgen noch auf seinem Nachttische sah. Er blieb bis nach Mitternacht, und wir waren die erste Zeit allein. Nach einer Weile fragte er, woher ich gebürtig sei. Ich erwiderte, aus Dresden. Welche Stadt mir besonders lieb wäre? Wohl meine Geburtsstadt? Ich verneinte das mit einiger Entschiedenheit und sagte, nächst Berlin wäre Leipzig die Stadt, in der mir am wohlsten wäre. Von Dresden hätte ich bisher, wenn jemand wissen gewollt, woher ich wäre, immer erwidert: »Mit Respekt zu vermelden oder salva venia, aus Dresden.« Er erwiderte lächelnd: »Salva venia! – Das hätte ich nicht gedacht; Dresden ist doch eine so schöne Stadt.« Ich gab ihm den hauptsächlichsten Grund an, weshalb es mir trotzdem dort nicht gefiele. Ich möchte die Denkart und die Manieren der Mehrzahl der Dresdner nicht. Ich fragte, ob wegen des Kanonen- oder Gewehrfeuers, das man aus den Pariser Straßen gehört haben wollte, telegraphiert werden sollte. – »Ja«, sagte er, »tun Sie das.« – »Über die Besprechung mit Favre aber wohl nicht?« – »Doch«, und dann fuhr er fort, »Haute Maison bei – wie heißt es doch gleich? – Montry, erste, dann in Ferrières denselben Abend zweite, dann den anderen Mittag dritte Besprechung, aber sowohl wegen Waffenstillstand als wegen Frieden ohne jeden Erfolg. Auch von seiten anderer französischer Parteien sind Unterhandlungen mit uns eingeleitet worden«, worüber er sodann einige Andeutungen gab, aus denen zu schließen war, daß er damit die Kaiserin Eugenie gemeint hatte.** Der Chef lobt den auf dem Tische

* Die sogenannten Tabatièregewehre.

** Über diesen reichlich phantastischen Verhandlungsversuch V. Regniers, der sich als Agent der Kaiserin Eugénie gab, vergleiche BGI, S. 352, Anm.

stehenden Rotwein aus dem Schloßkeller, von dem er dann ein Glas trinkt. Er schilt darauf wieder auf das ungebührliche Benehmen Rothschilds und meint, der alte Baron hätte mehr Lebensart gehabt. Ich spreche von dem Fasanengewimmel im Park. Ob man da nicht eine Jagd anstellen werde? – »Hm«, versetzte er, »es ist zwar verboten, im Park zu schießen; was will man aber machen, wenn ich hinausgehe und ein paar hole? Arretieren is nich; denn da haben sie niemand, der den Frieden besorgt.« – Er kommt später auf die Jagd überhaupt zu reden. – »Wenn ich jetzt mit dem König in Letzlingen jage, so ist's der alte Wald unserer Familie. Burgstall ist uns von den Hohenzollern abgedrückt worden – vor dreihundert Jahren – rein aus Jagdneid. Es gab damals dort wohl noch einmal so viel Wald als jetzt. Zu der Zeit war es nicht viel wert, mit Ausnahme der Jagd. Heutzutage ist es Millionen wert. – Sie haben's uns damals mit allerlei Zwang und Gewalttat abgepreßt. – Rechtsverletzungen, Einsperrung bei salzigen Speisen ohne Getränk, als der Besitzer nicht wollte. Die Entschädigung war unbedeutend – nicht der vierte Teil des Wertes, und jetzt ist's fast ganz zu Wasser geworden«, und so weiter. Ein anderer Gegenstand brachte ihn auf Schützengeschicklichkeit, und er berichtete, wie er als junger Mann ein so gutes Pistol gehabt, daß er damit Papierblätter auf hundert Schritt getroffen und Enten auf dem Teiche die Köpfe abgeschossen habe. Er erzählte dann, daß er heute Tresckow seine Not »über schlechtes und kärgliches Essen« an der königlichen Tafel geklagt habe, »wozu er ein sehr spitzes Gesicht machte. Wenn ich aber tüchtig arbeiten soll, so muß ich gut gefuttert werden. Ich kann keinen ordentlichen Frieden schließen, wenn man mir nicht ordentlich zu essen und zu trinken gibt. Das gehört zu meinem Gewerbe. Und so esse ich lieber zu Hause.« Die Unterhaltung lenkt – ich weiß nicht mehr wie – auf die alten Sprachen ab. »Als ich Primaner war«, sagte er, »da konnte ich recht gut lateinisch schreiben und sprechen; jetzt sollte es mir schwerfallen, und das Griechische habe ich ganz vergessen. Ich begreife überhaupt nicht, wie man das so eifrig betreiben kann. Es ist wohl bloß, weil die Gelehrten nicht im Werte mindern wollen, was sie selbst mühsam erworben haben.« Ich erlaubte mir an die disciplina mentis zu erinnern und bemerkte, die zwanzig oder dreißig Bedeutungen der Partikel *ἄν* wären doch auch etwas sehr Schönes für den, der sie an den Fingern herzählen könne. Der Chef entgegnete: »Ja, aber das ist im Russischen, wenn man an die disciplina mentis beim Griechischen denkt, doch noch viel schöner. Man könnte statt des Griechischen gleich das Russische einführen; das hätte auch einen unmittelbaren praktischen Nutzen. Da gibt's eine Menge Partikeln, die bei der Unvollkommenheit der Konjugation aushelfen müssen, und die achtundzwanzig Deklinationen, die man früher hatte, waren auch was für's Gedächtnis. Jetzt gibt's nur noch drei, aber dafür um so mehr Ausnahmen. Und wie werden die Stämme dabei verwandelt – von manchem Worte bleibt nur ein Buchstabe.«

M. Busch, Tagebuchblätter. Band I, 1899, S. 227 ff.

Die Hofcliquen. – Gespräch mit dem Grafen Waldersee in Ferrières. 24. September 1870

Graf Waldersee, der spätere Generalfeldmarschall und spätere Gegner Bismarcks, gehörte während des Krieges als Adjutant des Königs dem Hauptquartier an. Vor dem Feldzuge war er Militärattaché in Paris gewesen.
Nach gleichzeitigen Aufzeichnungen Waldersees.

Ich dinierte bei Bismarck. Prinzeß Karl* hatte mir schreiben lassen, daß die Königin lebhaft agitiere, wir möchten den guten Franzosen nur ja kein Land abnehmen. Mit ihr zusammen wirkt die Fürstin Anton Radziwill**, ein Graf Chreptowitsch*** u. a. Ich möge dies doch Bismarck mitteilen.

Als ich es tat, sagte er mir: »Ich kenne die Clique und ihre schmachvollen Intrigen ganz genau, der König wird in allen Briefen von der Königin bearbeitet. Ich denke, es wird aber für einige Zeit ein Riegel vorgeschoben sein, denn der König hat auf meine Bitte einen so groben Brief geschrieben, daß sie wohl sobald nicht wieder wagen wird, die Angelegenheit zu berühren.« Schmachvoll ist es wirklich in hohem Grade, daß solche Gedanken in Berlin nicht allein gefaßt, sondern auch kultiviert werden können. Es ist aber genau dieselbe Clique, die 1866 mit aller

* Schwester der Königin Augusta; Prinz Karl war der jüngere Bruder König Wilhelms. Waldersee war 1865/66 Adjutant des Prinzen gewesen.

** Die Gemahlin des Flügeladjutanten des Königs.

*** Der frühere russische Gesandte in London, mit dem die Königin schon seit den fünfziger Jahren Beziehungen unterhielt, vgl. H. v. Petersdorff, Kaiserin Augusta, S. 80.

Kraft gegen den Krieg mit Österreich intrigierte und schon damals und seitdem unablässig an Bismarcks Sturz arbeitet. Leider gibt es auch hier Leute dieses Schlages, wie z. B. den Großherzog von Weimar.

Denkwürdigkeiten des Generalfeldmarschalls Alfred Grafen von Waldersee. Herausgegeben von H. O. Meisner. Band I, 1922, S. 98 ff.

Über die Juden. – Tischgespräch in Ferrières.

25. September 1870

Tagebuchaufzeichnung von M. Busch.

Fast leerer Tag heute. Nichts von Bedeutung zu verzeichnen. Der Chef war diesen Morgen mit dem König und anderen in der Kirche und nachmittags unsichtbar. Vielleicht ist etwas von besonderer Wichtigkeit im Werke. Bei Tische lenkte irgend etwas das Gespräch auf die Juden. »Sie haben doch eigentlich keine rechte Heimat«, sagte der Chef. »Etwas Allgemein-Europäisches, Kosmopolitisches, sind Nomaden. Ihr Vaterland ist Zion, (zu Abeken) Jerusalem. Sonst gehören sie der ganzen Welt an, hängen durch die ganze Welt zusammen. Nur der kleine Jude hat so was wie Heimatsgefühl. Auch gibt es unter diesen gute rechtschaffne Leute. So war da einer bei uns in Pommern (Name nicht zu verstehen), der handelte mit Häuten und ähnlichen Produkten. Das muß einmal nicht gegangen sein; denn er wurde bankerott. Da kam er zu mir und bat mich, ich sollte ihn schonen und meine Forderung nicht anmelden. Er würde mich schon bezahlen, wenn er könnte, nach und nach. Nach alter Gewohnheit ging ich darauf ein, und er zahlte wirklich. Noch als Bundestagsgesandter in Frankfurt kriegte ich Abzahlungen von ihm, und ich glaube, daß ich, wenn überhaupt etwas, doch weniger als andere verloren habe. Solche Juden wird's freilich vielleicht nicht viele mehr geben. Übrigens haben sie auch ihre Tugenden: Respekt vor den Eltern, eheliche Treue und Wohltätigkeit werden ihnen nachgerühmt.«

M. Busch, Tagebuchblätter. Band I, 1899, S. 236 ff.

Tagebuchaufzeichnungen von M. Busch.

Am Diner nahm heute der Leibarzt des Königs, Dr. Lauer, teil. Das Gespräch drehte sich eine Zeitlang um allerlei Kulinarisches und Gastronomisches.

Dann wandte sich die Unterhaltung militärischen Dingen zu, und der Minister äußerte u. a., die Ulanen wären doch die beste Reiterei. Die Lanze gebe dem Manne großes Selbsvertrauen. Man behaupte, sie hindere im Busch, das sei jedoch irrig; im Gegenteil, sie sei ganz gut zum Wegbiegen der Zweige. Er wisse das aus eigener Erfahrung, da er zwar zuerst bei den Jägern, dann aber als Landwehr-Lanzenreiter gedient habe. Die Abschaffung der Lanze bei der ganzen Kavallerie der Landwehr sei ein Mißgriff. Der gekrümmte Säbel nütze, zumal wenn er schlecht geschliffen sei, nur wenig; viel praktischer sei der gerade Stoßdegen, und dergleichen mehr.

Nach Tische läuft ein Brief von Favre ein, worin er bittet: erstens, daß der Beginn des Bombardements von Paris vorher angezeigt werde, damit das diplomatische Korps sich entfernen könne, zweitens, daß diesem der briefliche Verkehr nach außen gestattet werde. Abeken sagt, als er mit dem Schreiben vom Chef herunterkommt, er werde über Brüssel antworten. »Da kommt der Brief aber spät oder gar nicht an, sondern zu uns zurück«, bemerkte Keudell. »Nun, das schadet ja nichts«, erwiderte Abeken. »Man könnte ihn auch mit einem Parlamentär hineinschicken«, meinte Hatzfeldt. «Unsere Parlamentäre schießen sie uns tot.« »Na, das ist doch wohl nicht so schlimm.« »Nun, wir müssen doch so tun.« Nach dem weiteren Gespräche scheint die Antwort eine bedingt zustimmende zu sein. Abends noch mehrmals zum Chef hinaufgerufen, um Aufträge zu empfangen, erfahre ich u. a., daß »der Bericht Favres über seine Unterredungen mit dem Kanzler zwar das Bestreben, wahrheitsgetreu zu sein, bekundet, aber nicht ganz genau ist, was unter den obwaltenden Umständen und bei drei Besprechungen nicht wunder nehmen kann«. Namentlich tritt darin die Waffenstillstandsfrage zurück, während sie doch im Vordergrunde gestanden hat. Von Soissons ist nicht die Rede gewesen, sondern von Saargemünd. Favre war zu einer erheblichen Geldentschädigung bereit. Die Waffenstillstandsfrage bewegte sich zwischen der Alternative: Erstens Einräumung eines Teils der Befestigungen von Paris, und zwar eines die Stadt beherrschenden Punktes, an uns und dafür Freigebung des Verkehrs der Pariser mit der Außenwelt; zweitens Verzicht auf jene Einräumung, aber Übergabe von Straßburg und Toul. Dieses beanspruchten wir, weil es in den Händen der Franzosen uns die Zufuhr unserer Bedürfnisse erschwert. Über die Abtretung von Gebiet bei einem Friedensschlusse sprach sich der Bundeskanzler zunächst dahin aus, daß er sich über deren Grenzen erst erklären könne, wenn sie im Prinzip angenommen sei. Dann, als Favre wenigstens eine Andeutung über unsere Forderungen in dieser Hinsicht verlangte, wurde ihm bemerkt, daß wir Straßburg, »den Schlüssel zu unserem Hause«, und einen Teil des Mosel-Departements zu unserer Sicherstellung für die Zukunft bedürften. Der Waffenstillstand sollte zum Zweck der Befragung der französischen Volksvertretung abgeschlossen werden.

*

27. September 1870

Beim Diner sind Fürst Radziwill und Knobelsdorff vom Generalstabe anwesend. Als von der Stelle in Favres Bericht über seine Verhandlungen mit dem Chef die Rede ist, wo er geweint haben will, meint der Minister, er habe sich wohl nur so gestellt. »Es ist wahr«, sagte er, »er sah so aus, und ich versuchte ihn einigermaßen zu trösten. Wie ich mir ihn aber genauer betrachtete – ich glaube ganz bestimmt, daß er nicht eine Träne herausgebracht hatte. Er dachte vermutlich mit Schauspielerei auf mich zu wirken wie die Pariser Advokaten auf ihr Publikum. Ich bin fest überzeugt, daß er in Ferrières auch weiß geschminkt war – besonders das zweitemal. An diesem Morgen sah er viel grauer aus – um den Angegriffenen und Tiefleidenden vorzustellen. – Es ist auch möglich, daß es ihm wirklich nahe geht, aber er ist kein Politiker, er sollte wissen, daß Gefühlsausbrüche nicht in die Politik gehören.« Nach einem Weilchen fuhr der Minister fort: »Als ich was von Straßburg und Metz fallen ließ, machte er ein Gesicht, als ob das Scherz von mir wäre. Ich hätte ihm da erzählen können, wie mir einmal – wie heißt er gleich? – der große Kürschner in Berlin Unter den Linden – hm, Salbach – sagte. Ich ging mit meiner Frau hin, um nach einem Pelze zu fragen, und da nannte er mir für den, der mir gefiel, einen hohen Preis. Sie scherzen wohl? versetzte ich. Nein, erwiderte er, in de Geschäfte da scherze ich nich.«

*

28. September 1870

... Dann ging er zu einer längeren Rede über, die in betreff des Bildes, mit dem sie begann, durch einen Fettfleck auf dem Tafeltuche vor ihm beeinflußt war, und die zuletzt den Charakter eines Zwiegesprächs zwischen dem Minister und Katt annahm. Er sagte (wörtlich): »Der Fettfleck (d. h. das Gefühl, daß es schön sei) zu sterben für Vaterland und Ehre, auch ohne Anerkennung, greift immer tiefer in die Haut der Bevölkerung, seit er mit Blut getränkt ist – breitet sich immer mehr aus. – Der Unteroffizier hat ja doch im ganzen dieselbe Ansicht und dasselbe Pflichtgefühl wie der Leutnant und der Oberst – bei uns Deutschen. Das geht bei uns überhaupt sehr tief in alle Schichten der Nation. – Die Franzosen sind eine leicht unter einen Hut zu bringende Masse, die dann sehr mächtig wirkt. Bei uns hat jeder seine eigene Meinung. Aber wenn sie einmal in großer Zahl dieselbe Meinung haben, ist viel mit den Deutschen anzufangen. Wenn sie sie alle hätten, wären sie allmächtig. – Das Pflichtgefühl des Menschen, der sich einsam im Dunkeln totschießen läßt (er meinte damit wohl, ohne an Lohn und Ehre für seine Standhaftigkeit auf dem ihm zugewiesenen Posten zu denken, ohne Furcht und ohne Hoffnung), haben die Franzosen nicht. Und das kommt doch von dem Reste von Glauben in unserem Volke, davon, daß ich weiß, daß jemand ist, der mich auch dann sieht, wenn der Leutnant mich nicht sieht.« »Glauben Sie, Exzellenz, daß sie darüber nachdenken?« fragte Fürstenstein. »Nachdenken – nein, es ist ein Gefühl, eine Stimmung, ein Instinkt meinetwegen. Wenn sie nachdenken, kommen sie darüber hinweg. Dann reden sie sichs aus.« – »Wie man ohne Glauben an eine geoffenbarte Religion, an Gott, der das Gute will, an einen höheren Richter und ein zukünftiges Leben zusammenleben kann in geordneter Weise – das Seine tun und jedem das Seine lassen, begreife ich nicht.« Der Großherzog von Weimar wird gemeldet. »Ich glaube auch an dessen Offenbarung«, sagt der Chef. »Er mag übrigens warten.« Dann fährt er fort, wohl noch eine Viertelstunde, wobei er zuweilen von seinem eigentlichen Thema abspringt und oft denselben Gedanken mit anderen Worten wiederholt. »Wenn ich nicht mehr Christ wäre, diente ich dem König keine Stunde mehr. Wenn ich nicht auf meinen Gott rechnete, so gäbe ich gewiß nichts auf irdische Herren. Ich hätte ja zu leben und wäre vornehm genug und brauchte sie nicht. – Warum soll ich mich vergreifen und unverdrossen arbeiten in dieser Welt, mich Verlegenheiten und übler Behandlung aussetzen, wenn ich nicht das Gefühl habe, Gottes wegen meine Schuldigkeit tun zu müssen. Wenn ich nicht an eine göttliche Ordnung glaubte, die diese deutsche Nation zu etwas Gutem und Großem bestimmt hätte, so würde ich das Diplomatengewerbe gleich aufgeben oder das Geschäft gar nicht übernommen haben! Orden und Titel reizen mich nicht. Der entschlossene (soll wohl heißen, feste, zuversichtliche, zur Betätigung bereite) Glaube an ein Leben nach dem Tode – deshalb bin ich Royalist, sonst wäre ich von Natur Republikaner. – Ja, ich bin Republikaner – im höchsten Grade, und ich habe die Standhaftigkeit, die ich zehn Jahre lang an den Tag gelegt habe gegen alle möglichen Absurditäten, nur aus meinem entschlossenen Glauben. Nehmen Sie mir diesen Glauben, und Sie nehmen mir das Vaterland. Wenn ich nicht ein strammgläubiger Christ wäre, wenn ich die wundervolle Basis der Religion nicht hätte, so würden Sie einen solchen Bundeskanzler gar nicht erlebt haben. – Hätte ich die wundervolle Basis der Religion nicht, so wäre ich dem ganzen Hofe schon längst mit dem Sitzzeug ins Gesicht gesprungen, und schaffen Sie mir einen Nachfolger mit jener Basis, so gehe ich auf der Stelle. Aber ich lebe unter Heiden. Ich will keine Proselyten damit machen, aber ich habe das Bedürfnis, diesen Glauben zu bekennen.« Katt meinte, aber die Alten, die Griechen hätten doch auch Selbstverleugnung und Hingebung gezeigt, sie hätten Vaterlandsliebe gehabt und Großes getan mit ihr. Er sei überzeugt, daß viele Leute jetzt gleiches täten aus Staatsgefühl, aus dem Gefühl der Zusammengehörigkeit. Der Chef erwiderte, diese Selbstverleugnung und Hingebung an die Pflicht gegen den Staat und den König sei bei uns eben nur der Rest des Glaubens der Väter und Großväter in verwandelter Gestalt, »unklarer und doch wirksam, nicht mehr Glaube und doch Glaube. – Wie gerne ginge ich! Ich habe Freude am Landleben, an Wald und Natur. Nehmen Sie mir den Zusammenhang mit Gott, und ich bin ein Mensch, der morgen einpackt und nach Varzin ausreißt und seinen Hafer baut. Sie nehmen mir dann meinen König. Denn warum, wenn es nicht göttliches Gebot ist – warum soll ich mich denn diesen Hohenzollern unterordnen? Es ist eine schwäbische Familie, die nicht besser ist als meine, und die mich dann gar nichts angeht. Ich wäre dann schlimmer als Jacoby, den man sich dann schon gefallen lassen könnte als Präsidenten – oder auch als König.« Keudell sagte mir diesen Abend draußen vor dem Schlosse, in ähnlicher Weise habe sich der Chef schon mehrmals geäußert.

M. Busch, Tagebuchblätter. Band I, 1899, S. 237 ff., S. 242 ff., S. 246 ff.

Selbst bei Kriegserklärungen ist man höflich.

10. Oktober 1870

Am 5. Oktober erfolgte die Abfahrt von Ferrières und die Ankunft in Versailles. Der Bundeskanzler bezog im Haus der Witwe eines Tuchfabrikanten in der Rue de Provence Quartier. – Tagebuchaufzeichnung von M. Busch.

Beim Essen wurde zunächst von der Unterredung des Königs mit Napoleon im Schlößchen Bellevue bei Sedan gesprochen, über die Russell in der Times ausführlich berichtet hatte, während sie doch eine Unterredung unter vier Augen gewesen war, und selbst der Kanzler von ihr nur insofern wußte, als der König ihm die Versicherung gegeben hatte, es sei dabei kein Wort von Politik gesprochen worden. »Es wäre auch«, bemerkte der Kanzler, »in der Tat nicht schön, wenn unser Allergnädigster Herr nur gegen seine Minister nicht indiskret sein wollte. – Übrigens hat Russell seinen Bericht unzweifelhaft vom Kronprinzen.« Jemand brachte dann, ich weiß nicht mehr wie und woher, die Unterhaltung auf gefährliche und schwindelerregende Touren, und der Minister erzählte verschiedene in dieses Kapitel gehörige Wagstücke. »Da erinnere ich mich«, sagte er, »ich war einmal mit einer Gesellschaft, unter der sich auch die Orlows befanden, im südlichen Frankreich beim Pont du Gard. Es ist das eine alte Wasserleitung aus römischer Zeit, die in mehreren Etagen über ein Tal weggeht. Da sagte die Fürstin Orlow, eine lebhafte Frau, wir wollten oben darübergehen. Das war ein sehr schmaler Gang neben der Rinne, nur etwa anderthalb Fuß breit, dann die tief eingeschnittene Rinne, und auf der anderen Seite wieder eine Mauer mit Platten darauf. – Die Sache war nicht unbedenklich, aber ich konnte mich doch von einem Frauenzimmer nicht an Mut übertreffen lassen. So unternahmen wir beide denn das Kunststück. Er aber ging mit den anderen unten im Tale hin. Eine Weile schritten wir auf Platten fort, und da ging es gut auf der schmalen Kante, von der man in eine Tiefe von mehreren hundert Fuß hinabsah. Dann aber waren die Platten weggefallen, und man ging über eine bloße schmale Mauer. Eine Strecke weiterhin kamen wir zwar wieder auf ein Stück mit Platten, aber dann gab's wieder nur die unsichere Mauer. Da faßte ich mir ein Herz, schritt rasch auf sie zu, faßte sie mit dem einen Arm und sprang mit ihr in die vier bis fünf Fuß tiefe Rinne hinunter. Aber die unten, die uns nun plötzlich nicht mehr sahen, hatten die größte Angst, bis wir endlich drüben wieder erschienen.«

Abends ließ der Chef mich auf sein Zimmer rufen, um mir einen Auftrag in betreff Garibaldis zu erteilen, der nach telegraphischer Meldung in Tours angekommen war und der französischen Republik seine Dienste gegen uns angeboten hatte. Dann fuhr der Kanzler fort: »Aber sagen Sie einmal, warum sind Sie nur in dem, was sie schreiben, mitunter so massiv? Ich weiß zwar nicht den Wortlaut des Telegrammes wegen Russells. Aber auch das, was Sie neulich bei Braß über die Ultramontanen sagten, war sehr stark in den Ausdrücken. Die Sachsen gelten doch sonst für höfliche Leute, und wenn Sie der Hofschriftsteller des Auswärtigen Amtes sein wollen, so sollten Sie nicht so hagebüchen sein.« Ich erlaubte mir zu erwidern, ich könnte auch artig sein und glaubte mich auf die feine Malice zu verstehen. »Nun, dann seien Sie fein, aber ohne Malice, schreiben Sie diplomatisch; selbst bei Kriegserklärungen ist man ja höflich«, entgegnete er.

M. Busch, Tagebuchblätter. Band I, 1899, S. 283 ff.

Zwischen Politik und Krieg. – Tischgespräche in Versailles. 14. Oktober 1870

Tagebuchaufzeichnung von M. Busch.

Bis Mittag fleißig gewesen für die Post. Später nach London und Brüssel telegraphiert wegen Ducrots unwahren Behauptungen in der Liberté. Desgleichen gemeldet, daß General Boyer, der erste Adjutant Bazaines, aus Metz als Unterhändler in Versailles eingetroffen ist. Der Chef scheint indes mit ihm heute noch nichts Ernstes vornehmen zu wollen. Er sagte im Büro: »Was haben wir heute für einen?« – »Den vierzehnten, Exzellenz.« – »So, da war Hochkirch und Jena. Das sind preußische Unglückstage. Da muß man keine Geschäfte abschließen.«* Auch wird zu beachten sein, daß wir heute Freitag haben.

* Bismarck hat aber an diesem Tag noch den General gesprochen. Boyer hatte auf Beschluß des französischen Kriegsrates in Metz vom 10. Oktober in Versailles den freien Abzug der Armee aus der Festung nach dem inneren Frankreich vorzuschlagen, wo sie die Regentschaft der Kaiserin erklären und der gesetzgebende Körper wieder einberufen werden sollte. Mit den deutschen Gegenvorschlägen verließ er am 15. Oktober wieder Versailles und erstattete am 18. Oktober in Bazaines Hauptquartier Bericht.

Während des Diners bemerkte der Chef, nachdem er einen Augenblick nachgesonnen hat, lächelnd: »Ich habe einen Lieblingsgedanken in bezug auf den Friedensschluß. Das ist, ein internationales Gericht niederzusetzen, das die aburteilen soll, die zum Kriege gehetzt haben – Zeitungsschreiber, Deputierte, Senatoren, Minister.« Abeken setzt hinzu, auch Thiers gehöre unmittelbar dahin, und zwar ganz vorzugsweise wegen seiner chauvinistischen Geschichte des Konsulats und des Kaiserreichs. – »Auch der Kaiser, der doch nicht so unschuldig ist, wie er sein will«, fährt der Minister fort. »Ich dachte mir von jeder Großmacht gleichviel Richter, von Amerika, England, Rußland usw., und wir wären die Ankläger. Indes werden die Engländer und Russen nicht darauf eingehen, und da könnte man das Gericht aus den Nationen, die davon am meisten gelitten haben, zusammensetzen, aus französischen Deputierten und Deutschen.«

*

Versailles, 15. Oktober 1870

Nach vier Uhr ließ sich ein schlanker, wohlgekleideter Neger beim Minister melden. Auf seiner Karte stand: »General Price, Gesandter der Republik Hayti.« Der Chef bedauerte, ihn wegen dringender Geschäfte nicht empfangen zu können (Moltke und Roon waren wieder oben), was er wünsche, möge er schriftlich vortragen. Um fünf Uhr kam auch der Kronprinz zur Beratung des Kanzlers mit den Generalen. Übrigens schien man zwischen hier und Metz noch verschiedener Meinung zu sein. Wenigstens erzählt Hatzfeldt, der Chef habe dem Prinzen Friedrich Karl (wohl durch den Rittmeister Millson, den preußischen Begleiter Boyers) sagen lassen, er solle »ihm seine Kreise nicht stören«. Auch von anderer Seite wirken Ursachen erschwerend auf die Entwicklung dessen ein, was der Kanzler als Politiker im Auge hat. So äußerte er bei Tische: »Es ist recht lästig, daß ich jeden Plan, den ich habe, erst mit fünf oder sechs Personen besprechen muß, die in der Regel nichts davon verstehen, und deren Einreden ich anzuhören und höflich zu widerlegen genötigt bin. So habe ich in der letzten Zeit drei volle Tage mit einer Sache verbringen müssen, die ich unter anderen Umständen in drei Minuten hätte erledigen können. Es ist gerade, wie wenn ich in die Anlage einer Batterie an dem oder jenem Orte hineinreden wollte, und der betreffende Offizier mir, der ich von seinem Gewerbe nichts verstehe, Rechenschaft geben sollte.«

Später erzählte er: »Gestern hatte ich Moltke und Roon bei mir und trug ihnen eine Sache vor.* Roon, der an parlamentarisches Verhalten gewöhnt ist, schwieg, ließ mich reden und stimmte dann bei. Moltke mit seinem Raubvogelprofil, das immer raubvogelartiger wurde, schien auch zuzuhören. Als ich aber fertig war, brachte er etwas ganz und gar anderes vor, woraus ich sah, daß er auf meine Auseinandersetzung gar nicht achtgegeben, sondern ganz andere Gedanken für sich ausgegesponnen hatte. – Moltke ist ein sehr gescheiter Kopf, und ich bin überzeugt, er hätte anfangen können, was er wollte, er würde etwas Respektables geworden sein. So aber hat er sich jahrelang immer nur mit einem und demselben beschäftigt, und so hat er auch nur dafür Sinn und Interesse. – Ich war sehr verdrießlich darüber, so in den Wind gesprochen zu haben. Ich rächte mich aber. Statt es ihm nochmals auseinanderzusetzen, sagte ich zu Roon. ›Sie haben Ihre Meinung abgegeben, also sind Sie mir bei meinem Vortrage gefolgt. Haben Sie nun die Güte, die Angelegenheit noch einmal zu entwickeln.‹« Über seine Unterhandlungen mit Boyer und deren Aussichten ließ er nichts verlauten. Auch Hatzfeldt und Keudell wußten davon nichts und rieten bloß.

M. Busch, Tagebuchblätter. Band I, 1899, S. 292, S. 298 ff.

Friedensfühler des Erzbischofs von Orleans. – Gespräch mit dem Abgeordneten Grafen Frankenberg.

17. Oktober 1870

Graf Frankenberg gehörte als Armee-Delegierter der freiwilligen Krankenpflege dem Hauptquartier der kronprinzlichen Armee an. Nach der Einnahme von Orleans wurde ihm die Einrichtung der dortigen Lazarette übertragen. Dadurch kam er mit dem Erzbischof von Orleans, Dupanloup, in Berührung. Als Führer der legitimistisch gesinnten katholischen Geistlichkeit Frankreichs wandte sich dieser an den katholischen Frankenberg, um ihn für die Vermittlung eines Friedensfühlers zu gewinnen. Der Bischof hielt die durch Bismarck Jules Favre gegenüber ausgesprochenen Bedingungen für berechtigt und tragbar und knüpfte daran an. Sein Plan ging von der Zurückführung des legitimen Thronerben, des Grafen v. Chambord, aus. Als den einzigen Mann in Frankreich, der genügend Auto-

* Es handelte sich um die Verhandlung mit Bazaine, über die auch Kaiser Friedrichs Tagebuch berichtet, unterm 14. Oktober.

rität zum Abschluß eines Friedens besäße, empfahl er Thiers. Graf Frankenberg übernahm es, dem König und Bismarck die Gedanken Dupanloups zu übermitteln. Seine Aufzeichnungen über diese Verhandlungen hat Poschinger in den Kriegstagebüchern des Grafen Frankenberg veröffentlicht.

Am Morgen ging ich zu Bismarck. Er lag an einem Fußübel zu Bett, ließ mich aber sofort vor. Ich stellte meinen Stuhl zu seinen Füßen so hin, daß ich ihm voll ins Gesicht sehen konnte, und begann meinen Bericht. Als ich die Vorbedingung erwähnte, die der Bischof stellte, daß nämlich Napoleon von uns nicht zurückgeführt werden solle, sagte er lächelnd: »Das können wir ruhig akzeptieren!« – »Dann freue ich mich, Exzellenz«, fuhr ich fort, »wohl das Richtige getroffen zu haben, wenn ich dem Bischof sagte, Frankreich werde ohne unsere Einmischung seine Angelegenheiten regeln können, sobald Friede sei.« Der Graf nickte verschmitzt und zog sich die Decke höher herauf. Als ich ihm sagte, Dupanloup habe die Forderungen seiner Zirkulardepesche* für annehmbar und angemessen erklärt, stieß er die Decke wieder zurück, hob sich auf den Ellenbogen und sagte: »Das ist mir lieb zu erfahren, das ist mir sehr wichtig!« Als ich von Thiers sprach, unterbrach er mich: »Ich kann ihn jeden Tag hier eintreffen sehen. Er hat schon selbst angefragt von Florenz aus, ob er ins Hauptquartier kommen dürfe. Seine Mission an allen Höfen hat vollständig Fiasko gemacht, und es soll mir angenehm sein, ihn jetzt zu sehen. Ich mache Frieden mit dem, der uns die günstigsten Bedingungen und Garantien bietet. Sie müssen nun Dupanloup antworten, daß seine Intermediation günstig aufgenommen sei, daß sein Freund hier erwartet werde, und in betreff Napoleons drücken Sie sich vorsichtig aus, sagen Sie: die Ansicht, die Sie neulich Monseigneur gegenüber ausgesprochen hätten, scheine dem Willen an maßgebender Stelle zu entsprechen. Fügen Sie dann noch eins bei: Wir unterhandeln mit Metz. Bazaine und seine Armee sind immer noch gut kaiserlich, und der Marschall will sich nur auf Befehl Napoleons ergeben. Der Bischof soll nicht ignorieren, welche verschiedenen Strömungen in Frankreich herrschen, und wie nötig darum der Friede mit dem äußeren Feinde ist.« Ich sprach die Hoffnung aus, Metz bald kapitulieren zu sehen. »In acht Tagen, meine ich, können wir darauf rechnen«, entgegnete der Kanzler, »die Unterhandlungen gehen langsam. Jetzt verlangt Bazaine noch, mit Armee und Waffen nach Belgien übertreten zu dürfen, um

* Vgl. Gespräch vom 26. September 1870, S. 310 dieses Bandes.

sich dort kriegsgefangen zu geben. Diesem Spiel aber trauen wir nicht, wir bestehen auf den Bedingungen von Sedan. General Bourbaki ist leider nach Metz nicht mehr hineingelassen worden, nachdem er bei der Kaiserin gewesen war, die übrigens jetzt Republik spielt! Dem sauf conduit des Königs zum Trotz hielt ihn Prinz Friedrich Karl während drei Tagen in Luxemburg hin und bombardierte uns inzwischen mit Depeschen, um die Gefahr der Rückkehr dieses Generals in die Festung zu erweisen. Die Insubordination in diesem Kriege (er münzte dies auf Steinmetz) hat uns immer Unglück gebracht. Wäre Bourbaki zu den Garden zurückgekommen, so war er unschädlich und hätte noch mehr Konfusion in den Generalsrat hineingebracht. Jetzt ist er wütend nach dem Süden gegangen, und in Tours, wo man so dringend eines Mannes bedarf, um uns viel Schaden zu tun, kann man ihn brauchen.«

Bismarck plauderte noch eine Weile weiter und ließ mich Einblicke in die heillose Verwirrung tun, die jetzt Frankreich zerrüttet. Ich fühlte überall durch, wie er sie mit schlauer Berechnung schürte und auszubeuten beabsichtigte. Wahrhaftig, sein fortgesetzter diplomatischer Feldzug geht Hand in Hand mit den militärischen Operationen und ist für Frankreich nicht minder vernichtend als diese.

Ich zog mich zurück, dem Minister gute Besserung wünschend. »Es ist gar nichts«, sagte er, »eigentlich wollte ich heute auf die Jagd fahren, aber das Stehen auf einem Fleck macht mir Schmerzen. Morgen wird's wieder gut sein.« In der Tat, am anderen Nachmittag, als zur Feier des Geburtstages des Kronprinzen die Wasser im Park sprangen, ritt Bismarck ganz vergnügt mit im Gefolge des Königs. Er kam auf mich los und fragte: »Haben Sie schon an den Bischof* geschrieben?« – »Jawohl, Exzellenz«, antwortete ich, »der Brief liegt schon bei den Depeschen, die an General von der Tann abgehen.«

Graf Frankenberg, Kriegstagebücher 1866 und 1870/71.
Herausgegeben von H. v. Poschinger. 1896, S. 173 ff.

* Über den Verlauf der Verhandlungen mit Dupanloup berichtet F. wie folgt: Ich wechselte infolgedessen drei Briefe mit Monseigneur Felix, die sich mit Krankenpflege, Genfer Konvention, Kriegskontribution und Friedensbedingungen beschäftigten. Der Schluß war der, daß am 3. November der Erzbischof so ziemlich alles zurückzuziehen versuchte, was er früher angeboten hatte. Als ich diesen Brief dem Kanzler vorlas, lachte er und sagte: »Aha, die Armee Gambettas nähert sich der Loire, da ist in Orleans der Wind umgeschlagen!«

Der alte Zwist. – Gespräch mit dem Flügeladjutanten Grafen Waldersee in Versailles. 19. Oktober 1870

Tagebuchaufzeichnung Waldersees vom 23. Oktober 1870, mit späteren Zusätzen.

Leider ist der alte Hader zwischen Bismarck und dem Generalstab noch nicht zu Ende, im Gegenteil, er steht in vollster Blüte. Beide Teile haben schuld. Bismarck ist ein unversöhnlicher Feind, und andere Sorge macht ihn wohl noch reizbarer. Moltke hat persönlich der Sache eigentlich ganz fern gestanden; dergleichen ist auch nicht seine Art, dazu ist er eine viel zu vornehme Natur; aber seine Herren, namentlich das Kleeblatt Bronsart, Verdy und Brandenstein (die drei Chefs) und von diesen geleitet der ...* Podbielski, hetzen gründlich und tun dadurch vielen Schaden. Ich habe es ihnen neulich auch gehörig gesagt, sie haben aber dann immer einen Haufen von Anklagen gegen Bismarck bei der Hand. Daß dieser in solchen Dingen Dingen kleinlich sein kann**, weiß ich sehr gut. Im Generalstab beklagte man sich darüber, daß er seiner Frau alles schrieb, und daß infolgedessen in deren Salon über beabsichtigte Operationen gesprochen worden wäre, die man nicht einmal den Oberkommandos mitgeteilt habe, die aber auf diese Weise durch russische und englische Diplomaten zu Ohren der Franzosen kämen. Neuerdings beklagt Bismarck sich, daß man ihm nicht genug von den beabsichtigten Operationen mitteile und hält das für Bosheit. Er sagt, er müsse als Bundeskanzler und Auswärtiger Minister in alles eingeweiht sein. Im allgemeinen hat er recht, nur darf er darin auch nicht zu weit gehen. Daß solcher Hader besteht, ist recht traurig. Glücklicherweise steht der König über jeder solchen Kleinlichkeit, und man muß deswegen noch ganz besondere Hochachtung vor ihm haben ...

Am 19. Oktober dinierte ich bei Bismarck; am Kamin bei der Zigarre sagte er mir, es wäre sehr erwünscht, daß bald irgendeine große Entscheidung fiele, besonders, wenn Metz oder Paris sich ergeben wollten, da die Großmächte wieder anfingen, unbequem zu werden. »Ich habe sie mir bisher vom Leibe gehalten infolge der großen und schnellen Siege, nun, wo wir seit vier

* Auslassung im Text! Dem Herausgeber der Waldersee-Denkwürdigkeiten erschien die Wiedergabe der ausgelassenen Stellen »aus inhaltlichen Gründen« nicht möglich.

** Nach Angabe des Herausgebers H. O. Meisner ein späterer Zusatz.

Wochen vor Paris stillstehen und es sich im Lande überall zu regen anfängt, werden sie zudringlicher.« Im weiteren Gespräch wurde die bayerische Armee berührt. Bismarck erzählte, er habe auf dem Marsche des Großen Hauptquartiers von Ferrières nach Versailles bei den bayerischen Truppen – es waren längs der Straße u. a. auch erhebliche Teile des Hartmannschen Korps aufgestellt – verhältnismäßig wenige Eiserne Kreuze gesehen, dies bedauert und vor einigen Tagen mit dem Kronprinzen darüber gesprochen. Dieser habe ihm erwidert, die Bayern hätten zahlreiche Eiserne Kreuze erhalten, aber natürlich nicht soviel wie unsere Truppen. Auf die Bemerkung Bismarcks, es scheine ihm doch sehr erwünscht, die Süddeutschen möglichst gleich zu behandeln, da doch bei ihnen die Auszeichnungen eine große politische Bedeutung hätten, kam vom Kronprinzen die Antwort: »Hat mir der König von Bayern doch den Hubertusorden noch nicht gegeben, während der König von Sachsen, dessen Truppen nicht einmal unter meinem Befehl stehen, mir schon den Heinrichsorden verliehen hat.«

Denkwürdigkeiten des Generalfeldmarschalls Alfred Grafen von Waldersee. Herausgegeben von H. O. Meisner. Band 1, 1922, S. 103 ff.

Politik fragt nicht nach Gefühlen. – Tischgespräche in Versailles. 20. Oktober 1870

Tagebuchaufzeichnung von M. Busch. – Johann Jacoby, der bekannte Königsberger Demokrat, war auf Befehl des Generalgouverneurs der Küstenlande Vogel von Falckenstein am 20. September verhaftet und nach der Festung Lötzen gebracht worden, weil er in einer öffentlichen Versammlung gegen die Annexion von Elsaß und Lothringen gesprochen hatte. Auf sein Gesuch um Freilassung, das er am 26. September an den Bundeskanzler richtete, wurde er am 26. Oktober freigelassen.

Bei Tische war unter anderem wieder von der Verhaftung Jacobys durch die Militärbehörde die Rede, und der Chef äußerte, wie früher schon, starke Zweifel an der Opportunität der Maßregel. Bismarck-Bohlen sprach seine Freude darüber aus, daß man »den faulen Schwätzer eingespunden habe«. Der Kanzler aber erwiderte, recht bezeichnend für seine Denkart: »Ich freue mich darüber ganz und gar nicht. Der Parteimann mag das tun, weil seine Rachegefühle dadurch befriedigt werden.

Der politische Mann, die Politik kennt solche Gefühle nicht. Die fragt nur, ob es nützt, wenn politische Gegner mißhandelt werden.«

*

23. Oktober

Als Delbrück erwähnte, daß Bayern bei den vorläufigen Verhandlungen über eine neue Organisation Deutschlands Anspruch auf eine Art Mitvertretung des Bundesstaats im Auslande erhoben habe, die man sich so vorstelle, daß, wenn der preußische oder vielmehr der deutsche Botschafter abwesend sei, der bayerische die Geschäfte fortführe, sagte der Chef: »Nein, alles andere, aber das geht wirklich nicht; denn es kommt doch nicht auf den Gesandten an, sondern auf die Instruktionen, die er bekommt, und da hätten wir zwei Minister des Auswärtigen für Deutschland«, was er dann weiter ausführte und mit Beispielen belegte.

M. Busch, Tagebuchblätter. Band I, 1899, S. 306, S. 322 ff.

Das Friedensangebot der Kaiserin-Regentin. – Gespräch mit Theophile Gautier fils in Versailles. 24. Oktober 1870

Nach der Gefangennahme Napoleons bei Sedan war Frankreich ohne verhandlungsfähige Staatsgewalt. Die Kaiserin-Regentin war nach England geflüchtet. Bevor die republikanische Regierung in Paris sich völlig durchgesetzt hatte, mußte auf deutscher Seite auch jede andere mögliche Autorität berücksichtigt werden, wenn mit ihr zum Frieden zu gelangen war. Jules Favre hatte sich als Vertreter der neuen Regierung an Bismarck gewandt und am 19. und 20. September mit ihm verhandelt. Am 20. September war ferner im Hauptquartier ein gewisser Regnier erschienen*, der sich der Kaiserin-Regentin aufgedrängt hatte und in ihrem Interesse wirken wollte. Er stellte dann die Verbindung zwischen der Kaiserin und dem Marschall Bazaine her, der, in Metz eingeschlossen, den Oberbefehl über die Reste des kaiserlichen Heeres innehatte. In Zusammenhang damit schickte Bazaine am 12. Oktober den General Boyer mit einem Friedensanerbieten an Bismarck, das von der Restauration der napoleonischen Dynastie ausging. Die Kaiserin ihrerseits nahm die angesponnenen Fäden auf und schickte einen direkten Abgesandten in das

* Vgl. die Anmerkung auf S. 306 dieses Bandes.

deutsche Hauptquartier. Sie wählte zu dieser Mission den ebenfalls nach England geflüchteten kaiserlichen Präfekten Th. Gautier, den Sohn des Dichters, der am 23. Oktober in Versailles mit einem Briefe an König Wilhelm eintraf. Er hatte hier bei der Ausführung seines Auftrages Gelegenheit, mit Bismarck zu reden, der alle diese von napoleonischer Seite kommenden Friedensfühler, wie auch die der Legitimisten (vgl. Gespräch vom 17. Oktober 1870 mit Graf Franckenberg. S. 317 dieses Bandes), als willkommene Druckmittel für seine Verhandlungen mit den Republikanern benutzte, hinter denen die größere Macht stand und deren Herrschaft nach seinen Anschauungen für Deutschland günstig war. Durch den Fall von Metz, der in diesen Tagen eintrat, wurde einer napoleonischen Restauration völlig der Boden entzogen, und Bismarck brach die Unterhandlungen ab.

Gautier hat über seinen Besuch in Versailles Erinnerungen verfaßt, die in deutscher Sprache, als Übersetzung der französischen Publikation in der Revue de Paris, August 1903, in Velhagen und Klasings Monatsheften (1912/13, II. III.) erschienen sind. Die folgenden Unterhaltungen sind diesen Erinnerungen entnommen.

Es war am Sonntag, dem 23. Oktober. Ich begab mich sofort nach dem Frühstück in das vom Grafen von Bismarck bewohnte Haus in der Provencer Straße. Ich wurde von dem Grafen von Hatzfeld empfangen, dem ich oft in Paris begegnet war, wo er, vor dem Kriege, Sekretär der deutschen Gesandtschaft war. Nachdem er die Befehle des Kanzlers entgegengenommen hatte, teilte mir Herr von Hatzfeldt mit, daß der Graf mich am folgenden Tage um halb fünf empfangen würde ...

Ich kehre am andern Tage zu der bezeichneten Stunde in die Provencer Straße zurück. Ein Unteroffizier geleitet mich in ein Gemach von sehr beschränkten Raumverhältnissen, das, mit grauem Papier tapeziert, durch ein Fenster mit grünen Vorhängen schlecht beleuchtet wird und das sehr bescheiden möbliert ist. Fast in demselben Augenblick, wo ich eintrete, erscheint aus dem angrenzenden Zimmer der Graf von Bismarck, mit seiner hohen Gestalt, seinen breiten Schultern, die durch den Schnitt seines Waffenrocks noch mächtiger erscheinen, mit seinem roten und aufgedunsenen Gesicht, seinen an eine Bulldogge erinnernden Kinnladen, die ihm wirklich einen wilden Ausdruck verleihen.

Man ist sich sofort darüber klar, daß diese Kinnladen niemals die einmal ergriffene Beute wieder loslassen werden. Seine Verbindlichkeit, eine gewisse gutmütige Art zu reden, sind nicht minder eindrucksvoll und gleichen den verwirrenden Eindruck, den man bei seinem ersten Anblick empfindet, einigermaßen aus.

Die rauhe Stimme des Kanzlers paßt zu seiner äußeren Erscheinung; er spricht ohne Emphase, ziemlich langsam und in einem sehr korrekten Französisch, mit leichtem Akzent. Sein Stil ist außerordentlich gut, manchmal sogar malerisch, und jedes Wort bezeichnet auf das genaueste den Gedanken, den er ausdrücken will. Ich überreiche dem Grafen den Brief, den ich zu überbringen beauftragt bin und der für den König Wilhelm bestimmt ist. Nachdem der Kanzler mich gefragt, wie meine Reise vonstatten gegangen und sich davon versichert hatte, daß man mich korrekt behandelt habe, ging er sofort auf die Hauptsache über.

Zuerst teilte er mir den Verlauf der seit meiner Abreise von London, das heißt seit dem 10. Oktober, stattgefundenen Unterhandlungen mit; er setzte mich in Kenntnis von der Mission des Generals Boyer, der von Metz nach Versailles gekommen war und der nun nach London gehen sollte. In Versailles hatte der General Boyer erklärt, daß die Befehlshaber der Armee von Metz dem Kaiser ganz ergeben wären, aber daß, ehe sie ihre wirksame Hilfe versprechen könnten, es notwendig sei, sich der Stimmung ihrer Truppen zu versichern, und das könnte man nicht, so sagten sie, ohne der Armee das Bestehen oder wenigstens das unmittelbare Bevorstehen eines Vertrages zwischen dem König und der Kaiserin-Regentin bekanntzugeben. Eine der Klauseln dieses vom General Boyer vorgeschlagenen Vertrages würde die französische Armee autorisieren, Metz zu verlassen, um sich auf ein neutrales Gebiet zu begeben, wo die Vertreter der Macht, so wie sie vor dem 4. September sich konstituiert hatte, über die Form der zukünftigen Regierung entscheiden würden. Graf Bismarck seinerseits aber erklärte, nicht daran denken zu können, einen Vertrag abzuschließen, wenn er keine Garantie für die Vollstreckung der Klausel habe, und die einzige Garantie hierfür bestehe darin, daß die Armee von Metz von den Befehlshabern der deutschen Armee eingeschlossen bleibe, und da diese sie um keinen Preis entwischen lassen wollte, befand man sich in einer unangenehmen Lage, aus der sich zu befreien nicht möglich schien. Außerdem hatte Herr von Bernstorff, der preußische Gesandte in London, eine Depesche gesandt, die Graf Bismarck mir vorlas und nach der General Boyer seine Mission für beendet hielt. Obgleich der Kanzler dies nicht offiziell erklärte, so war es doch offenbar, daß Prinz Friedrich Karl, der deutlich erkannte, daß die Lage des belagerten Metz täglich unhaltbarer wurde, sich jeder Unterhandlung widersetzen würde, die die Kapitulation der Armee Bazaines verzögern könnte. Das war das unüberwindliche Hindernis.

Ich war von Herrn Rouher* ermächtigt worden, dem Kanzler Friedensbedingungen vorzuschlagen und ihm darzulegen, welche äußersten Opfer die Kaiserin-Regentin im Namen Frankreichs bewilligen zu können glaubte. Diese Bedingungen waren dem Grafen von Bismarck teilweise bekannt; er forderte mich jedoch auf, sie ihm noch einmal mitzuteilen. Dies sind die wesentlichsten Punkte: Die Festungswerke von Straßburg und die dazu gehörigen Forts, sowie alle militärischen Anlagen werden vollständig zerstört und geschleift, und zwar so, daß man sie niemals wieder herstellen kann. Straßburg wird zu einer freien Stadt erklärt, die von einem Gebiet umgeben wird, das ausreichend für ihren materiellen und finanziellen Bedarf ist; die Stadt erhält eine unabhängige Verwaltung, ähnlich der, wie sie Frankfurt am Main vor 1866 besaß und wie sie heute noch in Hamburg besteht. Das, was noch vom Departement des Niederrheins zurückbliebe, nachdem man die an die Stadt Straßburg abzutretenden Kantons davon abgetrennt haben würde, sowie die Departements des Oberrheins, der Meurthe und der Mosel würde Frankreich behalten. Frankreich würde Preußen eine Kriegsentschädigung von zwei Milliarden zahlen: diese Zahlung sollte nach Unterzeichnung des Friedens in fünfprozentigen französischen Wertpapieren ausgezahlt werden, die eine Garantie für mögliche Kursschwankungen bieten würden. Ich stellte dem Kanzler vor, daß die drei Millarden, die der Krieg uns schon kostete, die zwei Milliarden, die wir Deutschland zu zahlen hätten, die Millionen indirekter Kontributionen, die von den Okkupationstruppen an Ort und Stelle von dem französischen Schatze erhoben seien, schon ein Kapital darstellten, dessen Zinsen zu decken man dem Volke vier- oder fünfhundert Millionen neuer und fortlaufender Steuern auferlegen müsse. War das Lösegeld nicht groß genug und hatte etwa der Sieger nicht eine genügende Garantie gegen jede Anwandlung von Revanche in der vollständigen Erschöpfung, die das Ergebnis so drückender Bedingungen sein würde?

Endlich bot man Deutschland die Abtretung von Cochinchina an: es war ein sehr aussichtsvoller Besitz, der schon jetzt unter

* Vor dem Sturz des Kaiserreichs war Rouher, der sich jetzt in England aufhielt, Senatspräsident.

der weisen Verwaltung der Marine nicht nur die dafür gemachten Auslagen deckte, sondern sogar noch dem Mutterland einen bedeutenden Überschuß einbrachte. Bei dem Namen von Cochinchina zuckte der Graf, der bisher zugehört hatte, ohne mich zu unterbrechen, leicht die Achseln, und mit dem Instinkte der bekannten preußischen Knauserigkeit, die bei ihm noch nicht durch den Größenwahn des deutschen Kaisertums ausgelöst war, sagte er mit einem Anfluge von Bescheidenheit: »Oh! Oh! Cochinchina! Das ist aber ein sehr fetter Brocken für uns; wir sind aber noch nicht reich genug, um uns den Luxus von Kolonien leisten zu können.« Unsere erste Zusammenkunft endete bei diesen Worten, da der Graf zum König gerufen wurde, der auf der Präfektur wohnte. Er lud mich jedoch ein, an demselben Abend um halb neun wiederzukommen ...: Ich wurde in den Speisesaal geführt ... Das Mahl war eben beendet. Die Beamten der Staatskanzlei, die alle in Uniform waren, sowie die anwesenden Offiziere zogen sich sofort zurück, und ich blieb allein mit dem Kanzler. Der Graf, der vom Tisch aufgestanden war, bot mir eine Zigarre an und ging, während er fortfuhr, an der seinen zu kauen, mit langen Schritten im Saale auf und nieder. Ohne weitere Umschweife nahm er sofort die Unterhaltung des Nachmittags wieder auf. Er hatte den König gesehen und war vollständig einig mit Seiner Majestät, daß die vorgeschlagenen Bedingungen, besonders soweit sie sich auf Elsaß bezogen, nicht annehmbar seien; sie würden in gegebener Zeit Frankreich gestatten, eine offensive Haltung gegen Deutschland einzunehmen, dessen Organisation – wie Herr von Bismarck sagte – eine durchaus defensive sei. Ich schlug darauf dem Kanzler, dem die Schleifung von Straßburg und die Umwandlung der Festung in eine freie Stadt nicht behagte, noch eine andere Lösung vor: Das Departement des Oberrheins und das des Niederrheins – also das ganze Elsaß – sollten vorläufig für den Zeitraum von fünf Jahren die Konstitution eines freien neutralen Landes mit autonomer Regierung erhalten. Nach Ablauf dieser Frist sollte die Bevölkerung selbst befragt werden und darüber entscheiden, ob sie zu ihrer alten Nationalität zurückkehren, mit Deutschland vereinigt werden oder definitiv einen selbständigen Staat bilden wolle. In allen Fällen aber müsse Elsaß für immer als neutrales Land gelten, das keine Festungen und keine andere militärische Besatzung haben dürfe, als absolut notwendig zur Aufrechterhaltung der bürgerlichen Ordnung sei. Ich versuchte, es dem Grafen klarzumachen, daß in dieser Bevölkerung der lokale und der munizipale Geist sehr entwickelt sei, und daß sie unter einer autonomen Regierung sehr rasch Sitten und Gesinnungen annehmen würde, die denen der Schweiz, ihrer Nachbarin und alten Alliierten, ähnlich seien. Der Kanzler schien es nicht zu glauben, daß der in der elsässischen Bevölkerung herrschende Geist wirklich so sei, wie ich es ihm geschildert. Er meinte, ein so konstituierter Staat würde einen Vorposten für Frankreich und gegen Deutschland bedeuten: keine Regierung in Europa würde die Garantie für die Neutralität eines solchen Landes übernehmen. »Außerdem aber« – fügte er mit jener ungenierten Ausdrucksweise hinzu, die er zuweilen an Stelle der korrekten diplomatischen Sprache anzuwenden liebte – »außerdem würde man uns mit Steinen werfen, wenn der König und ich heimkehren wollten, ohne das Elsaß mitzubringen.« Abgesehen von ihrer Ungeniertheit, hatte diese Sprache den Vorzug der Aufrichtigkeit: der Wille, Elsaß unter allen Umständen zu behalten, sprach sich darin offen aus, während der Graf in unserer am Nachmittag stattgefundenen Unterhaltung, die dem Besuche des Kanzlers bei seinem König vorangging, sich nur mit großer Zurückhaltung über diesen Punkt geäußert hatte. Er betonte übrigens ganz besonders, daß dieser Wille durch den Verlauf der Ereignisse auferlegt und das unvermeidliche Ergebnis eines unglückseligen Schicksals sei. Es schien, als ob Herr von Bismarck in mitleidigem Tone sagte: »Ich achte die Kaiserin, ich beklage das unheilvolle Geschick Frankreichs, aber Sie werden wohl selbst einsehen, daß es für uns unmöglich ist, sie nicht zu erwürgen. Es tut mir wirklich furchtbar leid.«

Herr von Bismarck wollte aus dem Elsaß eine Provinz machen, ohne Aushebung zum Kriegsdienste, ohne Vertretung im Reichstage, die zwar einen Teil ihrer gegenwärtigen Organisation behalten, aber sehr stark von deutschen Truppen besetzt werden sollte. Die Verwaltung sollte durch Beamte geschehen, die man aus den verschiedenen Staaten Deutschlands berufen würde. Es würde keine einfache, glatte Annexion sein. Es würde weder ein französisches noch ein neutrales Elsaß geben, aber es würde auch kein ganz deutsches Elsaß sein. Ein gleiches System sollte in Lothringen angewendet werden – ich hatte bei unserer ersten Unterhaltung sehr zu Unrecht angenommen, daß diese Provinz gerettet sein würde. Der Graf versicherte mir mit offenbarer Überzeugung, daß der Verlust von Elsaß und Lothringen Frankreich nicht wesentlich verkleinern, und daß es immer eine Macht ersten Ranges bleiben würde. Alle Hauptpunkte noch einmal kurz wiederholend, erklärte mir dann Herr von Bismarck, daß der unmittelbar bevorstehende Fall von Metz sowie die demnächstige Einnahme von Paris, über die bei den Führern des deutschen Heeres nicht der leiseste Zweifel bestehe, dem König nicht erlaubten, die von der Kaiserin gemachten Friedensvorschläge in Erwägung zu ziehen, ohne Gefahr zu laufen, sich den ernsten Unwillen der Armee und des deutschen Volkes zuzuziehen.

Im Laufe dieser Gespräche drückte der Kanzler wiederholt sein Erstaunen darüber aus, daß die Kaiserin nicht versucht habe, in Frankreich für die Wiedereinsetzung des Kaisers zu wirken, und daß sie sich schon vor wenigstens einem Monat Verhandlungen angeknüpft habe, die am Tage nach Sedan noch Aussichten auf Erfolg gehabt hätten, während sie jetzt durch die Siege und das immer weitere Vorrücken der deutschen Armeen unmöglich geworden seien...

Die Hauptsorge Herrn Bismarcks war diese: Schon am Tage, nachdem der Frieden unterzeichnet worden, würde Frankreich nur noch an die »Revanche« denken und dadurch Deutschland zwingen, fünfzehn, vielleicht zwanzig Jahre kriegsbereit zu stehen. Um zu versuchen, diese Gefahr abzulenken, will sich Deutschland vorsehen, denn es hat kein Vertrauen zu Versprechungen, von denen es fürchtet, daß sie, obwohl sie jetzt ehrlich gemeint sind, doch auf die Dauer unhaltbar sein werden. Nach solchen Erklärungen, an denen sich nicht rütteln ließ, blieb mir nichts anderes übrig, als mich zurückzuziehen. Herr von Bismarck geleitete mich bis zur Türe und riet mir noch, nicht gleich Versailles zu verlassen für den Fall, daß er mir noch eine Mitteilung zu machen oder mir ein Schreiben zu übergeben habe. Am dritten Tage nach diesen Zusammenkünften hörte ich eine ferne Musik, Trommelwirbel und Pfeifenspiel. Die Melodie war leicht, tänzelnd und hatte beinahe etwas Spöttisches; es war zweifellos irgendein alter Refrain, den die französischen Armeen während des Siebenjährigen Krieges oder vielleicht auch während der Feldzüge Napoleons zurückgelassen haben. Die Trommelschläger gaben den Takt an, den die Pfeifenbläser durch ihre Koloraturen verschönten. Die Musiker zogen über die Straße der Königin, dann verlor sich allmählich ihr »Rataplan« und ihr »Tirliteriti« in der Ferne und in dem dichten Nebel. Ich erfuhr erst am anderen Morgen die Bedeutung dieser nächtlichen Ronde: sie feierte die Kapitulation von Metz.

Am übernächsten Tage ließ mir der Graf sagen, daß ich abreisen könne, daß er mich aber vorher noch einmal zu sehen wünsche. In dieser letzten und kurzen Zusammenkunft war der Graf zartfühlend genug, des Falles von Metz mir gegenüber nicht direkt zu gedenken; er sagte mir ganz einfach, daß infolge der Wendung, die die militärischen Ereignisse genommen hätten, es ihm unnütz erscheine, meinen Aufenthalt in Versailles noch zu verlängern; er fügte hinzu, daß die Antwort auf den ihm von mir gebrachten Brief der Kaiserin durch den Grafen von Bernstorff, den Gesandten in London, überreicht würde. Ich grüßte und zog mich zurück. Einige Stunden später schickte mir der Graf von Hatzfeldt meinen Geleitbrief.

Ein Besuch beim Grafen von Bismarck. Von Th. Gautier fils, Versailles, Oktober 1870. Velhagen u. Klasings Monatshefte, 1912/13, Bd. II und III (gekürzt).

Tischgespräche in Versailles.

25. Oktober – 4. November 1870

Tagebuchaufzeichnung von M. Busch.

25. Oktober

Diesen Morgen äußerte der Chef in bezug auf die Nachricht des Pays, nach der von dritthalb Millarden Kriegskostenentschädigung die Rede wäre: »Unsinn! Ich werde ihnen viel mehr abfordern.« – Während des Diners kam man heute, ich weiß nicht mehr, wie, auf Wilhelm Tell zu sprechen, und der Minister bekannte, daß er den schon als Knabe nicht habe leiden können, und zwar erstens, weil er auf seinen Sohn geschossen, dann weil er Geßler auf meuchlerische Weise getötet habe. »Natürlicher und nobler wäre es nach meinen Begriffen gewesen«, setzte er hinzu, »wenn er, statt auf den Jungen abzudrücken – den doch der beste Schütze statt des Apfels treffen konnte –, wenn er da lieber gleich den Landvogt erschossen hätte. Das wäre gerechter Zorn über eine grausame Zumutung gewesen. Das Verstecken und Auflauern gefällt mir nicht, das paßt sich nicht für Helden – nicht einmal für Franktireurs.«

*

28. Oktober

Im Laufe des Nachmittags schickte Moltke dem Chef ein Telegramm mit der Meldung, daß die Kapitulation von Metz heute um zwölf Uhr fünfundvierzig Minuten nachts unterzeichnet worden sei.* Bei Tische sind von Bennigsen, Friedenthal und Moritz von Blanckenburg, ein Jugendfreund des Chefs, zugegen. Von den zu Metz in Gefangenschaft geratenen französischen Offizieren und deren bevorstehender Abführung nach Deutschland kommt das Gespräch auf den General Ducrot und dessen schmähliche Flucht aus Pont à Mousson. »Ja«, sagte der Minister, »der hat mir einen langen Brief geschrieben, worin er mir auseinandersetzt, daß die Vorwürfe, die wir ihm wegen seines wortbrüchigen Entweichens gemacht haben, unbegründet seien; ich habe dadurch aber keine wesentlich andere Meinung gewonnen.« Er erzählte dann, daß neulich »ein Unterhändler von Gambetta« bei ihm gewesen sei, der ihn gegen das Ende seiner Besprechung gefragt habe, ob wir die Republik anerkennen würden. Er fuhr fort: »Ich erwiderte ihm: ›Ohne Zweifel und Bedenken. Nicht nur die Republik, sondern, wenn Sie wollen, auch eine Dynastie Gambetta; nur muß sie uns einen vorteilhaften und sicheren Frieden verschaffen.‹ – Und in der Tat, jede Dynastie, ob Bleichröder oder Rothschild«, setzte er hinzu, worauf diese beiden Herren für eine Weile Gegenstand des Gesprächs wurden.

*

30. Oktober

Der Chef war mit seinem Vetter zu der Heerschau geritten, die der König diesen Morgen über neuntausend Mann Gardelandwehr abgehalten hat. Während wir noch frühstückten, kam er herein und brachte einen kleinen, runden Herrn mit glatt rasiertem Gesicht und schwarz-weiß gestreifter Weste mit, von dem man dann hörte, er sei der sächsische Minister Freiherr Richard von Friesen**. Er speiste mit uns, und da auch Delbrück zugegen war, so hatten wir die Ehre, mit drei Ministern bei Tische zu sitzen. Der Chef sprach zuerst von der heute eingetroffenen Landwehr und erwähnte, daß es große, breitschultrige

* Als neulich über die Eventualität des Falles von Metz gesprochen wurde, sagte Bismarck: »Sowie die Nachricht kommt, mache ich mir den Spaß und frage bei Gortschakow an, ob er mir nicht auf drei Monate Sibirien borgen will; wo soll man mit all dem Volk hin?« Denkwürdigkeiten des Generals und Admirals Albrecht von Stosch, S. 206.

** Der sächsische Minister des Auswärtigen war in Versailles als Bundeskommissar für die Verhandlungen mit den süddeutschen Staaten tätig.

Gestalten gewesen seien, die den Versaillern imponiert haben würden. »So eine Kompagniefront«, sagte er, »ist doch wenigstens fünf Fuß breiter als eine französische – besonders bei der pommerschen Landwehr.« – Dann wandte er sich zu Hatzfeldt und fragte: »Sie haben doch gegen Thiers nichts von Metz erwähnt?« – »Nein, er sagte auch nichts davon, obwohl er's ohne Zweifel weiß.« – »Gewiß weiß er's, aber ich habe mit ihm auch nichts davon gesprochen.« Hatzfeldt bemerkte dann nochmals, daß Thiers* sehr scharmant gewesen sei, daß er aber auch von seiner alten Eitelkeit und Selbstgefälligkeit nichts eingebüßt hätte. Er habe ihm zum Beispiel erzählt, daß er vor einigen Tagen einen Bauer getroffen, den er gefragt, ob er den Frieden wünsche. – Jawohl, sehr. – Ob er wisse, wer er sei? – Nein. – Nun, er sei Monsieur Thiers; ob er den nicht kenne? Der Bauer habe auch darauf mit Nein geantwortet. Da sei ein Nachbar hinzugekommen, und als der Gevatter vom Lande sich bei dem erkundigt, wer der Herr Thiers sei, habe der gesagt, es sei wohl einer aus der Kammer. »Offenbar ärgerte sich Thiers darüber, daß man nicht mehr von ihm wußte«, setzte Hatzfeldt hinzu.

Der Chef ging einen Augenblick hinaus und kam darauf mit einem Etui wieder, in dem die Goldfeder lag, die ihm ein Pforzheimer Juwelier (Bissinger) zur Unterzeichnung des Friedens verehrt hat. Er fand sie sehr schön, besonders die Fahne, zweifelte jedoch, ob die kleinen Brillanten, mit denen sie oben etwa sechs Zoll lang zu beiden Seiten besetzt war, echt seien; »denn das wäre ja ein Vermögen.« Als das Kunstwerk herumgegangen und genügend bewundert worden war, was es in der Tat verdiente, sagte der Kanzler zu Delbrück und Friesen, indem er die Salontür aufmachte: »Jetzt stünde ich den Herrn zu Diensten.« – »Nun«, erwiderte Friesen, indem er auf Delbrück blickte, »ich habe mit Exzellenz schon das Betreffende besprochen, indes –«, worauf sie in den Salon gingen. Nachmittags heiterte sich das trüb gewesene Wetter auf, und es war oft blauer Himmel zu sehen. Abends bei Tische sprach der Chef wieder ausführlich von der Möglichkeit, daß der deutsche Reichstag in Versailles und das französische Corps législatif in Kassel tagen könnte. Delbrück bemerkte, daß der Ständesaal dort für

* Thiers hatte sich am 30. Oktober von Bismarck die Erlaubnis zum Überschreiten der deutschen Linien erwirkt, trat darauf in Paris mit der provisorischen Regierung in Verbindung und traf am 31. Oktober wieder in Versailles ein. Vergleiche dazu das folgende Tischgespräch vom 1. November 1870.

eine so große Versammlung nicht Raum genug bieten werde. »Je nun«, entgegnete der Kanzler, »da könnte ja der Senat woanders beraten, in Marburg oder Fritzlar oder in einer ähnlichen Stadt.«

*

1. November

Dienstag, den 1. November, wurde in der Morgendämmerung wieder mit einiger Lebhaftigkeit aus grobem Geschütz geschossen. Beim Frühstück wurde das Gefecht von Le Bourget besprochen, wobei man erzählte, daß die Franzosen dabei verräterisch so getan hätten, als wollten sie sich ergeben, dann aber, als sich unsere Offiziere ihnen arglos genähert, sie niedergeschossen hätten.

Nach einer Weile erzählte Bismarck, daß heute mittag Thiers über drei Stunden bei ihm gewesen sei, und zwar als Unterhändler wegen eines Waffenstillstands; man werde sich aber auf die Bedingungen hin, die er stelle oder gewähren wolle, wohl nicht einigen können. Thiers habe während des Gesprächs einmal von dem Proviantvorrat sprechen wollen, der gegenwärtig in Paris sei. Da habe er ihn unterbrochen und gesagt: »Verzeihen Sie, das wissen wir besser als Sie, der Sie nur einen Tag in der Stadt gewesen sind. Die sind bis Ende Januar mit Lebensmitteln versehen.« – »Was er da für ein erstauntes Gesicht machte! Ich hatte ihm aber nur auf den Zahn gefühlt, und sein Staunen verriet mir nur, daß dem nicht so war.« Beim Dessert sprach er davon, daß er so viel gegessen habe. »Heute dritthalb Beefsteaks und ein paar Stücke Fasan. Das ist viel, aber auch nicht viel; denn es ist in der Regel meine einzige Mahlzeit. Ich frühstücke, ja, das ist aber eine Tasse Tee ohne Milch und zwei Eier. Dann nichts bis abends. Und esse ich da zu stark, so bin ich wie die Boa Constrictor, kann aber nicht schlafen. – Schon als Kind und seitdem immer bin ich spät zu Bett gegangen, niemals vor Mitternacht. Ich schlafe dann gewöhnlich schnell ein, wache aber bald wieder auf und finde, daß es höchstens um eins oder halb zwei ist, und dann fällt mir allerhand ein, besonders wo mir unrecht geschehen ist, was dann überlegt werden muß. Darauf schreibe ich Briefe, auch Depeschen, natürlich ohne aufzustehen, bloß im Kopfe. Früher, als ich noch nicht lange Minister war, stand ich auf und schrieb es wirklich nieder. Wenn ich's aber am Morgen überlas, war es nichts wert, lauter Platitüden, konfuses, triviales Zeug, wie es etwa in der Vossischen gestanden haben könnte, oder wie es der Serenissimus von – sagen würde. – Ich will nicht, ich möchte lieber schlafen. Aber ich muß, es denkt, es spekuliert in mir. Kommt dann der erste Morgenschimmer auf meine Bettdecke, so schlummere ich wieder ein, und dann wird bis zehn Uhr oder noch länger fortgeschlafen.«

*

2. November

Nach der Rue de Provence zurückgekehrt, hörte ich – es war etwa halb fünf Uhr –, daß Thiers bis vor einigen Minuten beim Chef gewesen sei und sich mit ziemlich vergnügtem Gesicht von ihm verabschiedet habe. Der Chef ging allein im Garten spazieren. Schon von vier Uhr an ließ sich wieder ein heftiges Kanonenfeuer vernehmen. Das heutige Diner verschönerte eine große Forellenpastete, die Liebesgabe eines Berliner Speisewirts, der dem Bundeskanzler zugleich ein Faß Wiener Märzenbier und – seine Photographie verehrt hatte. Während des Essens bemerkte der Minister über seinen heutigen Besuch: »Er ist ein gescheiter und liebenswürdiger Mann, witzig, geistreich, aber kaum eine Spur von Diplomat, zu sentimental für das Gewerbe. – Er ist ohne Zweifel eine vornehmere Natur als Favre. Aber er paßt nicht zum Unterhändler – nicht einmal zum Pferdehändler. – Er läßt sich zu leicht verblüffen, er verrät, was er empfindet, er läßt sich ausholen. So habe ich allerlei von ihm herausgekriegt, unter anderem, daß sie drin nur noch für drei oder vier Wochen vollen Proviant haben.« Die Berliner Pastete gab ihm Anlaß, des Forellenreichtums in den Varziner Gewässern zu gedenken und zu erzählen, wie man dort vor einiger Zeit in einem Teiche, der nur von einigen kleinen Quellen gespeist werde, eine fünfpfündige Forelle »von dieser Länge (zeigt es mit den Händen) gefangen habe, wovon alle Förster der Umgegend sagen, daß sie sich das nicht mit rechten Dingen erklären können«.

*

Von Thiers* erzählte der Minister nur, daß er an ihn bald nach Beginn ihrer heutigen Besprechung plötzlich die Frage gerichtet habe, ob er noch mit den zur Fortsetzung der Unterhandlungen nötigen Vollmachten versehen sei. »Er sah mich erstaunt an«,

* Thiers war seit dem 30. Oktober in Versailles.

fuhr er fort, »und ich sagte ihm darauf, daß von unseren Vorposten die Meldung eingegangen sei, in Paris habe nach seiner Abreise eine Revolution stattgefunden, und es sei eine neue Regierung ausgerufen worden. Er war sichtlich betroffen, und daraus war zu schließen, daß er einen Sieg der Roten für möglich hält, und daß Favre und Trochu auf schwachen Füßen stehen.«

*

4. November

In dem folgenden von M. Busch berichteten Gespräch klingt der starke Gegensatz zwischen »Schießern und Nichtschießern«, d. h. zwischen Roon und Bismarck auf der einen, dem Kronprinzen, Moltke und dem Generalstab auf der andern Seite an. Die einzelnen Argumente und Gegenargumente können hier nicht erörtert werden. Bei Bismarcks Eintreten für eine rasche wirksame Beschießung von Paris spielen vor allem auch politische Gründe eine Rolle, auch sein Mißtrauen gegen höfische Einflüsse, fürstliche Damen, denen er vorwarf, mit humanen, von England eingegebenen Bedenken die entscheidende Kraft einer Beschießung zu lähmen. Die Einwände der militärischen Gegner eines Bombardements stützten sich dagegen auf militärische Erwägungen und die vorhandenen Schwierigkeiten, das notwendige Material herbeizuschaffen.

Bei Tische war Bamberger zugegen. Der Chef sagte hier unter anderem: »Wie ich sehe, geben Zeitungen mir die Schuld, wenn noch nicht bombardiert wird; ich wolle vor Paris nicht ernst gemacht wissen, wolle keine Beschießung der Stadt. Unsinn! Zuletzt werden sie mich noch anklagen, daß ich unsere Verluste während der Zernierung verschuldet habe, die allerdings schon nicht unbedeutend sind. Denn wir haben hier bei den kleinen Gefechten mehr Leute verloren, als wahrscheinlich ein großer Sturm gekostet hätte. Ich habe den gleich und stets gewollt, aber noch richtiger wäre es gewesen, Paris beiseite zu lassen und weiter zu marschieren.« Es war dann die Rede davon, daß Offiziere im Generalstabe früher geäußert hätten, die zwei oder drei Forts, die man zum Angriffsobjekt ausersehen habe, werde man in etwa sechsunddreißig Stunden überwältigen können. Darauf wurde wieder von der Herberufung des Reichstages gesprochen, und der Chef bemerkte, daß dem vielleicht das Zollparlament folgen werde.

M. Busch, Tagebuchblätter. Band I, 1899, S. 325, S. 329, S. 334 ff., S. 324 ff., S. 345 ff., S. 348 ff., S. 350 ff. (gekürzt).

Friedensverhandlungen und Fürstenversammlung. – Gespräch mit den deutschen Ministern in Versailles.

5. November 1870

Der preußenfeindliche hessische Minister von Dalwigk, der bald nach der Reichsgründung durch Eingreifen Bismarcks gestürzt wurde, war als Vertreter Hessens an den Verhandlungen der Südstaaten über ihren Eintritt in den Norddeutschen Bund beteiligt, da die südliche Hälfte Hessens dem Bunde bisher nicht angehörte. In einer Konferenz am 5. November unterrichtete Bismarck die Minister über seine Verhandlungen mit Thiers und über sein Projekt einer Fürstenzusammenkunft in Versailles. Obwohl es sich um Eröffnungen amtlichen Charakters handelt, ist doch die persönliche Note der Bismarckschen Unterhaltung nicht ganz verwischt, so daß sie hier aufgenommen werden konnten. Nach Aufzeichnungen Dalwigks.

Mittags zwölfeinhalb Uhr ging ich mit Herrn Hofmann zu einer Konferenz bei dem Grafen Bismarck, zu der sämtliche in Versailles anwesenden deutschen Minister, einschließlich des Herrn Delbrück, eingeladen waren. Graf Bismarck teilte uns zunächst den Inhalt der in den letzten Tagen von ihm mit dem Herrn Thiers gepflogenen Waffenstillstands- und Friedensverhandlungen mit.* Er erzählte, daß er in drei Tagen 18 Stunden lang mit Thiers habe sprechen müssen, weil derselbe stets an dem auf die letzte Konversation folgenden Tage wieder auf das zurückgekommen sei, was man am Tage zuvor bereits durchgesprochen habe. Bismarck erzählte ferner, er habe Herrn Thiers die Verwendung von Turkos gegen Deutschland vorgeworfen, und dieser habe erwidert: »Mais n'avez-vous donc pas vos Hulans?« Offenbar habe Thiers die Ulanen für eine wilde Völkerschaft gehalten. Thiers spreche durchaus keine andere Sprache als seine Muttersprache, die französische, was die Verhandlungen mit ihm etwas erschwere. Thiers habe zunächst einen Waffenstillstand von fünfundzwanzig Tagen verlangt. Währenddessen sollte Paris mit einer gewissen, speziell berechneten, ungeheuren Quantität von Lebensmitteln aller Art, z.B. 36000 Ochsen, durch die deutsche Armee selbst verproviantiert werden. Außerdem sollten die gegenseitigen Truppenteile genau da stehenbleiben, wo sie zur Zeit des Abschlusses des Waffenstillstandes ständen. Während dieser Zeit sollten die Wahlen

* Die mit Thiers geführten Verhandlungen endeten ergebnislos am 6. November 1870.

zu einer konstituierenden Versammlung in Frankreich vorgenommen werden. Er, Bismarck, habe diese Basis als eine ganz unannehmbare bezeichnet. So etwas könnte Frankreich nur fordern, wenn es eine Armee vor den Toren von Berlin hätte. Ferner habe Thiers die Teilnahme von Elsaß und Lothringen an den allgemeinen Wahlen verlangt. Über diesen Punkt und unter welchen Modifikationen (etwa durch Absendung des bisherigen Deputierten) derselbe zuzugestehen sei, habe man sich Verständigung vorbehalten. Endlich habe er, Bismarck, eine Kriegsentschädigung von vier Milliarden Franken begehrt, das Doppelte des französischen Budgets für ein Jahr. Darüber sei Herr Thiers vor Schrecken fast vom Stuhle gefallen. Graf Bismarck zeigte uns eine Landkarte von Frankreich, auf welcher die deutsche und französische Sprachgrenze mit Farben eingetragen war, und fragte, was wir von den von Frankreich zu verlangenden Territorialabtretungen hielten. Niemand fand gegen die Abtretung des Elsasses und Deutsch-Lothringens etwas zu erinnern. Graf Bray sagte mir indessen später, daß er eine Losreißung der Festung Metz von Frankreich für bedenklich halte, weil man dann einen von Feindesland umgebenen vorgeschobenen Posten haben werde, und weil in solchem Falle gar kein Grund mehr vorliege, nicht noch weitere Gebietsabtretungen zu fordern. Graf Bray schien überhaupt jeder Abtrennung französischen Gebietes mit Rücksicht auf die Stimmung der Bevölkerung abgeneigt zu sein. Die jetzigen Machthaber in Paris waren vor wenigen Tagen von einer Volkszusammenrottung im »Hotel de Ville« verhaftet, mißhandelt und einen Tag lang eingesperrt gehalten worden. Der Volkshaufe hatte eine andere Regierung aus den extremsten Roten, wie Ledru-Rollin, Flourens usw., installiert. Dann aber waren Nationalgarden in das »Hotel de Ville« eingedrungen, hatten die Mitglieder der neuen Regierung verjagt und die alte Regierung wieder hergestellt. Mit Bezug auf dieses ganz frische Ereignis hatte Graf Bismarck den Herrn Thiers gefragt, ob denn die jetzige französische Regierung in der Lage sei, einen Vertrag abzuschließen, und Thiers hatte geantwortet, daß »le gouvernement actuel fut plus solide que jamais«. Herr Thiers hatte schließlich zugestanden, Waffenstillstand und Friedensschluß nicht in zwei Akten, sondern d'emblée zustandezubringen, nachdem Graf Bismarck ihm gesagt hatte, daß man den ersten Akt nicht aufführen könne, ohne über den Verlauf des zweiten vorher im reinen zu sein. Herr Thiers war am Nachmittag nochmals in einem Hause am Seineufer, aber nicht in Paris selbst, mit einigen politischen Notabilitäten, Mitgliedern des Verteidigungskommitees, zur Besprechung zusammengetreten. Nach dem Ergebnisse sollten die Besprechungen mit dem Grafen Bismarck fortgesetzt werden. Der letztere erzählte uns noch weiter, Herr Thiers sei sehr erschrocken, als er demselben gesagt habe, daß die preußische Armee noch bis in den Februar kommenden Jahres verproviantiert sei. Thiers habe gerufen: »Grand dieu, et nous n'avons que pour 15 jours à vivre.« Ferner bemerkte Bismarck, Thiers habe behauptet, bei den verschiedenen Gefechten verlören die Preußen stets mehr als die Franzosen. Er, Bismarck, habe ihm das Gegenteil nachgewiesen. »Freilich«, fuhr Bismarck fort, »ist es begreiflich, daß wir bei der unzweckmäßigen Tapferkeit unserer Offiziere, und wenn Obersten über vom Feinde besetzte Gartenmauern klettern, mehr Verluste haben als nötig.« – Nachdem Graf Bismarck seine Mitteilungen über die Verhandlungen mit Herrn Thiers beendet hatte, die offenbar darauf berechnet waren, dem letzteren sagen zu können, daß die anwesenden deutschen Minister es unmöglich machten, mildere Bedingungen zu stellen, ging Bismarck auf sein Hauptthema über. Er sagte uns nämlich, Seine Majestät der König, sein Allergnädigster Herr, lege großen Wert darauf, daß demnächst das Friedensinstrument von sämtlichen verbündeten deutschen Fürsten, gewissermaßen mit dem Degenknopf, unterzeichnet werde. Es sei dies ein würdigeres Verfahren, als eine bloße Unterzeichnung durch den König, gebe dem Auslande ein schlagendes Beispiel der deutschen Einigkeit und werde im deutschen Volke den besten Eindruck machen. Der König Wilhelm werde an sämtliche deutsche Fürsten Einladungsschreiben erlassen. Er, Bismarck, ersuche aber die anwesenden Minister einstweilen bei ihren Souveränen anzufragen, ob sie einer solchen Einladung Folge leisten würden. Auch bitte er, daß die Fürsten sich über den Zeitpunkt ihres Erscheinens aussprechen möchten. Die Anwesenden erwiderten, daß dieser Zeitpunkt nur von Preußen mit Rücksicht auf die obschwebenden Friedensverhandlungen vorgeschlagen werden könne, daß man aber über die fragliche Einladung sofort berichten werde.

Die Tagebücher des Freiherrn v. Dalwigk zu Lichtenfels aus den Jahren 1860–71. Herausgegeben von W. Schüßler. 1920, S. 456 ff.

Gespräch mit den Mitarbeitern in Versailles.
9. November 1870

Tagebuchaufzeichnung von M. Busch.

Nach halb elf Uhr trat der Chef aus dem Salon zu uns, wo er mit dem bayerischen General von Bothmer verhandelt und, wie es schien, militärische Fragen in betreff der in Angriff genommenen größeren Einigung Deutschlands besprochen hatte, und blieb wohl noch eine Stunde mit uns zusammen. Als er sich gesetzt hatte, ließ er sich eine Flasche Bier geben. Dann seufzte er ein wenig und sagte: »Ach, ich dachte eben wieder einmal, was ich oft schon gedacht habe, wenn ich nur einmal fünf Minuten die Gewalt hätte, zu sagen: So wird es, und so nicht. – Daß man sich nicht mit Warum und Darum abzuquälen, zu beweisen und zu betteln hätte bei den einfachsten Dingen. – Das ging doch viel rascher bei Leuten wie Friedrich dem Großen, die selber Militärs waren und zugleich was vom Gange der Verwaltung verstanden und ihre eigenen Minister waren. Auch mit Napoleon. Aber hier, dieses ewige Reden- und Bettelnmüssen.« Nach einer Weile äußerte er lächelnd: »Ich habe mich heute viel mit Fürstenerziehung abgegeben.« »Wieso, Exzellenz?« fragte Hatzfeldt. »Nun, ich habe die Begriffe von mehreren der Herren aus dem Reservoir über das, was sich gehört und nicht gehört, aufgeklärt. Ich habe dem Meininger* durch Stein sagen lassen, daß die Benutzung des Feldtelegraphen für seinen Küchengarten und sein Theater nicht statthaft ist. Er nimmt ihn fast allein in Anspruch mit Baumschulen, Choristinnen, Ankauf von Pferden und dergleichen. – Und der Koburger* macht es noch schlimmer. – Na, der Reichstag wird da wohl Ordnung hineinbringen und einen Pflock vorstecken. Ich werde nur nicht dabeisein können. – Auch das gehört in dieses Kapitel, daß man Leute vor der Tür der Prinzen verhaften läßt, die sie sich zur Tafel geladen haben.« »Wie meinen Sie das?« fragte Hatzfeldt. »Nun, den Sullivan, der mit mir beim Kronprinzen zu Gaste war. Ein verdächtiger Mensch, der fort muß von hier.« Hatzfeldt fragte: »Haben Exzellenz schon gelesen, daß die Italiener in den Quirinal eingebrochen sind?« – Der Chef antwortete: »Ja, und ich bin neugierig, was der Papst nun tun wird. Abreisen? – Aber wohin? – Er hat bei uns schon gebeten, wir möchten bei

* So die Namen der Fürsten, die in der deutschen Ausgabe fehlen, nach der englischen Ausgabe ergänzt.

Italien vermittelnd anfragen, ob man ihn abreisen lassen würde, und ob dies mit der ihm gebührenden Würde geschehen könne. Wir haben das getan, und sie haben geantwortet, man würde seine Stellung durchaus achten und danach verfahren, wenn er fort wollte.« »Sie werden ihn nicht gern gehen lassen«, versetzte Hatzfeldt. »Es liegt in ihrem Interesse, daß er in Rom bleibt.« Chef: »Ja, gewiß, aber er wird doch vielleicht gehen müssen. Wohin aber? Nach Frankreich kann er nicht, da ist Garibaldi. Nach Österreich mag er nicht. Nach Spanien? – Ich habe ihm – Bayern vorgeschlagen.« Er sann einen Augenblick nach, dann sagte er: »Es bleibt ihm nichts als Belgien oder – Norddeutschland. – Er hat in der Tat schon angefragt, ob wir ihm Asyl gewähren könnten. Ich habe nichts dagegen einzuwenden – Köln oder Fulda.« – »Es wäre eine unerhörte Wendung, aber doch nicht so unerklärlich und für uns recht nützlich, wenn wir den Katholiken als das erschienen, was wir in Wirklichkeit sind, als die einzige Macht gegenwärtig, die dem obersten Fürsten ihrer Kirche Schutz gewähren könnte. Stofflet und Charette und ihre Zuaven, die gingen gleich nach Hause. Wir hätten die Polen für uns. Die Opposition der Ultramontanen hörte auf – in Belgien, in Bayern. Mallinckrodt träte auf die Seite der Regierung. – Aber der König will nicht. Er hat Angst, denkt, dann wird alles katholisch in Preußen. – Ich habe ihm aber gesagt, wenn ihn der Papst um ein Asyl bittet, so darf er's ihm nicht abschlagen. Er muß es gewähren; denn er hat zehn Millionen katholischer Untertanen, die den Oberherrn ihrer Kirche geschützt sehen wollen. – Übrigens mögen Leute mit vorwiegender Phantasie, besonders Frauen, in Rom beim Anblicke des Pomps und des Weihrauchs des Katholizismus und des Papstes auf seinem Thron und mit seinem Segen Neigung empfinden, katholisch zu werden. In Deutschland, wo man den Papst unter sich hätte als hilfesuchenden Greis, als guten alten Herrn, als einen der Bischöfe, der wie die anderen ißt und trinkt, eine Prise nimmt, wohl gar auch seine Zigarre raucht – da hat's keine so große Gefahr. Na und schließlich, wenn nun auch etliche Leute in Deutschland wieder katholisch würden – ich werd's nicht –, so hätte das nicht viel zu bedeuten, wenn sie nur gläubige Christen wären. Die Konfessionen machen's nicht, sondern der Glaube. Man muß toleranter denken.« – Zuletzt kam er auf die komische Seite der Auswanderung des Papstes und seiner Kardinäle nach Fulda und schloß: »Für solche humoristische Auffassung der Sache hat freilich der König keinen Sinn. Aber (lächelnd), wenn mir nur der Papst treu bleibt, so setze ich's doch bei ihm noch durch!« Er entwickelte diese Gedanken in interessantester, hier aber nicht mitteilbarer Weise noch weiter.* Dann kam man auf andere Dinge. Hatzfeldt erwähnte, daß die Koburger Hoheit vom Pferde gefallen sei. »Glücklicherweise ohne Schaden zu leiden«, fügte Abeken, der soeben hinzugekommen war, mit froher Miene eilig hinzu. Der Chef aber wurde dadurch veranlaßt, von ähnlichen Unglücksfällen zu erzählen, die ihm selbst widerfahren waren. »Ich glaube«, so bemerkte er, »daß es nicht reicht, wenn ich sage, daß ich wohl fünfzigmal vom Pferde gestürzt bin. Vom Pferde fallen ist nichts, aber mit dem Pferde, so daß es auf einem liegt, das ist schlimm. Zuletzt noch in Varzin, wo ich drei Rippen brach. Da dacht ich: jetzt ist's aus. Es war nicht so viel Gefahr, wie es anfangs schien, aber es tat doch ganz erschrecklich weh. – Früher aber, in meinen jüngeren Jahren, da hatte ich einen merkwürdigen Zufall, der zeigt, wie das Denken des Menschen von seinem Gehirn abhängt. Ich war mit meinem Bruder abends auf dem Heimwege, und wir ritten, was die Pferde laufen wollten. Da hörte mein Bruder, der etwas voraus ist, auf einmal einen fürchterlichen Knall. Es war mein Kopf, der auf die Chaussee aufschlug. Mein Pferd hatte vor der Laterne eines uns entgegenkommenden Wagens gescheut, hatte sich mit mir rückwärts überschlagen, und dabei war ich auf den Kopf gefallen. Ich verlor zuerst die Besinnung, und als ich wieder zu mir kam, da hatt' ich sie nur halb wieder. Das heißt, ein Teil meines Denkvermögens war ganz gut und klar, die andere Hälfte war weg. Ich untersuchte mein Pferd und fand, daß der Sattel gebrochen war. Da rief ich den Reitknecht und ließ mir sein Pferd geben und ritt nach Hause. Als mich da die Hunde anbellten – zur Begrüßung –, hielt ich sie für fremde Hunde, ärgerte mich und schalt auf sie. Dann sagte ich, der Reitknecht sei mit dem Pferd gestürzt, man solle ihn doch mit einer Bahre holen, und war sehr böse, als sie das auf einen Wink meines Bruders nicht tun wollten. Ob sie denn den armen Menschen auf der Straße liegen lassen wollten? Ich wußte nicht, daß ich es war, und daß ich mich zu Hause befand, oder vielmehr, ich war ich selber und auch der Reitknecht. Ich verlangte nun zu essen, und dann ging ich zu Bette, und als ich ausgeschlafen hatte am Morgen, war es gut. – Es war ein selt-

* Nach Kaiser Friedrichs Tagebuch vom 12. November waren König und Kronprinz gegen eine Aufnahme des Papstes in Deutschland.

samer Fall: den Sattel hatte ich untersucht, mir ein anderes Pferd geben lassen und dergleichen mehr – alles praktisch Notwendige tat ich also. Hierin war durch den Sturz keine Verwirrung der Begriffe herbeigeführt worden. Ein eigentümliches Beispiel, wie das Gehirn verschiedene Geisteskräfte beherbergt; nur eine davon war durch den Fall länger betäubt worden. – Ich erinnere mich noch eines anderen Sturzes. Da ritt ich rasch durch junges Holz in einem großen Walde, weit weg von zu Hause. Wie ich über einen Hohlweg wollte, stürzte ich mit dem Pferde und verliere das Bewußtsein. Ich muß wohl drei Stunden ohne Bewußtsein dort gelegen haben, denn es war schon dämmerig, als ich aufwachte. Das Pferd stand neben mir. Die Gegend war, wie gesagt, weit weg von unserem Gute und mir ganz unbekannt. Ich hatte meine Geisteskräfte noch nicht ordentlich wieder. Aber das Notwendige tat ich auch hier. Ich machte die Martigal ab, die entzwei war, steckte sie ein und ritt auf einem Wege, der, wie ich dann erfuhr, der nächste war – es ging da auf einer ziemlich langen Brücke über einen Fluß – nach einem nahegelegenen Gute, wo die Pächtersfrau, als sie den großen Mann mit dem Gesicht voll Blut vor sich stehen sah, davonlief. Der Mann kam dann herbei und wusch mir das Blut ab, und ich sagte ihm, wer ich wäre, und daß ich die zwei oder drei Meilen nach Hause wohl nicht würde reiten können; er möchte mich fahren, was er denn auch tat. – Ich muß wohl fünfzehn Schritt fortgeflogen sein bei der Lerche, die ich schoß, und war an eine Baumwurzel gefallen, und als der Doktor den Schaden besah, sagte er, es wäre gegen alle Regeln der Kunst, daß ich nicht den Hals gebrochen hätte. – Auch sonst bin ich noch ein paarmal in Lebensgefahr gewesen«, fuhr der Graf fort. »Zum Beispiel, als die Semmeringbahn noch nicht fertig war – ich glaube, es war 1852 –, da ging ich mit einer Gesellschaft durch einen von den Tunneln oben. Ich erinnere mich, Graf Ottavio Kinsky war dabei, etwas älter als ich, mit gelockten Haaren. Es war ganz finster drin. Ich ging den anderen mit einer Laterne voran. Nun zog sich da quer über den Boden eine Schlucht oder Spalte hin, die war wohl fünfzig Fuß tief und etwa anderthalbmal so breit wie der Tisch hier. Darüber hatten sie ein Brett gelegt, das zu beiden Seiten Leisten hatte, damit die Karren nicht abrutschten. Dieses Brett mußte morsch sein; denn wie ich in der Mitte bin, bricht es ein, und ich fahre hinunter, bleibe aber, da ich vermutlich ganz unwillkürlich die Arme ausgebreitet hatte, an den Leisten hängen. Die hinter mir kamen, dachten nun – die Laterne war nämlich gefallen und erloschen –, ich wäre hinabgestürzt, und waren nicht wenig erstaunt, als sie fragten: ›Leben Sie noch?‹ statt von tief unten her ganz oben vor sich – als sie da die Antwort erhielten: ›Ja, hier bin ich.‹ – Ich hatte mich inzwischen auch mit den Beinen angeklammert und fragte, ob ich zurück oder hinüber sollte. Der Führer meinte, es wäre besser, hinüber, und so arbeitete ich mich denn da hin. Der Arbeiter, der uns führte, zündete nun ein Licht an, suchte ein anderes Brett und brachte so die Gesellschaft nach. – Man sah mit dem Brette so recht, wie liederlich und leichtsinnig solche Dinge zu der Zeit in Österreich genommen wurden. Denn, daß Absicht dabei gewesen wäre, kann ich nicht glauben. Man haßte mich damals in Wien noch nicht so wie jetzt – im Gegenteil. – Hernach, als wir aus dem Tunnel heraus waren, fuhren wir in einem niedrigen Karren sausend die Bahn hinab. Wir hatten dicke Stöcke, um zu hemmen, und taten es auch, wenn es um die Kurven ging. Bei den stärksten brachten wir's aber nur mit großer Mühe fertig, daß der Karren nicht aus dem Geleise geriet und in einen der beiden Abgründe fiel, die da waren. In den ganz tiefen konnten wir freilich nicht hinunterfahren, aber in den anderen ging's auch gegen sechzig Fuß hinab.«

M. Busch, Tagebuchblätter. Band I, 1899, S. 371 ff.

Er kann sich nicht beruhigen. – Ein gestörtes Tischgespräch. 12. November 1870

Tagebuchaufzeichnung von M. Busch.

Beim Diner haben wir Dr. Lauer als Gast unter uns. Es gibt geräucherte Maränen, pommersche Gänsebrust, eine Stiftung Buchers, der sie seinerseits als Liebesgabe von Rodbertus bekommen hat, Magdeburger Sauerkraut und Leipziger Lerchen, vermutlich ebenfalls Gaben der Heimat. Bei den Maränen wird der Chef abgerufen. Er geht durch den Salon und kommt durch die eine der auf den Hausflur mündenden Türen mit einem Offizier in preußischer Uniform, der einen Vollbart trägt, in das Speisezimmer zurück, durch das sie sich dann in den Salon begeben. Man hört, daß der Offizier der Großherzog von Baden ist. Nach etwa zehn Minuten ist der Minister wieder bei uns.

Er ist sehr verdrießlich und ungehalten und sagt: »Das wird doch zu arg. Nicht einmal beim Essen Ruhe. Zuletzt laufen sie einem noch bis ins Schlafzimmer nach. Das muß aufhören. Es ist in Berlin nicht so. Da melden sich die Leute, die etwas von mir wollen, schriftlich an, und ich bestimme ihnen eine Stunde, die mir paßt. Warum nicht auch hier?«

Er ißt etwas. Dann bemerkte er den aufwartenden Kanzleidienern: »Merken Sie sich's, künftig sagen Sie in solchen Fällen, ich bin nicht zu Hause. Wer jemand unangemeldet zu mir läßt, kommt in Arrest und geht dann nach Berlin.« Er ißt wieder ein paar Bissen, kann sich aber über den Besuch, der ihm das Diner gestört hat, noch immer nicht beruhigen und sagt: »Und wenn's noch was Wichtiges wäre. – Aber er soll sehen. Nächstens überfalle ich ihn ebenso und mit was Dienstlichem, wo er mich nicht abweisen kann.« Man spricht dann von Roons Asthma, mit dem es nach Lauers Äußerungen besser geht. Aber der Grimm über das Erscheinen des Großherzogs zur Essenszeit arbeitet im Gemüte des Chefs augenscheinlich fort. »Was trinkt man nur eigentlich auf den Ärger zu den Maränen?« fragt er Lauer, der ihm, ich weiß nicht was, empfiehlt. »Ich leide nämlich an galligem Erbrechen, wenn ich mich beim Essen über was erzürnt habe, und hier war wirklich Ursache zum Verdruß. Die denken, man ist nur für sie da.« Dann wieder zu den Kanzleidienern: »Sie konnten doch gleich den roten Lakaien abweisen und sagen, ich wäre nicht zu Hause. Merken Sie sich das. Und du, Karl (zu Bohlen gewandt), mußt auch dafür sorgen, daß hier Ordnung gehalten wird.«

M. Busch, Tagebuchblätter. Band I, 1899, S. 389 ff.
(gekürzt).

»Halluzinationen« und die Höflichkeit. – Gespräch mit dem Schriftsteller Dr. Moritz Busch in Versailles.

13. November 1870

Tagebuchaufzeichnung von M. Busch.

Der Kanzler ging heute in Generalsuniform mit Helm und mehreren Orden fort, um beim Könige zu speisen. Vorher aß er aber noch bei uns die Suppe und etwas Hühnerragout mit. Bohlen sagte: »Du mußt aber das Band des Eisernen Kreuzes im

Knopfloche haben.« »'s ist ja drin«, erwiderte der Minister. »Hier. – Sonst mach ich's nicht an. Ich schäme mich vor meinen Söhnen und den vielen, die es verdient und nicht bekommen haben, während die Schlachtenbummler alle damit herumlaufen.« Abends wollte er noch die unwahre Nachricht der »Augsburger Allgemeinen Zeitung«, Graf Arnim sei vor seiner Abreise nach Rom im Hauptquartier zu Besuch gewesen, dementiert haben. Dabei bemerkte er: »Ich habe Ihnen übrigens schon mehrmals gesagt, Sie sollen nicht so grob schreiben. Da haben Sie wieder (bei Berichtigung des Artikels von Archibald Forbes in der Daily News) von Halluzination gesprochen. Warum nicht höflich? Ich muß es ja auch sein. Immer eine solche gallige, malitiöse Sprache. Sie müssen sich eine andere Schreibweise angewöhnen, wenn Sie in einem so vornehmen Auswärtigen Amte arbeiten wollen; oder wir müssen eine andere Einrichtung treffen. Solche Klopffechterei, gerade wie Braß, der eine brillante Stellung haben könnte, wenn er nicht so bissig wäre.« »Halluzination« war sein eigenes Wort gewesen. Werde aber künftig seine Aufträge besser sieben, so daß alles Grobe zurückbleibt und nur das Feine in die Presse abgeht. Beim Tee erzählte mir Hatzfeldt, daß er ihn heute gleichfalls »sehr angefahren« habe; wenn er das lange aushalten sollte, dankte er – was der Herr Graf sich vermutlich reiflich überlegen wird.

M. Busch, Tagebuchblätter. Band I, 1899, S. 393 ff.

Die Reichsgründung bringt Ärger. – Gespräch mit den hessischen und badischen Ministern in Versailles.

15. November 1870

Während die Verhandlungen mit Württemberg und Bayern durch plötzlichen Stimmungsumschwung in Stuttgart und infolge ungenügender Instruktion aus München eine Unterbrechung erfuhren, gelangten sie mit Baden und Hessen am 15. November zum Abschluß. Der Bündnisvertrag wurde in Bismarcks Wohnung unterzeichnet. Die bei dieser Gelegenheit gemachten Äußerungen Bismarcks zeichnete Dalwigk in seinem Tagebuch auf.

Nach beendigter Sitzung begaben wir uns zum Grafen Bismarck. Dort wurde der neue Bundesvertrag nebst Schlußprotokoll von diesem und uns sowie von den badischen Ministern unterzeichnet und besiegelt. Graf Bismarck sah leidend aus. Er klagte über seine Gesundheit und sagte, »die Galle trete ihm zu leicht in das Blut. Ein Minister eines absoluten Herrschers sei in der angenehmen Lage, einfach die Befehle seines Herrn befolgen zu können. Ein konstitutioneller Minister dagegen, der seinen eigenen Überzeugungen Rechnung tragen müsse, gerate mitunter in Konflikte, welche die Gesundheit nicht förderten.« Graf Bismarck sprach auch von den Ballons, die von Zeit zu Zeit in Paris losgelassen würden. Er erklärte, die Personen, die mit solchen Ballons Paris verließen, müßten als Spione betrachtet werden und würden erschossen, wenn es gelänge, sie abzufangen.

Die Tagebücher des Freiherrn v. Dalwigk zu Lichtenfels aus den Jahren 1860–71. Herausgegeben von W. Schüßler. 1920, S. 460.

Wortwechsel. – Gespräch mit dem Kronprinzen Friedrich Wilhelm in Versailles. 16. November 1870

Zwischen Bismarck und dem Kronprinzen bestanden hinsichtlich der zukünftigen Gestaltung Deutschlands Meinungsverschiedenheiten prinzipieller Natur. Der Kronprinz hielt eine straffe politische Einheit des neuen Reiches für unbedingt nötig und war geneigt, die vorhandenen Widerstände auch mit Gewalt, zumindest mit dem Druck der Öffentlichkeit zu überwinden, während Bismarck zu größerer Schonung der partikularen Wünsche bereit war, wenn sie nur die Lebensfähigkeit des Reiches nicht minderten.
Aus dem Tagebuch des Kronprinzen.

Gespräch mit Bismarck über die deutsche Frage, er will zum Abschluß kommen, entwickelt aber achselzuckend die Schwierigkeiten; was man denn gegen die Süddeutschen tun solle? Ob ich wünsche, daß man ihnen drohe? Ich erwiderte: »Jawohl, es ist gar keine Gefahr, treten wir fest und gebietend auf, so werden Sie sehen, daß ich recht hatte zu behaupten, Sie seien sich Ihrer Macht noch gar nicht genügend bewußt.« Bismarck wies die Drohung weit ab und sagte, bei eventuellen äußersten Maßregeln dürfe man am wenigsten damit drohen, weil das jene Staaten in Österreichs Arme treibe. So habe er bei Übernahme seines Amtes den festen Vorsatz gehabt, Preußen zum Krieg mit Österreich zu bringen, aber sich wohl gehütet, damals oder überhaupt zu früh mit Seiner Majestät davon zu sprechen, bis er den Zeitpunkt für geeignet angesehen. So müsse man auch gegenwärtig der Zeit anheimstellen, die deutsche Frage sich entwickeln zu sehen. Ich erwiderte, solches Zaudern könne ich, der ich die Zukunft repräsentiere, nicht gleichgültig ansehen; es sei nicht nötig, Gewalt zu brauchen, man könne es ruhig darauf ankommen lassen, ob Bayern oder Württemberg wagen würden, sich Österreich anzuschließen. Es sei nichts leichter, als von der hier versammelten Mehrzahl der deutschen Fürsten nicht bloß den Kaiser proklamieren, sondern auch eine der berechtigten Forderungen des deutschen Volkes entsprechende Verfassung mit Oberhaupt genehmigen zu lassen, das würde eine Pression sein, der die Könige nicht widerstehen könnten. Bismarck bemerkte, mit dieser Anschauung stehe ich ganz allein; um das gewollte Ziel zu erreichen, wäre es richtiger, die Anregung aus dem Schoße des Reichstages kommen zu lassen. Auf meinen Hinweis auf die Gesinnungen von Baden, Oldenburg, Weimar, Koburg deckte er sich durch den Willen Seiner Majestät. Ich erwiderte, ich wisse sehr wohl, daß sein Nichtwollen allein genüge, um eine solche Sache auch bei Seiner Majestät unmöglich zu machen. Bismarck entgegnete, ich mache ihm Vorwürfe, während er ganz andere Personen wisse, die jene verdienten. Hierbei sei die große Selbständigkeit des Königs in politischen Fragen zu berücksichtigen, der jede wichtige Depesche selbst durchsehe, ja korrigiere. Er bedauere, daß die Frage des Kaisers und Oberhauptes überhaupt diskutiert sei, da man Bayern und Württemberg dadurch vor den Kopf gestoßen. Ich bemerkte, Dalwigk habe sie ja angeregt. Bismarck meinte, meine Äußerungen müßten nachteilig wirken, er fände überhaupt, der Kronprinz dürfe dergleichen Ansichten nicht äußern. Ich verwahrte mich sofort auf das Bestimmteste dagegen, daß mir in solcher Weise der Mund verboten werde, zumal bei solcher Zukunftsfrage; ich sähe es als Pflicht an, bei niemandem Zweifel gerade über meine Ansicht zu lassen, überdies stehe es nur bei Seiner Majestät, mir über die Dinge, welche ich besprechen dürfe oder nicht, Weisungen zu geben, wenn man überhaupt annehme, daß ich noch nicht alt genug sei, um selber ein Urteil zu haben. Bismarck sagte, wenn der Kronprinz befehle, so werde er nach dessen Ansichten handeln. Ich protestierte dagegen, weil ich ihm gar keine Befehle zu erteilen habe, worauf er erklärte, er werde seinerseits sehr gern jeder anderen Persönlichkeit Platz machen, die ich zur Leitung der Geschäfte für geeigneter als ihn halte, bis dahin aber müsse er seine Prinzipien nach seinem besten Wissen und nach der ihm beiwohnenden Kenntnis aller einschlagenden Verhältnisse festhalten. Wir kamen dann auf Detailfragen, schließlich bemerkte ich, daß ich vielleicht lebhaft geworden, aber man könne mir beim Versäumen eines weltgeschichtlichen Moments nicht Gleichgültigkeit zumuten.*

Kaiser Friedrichs Tagebücher über die Kriege 1866 und 1870/71. Herausgegeben von M. v. Poschinger. 1901, S. 120 ff.

Die alte Klage. – Waldersee bei Tisch. 16. November 1870

Tagebuchaufzeichnung von M. Busch.

Bei Tische ist Graf Waldersee anwesend. Der Chef klagt wieder, daß ihn die Militärs nicht schnell genug und nicht von allem Wichtigen in Kenntnis setzen. »Nach langer Bettelei erst« habe er erlangt, daß man ihm wenigstens die Sachen schicke, die den deutschen Zeitungen telegraphiert würden. 1866 sei das anders gewesen. Da sei er zu allen Beratungen hinzugezogen worden, und mehrmals habe seine Meinung den Ausschlag gegeben. So z. B. habe er bewirkt, daß der Frontangriff auf Wien unterblieben und der Weg nach der ungarischen Grenze eingeschlagen worden sei. »Und so gehört sich's«, schloß er seine Rede. »Es verlangt das mein Gewerbe: ich muß schon darum unterrichtet sein von den militärischen Vorgängen, damit ich zur rechten Zeit Frieden schließen kann.«

M. Busch, Tagebuchblätter. Band I, 1899, S. 408.

* Tagebuch des Kronprinzen S. 122. 21. November. – »Bismarck sagt mir, unser Gespräch vom 16. habe ihn angetrieben, Ernst zu machen und nach Delbrücks Abreise die Verhandlungen in die Hand zu nehmen, beide Königreiche wollten nun eintreten, er müsse aber auch noch seine Trümpfe ausspielen. Roon drohe die Militärverhandlungen über die äußeren Abzeichen abzubrechen. Wir bleiben doch am grünen Tisch ewig dieselben; im Gegensatz dazu »erfrischt mich ordentlich die Sprache der ›Volks-Zeitung‹, die den Nagel immer auf den Kopf trifft.«

»C'est un fils, Monsieur.« – Gagern – Wrangel – Petersburg. – Tischgespräch in Versailles.

20. November 1870

Tagebuchaufzeichnung von M. Busch.

Beim Diner hatten wir den General von Werder, den preußischen Militärbevollmächtigten in Petersburg, zu Gaste, einen langen Herrn mit dunklem Schnurrbart. Der Chef sagte bald nach seinem Eintritt mit dem Ausdruck der Vergnügtheit zu ihm: »Es ist möglich, daß wir uns mit Bavaria noch verständigen.« »Ja«, rief Bohlen, »es steht so was schon telegraphisch in einem von den Berliner Blättern – Volkszeitung, Staatsbürgerzeitung oder so was war's.« Der Minister erwiderte: »Das ist mir doch nicht angenehm, das ist zu frühzeitig. Aber freilich, wo so ein Haufen – vornehmer Leute ist, die nichts zu tun haben und sich langweilen – da bleibt nichts geheim.« Er kam dann – ich weiß nicht mehr, in welchem Zusammenhang – auf folgende Jugenderinnerung: »Als ich noch ganz klein war, da wurde einmal bei uns ein Ball oder so was der Art gegeben, und als sich die Gesellschaft zum Essen setzte, suchte ich mir auch einen Platz und fand ihn in irgendeiner Ecke, wo mehrere Herren saßen. Die wunderten sich über den kleinen Gast, drückten sich aber dabei französisch aus. Wer das Kind wohl sein möchte? C'est peut-être un fils de la maison, ou une fille. Da sagte ich ganz dreist: C'est un fils, Monsieur, was sie nicht wenig in Erstaunen setzte.« Das Gespräch lenkte sich dann auf Wien und Graf Beust, und der Chef bemerkte, daß dieser sich bei ihm wegen der neulichen groben Note entschuldigt habe, sie habe nicht ihn, sondern Biegeleben zum Verfasser.*

Von letzterem kam die Rede auf die Gagern und zuletzt auf den einst viel gefeierten Heinrich. Der Chef sagte unter anderem von ihm: »Er läßt seine Töchter katholisch erziehen. Nun, wenn er den Katholizismus für besser hält, so ist dagegen nichts einzuwenden; nur sollte er dann selber katholisch werden. So ist es nur Inkonsequenz und Feigheit. – Ich entsinne mich, 1850 oder 1851, da hatte Manteuffel Befehl bekommen, eine Verstän-

* Ludwig Maximilian Freiherr von Biegeleben aus Darmstadt, streng katholisch, großdeutsch und antipreußisch, 1852 bis 1872 Referent über die deutschen Angelegenheiten im österreichischen Ministerium des Auswärtigen, war der eigentliche Träger der deutschen Politik Österreichs in diesen Jahren. Friedjung, Der Kampf um die Vorherrschaft. Band I, S. 100 f.

digung zwischen den Gagernschen und den Konservativen von der preußischen Partei zu versuchen – wenigstens so weit, wie der König in der deutschen Sache gehen wollte. – Er nahm mich und Gagern dazu, und so wurden wir eines Tages zu einem souper à trois bei ihm eingeladen. Zuerst wurde wenig oder gar nicht von Politik gesprochen. Dann aber ergriff Manteuffel einen Vorwand, uns allein zu lassen. Als er hinaus war, sprach ich sogleich von Politik und setzte Gagern meinen Standpunkt auseinander, und zwar in ganz nüchterner, sachlicher Weise. Da hätten Sie aber den Gagern hören sollen. Er machte sein Jupitergesicht, hob die Augenbrauen, sträubte die Haare, rollte die Augen und schlug sie gen Himmel, daß es förmlich knackte, und sprach zu mir mit seinen großen Phrasen, wie wenn ich eine Volksversammlung wäre. – Natürlich half ihm das bei mir nichts. Ich erwiderte kühl, und wir blieben auseinander wie bisher. Als Manteuffel dann wieder hereingekommen war und der Jupiter sich entfernt hatte, fragte er mich: ›Nun, was haben Sie zustande gebracht miteinander?‹ – ›Ach‹, sagte ich, ›nichts ist zustande gekommen. Das ist ja ein ganz dummer Kerl. Hält mich für eine Volksversammlung – die reine Phrasengießkanne. Mit dem ist nicht zu reden.‹«

Die Unterhaltung wandte sich dem verstorbenen General von Möllendorf zu, von dem gerühmt wurde, er sei ein kreuzbraver alter Herr gewesen. Graf Bismarck-Bohlen erzählte von ihm: »Im Treffen bei Schleswig*, als man da in der Ferne schießen hörte, kommt Wrangel herangesprengt zu Möllendorf und fragt: ›Wo wird geschossen?‹ Der weiß es nicht zu sagen. Da fährt Wrangel ihn an, das müsse er wissen, und jagt dann theatralisch davon. Möllendorf meinte später: ›Dieser Wrangel ist doch halb Grobian, halb Komödiant, und ich sitze hier à cheval der Ereignisse.‹« Der Minister knüpfte daran folgendes: »Da erinnere ich mich, nach den Märztagen, wie der König in Berlin und die Truppen in Potsdam waren. Da kam ich auch hin, und es war Beratung, was jetzt zu tun wäre. Möllendorf war dabei und saß mit schmerzhafter Miene auf einem Stuhle nicht weit von mir. Er konnte nur mit der einen Hälfte sitzen, so hatten sie ihn zerprügelt. Der eine riet nun dies, der andere das, aber niemand wußte recht, was zu machen. Ich saß neben dem Pianoforte und sagte nichts, schlug aber ein paar Töne an – Dideldum dittera (er dudelte den Anfang des Infanterie-Sturmmarsches).

* 23. April 1848, Ostersonntag.

Da erhob sich der Alte freudestrahlend plötzlich von seinem Stuhle und humpelte auf mich zu und umarmte mich und sagte: ›Das ist das Rechte. Ich weiß, was Sie wollen – marschieren, nach Berlin.‹ Mit dem König aber war nichts zu machen, und die anderen hatten auch keine Courage.« Nach einer Weile fragte der Kanzler seinen Gast: »Was kostet Ihnen eine Visite beim Kaiser jedesmal?« – Ich weiß nicht, was Werder darauf antwortete. Der Chef aber fuhr fort: »Für mich war das immer eine ziemlich kostspielige Sache – besonders in Zarskoje. Ich hatte da immer fünfzehn bis zwanzig, auch fünfundzwanzig Rubel zu zahlen, je nachdem ich unaufgefordert zum Kaiser fuhr oder aufgefordert. Im letzteren Falle war es teurer. Da bekam der Kutscher und der Lakai, die mich geholt hatten, der Haushofmeister, der mich empfing – bei letzterer Gelegenheit mit dem Degen an der Seite –, dann der Läufer, der mir durch die ganze Länge des Schlosses – es müssen wohl tausend Schritt sein – bis zum Zimmer des Kaisers vorausging. Wissen Sie, der mit den hohen runden Federn auf dem Kopfe, wie ein Indianer. – Nun, der verdiente seine fünf Rubel wirklich. Und niemals bekam man denselben Kutscher zurück. – Ich konnte diese Ausgaben nie liquidieren. Wir Preußen waren überhaupt schlecht gestellt. Fünfundzwanzigtausend Taler Gehalt und achttausend Taler Mietgeld. Ich hatte dafür freilich ein Haus so groß und so schön, wie irgendein Palais in Berlin. Aber die Möbel drin waren alle alt und verschossen und ruppig, und wenn ich die Reparaturen und anderen Kleinigkeiten dazu nehme, so kostete es mich neuntausend jährlich. Ich fand aber, daß ich nicht verpflichtet wäre, mehr zu vertun als meinen Gehalt, und so half ich mir damit, daß ich kein Haus machte. Der französische Gesandte hatte dreimalhunderttausend Franken und durfte nebenbei alle Gesellschaften, die er für offiziell anzusehen für gut fand, seiner Regierung liquidieren.« »Sie hatten aber doch freie Heizung, und die macht doch in Petersburg jährlich was aus«, warf Werder ein.

»Nein, erlauben Sie«, entgegnete der Chef, »die mußte ich auch bezahlen. – Das Holz wäre übrigens nicht so teuer, wenn es die Beamten nicht teuer machten. Da erinnere ich mich, einmal, da sah ich schönes Holz auf einem finnischen Boote. Ich fragte die Bauern nach dem Preise, und sie nannten mir einen sehr wohlfeilen. Als ich's aber kaufen wollte, fragten sie (er sagte dies auf Russisch, kasennoje), ob es für den Fiskus wäre. Da beging ich die Unvorsichtigkeit zu antworten, nicht für den kaiserlichen Fiskus, sondern (er brauchte wieder die russischen Worte, krolowskij prusskij posol) für den königlich preußischen Gesandten. Da waren sie, als ich wieder hinkam, um das Holz abholen zu lassen, alle davongelaufen. Hätte ich ihnen die Adresse eines Kaufmanns gegeben, mit dem ich mich inzwischen verständigen konnte, so hätte ich's um den dritten Teil dessen gehabt, was ich sonst bezahlte. Der (er brauchte wieder die russische Bezeichnung für den Begriff: preußischer Gesandter) war ihnen offenbar auch ein Beamter des Zaren, und sie dachten: Nein, der sagt, wenn er bezahlen soll, wir hätten es gestohlen, und läßt uns einsperren, bis wir's ihm umsonst geben.« Er erzählte darauf noch Beispiele der Art, wie die Tschinowniks (die Beamten) die Bauern hudeln und ausbeuten, und kam dann auf die karge Besoldung der preußischen Gesandten gegenüber den übrigen zurück. »So ist's auch in Berlin«, setzte er hinzu. »Ein preußischer Minister hat zehntausend Taler, der englische Gesandte aber dreiundsechzigtausend, und der russische vierundvierzigtausend; dazu liquidiert er seiner Regierung alle offiziellen Feste, und wenn der Kaiser einmal bei ihm wohnt, bekommt er gebrauchsmäßig einen vollen Jahresgehalt als Entschädigung. Da können wir freilich nicht mit ihnen Schritt halten.«

M. Busch, Tagebuchblätter. Band I, 1899, S. 414 ff.

Aus einem Tischgespräch in Versailles. 23. November 1870

Tagebuchaufzeichnung von M. Busch.

Jemand erwähnte das bei Bleibtreu bestellte Gemälde, und das brachte einen anderen Tischgenossen auf die Skizze zu einem anderen, das den General Reille darzustellen bestimmt sei, wie er auf dem Berge vor Sedan dem Könige den Brief Napoleons überbringt. Man tadelte, daß der General hier die Mütze in einer Weise abnehme, als ob er Hurra oder Vivat rufen wolle. Der Chef bemerkte: »Er betrug sich durchaus anständig und würdig. – Ich sprach dann allein mit ihm, während der König die Antwort schrieb. Er machte mir Vorstellungen: man würde einer so großen Armee, und die sich so tapfer geschlagen hätte, nicht harte Bedingungen stellen. Ich zuckte die Achseln. Da sagte er, ehe sie sich darein fügten, sprengten sie sich mit der Festung in die Luft. Ich sagte: ›Sprengen Sie sich nur – faites sauter!‹ Ich fragte ihn dann, ob der Kaiser denn der Armee, der Offiziere noch sicher sei. Er bejahte es. Und ob sein Wort und Befehl wohl auch in Metz noch gelte? Reille bejahte das ebenfalls, und wie wir gesehen haben, hatte er zu der Zeit noch recht. Ich glaube, wenn er damals Frieden gemacht hätte, wäre er jetzt noch ein achtbarer Regent. Er ist aber ein dummer Mensch. Ich habe das schon vor sechzehn Jahren gesagt, wo mir's niemand glauben wollte! Dumm und sentimental. – Der König dachte übrigens in dem Augenblicke, es gäbe nun Frieden, und wollte von mir die Bedingungen hören, die wir ihnen stellen sollten. Ich sagte ihm aber: ›Majestät, soweit sind wir wohl noch nicht.‹ – Die Durchlauchtigen und die Hoheiten drängten sich dabei so heftig an uns heran, daß ich den König zweimal bitten mußte, den Standort zu wechseln.«

M. Busch, Tagebuchblätter. Band I, 1899, S. 424 ff.

»Die deutsche Einheit ist gemacht.« – Gespräch mit den Mitarbeitern. 23. November 1870

Tagebuchaufzeichnung von M. Busch.

Gegen zehn Uhr ging ich hinunter zum Tee und fand da noch Bismarck-Bohlen und Hatzfeldt. Der Chef war mit den drei bayerischen Bevollmächtigten im Salon. Nach einer Viertelstunde etwa öffnete er die Flügeltür, steckte den Kopf mit freundlichster Miene herein und kam dann, als er noch Gesellschaft sah, mit einem Becher zu uns an den Tisch, wo er Platz nahm. »Nun wäre der bayrische Vertrag fertig und unterzeichnet«, sagte er bewegt. »Die deutsche Einheit ist gemacht, und der Kaiser auch.«

Einen Moment herrschte Stille. Dann bat ich, mir die Feder holen zu dürfen, mit der er sich unterschrieben habe. »In Gottes Namen holen Sie sich alle drei«, erwiderte er, »die goldene ist aber nicht darunter.« Ich ging und nahm mir die drei Federn, die neben dem Dokument lagen, und von denen zwei noch naß waren. Daneben standen zwei leere Champagnerflaschen. »Bringen Sie uns noch eine von diesem«, sagte der Chef zum Diener. »Es ist ein Ereignis.« Dann bemerkte er nach einigem Nachsinnen: »Die Zeitungen werden nicht zufrieden sein, und wer einmal in der gewöhnlichen Art Geschichte schreibt, kann unser Abkommen tadeln. Er kann sagen (ich zitiere, wie immer bei Anführungszeichen, genau seine eigenen Worte), der dumme Kerl hätte mehr fordern sollen; er hätte es erlangt, sie hätten gemußt; und er kann rechthaben – mit dem Müssen. Mir aber lag mehr daran, daß die Leute mit der Sache innerlich zufrieden waren – was sind Verträge, wenn man muß! – und ich weiß, daß sie vergnügt fortgegangen sind. Ich wollte sie nicht pressen, die Situation nicht ausnutzen. Der Vertrag hat seine Mängel, aber er ist so fester. Was fehlt, mag die Zukunft beschaffen. – Auch der König war mit der Sache nicht zufrieden, er meinte, ein solcher Vertrag sei nicht viel wert. Ich aber bin anderer Ansicht. Ich rechne ihn zu dem Wichtigsten, was wir in diesen Jahren erreicht haben. Und ich brachte ihn doch zuletzt zur Einwilligung, indem ich ihm mit der englichsen Einmischung Angst machte, wenn wir die Sache nicht beschleunigten. – Was den Kaiser betrifft, so habe ich ihnen den bei den Verhandlungen damit annehmbar gemacht, daß ich ihnen vorstellte, es müsse für ihren König doch bequemer und leichter sein, gewisse Rechte an den deutschen Kaiser abzutreten, als an den benachbarten König von Preußen.« Als der Minister sich dann über den König von Bayern äußerte, »er lebe in Träumen« und dergleichen, bemerkte Abeken*, der inzwi-

* Abeken vom 23. November abends, S. 453 f. (gekürzt): »Es ist soeben mit Bayern abgeschlossen worden ... So ist denn wirklich aus dem Norddeutschen Bund – ein Deutscher Bund geworden, und die deutsche Einheit ist fertig ... Das hat der Minister eigentlich allein mit den Bayern fertig gebracht; da Delbrück nach Berlin hatte reisen müssen, so lag ihm allein die ganze Last, auch die Bewältigung des Materials ob, und es hat ihn mehrere Nächte und viele Kraft gekostet ... Es gehört doch eine fast beispielslose Kraft des Geistes und des Wollens dazu, so verschiedene Sachen nebeneinander de front zu führen: die ganze auf den Krieg mit Frankreich bezügliche Diplomatie, diese deutschen Verhandlungen und daneben nun die russische Verwicklung. Dazu noch eine Menge Sachen, die ihm als Präsidenten des Staatsministeriums in bezug auf die inneren Verhältnisse Preußens obliegen, Administrationssachen der eroberten Provinzen, Zank und Streit mit Militär- und Zivilbehörden, und dabei viel nötiger und unnötiger Ärger. Es ist nur zu verwundern, daß er es so aushält.« – 24. November morgens: »Ich gehe sonst nicht zum Tee hinunter. – Aber als wir (Abeken und Keudell, von einem Spaziergange) wieder hereinkamen, und ich erfuhr, daß die bayrischen Minister weg und Graf Bismarck im Teezimmer sei, konnte ich nicht widerstehen hineinzugehen und ihm zum Abschluß Glück zu wünschen, was er sehr dankbar und herzlich aufnahm. Da wars denn auch nicht möglich, nicht sitzen zu bleiben und neben dem Tee auch ein Glas zu trinken. Bismarck war sehr heiter und gesprächig, denn darüber wurde es spät. – Ich finde heute morgen, daß er gestern abend noch gearbeitet und eine Anzahl Konzepte, die ich ihm hatte in die Stube legen lassen, korrigiert hatte. Dafür schläft er aber auch jetzt noch – die letzten Nächte hatte er fast gar nicht geschlafen, war sogar

schen hereingekommen war, und den dies natürlich mit Betrübnis erfüllte: »Aber der junge König ist doch so ein netter Mensch.« »Das sind wir alle hier auch«, entgegnete der Chef, indem er uns der Reihe nach ansah. Starkes Gelächter im Zentrum sowie auf der Linken. Bei einer zweiten Flasche Sekt, die er mit uns trank, kam er, ich weiß nicht wodurch veranlaßt, auf seinen Tod zu sprechen und behauptete, er werde in seinem einundsiebzigsten Jahre sterben, indem er das aus einer mir unverständlichen Zahlenkombination herleitete. Ich sagte: »Das dürfen Exzellenz nicht. Das wäre zu früh. Da muß man den Todesengel wegjagen.« »Nein«, erwiderte er. »Sechsundachtzig – sechzehn Jahre noch. Ich weiß es – es ist eine mystische Zahl.«

M. Busch, Tagebuchblätter. Band I, 1899, S. 427 ff.

»Ich kenne ihn, er kann nicht lügen.« – Gespräch mit dem Schriftsteller Dr. Moritz Busch und anderen Herren der Umgebung in Versailles. 29. November 1870

Tagebuchaufzeichnung von M. Busch.

Früh brüllen die französischen Feuerschlünde so grimmig wie bisher noch nie, während ich die Freude habe, neue Siege der deutschen Waffen zu telegraphieren. Garibaldi nämlich hat gestern eine tüchtige Schlappe bei Dijon erlitten,* und Prinz Friedrich Karls Truppen haben den ihnen an Zahl überlegenen

mehrmals aufgestanden und hatte sich Licht gemacht, um etwas zu konzipieren. – Unser Bureau hat nun heute freilich viel zu schreiben, mit Abschriften, Telegrammen und dergleichen. Neulich mußten die Leute in der Nacht bis zweieinhalb Uhr schreiben, um den Vertrag zur Unterzeichnung fertig zu bringen. ›Europa wartet auf euch‹, sagte der Minister.«

* Bei den Kämpfen um Dijon, 25.–27. November. Schon bei einem Tischgespräch vom 28. November fielen über das Eingreifen bzw. die Teilnahme Garibaldis in den Krieg auf französischer Seite drastische Bemerkungen: Jemand sagte, wenn sie den gefangen nähmen, würde er doch als ein Mensch, der sich unbefugtermaßen in den Krieg gemengt habe, erschossen werden. »Vorher werden sie in Käfige gesetzt und öffentlich gezeigt«, bemerkt Bohlen. – »Nein«, erwiderte der Minister, »ich hätte einen anderen Plan. Man sollte die Gefangenen nach Berlin bringen, dort müßte ihnen ein Plakat von Pappe vor die Brust gehängt werden, auf dem stünde: ›Italiener, Zuchthaus, Undank!‹ und so würden sie durch die Stadt geführt.« Bohlen meinte: »Dann nach Spandau.« Der Chef versetzte: »Oder man könnte auch darauf schreiben: ›Italiener, Venedig, Spandau‹.«

Franzosen gestern bei Beaune la Rolande eine Niederlage beigebracht. Als ich dem Chef das zweite Telegramm vor der Absendung vorlegte, bemerkte er: »Viele Hundert Gefangene ist nichts gesagt. Viele Hundert ist wenigstens tausend, und wenn wir den Verlust auf unserer Seite zu tausend Mann angeben, vom Feinde aber nur sagen, er habe größere Verluste gehabt, so ist das eine Ungeschicklichkeit, die andere sich erlauben dürfen, wir aber nicht. Ich bitte Sie, machen Sie die Telegramme künftig politisch.«

Bei Tische hatten wir als Gast den Oberstleutnant von Hartrott. Man sprach unter anderem von der Verteilung des Eisernen Kreuzes, und der Chef bemerkte dabei: »Die Doktors sollten es am schwarz und weißen Bande haben; sie sind ja im Feuer, und es gehört viel mehr Mut und fester Sinn dazu, sich ruhig beschießen zu lassen, als vorzustürmen. – Blumenthal sagte mir, er könne es eigentlich gar nicht verdienen, da er verpflichtet wäre, sich von der Gefahr fernzuhalten, totgeschossen zu werden. Deshalb suche er sich auch bei Schlachten immer eine Stellung, wo er gut sehen, aber nicht gut getroffen werden könne, und da hatte er ganz recht; ein General, der sich ohne Not aussetzt muß Arrest bekommen.« Der Kanzler bemerkte dann ganz plötzlich: »Heute hat mir der König nicht die Wahrheit gesagt. Ich fragte ihn, ob noch nicht geschossen würde, und er sagte, er habe es befohlen. Ich wußte aber gleich, daß das nicht wahr war. Ich kenne ihn, er kann nicht lügen, er kann's wenigstens nicht, ohne daß man es merkt. Jedesmal kriegt er eine ganz besondere Gesichtsfarbe, und heute, wo ich ihn fragte, und er antwortete, war diese Farbe besonders auffällig. Auch konnte er mich, als ihn ihn ins Auge faßte, nicht ansehen.« Als man dann auf die Führung der Armee kam, äußerte er: »Nur Demut führt zum Siege, Überhebung, Selbstüberschätzung zum Gegenteil.«

M. Busch, Tagebuchblätter. Band I, 1899, S. 444 ff. (gekürzt).

Rückschau auf das Jahr 1848. – Gespräch mit den Mitarbeitern in Versailles. 29. November 1870

Tagebuchaufzeichnung von M. Busch.

Beim Tee, zu dem auch der Chef kam, und zwar noch im Mantel, trafen weitere günstige Nachrichten über die Schlacht von gestern ein. Man sprach dann erst über das jetzt immer wieder in den Vordergrund tretende Thema der Verzögerung des Bombardements, dann über die Genfer Konvention, von der der Minister äußerte, die werde man kündigen müssen; denn das gehe so nicht, auf diese Art ließe sich nicht Krieg führen. Delbrück hat, wie es scheint, nicht recht deutlich über die Aussichten telegraphiert, die die Abmachungen mit Bayern auf Durchgehen im Reichstage haben. Es sieht aus, als ob dieser nicht beschlußfähig wäre, und als ob die Versailler Verträge vom Fortschritt und dem Nationalliberalismus zugleich Anfechtung erfahren würden. Der Chef bemerkt dazu: »Was die Fortschrittler angeht, so sind sie nur konsequent damit; die wollen nach 1849 zurück. Aber die Nationalliberalen? Ja, wenn sie nicht wollen, was sie zu Anfang dieses Jahres noch mit aller Macht erstrebten – im Februar –, und was sie jetzt haben können, so müssen wir sie auflösen, den Reichstag. Dann wird die Fortschrittspartei bei den Neuwahlen noch kleiner werden, und von den Nationalliberalen werden auch einige nicht wiederkommen. Aber die Verträge kommen dann jetzt nicht zustande, Bayern besinnt sich, Beust steckt seinen Stift hinein, und was dann wird, wissen wir nicht. Hinreisen kann ich nicht gut. Es ist sehr unbequem und verlangt viel Zeit, und hier bin ich wahrhaftig auch nötig.« Hieran anknüpfend sprach er über den Stand der Dinge im Jahre 1848. »Damals lagen die Sachen eine Zeitlang sehr günstig für eine Einigung Deutschlands unter Preußen«, sagte er. »Die kleinen Herren waren größtenteils machtlos und ohne Hoffnung. Wenn sie nur recht viel Geld für sich hätten retten können, Domänen, Apanagen und dergleichen, so hätten sie sich zu allem bereit finden lassen. Die Österreicher hatten mit Ungarn und Italien zu tun. Der Kaiser Nikolaus hätte damals noch keinen Einspruch getan. Hätte man vor dem Mai 1849 zugegriffen, Entschlossenheit gezeigt, die Kleinen abgefunden, so hätte man wohl auch den Süden gehabt, besonders wenn die württembergische und bayerische Armee sich mit der badischen Revolution verbunden hätten, was in diesem Stadium der Sache nicht unmöglich war. So aber verlor man die Zeit mit Zögern und halben Maßregeln, und so ging die Gelegenheit in die Brüche.«

M. Busch, Tagebuchblätter. Band I, 1899, S. 449 ff.

Bleibt Deutschland zerrissen? – Gespräch mit dem Abgeordneten Grafen Frankenberg in Versailles.

30. November 1870

Das Widerstreben Bayerns und Württembergs beim Eintritt in den Norddeutschen Bund hatte mit dem Zugeständnis von Sonderrechten für diese Staaten überwunden werden müssen. Bismarck fürchtete, daß deshalb der Reichstag die Verträge nicht annehmen würde. Er bemühte sich daher, alle Abgeordneten, die im Felde standen, in die Heimat zu bringen, um durch sie einer Ablehnung der Vorlagen entgegenzuwirken. Auch Graf Frankenberg wurde als Reichstagsabgeordneter aufgefordert, sich nach Berlin zu begeben. Vor seiner Abreise hatte er das folgende Gespräch mit Bismarck.
Nach Aufzeichnungen Frankenbergs.

Ich ging nach Tisch zu Bismarck, um zu hören, was er mir für den Reichstag mitgeben wolle. Er hält die Lage für ernst und glaubt kaum mehr an ein Durchgehen der Verträge mit den süddeutschen Staaten. »Ich habe von Bayern mehr verlangt«, so sprach er lebhaft, »als Bennigsen und Lasker eigentlich gefordert haben, als sie in München waren, um sich mit den dortigen Führern der Liberalen zu verständigen. Sie haben mir eigentlich durch zu billige Bedingungen das Geschäft erschwert und beinahe verdorben. Das wird sie aber gar nicht hindern, jetzt zu behaupten, ich hätte zu wenig durchgesetzt. Verwirft der Reichstag die Verträge, so müssen wir bis 1877 so weiter existieren wie bisher. Norddeutschland bleibt für sich und Süddeutschland auch; was aber bis dahin geschieht, das weiß der Himmel. Die Herren werden dann selber zusehen müssen, wie sie bessere Verträge erlangen. Verwirft der Reichstag die Vorlagen der verbündeten Regierungen, so kommt umgehend die Nachricht: Der Bundeskanzler hat seine Demission gegeben. Tags darauf kommt die Nachricht: Der König hat die Demission abgelehnt und den Reichstag aufgelöst, um durch Neuwahlen an das Volk zu appellieren und zu zeigen, daß er und die verbündeten Regierungen Wert, hohen Wert auf das Zustandekommen der Verträge legen.« Ich entgegnete, nimmermehr könne ich glauben, der Reichstag, der doch die nationale Politik mit seinem Kanzler gefördert habe, werde sich im jetzigen Augenblick einen Grabstein setzen, der das deutsche Volk mit Trauer und Unzufriedenheit erfüllen müsse. »Ganz richtig«, fiel der Graf ein, »Deutschland wird trauern und unsere Feinde ringsum werden frohlocken. Wir selber werden vielleicht die Sache gar nicht so ernst nehmen, aber das Ausland wird an die tiefste Zerrissenheit und an die Unmöglichkeit jemaliger Einigung Deutschlands fest glauben. Der Friedensschluß, vor dem wir stehen, wird dann unendlich erschwert und sicherlich ungünstiger für uns werden. Ich höre auch«, sagte er abspringend, »daß die Liberalen durchaus einen Kaiser verlangen. Den sollen sie haben, das verspreche ich ihnen. Es ist alles dazu eingeleitet und im besten Gange.« Zum Abschiede sagte er nochmals mit feierlichem Nachdruck: »Halten Sie fest in Berlin! Wenn wir jetzt die Einigung nicht zustande bringen, ist sie auf Jahre hinaus verloren.«

Graf Frankenberg, Kriegstagebücher 1866 und 1870/71.
Herausgegeben v. Poschinger. 1896, S. 266.

Die Mehlwürmer. – Die Ärzte. – Vierzigtausend Taler in Gold. – Tischgespräch in Versailles. 1. Dezember 1870

Tagebuchaufzeichnung von M. Busch.

Bei Tische ist ein Premierleutnant von Saldern da, der als Adjutant den letzten Kämpfen des zehnten Armeekorps mit der Loirearmee beigewohnt hat. Nach ihm ist dieses Korps bei Beaune la Rolande von der Übermacht der Franzosen, die sich neben dem einen Flügel unserer Truppen nach Fontainebleau durchschieben wollte, eine Zeitlang umzingelt gewesen. Es hat sich sieben Stunden lang mit der größten Unerschrockenheit und Standhaftigkeit gegen die Angriffe des Feindes verteidigt. Namentlich haben sich die Truppen unter Wedel und vor allen die Leute vom 16. Regiment hervorgetan. »Wir haben über sechzehnhundert Gefangene gemacht, und der Gesamtverlust der Franzosen wird auf vier- bis fünftausend Mann veranschlagt«, sagt Saldern. »Ja«, erwidert der Chef, »es wäre mir aber lieber, wenn es lauter Leichen wären. Gefangene sind jetzt bloß ein Nachteil für uns.«

Später gab er Abeken Instruktionen in betreff des Vortrags, den er statt seiner dem Könige halten sollte. Der Geheimrat hatte Depeschen und Berichte in der Hand, die der Kanzler mit ihm durchsah. – »Das geben Sie ihm nicht ohne weiteres«, bemerkte er von einem Aktenstück, »das müssen Sie ihm erklären, die Entstehung mitteilen, sonst mißversteht er's. Den langen Bernstorff hier – na, den geben Sie ihm auch. Aber die beiliegenden Zeitungsartikel – die Herren der Botschaft machen sich's bequem, ich habe es schon oft gesagt, die müssen übersetzt sein, oder noch besser, Analyse davon. Und sagen Sie Seiner Majestät auch«, so schloß er, »wenn wir in London (auf der bevorstehenden Konferenz zur Revision des Pariser Friedens von 1856) einen Franzosen zulassen, so sollte das eigentlich nicht sein, da er eine Regierung vertritt, die von den Mächten nicht anerkannt ist und nicht lange existieren wird. Wir können es Rußland zu Gefallen für diese Frage tun. Jedenfalls, wenn er von anderen Dingen zu reden anfängt, so muß er hinaus.« Der Chef erzählte dann folgenden Vorfall: »Heute, als ich bei Roon gewesen war, machte ich einen Gang, der nützlich sein wird. Ich ließ mir im Schlosse die Gemächer Marie Antoinettens zeigen, und dann dachte ich: Du sollst doch einmal sehen, was die Verwundeten machen. Der Diener, der mich führte, hatte die Schlüssel zu allen Türen, und so ließ ich mich nicht durch den Hauptgang hineinbringen, sondern durch eine hintere Tür. Ich fragte einen der Wärter: ›Haben die Leute denn auch zu leben?‹ – Na, das wäre nicht viel, so ein bißchen Suppe, die Bouillon sein sollte, mit Brotschnitten darin und Reiskörnern, die nicht weich gekocht wären. Schmalz wäre wenig dabei. ›Und wie steht's mit dem Wein?‹, fragte ich, ›bekommt ihr Bier?‹ Wein hätten sie den Tag etwa ein halbes Glas bekommen, sagte er. Ich erkundigte mich bei einem anderen, der hatte gar keinen gekriegt. Dann ein dritter, der sagte, bis vor drei Tagen hätte es welchen gegeben, seitdem nicht mehr. So fragte ich mehrere, im ganzen wohl ein Dutzend, bis auf die Polen, die mich nicht verstanden und ihre Freude, daß sich jemand um sie kümmerte, bloß durch Lachen äußerten. – Also die armen, verwundeten Soldaten bekamen hier nicht, was sie haben mußten, und dabei war es kalt in den Zimmern, weil nicht eingeheizt werden sollte, damit die Bilder an den Wänden nicht Schaden litten. Als ob das Leben eines einzigen von unseren Soldaten nicht mehr wert wäre als der ganze Bilderkram im Schlosse. Und der Diener sagte mir, daß die Öllampen nur bis um elf brennten, und daß die Leute dann bis zum Morgen im Dunkeln lägen. – Vorher habe ich noch einen Unteroffizier gesprochen, der am Fuße verwundet war. Er sagte, er müßte zufrieden sein, obwohl es besser sein könnte. Auf ihn nähme man wohl Rücksicht, aber die anderen! Ein bayrischer Johanniter, der sich jetzt ein Herz faßte, sagte mir, daß Wein und Bier geliefert worden sei, aber wahrscheinlich irgendwo zur Hälfte oder mehr hängengeblieben sein würde, desgleichen warme Sachen und andere Liebesgaben. Ich ließ mich nun zu dem Chefarzt bringen. ›Wie steht es mit der Verpflegung der Kranken?‹, fragte ich. ›Und bekommen sie gehörig zu essen?‹ – ›Hier ist der Speisezettel.‹ – ›Der kann mir nichts helfen. Die Leute essen kein Papier. Und bekommen sie Wein?‹ – ›Täglich einen halben Liter.‹ – ›Entschuldigen Sie, das ist nicht wahr. Ich habe gefragt, und es ist nicht anzunehmen, daß die Leute lügen, wenn sie sagen, daß sie keinen bekommen haben.‹ – ›Hier, der Herr ist mein Zeuge, daß alles ordentlich und nach Vorschrift zugeht. Kommen Sie mit mir, und ich will sie in Ihrem Beisein befragen.‹ – ›Ich werde mich hüten, aber es wird dafür gesorgt werden, daß sie durch den Auditeur befragt werden, ob sie das erhalten, was an den Inspektor für sie gelangt.‹ – Er wurde ganz blaß; ich sehe ihn noch, so daß ein Schmiß, den er im Gesicht hatte, deutlich zum Vorschein kam. ›Darin läge ja ein schwerer Vorwurf auch für mich‹, sagte er. – ›Ja‹, erwiderte ich, ›allerdings, das soll's auch – und ich werde Sorge tragen, daß die Sache untersucht wird und bald.‹ – Am liebsten hätte ich's, wenn ich den König einmal bewegen könnte, die Verwundeten mit mir zu besuchen.» Später setzte er hinzu: »Wir haben besonders zwei Klassen, wo Unterschleife vorkommen; das sind die Mehlwürmer, die mit dem Proviant zu tun haben, und die Baubeamten, vorzüglich die bei den Wasserbauten. Dann die Ärzte. Ich erinnere mich, daß vor nicht langer Zeit – es muß etwa anderthalb Jahre her sein – eine große Untersuchung wegen Betrügereien bei der Gestellung zum Militär schwebte, in die zu meinem Erstaunen wohl dreißig Ärzte verwickelt waren.«

Ein Weilchen nachher nahm er einige Goldstücke heraus, mit denen er einige Augenblicke spielte. »Auffällig ist«, sagte er dabei, »wie sehr man hier auch von anständig gekleideten Leuten angebettelt wird. Schon in Reims kam das vor; hier aber ist's viel schlimmer. – Wie selten man jetzt Goldstücke mit Ludwig Philipp oder Karl dem Zehnten zu sehen bekommt! Ich erinnere mich, wie ich jung war, in den zwanziger Jahren, sah man noch welche mit Ludwig dem Sechzehnten und dem Achtzehnten, dem Dicken. Selbst der Ausdruck Louisdor ist nicht mehr gebräuchlich; will man bei uns vornehm sein, so redet man von Friedrichsdors.« – Er balancierte dann einen Napoleondor auf der Spitze des Mittelfingers, als ob er ihn wägen wollte, und fuhr fort: »Hundert Millionen doppelte Napoleondor, das wäre jetzt ungefähr die Kriegskosten-Entschädigung in Geld – später kostet's mehr, viertausend Millionen Franken. Vierzigtausend Taler in Gold werden ein Zentner sein, dreißig Zentner gehen auf einen tüchtigen zweispännigen Wagen – ich weiß, ich habe einmal vierzehntausend Taler in Gold von Berlin nach Hause tragen müssen; was das schwer war! – Das wären etwa achthundert Wagen.«

M. Busch, Tagebuchblätter. Band I, 1899, S. 458 ff. (gekürzt).

»Wir sitzen zu Ostern noch in Versailles.« – 4. Dezember 1870

Tagebuchaufzeichnung von M. Busch.

Bei Tische waren der ehemalige badische Minister von Roggenbach, der Premierleutnant von Sawadsky und der bayrische Johanniter von Niethammer, ein Mann mit ungewöhnlich edlen Zügen, dessen Bekanntschaft der Chef neulich im Lazarett gemacht hat, zugegen. Der Minister sprach erst davon, daß er die Verwundeten im Schlosse heute wieder besucht habe. Dann sagte er: »Wenn ich von Frankfurt und Petersburg absehe, so bin ich in meinem Leben noch an keinem fremden Orte so lange gewesen wie hier. Wir erleben hier noch Weihnachten, was wir schon nicht dachten. Wir sitzen zu Ostern noch in Versailles und sehen die Bäume wieder grün werden und horchen immer noch auf Nachrichten von der Loirearmee. Hätte man das gewußt, so hätten wir uns im Garten draußen Spargelbeete anlegen lassen.« Später äußerte er gegen Roggenbach: »Da habe ich mir die Zeitungsausschnitte angesehen. Wie die über die Verträge herziehen! Kein gutes Haar lassen sie dran. Die Nationalzeitung, die Kölnische – die Weserzeitung ist immer noch die vernünftigste. – Nun ja, die Kritik muß man sich gefallen lassen. Aber man hat die Verantwortlichkeit dafür, wenn nichts zustande kommt, während die Kritiker unverantwortlich sind. Mir ist's einerlei, wenn sie mich tadeln, wenn die Sache nur durchgeht im Reichstage. Die Geschichte kann sagen, der elende Kanzler hätte es auch besser machen können, aber ich war verantwortlich. Will der Reichstag ändern, so kann auch jeder süddeutsche Landtag ändern, in anderer Richtung, dann zieht sich der Prozeß in die Länge, und mit dem Frieden, wie wir ihn wollen und brauchen, wird nichts. Elsaß kann doch nicht beansprucht werden, wenn keine politische Persönlichkeit geschaffen ist, wenn kein Deutschland da ist, das es für sich erwirbt.« Man sprach von den Friedensverhandlungen, die mit der bevorstehenden Kapitulation von Paris verbunden sein könnten, und von den Schwierigkeiten, die dabei auftauchen würden. »Favre und Trochu«, begann der Chef, »können sagen: Wir sind die Regierung nicht, wir waren einmal dabei, aber wir haben niedergelegt, wir sind Privatleute. Ich bin nichts als der Citoyen Trochu. Nun wollte ich sie aber schon zwingen, die Pariser. Ich würde sagen: Ihr zwei Millionen Menschen seid mir verantwortlich mit euren Leibern. Ich lasse euch noch vierundzwanzig Stunden hungern, bis wir von euch haben, was wir wollen. Und noch einmal vierundzwanzig Stunden, einerlei, was daraus wird. Das halte ich aus, aber der König, der Kronprinz, die Damen, die ihnen ihre sentimentalen Ansichten aufdrängen, und gewisse geheime europäische Verbindungen! – Ich wollte schon fertig werden mit mir; aber das, was hinter mir steht, hinter meinem Rücken, oder vielmehr, was auf der Brust liegt, daß ich nicht atmen kann. Das sind Leute, für die die deutsche Sache, die Siegesfrage nicht in erster Linie steht, sondern der Wunsch, in englischen Zeitungen gelobt zu werden. – Ja, wenn man Landgraf wäre. Das Hartsein traue ich mir zu. Aber Landgraf ist man nicht.

Es wurde Schweizer Käse herumgereicht, und jemand warf die Frage auf, ob Käse zum Wein passe. »Gewisse Sorten zu gewissen Weinen«, entschied der Minister. »Scharfe Käse wie Gorgonzola und Holländer nicht. Aber andere wohl. Ich erinnere mich, daß in der Zeit, wo in Pommern tüchtig getrunken wurde, vor zweihundert Jahren oder länger – da waren die Ramminer die, die am schärfsten tranken. Da hatte einmal einer von Stettin Wein bekommen, der ihm nicht schmecken wollte. Er schrieb dem Kaufmann deswegen. Der aber schrieb ihm zurück: Et Kees to Win, Herr von Rammin, denn smeckt de Win wie in Stettin ook to Rammin.«

M. Busch, Tagebuchblätter. Band I, 1899, S. 472 ff.

Um die Kaiserproklamation-Formalitäten und Unklarheiten. 4. Dezember 1870

Tagebuchaufzeichnung von M. Busch.

Ich gehe nach halb elf Uhr zum Tee hinunter, wo Bismarck-Bohlen und Hatzfeldt mit drei Feldjägern sitzen, die auf Befehle vom Chef warten. Dieser kommt erst nach einer halben Stunde vom Großherzog von Baden zurück. Er schreibt mit Bleistift rasch einen Brief an den Oberbefehlshaber des 4. Armeekorps, den darauf einer der Feldjäger mitnimmt. Dann erzählt er, der Großherzog habe soeben vom Könige die Nachricht erhalten, unsere Leute hätten schon den Wald von Orleans hinter sich und stünden dicht vor der Stadt. Als die anderen mit den Feldjägern hinausgegangen waren, fragte ich: »Exzellenz, da könnte ich die gute Nachricht wohl gleich nach London telegraphieren?« »Ja«, sagte er lächelnd, »wenn es der hohe Generalstab erlaubt, daß wir von den Bewegungen der Armee sprechen.« Bohlen sagte: »In Berlin sind sie ganz außer sich. Das wird morgen einen schönen Spektakel geben mit dem ›Kaiser‹; sie wollen illuminieren und treffen schon großartige Anstalten – ein wahres Zauberfest.« »Ja«, erwiderte der Chef, »das wird, denk ich, auch gute Wirkung auf den Reichstag haben. Es war übrigens doch sehr hübsch von Roggenbach, daß er gleich bereit war, nach Berlin zu gehen.« (Um den Ungenügsamen unter den Abgeordneten Mäßigung zu predigen.) »Die (Reichstagsabgeordneten oder die Berliner?) legen viel mehr Gewicht darauf, als der Kaisertitel hat, womit nicht gesagt sein soll, daß er keinen Wert hätte. Der König von Bayern – ich wußte, daß er mir nicht traute. So schrieb ich ihm zuletzt in dem Briefe, daß wir Güter besäßen, die unsrer Familie von Ludwig dem Bayern als Herrn von Brandenburg verliehen worden, und daß wir folglich seit länger als fünf Jahrhunderten zu seinem Hause in Beziehung stünden, was insofern auch wahr ist, als wir die Güter, die wir jetzt besitzen, für die erhalten haben, die die Hohenzollern uns genommen hatten. Das müßte ihm sehr gefallen haben, sagte Holnstein; denn er hatte den Brief* noch einmal zu lesen verlangt. – Dieser Holnstein hat übrigens bei der Geschichte das meiste getan; er hat seine Sache recht geschickt gemacht. – Sag mal (zu Bohlen), welchen Orden könnte man ihm geben?« Bohlen: »Ach, der hat schon die erste Klasse des roten Vogels gekriegt, wie der Kronprinz in München war.« Chef: »Nun ja, da hat er freilich schon das Höchste, was er bekommen kann. Der König (Wilhelm) hat übrigens gar nicht recht gewußt, um was es sich handelte, als er sich bei ihm gemeldet hat. ›Ich fragte ihn‹, sagte er zu mir, »er wolle sich wohl Versailles einmal an-

* Gemeint ist der bekannte Brief vom 27. November. Vergleiche über ihn Gedanken und Erinnerungen. Band I, S. 353; Band II, S. 118.

sehen.‹ – Nun ja, er konnte es (die Erlangung der Kaiserwürde durch Vermittlung Bayerns) freilich nicht selbst betreiben.« Werthern, unser Gesandter in München, scheint berichtet zu haben, daß dort die Absicht bestehe, den Prinzen Luitpold mit der Proklamierung des Kaisers zu beauftragen. Der Kanzler sagte dazu: »Eine wunderliche Idee, bei der ich wieder einmal gesehen habe, wie Bray geschäftliche Dinge behandelt. Wie soll er das machen? Auf einen Balkon treten, und vor wem? Ja, wenn die Fürsten alle hier wären. Aber die drei oder vier, die da sind! Ich hoffte, wir würden eher Frieden haben, als die deutsche Sache fertig wäre.«

M. Busch, Tagebuchblätter. Band I, 1899, S. 475 ff.

»Auf dem Gipfel des Popokatepetl« und Anderes. – Gespräch mit der Umgebung. 5. Dezember 1870

Tagebuchaufzeichnung von M. Busch.

Während wir Tee tranken, kam, nachdem ich eine Weile mit Bucher und Keudell zusammengesessen hatte, auch der Chef und später Hatzfeldt. Dieser war beim Könige gewesen und berichtete von da, daß Prinz Friedrich Karl in der Schlacht bei Orleans und während der daran sich schließenden Verfolgung der Franzosen siebenundsiebzig Kanonen, mehrere Mitrailleusen und vier Kanonenboote der Loire erbeutet hat. Etwa zehntausend unverwundete Gefangene sind in unseren Händen. Die Feinde flüchten sich in verschiedenen Richtungen. Alle Punkte sind mit Sturm genommen, und dabei haben auch wir erhebliche Verluste erlitten, namentlich haben die Sechsunddreißiger viele Leute – es heißt, gegen sechshundert Mann – eingebüßt. Auch in den letzten Gefechten vor Paris haben wir im Kampfe mit der Übermacht bedeutende Verluste gehabt...

Das Gespräch kam hiervon auf Alexander von Humboldt, der nach dem, was über ihn geäußert wurde, auch Hofmann, aber nicht von der unterhaltenden Sorte gewesen sein wird. »Bei unserem hochseligen Herrn«, so erzählte der Chef, »war ich das einzige Schlachtopfer, wenn Humboldt des Abends die Gesellschaft in seiner Weise unterhielt. Er las da gewöhnlich vor, oft stundenlang – eine Lebensbeschreibung von einem französischen Gelehrten oder einem Baumeister, die keinen Menschen als ihn interessierte. Dabei stand er und hielt das Blatt dicht vor die Lampe. Mitunter ließ er's fallen, um sich mit einer gelehrten Bemerkung darüber zu verbreiten. Niemand hörte ihm zu, aber er hatte doch das Wort. Die Königin nähte in einem fort an einer Tapisserie und verstand gewiß nichts von seinem Vortrage. Der König besah sich Bilder – Kupferstiche und Holzschnitte – und blätterte möglichst geräuschvoll darin, in der stillen Absicht augenscheinlich, nichts davon hören zu müssen. Die jungen Leute seitwärts und im Hintergrunde unterhielten sich ganz ungeniert, kicherten und übertäubten damit förmlich seine Vorlesungen. Die aber murmelte, ohne abzureißen, fort wie ein Bach. Gerlach, der gewöhnlich auch dabei war, saß auf seinem kleinen runden Stuhle, über dessen Rand sein fetter Hinterer auf allen Seiten herabhing, und schlief, daß er schnarchte, so daß ihn der König einmal weckte und zu ihm sagte: ›Gerlach, so schnarchen Sie doch nicht.‹ – Ich war sein einziger geduldiger Zuhörer, das heißt, ich schwieg, tat, als ob ich seinem Vortrage lauschte, und hatte dabei meine eigenen Gedanken, bis es endlich kalte Küche und weißen Wein gab. – Es war dem alten Herrn sehr verdrießlich, wenn er nicht das Wort führen durfte. Ich erinnere mich, einmal war einer da, der die Rede an sich riß, und zwar auf ganz natürliche Weise, indem er Dinge, die alle interessierten, hübsch zu erzählen wußte. Humboldt war außer sich. Mürrisch füllte er sich den Teller mit einem Haufen – so hoch (er zeigt es mit der Hand) – von Gänseleberpastete, fettem Aal, Hummerschwanz und anderen Unverdaulichkeiten – ein wahrer Berg! – es war erstaunlich, was der alte Mann essen konnte. Als er nicht mehr konnte, ließ es ihm keine Ruhe mehr, und er machte einen Versuch, sich das Wort zu erobern. ›Auf dem Gipfel des Popokatepetl‹, fing er an. Aber es war nichts, der Erzähler ließ sich seinem Thema nicht abwendig machen. – ›Auf dem Gipfel des Popokatepetl, siebentausend Toisen über‹ – wieder drang er nicht durch, der Erzähler sprach gelassen weiter. ›Auf dem Gipfel des Popokatepetl, siebentausend Toisen über der Meeresfläche‹ – er sprach es mit lauter, erregter Stimme, jedoch gelang es ihm auch damit nicht; der Erzähler redete fort, wie vorher, und die Gesellschaft hörte nur auf ihn. Das war unerhört – Frevel! Wütend setzte Humboldt sich nieder und versank in Betrachtungen über die Undankbarkeit der Menschheit auch am Hofe, und bald darauf ging er. – Die Liberalen haben viel aus ihm gemacht, ihn zu ihren Leuten gezählt. Aber er war ein nach Fürstengunst haschender Mensch, der sich nur wohl fühlte, wenn ihn die Sonne des Hofes beschien. – Das hinderte nicht, daß er hernach mit Varnhagen über den Hof räsonierte und allerlei schlechte Geschichten von ihm erzählte. Varnhagen hat dann Bücher daraus gemacht, die ich mir auch gekauft habe. Sie sind erschrecklich teuer, wenn man die paar Zeilen bedenkt, die eins großgedruckt auf der Seite hat.« Keudell meinte, aber für die Geschichte wären sie doch nicht zu entbehren.

»Ja«, erwiderte der Chef, »in gewissem Sinne. Im einzelnen sind sie nicht viel wert, aber als Ganzes sind sie der Ausdruck der Berliner Säure in einer Zeit, wo es nichts gab. Da redete alle Welt mit dieser malitiösen Impotenz. Es wäre eine Welt, die man sich ohne solche Bücher jetzt gar nicht mehr vorstellen kann, wenn man sie nicht selber gesehen hat. Viel auswendig, nichts Ordentliches inwendig. – Ich besinne mich, obwohl ich damals noch sehr klein war, es muß im Jahre 1821 oder 22 gewesen sein – da waren die Minister noch sehr große Tiere, angestaunt, geheimnisvoll. Da war einmal bei Schuckmann große Gesellschaft, was man damals Assemblee nannte. Was war der als Minister für ein erschrecklich großes Tier! Da ging meine Mutter auch hin. Ich weiß es noch wie heute. Sie hatte lange Handschuhe an, bis hier herauf (er zeigte es am Oberarme), ein Kleid mit kurzer Taille, aufgebauschte Locken zu beiden Seiten und auf dem Kopfe eine große Straußenfeder.« Er unterließ, die Geschichte zu vollenden, wenn es eine werden sollte, und kam auf Humboldt zurück. »Humboldt«, sagte er, wußte übrigens auch manches Hübsche zu erzählen, wenn man mit ihm allein war – aus der Zeit Friedrich Wilhelms des Dritten und besonders aus seinem ersten Aufenthalt in Paris, und da er mir gut war, weil ich ihm immer aufmerksam zuhörte, so erfuhr ich viele schöne Anekdoten von ihm. – Mit dem alten Metternich war's ebenso. Ich verlebte einmal ein paar Tage auf dem Johannisberge mit ihm. Da sagte mir später Thun: ›Ich weiß nicht, was haben Sie nur dem alten Fürsten angetan, der hat ja in Sie wie in einen goldenen Kelch hineingesehen und sagte mir, wenn Sie mit dem nicht zurechte kommen, so weiß ich wirklich nicht.‹ – ›Ja‹, sagte ich, ›das will ich Ihnen erklären: ich habe seine Geschichten ruhig angehört und nur manchmal an die Glocke gestoßen, daß sie weiter klang. Das gefällt solchen alten redseligen Leuten.‹«. Hatzfeldt bemerkte, Moltke habe an Trochu geschrieben: so und so stünden die Sachen bei Orleans. Er gäbe ihm anheim, ob er einen Offizier herausschicken wolle, um sich von der Wahrheit zu überzeugen. Er werde diesem ein Saufconduit ausstellen bis Orleans. Der Chef sagte: »Das weiß ich. Aber er hätte es nicht tun sollen, er mußte von selber zu ihnen kommen. Unsere Linien sind jetzt an mehreren Stellen dünn, auch haben sie Taubenpost. Wenn wir's ihnen sagen, sieht es aus, als hätten wir's mit der Kapitulation sehr eilig.«

M. Busch, Tagebuchblätter. Band I, 1899, S. 483 ff.

Tischgespräche in Versailles. 7.–14. Dezember 1870

Tagebuchaufzeichnungen von M. Busch.

7. Dezember

Beim Diner sind die Grafen Holnstein und Lehndorff zugegen. Der Chef kommt u. a. auf Frankfurter Erinnerungen zu sprechen. »Mit Thun war auszukommen«, sagte er. »Der war ein anständiger Mensch. Rechberg war im ganzen auch nicht übel, wenigstens persönlich ehrlich, wenn auch sehr heftig und aufbrausend – einer von den hitzigen Hochblonden«, über die er sich dann weiter verbreitet. »Als österreichischer Diplomat damaliger Schule freilich durfte er's mit der Wahrheit nicht genau nehmen. So erinnere ich mich – einmal erhielt er eine Depesche, in der er angewiesen wurde, mit uns die besten Beziehungen zu pflegen und das zu unterstützen, was wir beantragten, zu gleicher Zeit aber eine andere, in der das strikte Gegenteil von ihm verlangt wurde. Nun kam ich zufällig zu ihm, und aus Versehen gab er mir die zweite zu lesen. Ich merkte bald, was sie enthielt, und las sie ganz durch. Dann hielt ich sie ihm wieder hin und sagte: ›Verzeihen Sie, Sie haben mir die falsche gegeben. Er war sehr verblüfft. Ich aber tröstete ihn, ich werde aus seinem Vergreifen keinen Nutzen ziehen und es nur zu meiner persönlichen Information behalten. Der dritte aber, Prokesch, war gar nicht mein Mann. Der hatte aus dem Orient die niederträchtigsten Intrigen mitgebracht. Der wußte nichts von Ehre und Wahrheit. Er war ein durch und durch verlogener Patron. Ich entsinne mich, einmal, in einer großen Gesellschaft, wurde von irgendeiner österreichischen Behauptung gesprochen, die nicht mit der Wahrheit stimmte. Da sagte er, daß ich's hören sollte, mit erhobener Stimme: ›Wenn das nicht wahr wäre, da hätte mich ja das kaiserlich-königliche Kabinett mit einer Perfidie beauftragt, da hätte ja Seine Kaiserliche Apostolische Majestät (er betonte das Wort stark) gelogen!‹ Dabei sah er mich an. Ich sah ihn wieder an und sagte gelassen: ›Allerdings, Exzellenz.‹ Er war offenbar erschrocken, und als er sich umsah und lauter niedergeschlagenen Augen begegnete und einem tiefen Schweigen, das mir recht gab, wandte er sich still ab und ging ins Speisezimmer, wo gedeckt war. Nach Tische aber hatte er sich erholt. Da kam er auf mich zu – mit einem gefüllten Glase, sonst hätte ich gedacht, er wollte mich fordern – und sagte: ›Na, lassen Sie uns Frieden machen.‹ – ›Warum denn nicht?‹ sagte ich. ›Aber was ich drinnen bemerkte, bleibt doch richtig, und das Protokoll muß geändert werden.‹ – ›Sie sind unverbesserlich‹, erwiderte er lächelnd, und damit war's gut. Das Protokoll wurde geändert und damit anerkannt, daß es die Unwahrheit enthalten hatte.«

*

8. Dezember

Man fragte dann, wie es mit dem »Kaiser von Deutschland« stehe, und der Chef äußerte unter anderem: »Wir haben viel Mühe dabei gehabt mit Telegrammen und Briefen. Aber die größere Hälfte hat doch der Holnstein gemacht. Ein sehr geschickter Mann, auch gar nicht vom Hofwesen eingenommen und verdorben.« Putbus fragte, was er denn eigentlich sei. »Oberstallmeister. Er hat sich sehr gefällig und eifrig gezeigt und eine Tour nach München und wieder zurück in sechs Tagen gemacht. Dazu gehört beim Zustande der Bahnen viel guter Wille. Freilich hat er auch die Körperkonstitution dazu. Ja, nicht einmal bloß München, sondern Hohenschwangau. Und dort mit seinem Könige, der eben von einem Zahngeschwür operiert ist, und mit Chloroform. Aber auch der König Ludwig hat zur raschen Erledigung der Sache wesentlich beigetragen. Er hat den Brief gleich angenommen und ohne Aufschub entscheidend beantwortet. Er konnte ja sagen, erst müsse er frische Luft schöpfen nach der Krankheit, im Gebirge, und dann nach drei, vier Tagen antworten. – Ja, der Graf hat sich um uns sehr verdient gemacht; aber er hat schon den großen roten Vogel, und ich weiß wirklich nicht, was man für ihn tun kann.« Ich habe vergessen, über welche Mittelglieder das Gespräch zu den Begriffen Swells, Snobs und Cockneys gelangte, die dann ausführlich besprochen wurden. Der Chef bezeichnete einen Herrn von der Diplomatie als Swell und bemerkte dann: »Das ist doch ein schönes Wort, das wir im Deutschen nicht wiedergeben können. Ja, Stutzer, aber es enthält zugleich die gehobene Brust, die Aufgeblasenheit. Snob ist ganz was anderes, was sich bei uns aber auch nicht recht ausdrücken läßt. Es bezeichnet verschiedene Dinge und Eigenschaften, doch vorzüglich Einseitigkeit, Beschränktheit, Befangenheit in lokalen oder Standesansichten, Philisterei. Ein Snob ist etwa ein Pfahlbürger. Doch paßt das nicht ganz. Es kommt noch Befangenheit in Familieninteressen hinzu, enger Gesichtskreis beim Urteil über politische Fragen, eingeklemmt in anerzogene Einbildungen und Manieren. Es gibt auch Snobs weiblichen Geschlechts und sehr vornehme. Man könnte auch von Parteisnobs reden – solche, die bei der großen Politik nicht aus den Regeln des Privatrechts heraus können – Fortschrittssnobs. – Cockney ist dann wieder was anderes. Das geht mehr auf die Londoner. Da gibt es Leute, die nie aus den Mauern und Gassen, nie aus brick and mortar herauskommen, nie was Grünes gesehen haben, die immer nur das Leben in diesen Gassen kennengelernt haben und den Klang der Bow Bells* gehört. Wir haben Berliner, die auch niemals von da weggewesen sind. Aber Berlin ist eine kleine Stadt gegen London und auch gegen Paris, das ebenfalls seine Cockneys hat, nur heißen sie da anders. – In London sind Hunderttausende, die niemals was anderes gesehen haben als die Stadt. In solchen großen Städten bilden sich Ansichten, die verästeln sich und verhärten und werden dann Vorurteile für die darin Lebenden. In solchen großen Mittelpunkten der Bevölkerung, die von dem, was außer ihnen ist, keine Erfahrung und so keine richtige Vorstellung haben – von manchem keine Ahnung –, entsteht diese Beschränktheit, die Einfältigkeit. Einfalt ohne Einbildung ist zu ertragen. Aber einfältig sein, unpraktisch und dabei eingebildet, ist unerträglich. Die Leute auf dem Lande sind viel mehr darauf angewiesen, das Leben zu nehmen, wie es ist und wächst. Sie mögen weniger Bildung haben, aber was sie wissen, das wissen sie ordentlich. Es gibt übrigens auch Snobs auf dem Lande. Sehen Sie mal (zu Putbus), so ein recht tüchtiger Jäger, der ist überzeugt, daß er der erste Mann der Welt ist, daß die Jagd eigentlich alles bedeutet, und daß die Leute, die davon nichts verstehen, nichts sind. Und so einer auf einem Gute weit draußen, wo er alles ist, und die Leute ganz von ihm abhängen –

* Bow Church, eine Kirche im Mittelpunkt Londons, deren Glocken in der ganzen City gehört werden.

wenn der vom Lande auf den Wollmarkt kommt, und er hier vor den Leuten in der Stadt nicht das gilt, was er zu Hause ist, da wird er verdrießlich und setzt sich auf seinen Wollsack und kümmert sich mürrisch um nichts weiter als um seine Wolle.«

Bucher erzählte mir, daß der Minister heute im Salon beim Kaffee einen interessanten Vortrag gehalten habe. Der Fürst von Putbus habe von seiner Neigung gesprochen, sich auf Reisen in weit entfernte Länder zu begeben. »Ja, da könnte Ihnen geholfen werden«, habe der Chef dazu bemerkt. »Man könnte Sie beauftragen, dem Kaiser von China und dem Taikun von Japan die Gründung des Deutschen Reiches zu notifizieren.« Darauf aber habe er sich im Hinblick auf die Zukunft und natürlich mit Beziehung auf seinen Gast in längerer Rede über die Pflichten der deutschen Aristokratie verbreitet. Der König sei pflichtgetreu, aber im vorigen Jahrhundert geboren, und so fasse er vieles in einer Weise auf, die nicht mehr passe. Er würde sich für das, was ihm der Staat sei, in Stücke hauen lassen, wenn er nur wüßte, daß seine Familie zu leben habe. Der zukünftige Herr sei ganz anders. Er würde nach englischer Manier seine Minister aus den liberalen Parteien nehmen oder auch aus anderen, wie es gerade im Reichstag oder Landtage käme, damit er's bequem hätte. Damit aber würde er alles in stetes Schwanken bringen. Da sollte nun der hohe Adel eintreten. Der müsse Staatsgefühl haben, seinen Beruf erkennen, den Staat im Treiben der Parteien vor Schwankungen bewahren, einen festen Halt bilden und dergleichen. Es wäre nichts dagegen einzuwenden, wenn man sich mit Strousberg assoziierte, aber dann sollten die Herren doch lieber gleich Bankiers werden.

*

14. Dezember

Man sprach nachher davon, daß die Reichstagsdeputation schon in Straßburg angelangt sei und übermorgen hier eintreffen werde, und der Kanzler äußerte: »Da müssen wir doch endlich auch daran denken, was wir ihnen antworten wollen. Simson wird das übrigens wohltun, der hat solche Sachen schon mehrmals mitgemacht, bei der ersten Kaiserdeputation, dann auf der Hohenzollernburg.* Er spricht geschickt, spricht gern und gefällt

* Am 3. April 1849 vor Friedrich Wilhelm IV. und am 3. Oktober 1867 vor König Wilhelm bei Überreichung der Adresse des ersten Norddeutschen Reichstags.

sich bei solchen Gelegenheiten.« Abeken bemerkte, der Abgeordnete Löwe habe gemeint, er habe das auch schon einmal erlebt und dann Gelegenheit gehabt, fern von Madrid darüber nachzudenken. »So, war der 1849 dabei?« fragte der Minister. »Ja«, antwortete Bucher, »er war Präsident des Reichstages.« – »Nun«, entgegnete der Chef, »dann hat er doch nicht der Kaiserreise wegen von Madrid fernbleiben müssen, sondern wegen der Tour nach Stuttgart, die etwas ganz anderes war.«* Er war dann mit seinen Worten erst in der Hohenzollernburg, wo alle Zweige der Familie besondere Gemächer hätten, dann in einem anderen alten Schlosse in Pommern, in dem früher alle Dewitze Wohnungsrecht gehabt hätten, das jetzt aber eine malerische Ruine sei, nachdem es eine Zeitlang von den Bürgern des benachbarten Städtchens als Steinbruch benutzt worden, dann wieder bei einem Gutsbesitzer, der auf eigentümliche Weise zu Gelde gekommen sei. »Er war immer in Not und Verlegenheit gewesen, und gerade als ihm einmal die Not bis an den Hals gestiegen war, kamen ihm die Raupen in seinen Forst, dann entstand ein Waldbrand, und zuletzt trat noch ein Windbruch hinzu. Er war sehr unglücklich und hielt sich für bankerott. Das Holz mußte verkauft werden, und siehe da, er bekam eine schwere Menge Geld dafür – fünfzig- bis sechzigtausend Taler –, und so war ihm auf einmal geholfen. Er hatte gar nicht daran gedacht, daß er das Holz schlagen lassen konnte.«

Daran knüpfte der Chef Bemerkungen über einen anderen wunderlichen Herrn, der sein Nachbar gewesen sei. »Er hatte zehn oder zwölf Güter, aber niemals bares Geld und oft Lust, welches anzubringen. So verkaufte er, wenn er einmal ein ordentliches Frühstück gab, gewöhnlich eins von den Gütern. Zuletzt behielt er nur eins oder zwei übrig. Das eine von den anderen kauften ihm seine Bauern ab – für fünfunddreißigtausend Taler. Sie zahlten ihm fünftausend Taler an und verkauften gleich darauf für zweiundzwanzigtausend Taler Schiffsbauholz, woran er natürlich nicht gedacht hatte.«

M. Busch, Tagebuchblätter. Band I, 1899,
S. 491 ff., S. 494 ff., S. 521 ff. (gekürzt).

* Anspielung auf die Übersiedlung des »Rumpfparlaments« von Frankfurt nach Stuttgart gemäß dem Beschlusse vom 30. Mai. Man hoffte von dort aus eine republikanische Erhebung einleiten zu können. Löwe wurde am 6. Juni zum Vorsitzenden gewählt. Das Rumpfparlament wurde am 18. Juni durch die württembergische Regierung aufgelöst.

Das Spiel des Schicksals. – Gespräch mit dem Vortragenden Rat von Keudell in Versailles.

18. Dezember 1870

Anläßlich der Reichstagsdeputation, die am 18. Dezember 1870 unter Führung Simsons die Aufforderung des Norddeutschen Reichstags an König Wilhelm überbrachte, die Kaiserkrone anzunehmen, fand diese von Keudell berichtete Unterhaltung statt. Vorausgegangen waren diesem Akt der Volksvertretung die Verhandlungen Bismarcks mit den süddeutschen Regierungen, insbesondere mit Bayern.

Abends waren die Vertreter des Reichstages zur königlichen Tafel geladen. Als der Kanzler von dort zurückkehrte, traf er mich zufällig allein im Salon und sagte, indem er rauchend auf und ab ging: »Der Verkehr mit Simson hat mir wirklich Vergnügen gemacht. Er war ja schon 1849 Präsident der Frankfurter Nationalversammlung und brachte als solcher das Anerbieten der Kaiserkrone nach Berlin; damals kannte ich ihn noch nicht. 1850 präsidierte er wieder im Erfurter Parlament, und ich war unter ihm Schriftführer. Er zeigte großes Geschick in der Leitung der Geschäfte, hatte aber in seinem Wesen etwas Feierliches, was meine Kritik reizte. In der Konfliktszeit hat er mich einmal in unschöner Weise angegriffen. Als Präsident des Norddeutschen Reichstages aber war er sehr achtbar und förderte rasche Abwickelung der Geschäfte. Es ist ein ›reizendes Spiel des Geschickes‹, daß derselbe Mann ausersehen war, 1849 die Kaiserkrone namens der Nationalversammlung anzubieten, und jetzt die Annahme der von den Fürsten dargebotenen Krone zu erbitten. Simson ist ein recht geistvoller Mann. Als er mich hier besuchte, war er wirklich unterhaltend, was ich von den meisten Leuten, die zu mir kommen, nicht behaupten kann.«

R. v. Keudell, Fürst und Fürstin Bismarck. 1901, S. 465.

Krieg kann nicht ohne Politik geführt werden. – Gespräch mit dem Generalleutnant Grafen von Blumenthal in Versailles.

19. Dezember 1870

Am 19. Dezember 1870 waren die Mitglieder der in Versailles anwesenden Reichstagsdeputation, die König Wilhelm den Antrag auf Annahme der Kaiserkrone überbrachte, Gäste des Kronprinzen. An dem Diner nahm auch der Bundeskanzler teil. Er benutzte die Gelegenheit, mit dem Generalstabschef des Kronprinzen, dem Grafen Blumenthal, ein Gespräch anzu-

knüpfen, um ihn in der Frage der Beschießung von Paris, über die immer noch geteilte Auffassungen im Hauptquartier bestanden, auf seine Seite zu ziehen, wobei er die Notwendigkeit der Beschießung mit der außenpolitischen Situation motivierte.
Tagebuchaufzeichnung des Grafen Blumenthal.

Zum Mittag war hier die Reichstagsdeputation und Graf Bismarck. Letzterer setzte sich nach dem Diner mit mir auf ein Sofa und begann, mich wegen der Beschießung zu bearbeiten; so einschmeichelnd und geschickt alle meine Einwände bekämpfend, daß ich laut auflachen mußte. Er sagte mir, Paris bombardieren zu wollen, wäre ihm nie eingefallen; er wisse recht gut, daß man die Stadt nicht erreichen könne, aber die politischen Verhältnisse machten es durchaus notwendig, daß Ernst gezeigt würde; wir müßten schießen und wenn es auch nur fünfzig Schuß auf die Forts wären, sonst würde es ihm unmöglich sein, die fremden Mächte, namentlich Rußland und England, von der Einmischung abzuhalten; sie glaubten alle, wir wären am Ende mit unserer Kunst. Meinen Einwand, daß das nie das Militär veranlassen könne, sich irreleiten zu lassen und gegen seine bessere Einsicht zu handeln, ließ er nicht gelten, da der Krieg doch nicht ohne Politik geführt werden könne und die Politik doch auch ihren Teil daran haben müsse. Daß die Politik es verlange, konnte er gut sagen, aber es zu beweisen, dazu war wohl nicht Ort und Zeit. Ohne diesen Beweis zu haben, konnte ich aber unmöglich sagen: wir werden schießen. Ich konnte nur sagen, ich werde ja ein Beschießen der Forts nicht hindern, wenn die nötige Munition heran ist, was vielleicht in fünf bis sechs Tagen der Fall sein kann. Er ließ es nicht an Schmeicheleien und dergleichen fehlen; dagegen bin ich aber, Gott sei Dank, ziemlich bombenfest. Im weiteren Verlauf des Gesprächs klagte er bitter über den König und General von Moltke, die ihn seit einiger Zeit ohne jede Kenntnis und Teilnahme an den Operationen ließen, ja ihn eigentlich ganz unhöflich und grob behandelten. Er sprach es ganz positiv aus, daß er nicht eine Stunde lang Minister bleiben werde, wenn der Krieg vorbei sei. Die nichtachtende, unhöfliche Behandlung könne er nicht länger ertragen, er sei allein dadurch krank und müsse der Sache ein Ende machen, wenn er überhaupt noch länger leben wolle. Er schien ganz außer sich zu sein* und sagte unter anderem, er

* Wie Bennigsen Poschinger mitteilte, hat Bismarck in Versailles einmal geäußert: »Ich sehe mir die Sache nur noch kurze Zeit an; hält der Stillstand der Operationen vor Paris an, so werde ich mit

habe immer gegen die Belagerung von Paris gesprochen und halte sie für einen großen Fehler, ebenso die Einschließung, denn wir würden doch nie jemanden finden, der mit uns Frieden schließen könne. Er würde gern den Kaiser mit seiner ihm anhängenden gefangenen Armee wieder einsetzen, denn der kranke Mann wäre nicht gefährlich. Der König wolle es aber durchaus nicht. – Ich glaube nun, der König hat recht; ich kann die Situation von außen nicht so drohend ansehen und glaube, wir müssen, unbekümmert um die Außenwelt, Paris haben und die Franzosen so lange drücken, bis sie sich fügen. Die Not wird sie schon dazu zwingen, und auf halbem Wege stehenzubleiben, wäre der größte Fehler, Bismarck mag sagen, was er will. Ein Zeichen, wie aufgeregt er war, ist es, daß er mir unter anderem sagte, er wäre als Royalist in den Krieg gezogen, er käme aber anders heraus; nach dem Kriege bliebe er nicht Minister. Er klagte noch über eine Menge von kleinen Dingen, wonach von Moltke und dem Generalstab, namentlich von Podbielski, gar keine Rücksicht auf ihn genommen, er vielmehr immer mit unhöflichen Briefen abgewiesen würde. Ich sah daraus ganz klar, daß es ihm nach allen Vorgängen, die ihn so hoch gehoben haben, ganz unerträglich ist, hier eine zweite Rolle spielen zu müssen. Daß andere in ihrem Kreise auch etwas leisten wollen und können, und daß es Dinge gibt, die auch einmal ein anderer besser verstehen kann, das scheint ihm wohl schon eine unberechtigte Anmaßung. Ich kann sehen, daß er gewiß schon öfter den letzten Trumpf ausgespielt und mit dem Abtreten gedroht hat. Dies Mittel scheint aber nicht mehr recht zu ziehen. Es wäre aber doch ein großes Unglück für Preußen, wenn er wirklich die Flinte ins Korn werfen sollte.

Tagebücher des Generalfeldmarschalls Graf von Blumenthal 1866 und 1870/71. Herausgegeben von Albrecht Graf von Blumenthal. 1902, S. 198 ff.

In Anwesenheit des Kronprinzen. – Tischgespräch in Versailles. 20. Dezember 1870

Tagebuchaufzeichnung von M. Busch.

Bald nach sechs Uhr erschien der Kronprinz mit seinem Adjutanten bei uns. Bei Tische saß er obenan, der Chef zu seiner

einem Reitknecht an die deutsche Grenze reiten.« H. v. Poschinger: Aus großer Zeit. S. 108 ff.

Rechten und Abeken ihm zur Linken. Man sprach nach der Suppe zunächst von dem Thema, das ich diesen Morgen für die Presse bearbeitet hatte, daß nämlich Gambetta, nach einer Mitteilung Israels, des Sekretärs Lauriers, des Agenten der Provisorischen Regierung in London, an eine erfolgreiche Verteidigung nicht mehr glaube und auf unsere Forderungen hin Frieden zu schließen geneigt sei. Trochu sei der einzige von den Regenten Frankreichs, der weiter kämpfen wolle, und die andern hätten sich, als er die Leitung der Verteidigung von Paris übernommen hatte, gegen ihn verpflichtet, in dieser Beziehung immer in Einklang mit ihm zu handeln. Der Kanzler bemerkte: »Er soll den Mont Valerien haben für zwei Monate verproviantieren lassen, um sich dahin mit den regulären Truppen, die zu ihm halten, zurückzuziehen, wenn die Stadt übergeben werden muß – wahrscheinlich, um den Friedensschluß zu beeinflussen.« Der Kronprinz äußerte, es hieße, Paris müsse unterirdische Verbindungen mit der Außenwelt haben. Der Chef glaubte das auch und sagte: »Lebensmittel wird es auf dem Wege nicht bekommen, wohl aber Nachrichten. Ich habe schon gedacht, ob es nicht möglich wäre, die Katakomben durch die Seine mit Wasser zu füllen und so wenigstens die tieferliegenden Quartiere der Stadt zu überschwemmen. Die Katakomben gehen ja unter der Seine weg.« Bucher bestätigte dies, er sei in den Katakomben gewesen und habe da an verschiedenen Stellen Seitengänge bemerkt, in die man aber niemand hineingelassen habe. Dann äußerte der Chef, wenn Paris jetzt genommen würde, so müßte das auch auf die Stimmung in Bayern wirken, von wo die Nachrichten wieder einmal nicht gut lauteten. Bray sei zweideutig, habe kein deutsches Interesse, neige zu den Ultramontanen hin, habe eine Neapolitanerin zur Frau, fühle sich am wohlsten in seinen Erinnerungen an Wien, wo er lange gelebt habe, und scheine eine Wendung machen zu wollen.

»Der Beste in den oberen Regionen ist noch immer der König«, sagte er zuletzt, »aber der ist, wie es scheint, kränklich, phantastisch, und wer weiß, was noch geschieht.« »Ja«, versetzte der Kronprinz, »was war der früher hübsch und frisch, ein wenig zu schlank aufgeschossen, aber sonst das Ideal eines jungen Mannes, und jetzt hat er eine gelbe Gesichtsfarbe und ein ältliches Aussehen, so daß ich mich über ihn verwunderte.« »Ich sah ihn«, bemerkte der Kanzler, »zuletzt 1863, wie der Fürstentag war, in Nymphenburg bei seiner Mutter. Da hatte er schon einen eignen Blick der Augen. Und ich entsinne mich, bei Tafel

– das eine Mal trank er gar keinen Wein, dann wieder acht bis zehn Gläser, und nicht etwa nach und nach, sondern hastig, ein ganzes auf einmal, so daß der Jäger zögerte, wieder einzuschenken.«

Der Chef erzählte hierauf, daß die Wache an seiner Wohnung, ein Pole, ihn neulich abends nicht habe ins Haus lassen wollen: erst als er sich mit ihm auf Polnisch verständigt hätte, sei der Mann andern Sinnes geworden. »Auch im Lazarett«, setzte er hinzu, »versuchte ich vor ein paar Tagen mit polnischen Soldaten zu sprechen, und sie sahen sehr verklärt aus, als sie den Herrn General ihre Muttersprache reden hörten. Schade, daß ich damit nicht fortkonnte und mich abwenden mußte. Es wäre vielleicht gut, wenn ihr Feldherr mit ihnen sprechen könnte.« »Bismarck, da kommen Sie mir wieder mit dem, was Sie mir schon mehrmals gesagt haben«, erwiderte lächelnd der Kronprinz. »Nein, ich mag aber nicht, ich will's nicht lernen. Ich mag sie einmal nicht.« – »Aber es sind doch gute Soldaten, Königliche Hoheit«, entgegnete der Kanzler, »und brave Leute, wenn man ihnen beigebracht hat, daß es schön ist, sich zu waschen, und daß sie nichts mitgehen lassen dürfen.« Kronprinz: »Ja, aber wenn sie den Soldatenrock ausgezogen haben, sind sie die alten wieder, und im Grunde sind und bleiben sie uns doch feind.« Chef: »Das letztere gilt doch nur von den Edelleuten und den Tagelöhnern und was dahin gehört. So ein Edelmann, der selber nichts hat, füttert eine Menge Leute, Diener aller Art, die auch Schlachtschitzen (Edelleute) sind, aber seine Bedienten, Vögte, Schreiber machen. Die hat er für sich, wenn er aufsteht, und die Tagelöhner, die Komorniks. Die freien Bauern tun nicht mit, auch wenn der Priester, der immer gegen uns ist, sie aufwiegelt. – Das haben wir in Posen gesehen, wo die polnischen Regimenter nur deshalb weggezogen werden mußten, weil sie gegen ihre Landsleute zu grausam waren. Ich erinnere mich, nicht weit von unsrer Gegend, in Pommern, war einmal ein Markt, wo viele Kassuben sich eingestellt hatten. Da kam's bei einem Handel zum Streit, weil ein Deutscher zu einem Kassuben gesagt hatte, er wolle ihm die Kuh nicht verkaufen, weil er ein Pole wäre. Der nahm das sehr übel. ›Du sagst, ich bin Polack, nein, ich bin Prussack, wie du‹, und daraus entwickelte sich, indem andre Deutsche und Polen sich hineinmischten, die schönste Prügelei.« Der Chef fügte dann in diesem Zusammenhange noch hinzu, daß der Große Kurfürst so gut polnisch wie deutsch gesprochen hätte, und die späteren Könige hätten gleichfalls

Polnisch verstanden. Erst Friedrich der Große habe sich damit nicht abgegeben; der habe aber auch besser französisch als deutsch gesprochen. »Das mag alles sein, aber ich will einmal nicht, ich mag nicht Polnisch lernen, sie müssen Deutsch lernen«, sagte der Kronprinz, und damit hatte die Erörterung dieses Gegenstandes ein Ende. Als immer neue, feine Gerichte aufgetragen wurden, bemerkte der Kronprinz: »Aber hier geht es ja schwelgerisch her. Wie wohlgenährt sehen die Herren von Ihrem Büro aus, mit Ausnahme Buchers, der wohl noch nicht lange hier ist.« »Ja«, entgegnete der Chef, »das kommt von den Liebesgaben. Es ist eine Eigentümlichkeit des Auswärtigen Amts, diese Zusendungen von Rheinwein und Pasteten und Spickgänsen und Gänselebern. Die Leute wollen durchaus einen fetten Kanzler haben.« Der Kronprinz brachte darauf das Gespräch auf das Chiffrieren und Dechiffrieren und fragte, ob das schwer sei. Der Minister setzte ihm die Handgriffe dieses Gewerbes auseinander und fuhr dann fort: »Wenn man zum Beispiel das Wort ›aber‹ chiffrieren will, so schreibt man die Zahlengruppe für ›Abeken‹ und läßt dann die folgen, welche ›Streiche die beiden letzten Silben‹ bedeutet. Danach setzt man die Chiffre für ›Berlin‹ und läßt den Leser wieder die letzte Silbe streichen. So hat man ›aber‹.«

Zuletzt, beim Dessert, zog der Kronprinz eine kurze Tabakspfeife mit Porzellankopf, auf dem ein Adler war, aus der Tasche und zündete sie sich, nachdem er gefragt hatte, ob er Pfeife rauchen dürfe, an, während wir andern uns Zigarren ansteckten.

Busch, Tagebuchblätter. Band I, 1899, S. 552 ff.

Gerüchte aus Paris. – Jugenderinnerungen.

21. Dezember 1870

Tagebuchaufzeichnung von M. Busch.

Bei Tische war Lauer Gast des Chefs. Es wurde davon gesprochen, daß man in Paris schon alle eßbaren Tiere des Jardin des Plantes verspeist haben soll, und Hatzfeldt erzählte, daß man die Kamele für viertausend Franken verkauft habe, und daß der Rüssel des Elefanten von einer Gesellschaft von Feinschmeckern gegessen worden sei; der soll ein vortreffliches Gericht abgeben.

Es war hierauf vom Schlafen, von der heutigen Haussuchung und von den gestern eingetroffenen Matrosen die Rede, von denen der Chef bemerkte, wenn sie die eroberten Kanonenboote in die Seine bringen könnten, so wären gute Dienste von ihnen zu erwarten. Dann kam er wieder auf Jugenderinnerungen zu sprechen, wobei er nochmals des Kuhhirten Brand gedachte, und hierauf erzählte er von seinem Eltervater, der, wenn ich recht verstand, bei Czaslau gefallen war. »Die alten Leute bei uns haben ihn«, so berichtete er, »meinem Vater oft noch beschrieben. Er war ein gewaltiger Jäger vor dem Herrn und ein starker Zecher. Er hat einmal in einem Jahre hundertvierundfünfzig Rothirsche geschossen, was ihm der Prinz Friedrich Karl nicht nachtun wird, aber vielleicht der Herzog von Dessau. Ich besinne mich, daß mir erzählt wurde, wie er in Gollnow stand, da aßen die Offiziere zusammen, die Küche führte der Oberst. Da war's Mode, daß bei Tische fünf bis sechs Dragoner aufmarschierten auf dem Musikantenplatze, die schossen zu den Toasten aus ihren Karabinern. Es waren da überhaupt seltsame Sitten. So zum Beispiel hatten sie statt der Latten einen hölzernen Esel mit scharfen Kanten, auf dem mußten die Dragoner, die sich was hatten zuschulden kommen lassen, sitzen – ein paar Stunden oft, eine sehr schmerzhafte Strafe. Und allemal am Geburtstage des Obersten und andrer, da zogen sie nach der Brücke und warfen den Esel hinein; es kam aber immer ein neuer. Sie hätten wohl hundertmal einen neuen gehabt, sagte die Bürgermeisterin (Name nicht recht verständlich, es klang wie Dalmer) meinem Vater. – Dieser Eltervater – ich habe sein Bild in Berlin – ich sehe ihm wie aus den Augen geschnitten aus; d. h. wie ich jung war, da war's, wie wenn ich mich im Spiegel sähe.« So unterhielt man sich weiter von alten Geschichten und Persönlichkeiten und zuletzt davon, daß mancherlei aus früherer Zeit in die Gegenwart besonders des Volkes auf dem Lande hineinrage. Dabei wurde das Kinderlied: »Flieg, Maikäfer flieg« erwähnt, das mit dem »abgebrannten Pommerland« wohl an den Dreißigjährigen Krieg erinnere. »Ja«, sagte der Chef, »ich weiß, daß früher bei uns Redensarten vorkamen, die offenbar bis in den Anfang des vorigen Jahrhunderts zurückreichten. So sagte mein Vater, wenn ich gut ritt: ›Er macht's ja wie‹ (Name nicht recht deutlich, es klang wie Pluvenel). Er nannte mich nämlich damals immer Er. Pluvenel aber war ein Stallmeister Ludwigs XIV. gewesen und ein berühmter Reiter. – Und wenn ich gut geschrieben hatte, sagte er, ›Er schreibt ja, als ob Er's bei

Hilmar Curas gelernt hätte‹. Das war der Schreiblehrer Friedrichs des Großen gewesen.« Er erzählte dann, daß ein Verwandter, der bei seinen Eltern viel gegolten hätte, der Finanzrat Kerl, Anlaß gewesen sei, daß er in Göttingen studiert habe. Er wäre da an den Professor Hausmann gewiesen worden und hätte Mineralogie studieren sollen. »Man dachte wohl an Leopold von Buch und stellte sich's schön vor, wie der durch die Welt zu gehen und mit dem Hammer Steine von den Felsen abzuschlagen. Es kam aber anders. – Es wäre besser gewesen, man hätte mich nach Bonn geschickt, da hätte ich Landsleute getroffen. In Göttingen hatte ich keinen Landsmann, und so bin ich mit meinen Universitätsbekannten nicht eher wieder zusammengetroffen, als mit einigen durch den Reichstag.« Man nannte einen dieser Bekannten, Miers aus Hamburg, und der Minister sagte: »Ja, ich besinne mich, der schlug links, aber er konnte nicht viel.« Abeken berichtete, daß auf das heftige Feuer des Forts, das man diesen Morgen gehört hatte, ein Ausfall der Garnison von Paris gefolgt sei, der sich vorzüglich gegen die von der Garde besetzten Linien gerichtet habe. Es sei indes fast nur zu einem Artilleriekampf gekommen, und man habe den Angriff vorausgewußt und sei vorbereitet gewesen. Hatzfeldt versetzte, er möchte doch wissen, wie sie merken könnten, daß ein Ausfall bevorstehe. Man erwiderte, es müßte in offener Gegend sein, da sähe man aber doch die Wagen und Geschütze, die herauskommen müßten, da es bei der Bewegung von großen Truppenmassen nicht in einer einzigen Nacht zu machen sei. »Das ist wahr«, bemerkte der Chef lächelnd, »aber hundert Louisdor sind oft auch ein wesentlicher Teil dieser militärischen Voraussicht.«

M. Busch, Tagebuchblätter. Band I, 1899, S. 558 ff.

Versailles. – Am Tag vor Weihnachten. 23. Dezember 1870

Tagebuchaufzeichnung von M. Busch.

Die Rede kam auf Napoleon den Dritten, und der Chef erklärte ihn für beschränkt. »Er ist«, so fuhr er fort, »viel gutmütiger, als man gewöhnlich glaubt, und viel weniger der kluge Kopf, für den man ihn gehalten hat.« – »Das ist ja«, warf Lehndorff ein, »wie mit dem, was einer vom ersten Napoleon geurteilt hat: ›eine gute Haut, aber ein Dummkopf‹.« – »Nein«, erwiderte der Chef, »im Ernst, er ist trotzdem, was man über den Staatsstreich denken mag, wirklich gutmütig, gefühlvoll, ja sentimental, und mit seiner Intelligenz ist es nicht weit her, auch mit seinem Wissen nicht. Besonders schlecht ist's mit ihm in der Geographie, obwohl er in Deutschland erzogen worden und auf die Schule gegangen ist, und er lebt in allerhand phantastischen Vorstellungen. – Im Juli ist er drei Tage umhergetaumelt, ohne zu einem Entschlusse zu kommen, und noch jetzt weiß ich nicht, was er will. Seine Kenntnisse sind der Art, daß er bei uns nicht einmal das Referendarexamen machen könnte. – Man hat mir das nicht glauben wollen, aber ich habe das schon vor langer Zeit ausgesprochen. 1854 und 1855 sagte ich es schon dem König. Er hat gar keinen Begriff davon, wie es bei uns steht. Als ich Minister geworden war, hatte ich eine Unterredung mit ihm in Paris.* Da meinte er, das würde wohl nicht lange dauern, es würde einen Aufstand geben in Berlin und Revolution im ganzen Lande, und bei einem Plebiszit hätte der König alle gegen sich. – Ich sagte ihm damals, das Volk baute bei uns keine Barrikaden, Revolutionen machten in Preußen nur die Könige. Wenn der König die Spannung, die freilich vorhanden wäre, nur drei bis vier Jahre aushielte – die Abwendung des Publikums von ihm wäre allerdings unangenehm und unbequem –, so hätte er gewonnenes Spiel. Wenn er nicht müde würde und mich nicht im Stiche ließe, würde ich nicht fallen. Und wenn man das Volk anriefe und abstimmen ließe, so hätte er schon jetzt neun Zehnteile für sich. Der Kaiser hat damals über mich geäußert: Ce n'est pas un homme sérieux, woran ich ihn im Weberhause bei Donchéry natürlich nicht erinnerte.«

Graf Lehndorff fragte, ob man wohl etwas von der Verhaftung Bebels und Liebknechts zu fürchten hätte, ob das viel Aufregung hervorrufen würde? »Nein«, erwiderte der Chef, »davon ist nichts zu befürchten.« Lehndorff: »Aber Jacoby, da gab's doch viel Lärm und Geschrei.« Chef: »Jude – und Königsberger. Fassen Sie nur einen Juden an, da schreit's gleich in allen Ecken und Winkeln – oder einen Freimaurer. Und dann kam hinzu, daß sie gegen eine Volksversammlung einschritten, was nicht gerechtfertigt war.« Er charakterisierte dann die Königsberger als immer oppositionell und krakehlerisch. »Ja, Königsberg«, sagte Lehndorff, »das hat Manteuffel verstanden, wenn

* Ende Oktober 1862.

er in seiner Aussprache meinte: ›Königsberg bleibt Königsberg‹.« Jemand erwähnte hierauf, daß man Briefe an Favre mit Monsieur le Ministre anfinge, worauf der Chef äußerte: »Ich werde nächstens an ihn schreiben: Hochwohlgeborner Herr.« Daraus entspann sich eine byzantinische Disputation über Titulaturen und die Anreden Exzellenz, Hochwohlgeboren und Wohlgeboren. Der Kanzler vertrat dabei entschieden antibyzantinische Ansichten und Absichten. »Man sollte das ganz weglassen«, sagte er. »In Privatbriefen brauche ich's auch nicht mehr, und amtlich gebe ich das Hochwohlgeboren den Räten bis zur dritten Klasse.« Pfuel bemerkte, im Gerichtsstil ließe man die großen Anreden ja auch weg, da hieße es einfach und ohne Titel: »Sie haben sich an dem und dem und da und da einzufinden.« – »Ja«, entgegnete der Minister, »aber Ihre juristischen Anreden sind doch auch nicht gerade mein Ideal. Da fehlt bloß noch, daß es heißt: Sie Lumpenhund haben usw.« Abeken als Byzantiner reinsten Wassers meinte, die Diplomaten hätten es schon übel vermerkt, daß man ihnen bisweilen ihre Titulaturen nicht ganz hätte zuteil werden lassen, und das Hochwohlgeboren gebühre nur den Räten zweiter Klasse. »Und den Leutnants«, rief Graf Bismarck-Bohlen. »Ich will's aber ganz abschaffen bei unsern Leuten«, erwiderte der Minister. »Es wird damit im Jahr ein Meer von Tinte verschrieben, worüber sich die Steuerzahler mit Recht als über eine Verschwendung beklagen können. Mir ist's ganz recht, wenn man an mich einfach: An den Ministerpräsidenten Graf von Bismarck schreibt. Ich bitte Sie (zu Abeken), mir darüber Vortrag zu erstatten. Es ist ein unnützer Schwanz, und ich wünsche, daß das wegfällt.«

M. Buch, Tagebuchblätter. Band I, 1899, S. 567 ff. (gekürzt).

Leidend und verärgert. – Gespräch mit dem Flügeladjutanten Grafen Waldersee in Versailles. 26. Dezember 1870

Tagebuchaufzeichnung des Grafen Waldersee.

Gestern ließ mir Bismarck sagen, er wünsche mich zu sprechen. Ich fand ihn in seinem Zimmer, das gleichzeitig Wohn- und Schlafzimmer ist und fürchterlich überheizt war. Er saß im langen Schlafrock, rauchte eine lange Zigarre, sah in hohem Grade leidend aus, war auch sichtlich aufgeregt. Er begann die Konversation damit, daß er von meinem Bericht an den König sprach, in dem ich mich über die Verhältnisse des Bayrischen 1. Armeekorps ausgelassen hatte, und verlangte noch weitere Details. Ich gab sie ihm ganz unumwunden und sagte etwa: »Ich weiß nicht, ob Exzellenz jetzt darauf Wert legen, daß die Bayern in guter Stimmung sind; sollte dies der Fall sein, so ist es Zeit, daß etwas geschieht.« Er antwortete: »Es ist gerade jetzt von der höchsten Wichtigkeit, daß die Bayern bei gutem Mut erhalten werden.« Dann fuhr er etwa in folgender Weise fort: »Es wird mir alles gar zu sehr erschwert; da sind namentlich der Großherzog von Baden und der Herzog von Koburg, die fortwährend beim Kronprinzen intrigieren und auf dem besten Wege sind, die deutsche Frage zu verfahren. Der Kronprinz war kürzlich bei mir, um Aufschluß über die deutsche Frage zu bekommen. Er ist so kurzsichtig, daß er augenblicklich, wo ein Stillstand eingetreten ist, Bayern und Württemberg zurückhaltender sind, verlangt, wir müßten energisch und auch schließlich mit Gewalt vorwärtsgehen. Er will gegenüber den Bayern, die beim Ausbruch des Krieges sich so anständig benommen haben wie möglich, die zwei Armeekorps gestellt haben, Zwang anwenden. Es ist fast zum Verzweifeln! Ich bemühe mich von Anfang an, ihm zu beweisen, wie ja alles vortrefflich verläuft und nur für ihn geschieht. Es geht ihm aber viel zu langsam, dabei ist der Einfluß des... Großherzogs von Baden und des...* Herzogs von Koburg leider sehr bedeutend. Ich habe überhaupt nichts wie Ärger nach allen Seiten hin. Der Generalstab will mich von den wichtigsten Sachen nicht in Kenntnis setzen. Ereignisse, die für mich von höchstem Wert sind, und die ich vortrefflich ausbeuten kann, erfahre ich zufällig. Große Operationen, auf deren Erfolg ich doch meine Entschlüsse bauen muß, werden mir verheimlicht usw., ich werde aber vom König verlangen, daß das anders wird.«

Er schimpfte sich über dieses mir bereits bekannte Kapitel in die größte Heftigkeit hinein. Die Augen wurden immer größer, der Schweiß trat ihm ins Gesicht, er machte einen ganz verstörten Eindruck. Ich fürchte, er wird ernstlich krank, denn diese Art von Aufgeregtheit ist unnatürlich. Außer der schweren

* Auslassung des Herausgebers der Waldersee-Denkwürdigkeiten vgl. S. 376, Anm. 2.

Zigarre, die er rauchte, hatte er, wie ich an einer angeschenkten Flasche sah, schon schweren Wein getrunken.

Von diesem Kapitel kam er, nachdem er etwas ruhiger geworden, auf unsere militärische Lage und wollte von mir ein Urteil haben. Er ging von dem sehr vernünftigen Gedanken aus, daß wir uns in Frankreich nicht weiter ausbreiten sollten. Da ich nun wußte, daß dies bereits beschlossen war, konnte ich ihn mit gutem Gewissen darin bestärken. Die Punkte Chartres, Vendome, Orleans, Rouen, Amiens leuchteten ihm auch ein, und er war augenscheinlich befriedigt.

Dann wurde noch etwas geplaudert, er lud mich zu Tisch und schenkte mir als Weihnachtsgeschenk eine kleine Kiste anscheinend sehr schöner Zigarren, die ihm von irgendeinem Patrioten geschickt waren. Ebenso wie ich hatte er am heiligen Abend das Kreuz erster Klasse bekommen und war sichtlich erfreut darüber. Der König hatte eigenhändig in das Etui des Ordens geschrieben: »Am 24. 12. für den 18. 12. W.« Der 18. ist der Tag, an dem die Deputation des Reichstages empfangen wurde[1] und die Zustimmung zur Übertragung der Kaiserwürde auf den König gesichert schien.

Bismarck hat sich[2], seitdem sein Konflikt mit dem Generalstabe entbrannt ist, mehrfach bemüht, von Offizieren Rat und Auskunft in militärischen Dingen zu erhalten. Es war dies für ihn nötig, um bei Beratungen doch auch eine Ansicht sagen zu können. Ich habe mich bei solchen Gelegenheiten möglichst vorsichtig benommen, und wenn ich bei ihm gewesen war, vor anderen daraus niemals ein Geheimnis gemacht. Bestimmt weiß ich, daß Bismarck mit Kameke[3] und Hohenlohe[4] angeknüpft hat, jedoch sind auch diese nicht ganz in seine Netze gegangen.

Anders ist es mit Stosch. Er ist längere Zeit heimlich Berater von Bismarck gewesen. Der Kalkül lag wohl so, daß man annahm, Roon würde bald sterben oder zurücktreten; dann will Stosch durch Bismarcks Freundschaft sein Nachfolger werden. Vor Tisch war ich noch bei Albedyll[5], er ist mit mir gleicher Ansicht, daß in den Zänkereien zwischen Bismarck und dem

[1] Vgl. das Gespräch mit Keudell am 18. Dezember 1870, S. 372 dieses Bandes.

[2] Nach Angabe des Herausgebers der Waldersee-Denkwürdigkeiten ein Zusatz vom April 1871.

[3] Generalleutnant von Kameke, Kommandeur der 14. Inf.-Div., war Leiter des Ingenieurangriffs auf Paris.

[4] Vgl. BG I, S. 460.

[5] Flügeladjutant des Königs.

Generalstab die Schuld auf beiden Seiten liegt. Er selbst hat damit viel Ärger und wünscht, daß Tresckow* wieder hier wäre. Der scheint aber noch gar keine Lust dazu zu haben.

Denkwürdigkeiten des Generalfeldmarschalls Alfred Grafen von Waldersee. Herausgegeben von H. O. Meisner. Band I, 1922, S. 116 ff.

Früheste Erinnerungen. 8. Januar 1871

Tagebuchaufzeichnung von M. Busch.

Bei Tische erzählte der Chef wieder von seiner Jugendzeit, und zwar von seinen frühesten Erinnerungen, von denen sich eine an den Brand des Berliner Schauspielhauses knüpfte. »Ich muß damals ungefähr drei Jahre alt gewesen sein, und es war am Gendarmenmarkt auf der Mohrenstraße gegenüber dem Hotel de Brandenbourg an der Ecke eine Treppe hoch, da wohnten damals meine Eltern. Von dem Brande selbst weiß ich nicht, daß ich ihn gesehen hätte. Aber als Egoist weiß ich– vielleicht auch nur, weil man mir's hernach oft erzählt hat –, wir hatten da vor den Fenstern noch so eine Stufe, auf der Stühle und der Nähtisch meiner Mutter standen. Und wie es brannte, da stieg ich hinauf und hielt an der einen Seite meine Hände an die Scheiben und zog sie gleich zurück, weil es heiß war. Hernach ging ich an das rechte Fenster und machte es ebenso. – Dann erinnere ich mich noch, daß ich einmal fortlief, weil mein Bruder mich schlecht behandelt hatte. Ich kam bis auf die Linden, da fingen sie mich wieder ein. Ich hätte eigentlich Strafe bekommen sollen, es wurde aber Fürsprache für mich eingelegt.« – Dann sprach er davon, daß er von seinem sechsten bis zu seinem zwölften Jahre in Berlin im Plamannschen Institut, einer nach den Grundsätzen Pestalozzis und Jahns eingerichteten Erziehungsanstalt, gewesen sei, und daß er sich an die dort verlebte Zeit ungern erinnere. Es habe dort ein künstliches Spartanertum geherrscht. Niemals habe er sich satt gegessen, ausgenommen, wenn er einmal ausgebeten gewesen sei. Immer habe es im Institut »elastisches Fleisch gegeben, nicht gerade hart, aber der Zahn konnte damit nicht fertig werden. – Und Mohrrüben –

* Chef des Militärkabinetts.

roh aß ich sie recht gern, aber gekocht und harte Kartoffeln darin, viereckige Stücke«.

Das Gespräch beschäftigte sich dann mit dem Pariser Triumphbogen, der mit dem Brandenburger Tore verglichen wurde. Der Chef bemerkte von letzterem: »Es ist in seiner Art recht schön, besonders ohne die Säulenhallen. Ich habe daher dem Könige geraten, es frei zu stellen, die Wachlokale wegzunehmen. Es würde dann mehr zur Geltung kommen als jetzt, wo es eingezwängt und zum Teil verdeckt ist.«

Bei der Zigarre äußerte er, nachdem er von seinen früheren journalistischen Leistungen gesprochen hatte, zu Wagener: »Ich weiß, mein erster Zeitungsartikel war über Jagd. Ich war damals noch der wilde Junker. Da hatte einer einen hämischen Artikel über Parforcejagden gemacht; darüber erzürnte sich mein Jägerblut, und so setzte ich mich hin und verfaßte eine Erwiderung, die ich dem Redakteur Altvater schickte. Aber ohne Erfolg. Er antwortete mir sehr höflich, sagte dann aber, das ginge nicht, er nähme das nicht auf. Ich war äußerst empört darüber, daß jemand das Recht haben sollte, die Jäger anzugreifen, ohne sich eine Erwiderung gefallen lassen zu müssen. Aber das war damals so.«

M. Busch, Tagebuchblätter. Band II, 1899, S. 22 ff.

Familie. – Jagd. – Die Rothschilds. – Literatur.

9. Januar 1871

Tagebuchaufzeichnung von M. Busch.

Bei Tische sprach der Chef davon, daß Graf Bill das Eiserne Kreuz bekommen habe, wobei er zu meinen schien, daß man besser getan hätte, es seinem ältern Sohne zu geben, weil er bei dem Reitersturm von Mars la Tour verwundet worden sei. »Es ist das ein Zufall«, bemerkte er. »Andre, die nicht verwundet werden, können ebenso tapfer sein. Aber für den Verwundeten ist es doch eine Auszeichnung, die eine Art Ausgleichung ist. – Ich erinnere mich, wie ich ein junger Mann war, da lief ein Herr von Reuß in Berlin herum, der hatte das Kreuz auch. Ich dachte wunder, was der getan hätte, hernach erfuhr ich aber, daß er einen Minister zum Onkel hatte und dem Generalstabe als Galopin beigegeben gewesen war.«

Plötzlich sagte der Kanzler: »Serenissimum habe ich nun wohl drei Wochen nicht zu sehen bekommen. Mit Serenior ist's nicht so lange her. Die Sereni schneide ich. – Ich erinnere mich, in Göttingen«, fuhr der Chef fort, »da nannte ich einmal einen Studenten einen dummen Jungen. Als er dann zu mir schickte, sagte ich, mit dem dummen Jungen hätte ich ihn nicht beleidigen wollen, sondern bloß meine Überzeugung auszusprechen beabsichtigt.«

Bei Fasan und Sauerkraut bemerkte jemand, daß der Minister lange nicht auf die Jagd gegangen sei, während doch die Wälder zwischen hier und Paris voll Wild seien. »Ja«, versetzte er, »hier kam mir immer was dazwischen. Das letztemal war es in Ferrières, da war der König fort, der hatte es verboten – d. h. im Parke –, wie er denn auch jetzt gesorgt hat, daß Ferrières geschont wird. Bloß weil es einem reichen Juden gehört. – Wir gingen auch nicht in den Park, und es war genug da, aber es wurde nicht viel geschossen, weil die Patronen nichts taugten.«

Der französische Rothschild wurde Anlaß, daß des deutschen gedacht wurde, von dem der Chef eine ergötzliche Geschichte zu berichten hatte. Er sagte: »Wie die vom Reichstage neulich hier waren, da hatten sie mich beim Kronprinzen neben Rothschild gesetzt. Neben mir saß der Kronprinz und hernach kam Simson. Rothschild raucht stark und riecht danach, und so dachte ich eine kleine Mogelei vorzunehmen, ehe wir uns setzten. Es ging aber nicht; denn Hofmarschälle nehmen erst nach dem Diner Vernunft an und lassen mit sich reden. Ich rächte mich indes dadurch, indem ich meinem Nachbar allerlei zu hören gab. So sagte ich ihm auch: ›Sie sollten doch in Berlin mehr ein Haus machen, Leute bei sich sehen usw.‹ – ›Wie meinen Sie das?‹ fragte er sehr laut, fast heftig. ›Soll ich Diners im Gasthause geben?‹ – ›Auch das‹, erwiderte ich. ›Mir nicht, aber andern Leuten. Sie sind das, meiner Meinung nach, Ihrem Hause schuldig. Aber besser noch wäre, wenn Sie in Berlin ein eignes Haus hätten. Mit den Rothschilds in Paris und London ist's ja doch nichts Ordentliches mehr, und da sollten Sie in Berlin was tun. Man wundert sich immer, daß Sie noch nicht im Gothaer Hofkalender stehen. Na, was nicht ist, kann noch werden. Aber ich fürchte, wenn Sie's so machen, wird nichts daraus.‹« Zuletzt kam die Rede auf schöne Literatur. Man sprach von Spielhagens »Problematischen Naturen«, die der Kanzler gelesen hatte, und von denen er nicht ungünstig urteilte, aber doch bemerkte: »Das wird ihm allerdings nicht passieren, daß ich ihn zweimal lese.

Man hat überhaupt keine Zeit dazu. Sonst aber kommt es wohl vor, daß ein vielbeschäftigter Minister so ein Buch zur Hand nimmt und ein paar Stunden daran hängen bleibt, ehe er wieder zu seinen Akten greift.« Auch das »Soll und Haben« Gustav Freytags wurde erwähnt, und man lobte die Darstellung des Polenkrawalls sowie die Ballgeschichte mit den Backfischen, wogegen man seine Helden unschmackhaft zu finden schien. Jemand sagte, sie hätten keine Leidenschaft, ein anderer gar, keine Seele. Abeken, der sich an dem Gespräch lebhaft beteiligte, machte die Bemerkung, er könne doch nichts von diesen Sachen zweimal lesen, und von den meisten der bekannten neueren Schriftsteller gebe es nur ein gutes Buch. »Na«, versetzte der Chef, »von Goethe schenke ich Ihnen auch drei Viertel. Das übrige freilich – mit sieben oder acht Bänden von den vierzig wollte ich wohl eine Zeitlang auf einer wüsten Insel leben.« Zuletzt wurde auch Fritz Reuters gedacht. »Ja«, äußerte der Minister, »Aus der Franzosenzeit, das ist sehr hübsch, aber es ist kein Roman.« Man nannte die »Stromtid«. »Hm«, sagte er, »dat is as dat Ledder is. Das ist allerdings ein Roman, manches gut, andres mittelgut, aber so, wie der Bauer geschildert ist, so sind sie wirklich.«

M. Busch, Tagebuchblätter. Band II, 1899, S. 26 ff.

Karl Marx. – Fünf Generationen im Felde gegen Frankreich. 10. Januar 1871

Tagebuchaufzeichnung von M. Busch.

Bei Tische sprach man zuerst vom Bombardement, und der Chef meinte, die meisten Forts von Paris, der Mont Valérien etwa ausgenommen, wollten nicht viel bedeuten, »kaum mehr als die Schanzen bei Düppel«. Namentlich seien die Gräben nur von geringer Tiefe. Ebenso sei die Enceinte früher schwach gewesen. Die Rede kam hiernach auf die internationale Friedensliga und deren Zusammenhang mit der Sozialdemokratie, als deren Haupt für Deutschland man Karl Marx in London bezeichnete. Diesen nannte Bucher einen gescheiten Kopf mit guter wissenschaftlicher Bildung und den eigentlichen Führer der internationalen Arbeiterverbindung. Der Chef äußerte über die Friedensliga, ihre Bestrebungen seien bedenklicher Natur, und ihre Zielpunkte bestünden in ganz andern Dingen als im Frieden. Es versteckte sich der Kommunismus dahinter. »Ja«, schloß er, »aber gewisse hohe Herrschaften haben davon noch heute keinen Begriff. Ausland und Friede!«

Das Gespräch wandte sich dann dem Grafen Bill zu, und der Chef bemerkte: »Der sieht von weitem wie ein älterer Stabsoffizier aus, weil er so dick ist.« Man hob das Glück hervor, das er habe, zur Begleitung Manteuffels befohlen worden zu sein; er bekäme doch auf diese Weise viel vom Kriege zu sehen. »Ja«, sagte der Chef, »er lernt was für seine Jahre. Das wäre für unsereinen nicht möglich gewesen mit achtzehn Jahren. Ich hätte 1795 geboren sein müssen, um 1813 mit dabei sein zu können. – Übrigens ist seit der Schlacht bei (undeutlicher Name, aber ein Treffen in den Hugenottenkriegen scheint gemeint zu sein) keiner meiner Vorväter, der nicht den Degen gegen Frankreich gezogen hätte. Mein Vater und drei seiner Brüder gegen Napoleon den Ersten. Dann war mein Großvater mit bei Roßbach, mein Eltervater gegen Ludwig den Vierzehnten und dessen Vater ebenfalls gegen Ludwig den Vierzehnten in den Kriegen am Rhein 1672 oder 1673. Dann fochten mehrere von uns im Dreißigjährigen Kriege auf kaiserlicher Seite, andre freilich bei den Schweden. Zuletzt noch einer, der unter den Deutschen war, die als Mietvölker auf der Seite der Hugenotten standen. – Einer – 's ist der in Schönhausen auf dem Bilde mit den Kindern – das war ein origineller Mensch. Ich habe da noch einen Brief von ihm an seinen Schwager, da heißt es: ›Das Faß Rheinwein hat mir selber achtzig Reichstaler gekostet; wenn der Herr Schwager das zu teuer findet, so will ich, so Gott mir das Leben läßt, es selbsten austrinken.‹ Dann: ›Wenn der Herr Schwager das und das behauptet, so hoffe ich, daß ich ihm, so Gott mir das Leben läßt, einmal noch näher an den Leib kommen werde, als ihm lieb ist.‹ Und an einer anderen Stelle: ›Ich habe zwölftausend Reichstaler auf das Regiment verwendet, und die verhoffe ich, so mir Gott das Leben läßt, mit der Zeit wieder herauszuwirtschaften.‹ – Das Herauswirtschaften, damit meinte er vermutlich, daß man sich damals auch für die Beurlaubten und für die sonst nicht vorhandenen Mannschaften den Sold bezahlen ließ. Ja, ein Regimentskommandeur stand sich zu jenen Zeiten besser als heute.« Man bemerkte, daß dies auch später noch der Fall gewesen, solange die Regimenter von den Obersten geworben, bezahlt und gekleidet und den Fürsten nur vermietet worden wären, und daß es hier und da jetzt noch so sein möchte. Der Chef antwortete: »Ja, in Rußland, zum Beispiel bei den großen Reiterregimentern in den südlichen Gouvernements, die oft sechzehn Schwadronen haben. Da gab's und gibt's wohl noch jetzt auch andre Einnahmen. So erzählte mir einmal ein Deutscher. Als der das Regiment übernommen hatte – ich glaube, es war in Kursk oder Woronesch –, in diesen reichen Gegenden, da kamen die Bauern mit Wagen voll Stroh und Heu und baten, ob Väterchen nicht die Gnade haben wollte, es anzunehmen. ›Ich wußte nicht, was sie wollten‹, sagte er, ›und so wies ich sie ab, sie sollten mich in Ruhe lassen und ihrer Wege gehen. – Aber Väterchen sollte doch billig sein, sein Vorgänger wäre damit zufrieden gewesen, sie könnten nicht mehr geben, wären arme Leute. Ich kriegte das endlich satt, besonders als sie dringend wurden, auf die Knie fielen und mich baten, es doch gnädigst zu behalten, und schmiß sie hinaus. Als dann aber andre kamen, mit Wagen voll Weizen und Hafer, da begriff ich sie und nahm es, wie andre es nahmen, und als die ersten mit mehr Heu zurückkehrten, sagte ich ihnen, sie hätten mich mißverstanden, es wäre vorhin genug gewesen, sie sollten das andre nur wieder mitnehmen. So verdiente ich, da ich das Heu und den Hafer der Regierung für die Truppen berechnete, jährlich meine zwanzigtausend Rubel.‹ Das erzählte er ganz offen und ungescheut in einem Salon in Petersburg, und nur ich wunderte mich darüber.«

»Ja, aber was hätte er den Bauern denn tun können?«, fragte Delbrück. »Tun«, erwiderte der Chef, »er nichts, aber er hätte sie auf anderm Wege ruinieren können, er brauchte nur den Soldaten nicht zu verbieten, ihnen wegzunehmen, was sie wollten.«

M. Busch, Tagebuchblätter. Band II, 1899, S. 30 ff.

Nur bis zum Varziner Schinken. – Die Kaiserproklamation. – Tischgespräch in Versailles. 13. Januar 1871

Tagebuchaufzeichnung von M. Busch.

Bei Tische ist der Regierungspräsident von Ernsthausen, ein starker, noch junger Herr zugegen, desgleichen der Chef, der indes, da er beim Kronprinzen speisen soll, bloß bis zum Varziner

Schinken dableibt, von dem er sagt: »Geben Sie den nur, wenn ich dabei bin, der muß unter meiner Mitwirkung verzehrt werden – mit Heimatsgefühl.« Zu Ernsthausen bemerkte er: »Ich bin zum Kronprinzen eingeladen. Vorher aber habe ich noch eine wichtige Besprechung, deshalb stärke ich mich jetzt für die.« – »Heute haben wir den Dreizehnten und auch Freitag. Sonntag der Fünfzehnte, der Achtzehnte ist also Mittwoch. Da haben wir das Ordensfest, und da könnte man die Proklamation an das deutsche Volk (wegen Kaiser und Reich, eine Proklamation, die nach Bucher in der Arbeit ist) erlassen. – Der König hat (zu Ernsthausen gewandt) noch seine Bedenken wegen deutscher Kaiser oder Kaiser von Deutschland. Er ist mehr für das letzte.* Mir scheint nicht viel Unterschied zu sein zwischen beiden Titeln. Es ist aber wie auf den Konzilien das Homousios oder Homoiusios.«

Abeken verbessert: »Homöusios.«

Chef: »Wir sprechen oi aus. In Sachsen hatten sie den Itacismus. Ich erinnere mich, da war einer auf unserer Schule, aus Chemnitz, der las danach (zitiert einen griechischen Satz). Da sagte der Lehrer: ›Halt, nein, wir sein Sie hier nicht aus Sachsen‹.«

M. Busch, Tagebuchblätter. Band II, 1899, S. 35.

Die Proklamation an das deutsche Volk. – Favre. – Holstein erhält einen Verweis. – Tischgespräche in Versailles.

Tagebuchaufzeichnungen von M. Busch.

16. Januar

Beim Diner sind Fürst Pleß und Maltzahn als Gäste zugegen. Man erfährt da, daß die Proklamation an das deutsche Volk übermorgen beim Ordensfeste, das im Spiegelsaale des hiesigen Schlosses stattfinden wird, verlesen werden soll. Der König wird in glänzender Versammlung dort zum Kaiser ausgerufen werden. Truppendeputationen mit Fahnen, die Generalität, der Bundeskanzler und eine Anzahl Fürstlichkeiten werden dabei

* Über die Haltung des Königs in dieser Frage vgl. vornehmlich Erich Marcks, Kaiser Wilhelm I., 1918, S. 342 ff.

sein. Man hört ferner, daß der Chef seine Meinung in betreff der Herauslassung Favres aus Paris geändert und ihm einen Brief geschrieben hat, der auf eine Ablehnung hinausläuft. Der Kanzler bemerkt: »Favre kommt mir mit seinem Verlangen, nach London zur Konferenz gehen zu dürfen, wie die Kinder im Spiel Fuchs im Loch vor. Die schlagen zu und machen dann, daß sie fortkommen, nach einem Ort, wo man ihnen nichts anhaben kann. Er muß die Suppe aber mit ausessen, die er eingebrockt hat. Das fordere seine Ehre, habe ich ihm geschrieben.«

*

17. Januar 1871

Dann kam er nochmals auf seinen gestrigen Brief an Favre zu reden und sagte: »Ich habe ihm deutlich zu verstehen gegeben, das ginge doch nicht, und ich könnte nicht glauben, daß er, der die Sache am 4. September mit veranlaßt habe, nicht auch die Entwicklung mit abwarten wollte. Ich habe den Brief übrigens französisch geschrieben, erstens, weil ich ihn nicht als amtlich betrachte, sondern als Privatkorrespondenz, dann aber, damit sie ihn von den französischen Linien an bis zu ihm lesen können.« Nostiz fragte, wie es überhaupt mit der diplomatischen Korrespondenz gehalten würde. Chef: »Deutsch. Früher war's Französisch. Ich habe es aber eingeführt. Doch nur mit solchen Kabinetten, deren Sprache bei uns verstanden wird. England, Italien, auch Spanien – das kann man zur Not auch lesen. Mit Rußland nicht; denn da bin ich wohl der einzige im Auswärtigen Amte, der es versteht. Holland, Dänemark und Schweden auch nicht; diese Sprachen lernt man doch in der Regel nicht. Die schreiben französisch, und denen wird auch französisch geantwortet. – Der König hat übrigens befohlen, daß die Militärs mit den Franzosen nur deutsch verkehren; mögen sie's lernen, wir haben ihre Sprache auch lernen müssen. – Mit Thiers (er meinte Favre) habe ich in Ferrières französisch gesprochen. Aber ich sagte ihm, dies geschähe nur, weil ich nicht amtlich mit ihm verhandelte. Er lachte darüber. Ich sagte ihm aber, das werden Sie schon beim Friedensschluß sehen, daß wir deutsch reden.«

M. Busch, Tagebuchblätter. Band II, 1899,
S. 49 ff., S. 57 f. (gekürzt).

»NESCIO, QUID MIHI MAGIS FARCIMENTUM ESSET.« –
VERSAILLES, 21. JANUAR 1871

Tagebuchaufzeichnung von M. Busch.

Abends waren beim Diner Voigts-Rhetz, Fürst Putbus und der bayrische Graf Berchem Gäste des Kanzlers. Der Bayer hat die angenehme Kunde überbracht, daß die Versailler Verträge in der Münchner zweiten Kammer mit zwei Stimmen über die erforderliche Zweidrittel-Majorität durchgegangen sind. Das Deutsche Reich ist also in aller Form fertig.

Der Chef forderte mit Bezug auf diese Tatsache die Gesellschaft auf, auf die Gesundheit des Königs von Bayern zu trinken, »der die Sache doch eigentlich zu gutem Ende gebracht hat. – Ich dachte immer«, so setzte er hinzu, »daß wir damit durchkommen würden, wenn auch nur mit einer Stimme; auf zwei hätte ich nicht gehofft. Die letzten guten Nachrichten vom Kriegsschauplatze werden auch dazu beigetragen haben.« Es wurde dann erwähnt, daß die Franzosen bei dem vorgestrigen großen Ausfalle weit mehr Leute gegen uns geführt haben, als man bisher dachte, wahrscheinlich über achtzigtausend Mann, und daß die Montretoutschanze wirklich einige Stunden in ihren Händen gewesen ist, desgleichen ein Teil von Garches und Saint Cloud, daß sie aber auch bei ihrem Ansturm ganz gewaltige Verluste – man sprach von 1200 Toten und 4000 Verwundeten – erlitten haben. Der Kanzler bemerkte: »Die Kapitulation muß nun bald erfolgen – ich denke, schon nächste Woche. Nach der Kapitulation werden sie von uns mit Lebensmitteln versehen werden – versteht sich –, aber bevor sie nicht siebenmalhunderttausend Gewehre und viertausend Kanonen ausgeliefert haben, kriegen sie kein Stück Brot, und dann wird niemand herausgelassen. Wir besetzen die Forts und die Enceinte und setzen sie so lange auf schmale Kost, bis sie sich zu einem Frieden bequemen, der uns paßt. Es sind in Paris doch noch sehr viele gescheite und angesehene Leute, mit denen was zu machen ist.«

Später kam man auf eine Madame Cordier zu sprechen, die sich seit einiger Zeit hier aufhalte, wie es schien, um nach Paris hineinzukommen oder etwas hineinzubringen. Sie soll eine hübsche, schon etwas ältliche Witwe sein, und, wenn ich recht verstand, ist sie eine Tochter Lafittes und eine Schwester der am Hofe Napoleons unter den galanten Damen hervorragend gewesenen Frau des Reitergenerals Marquis de Galiffet, die das anmutige Abenteuer mit dem Prinzen von Wales hatte. Man scheint sie bei uns für eine vornehme Spionin zu halten, wunderte sich, daß man sie hier duldet, und meinte, sie habe wohl Freunde und Gönner unter den höheren Militärs. Der Chef äußerte: »Ich erinnere mich, wie sie vor fünfzehn oder sechzehn Jahren nach Frankfurt kam. Da setzte sie ohne Zweifel voraus, daß sic als schöne Frau und Pariserin eine Rolle spielen werde. Aber es kam anders. Sie hatte ordinäre Manieren und wenig Takt, sie war nicht so gut erzogen, wie die Frankfurter Finanzdamen, die das schnell wegbekamen. So weiß ich, eines Tages ging sie bei feuchtem, schmutzigen Wetter in einem rosa Atlaskleide aus, das ganz mit Spitzen besetzt war. Sie hätte sich das Kleid gleich mit Metalliques benähen lassen können, sagten die Frankfurter Damen, da sähe man besser, was sie zeigen wollte.«

Die Unterhaltung ging sodann in eine gelehrte Erörterung des Unterschieds zwischen den Titulaturen »deutscher Kaiser« und »Kaiser von Deutschland« über, und auch die Möglichkeit eines »Kaisers der Deutschen« wurde erwähnt. Als ein Weilchen darüber verhandelt worden war, fragte der Chef, der bisher zu der Debatte geschwiegen hatte: »Weiß einer von den Herren, was auf Lateinisch Wurscht heißt?« Farcimentum, erwiderte Abeken. Farcimen, sagte ich. Chef, lächelnd: Farcimentum oder farcimen, einerlei. Nescio, quid mihi magis farcimentum esset.

M. Busch, Tagebuchblätter. Band II, 1899, S. 68 f.

Es ist zu Ende. – Gespräch mit dem Abgeordneten Grafen Frankenberg in Versailles. 23. Januar 1871

Tagebuchaufzeichnung des Grafen Frankenberg.

Ich war heute wieder zu Bismarck zu Tische geladen. Der Kanzler empfing mich mit der Neuigkeit, Jules Favre habe sich bei ihm angemeldet. In der besten Laune und mit sehr interessanten Gesprächen verlief das Diner, an welchem auch noch der Staatsminister Delbrück und General von Kameke teilnahmen. Bismarck ist gegen die Franzosen grimmerfüllt und wird dem unterhandelnden Minister-Advokaten keine leichte Stunde bereiten. »Den Bundeskanzler von Ferrières soll der Mann in mir nicht mehr finden!«, sagte er streng. »Wenn Paris kapituliert, müssen vor allen Ducrot und die andern wortbrüchigen Offiziere ausgeliefert werden. Ehe wir hineingehen, müssen ferner alle Waffen ausgeliefert werden; wir geben der Stadt nur Lebensmittel gegen Austausch der Waffen, und bis nicht siebenhunderttausend Gewehre abgeliefert sind, geht kein Regiment hinein. Zur Aufrechterhaltung der Ordnung können wir aber fünfzigtausend Mann Nationalgarden drin bewaffnen. Als Geiseln müssen uns sämtliche Regierungsmänner, Präfekten, Maires, Redakteure, Generale und ein paar tausend Notabeln gestellt werden. Diese verteilen wir in die Forts, bis die Minen daraus entfernt sind, dann besetzen wir die Forts und die Enceinte und lassen niemand aus Paris heraus. Die Armee, die kriegsgefangen wird, muß auch drin bleiben! Nach Deutschland kann sie nicht geschickt werden. Roon hat bereits erklärt, daß er den Befehl, noch zweihunderttausend Mann nach Deutschland zu bringen, als seine Entlassung ansehen müsse.« Ich bemerkte dem Kanzler, ob es denn nicht tunlich scheine, Paris überhaupt nur dann Kapitulationen zu gewähren, wenn es sich für den Frieden auch mit Frankreich verpflichte. Er ging scharf darauf ein und sagte: »Gewiß werden wir das verlangen.« ...

Mit General Kameke über die Beschießung sprechend, sagte Bismarck: »Nach meiner Meinung ist's schade um jeden Kanonenschuß, der gegen Forts oder Wall geschossen wird. Wirkung hat nur eine Granate, die nach Paris hineinfliegt!« Ich freute mich sehr über dieses Wort, denn ich hatte es auch bereits selber gegen mehrere Artilleristen verfochten.

Nachts um zwölf Uhr, als ich schreibend in meinem Zimmer saß, kam Fürst Putbus eilig herein und rief uns zu: »Es ist zu Ende! Ich kehre eben von Lehndorff zurück. Dort kam Bismarck hinein, pfiff Halali und rief uns zu: ›Es ist zu Ende; Trochu ist gestürzt, Favre ganz zahm. Ich habe eben mit ihm drei Stunden konferiert und schon dem Könige Vortrag gehalten!‹ «

Graf Frankenberg, Kriegstagebücher 1866 und 1870/71.
Herausgegeben von H. v. Poschinger. 1902, S. 266 f.

Halali. – Gespräch mit Dr. Moritz Busch und dem Grafen Bismarck-Bohlen in Versailles. 23. Januar 1871

Tagebuchaufzeichnung von M. Busch.

Der Chef fährt nach halb elf Uhr zum König und kommt nach etwa drei Viertelstunden wieder. Als er zu uns in das Teezimmer tritt, sieht er ungemein vergnügt aus, setzt sich, läßt sich von mir Tee einschenken und ißt ein paar Bissen trockenes Brot dazu. Nach einer Weile sagt er zu seinem Vetter: »Kennst du das?«, worauf er eine kurze Melodie pfeift, das Signal der Jäger, das verkündigt, daß der Hirsch erlegt ist. Bohlen antwortet: »Ja – gute Jagd.« Chef: »Nein, das geht so«, worauf er eine andere Weise pfeift. »Es war das Halali«, sagte er dann. »Ich denke, die Sache ist gemacht.« Bohlen meinte dann, Favre habe »recht ruppig« ausgesehen. Der Chef erwiderte: »Ich finde, daß er viel grauer geworden ist als in Ferrières – auch dicker, vermutlich von Pferdefleisch. Sonst aber sieht er aus, wie einer, der in der letzten Zeit viel Verdruß und Aufregung erlebt hat, und dem jetzt alles Worscht ist. Übrigens war er sehr aufrichtig und gestand zu, daß es schlecht gehe, drinnen. Auch erfuhr ich von ihm, daß Trochu beseitigt ist. Vinoy kommandiert jetzt in der Stadt.«

M. Busch, Tagebuchblätter. Band II, 1899, S. 71 f.

Die Verhandlungen mit Favre. – Gespräche mit der Umgebung. 25. und 26. Januar 1871

Tagebuchaufzeichnung von M. Busch.

Nach Favres Weggange kam der Chef zu uns herunter, aß etwas kaltes Rebhuhn, ließ sich dann noch von dem Schinken bringen und trank eine Flasche Bier. Nach einer Weile seufzte er, richtete sich gerade und sagte: »Ja, wenn man selbst beschließen und befehlen könnte! Aber andre dahin zu bringen!« – Er schwieg eine Minute, dann fuhr er fort: »Was mich wundert, ist, daß sie keinen General hinausschicken. Ihm sind doch militärische Dinge schwer begreiflich zu machen.« Er nannte ein paar französische Worte »das ist die Erhöhung vor dem Graben draußen« – er nannte ein paar andere – »und das ist die innere Seite. Das wußte er nicht.« – »Na, heute hat er doch hoffentlich gehörig gegessen«, sagte Bohlen. Der Chef bejahte das, und Bohlen äußerte weiter, unten hätte sich das Gerücht verbreitet, er habe diesmal auch den Sekt nicht verachtet, sondern ordentlich davon getrunken. Chef: »Ja, vorgestern wollte er nicht, heute aber hat er sich mehrere Gläser einschenken lassen. Neulich hatte er sogar Gewissensbedenken wegen des Essens, ich redete sie ihm aber aus, und der Hunger wird mir beigestanden haben; denn er aß ganz wie jemand, der lange gefastet hat.« Hatzfeldt berichtete, vor einer Stunde sei der Maire Rameau dagewesen, um nachzufragen, ob Herr Favre bei uns wäre. Ob es wohl erlaubt wäre, ihn zu besuchen? Er, Hatzfeldt, habe ihm gesagt, daß er das natürlich nicht wisse.

Der Chef bemerkte darauf: »Wenn jemand in der Nacht zu einem geht, der nach Paris zurück will, so ist das hinreichend, um ihn vor ein Kriegsgericht zu stellen. Ein dreister Geselle!«

Der Minister teilte darauf einiges aus seiner Besprechung mit Favre mit. »Er gefällt mir jetzt besser als in Ferrières«, sagte er, »er sprach viel und in langen, wohlgesetzten Perioden. Oft brauchte man gar nicht aufzupassen und zu antworten. Es waren Anekdoten aus früherer Zeit. Er versteht übrigens recht hübsch zu erzählen. – Meinen Brief von neulich hat er mir gar nicht übelgenommen. Im Gegenteil, er sagte, daß er mir Dank schuldig sei, daß ich ihn aufmerksam gemacht habe auf das, was er sich selber schuldig sei. – Er sprach auch davon, daß er bei Paris eine Villa besäße, die wäre aber verwüstet und ausgeplündert. Ich hatte auf der Zunge: Doch nicht von uns. Aber er setzte gleich selbst hinzu, es möchten wohl Mobilgarden gewesen sein. – Dann klagte er, daß die Stadt Saint Cloud seit drei Tagen brenne, und wollte mir einreden, daß wir das dortige Schloß angezündet hätten. – Wegen der Franktireurs und ihrer Untaten wollte er mich auf unsre Freischaren von 1813 hinweisen; die hätten es doch viel schlimmer getrieben. Ich sagte ihm: Das will ich nicht in Abrede stellen, aber Sie werden auch wissen, daß die Franzosen sie überall erschossen, wo sie ihrer habhaft werden konnten. Und sie schossen sie nicht etwa auf einmal tot, sagte ich, sondern fünf in dem Orte, wo die Tat geschehen war, dann auf der nächsten Etappe wieder fünf und so weiter – zur Abschreckung. – Von dem letzten Gefechte, am 19., behauptete er, daß die Wohlhabenden von der Nationalgarde sich am besten geschlagen hätten; die aus den niedern Klassen genommenen Bataillone hätten am wenigsten getaugt.« Der Chef schwieg eine Weile und zeigte eine nachdenkliche Miene. Dann fuhr er fort: »Ich denke, wenn die Pariser erst Zufuhr an Lebensmitteln gekriegt haben und dann wieder auf halbe Rationen gesetzt werden und wieder hungern müssen, das wird wirken. Es ist wie mit der Prügelbank. Wenn da etwas länger gehauen wird – hintereinander –, so macht das nicht viel aus. Aber wenn ausgesetzt wird und nach einer Weile wieder angefangen, das ist unerwünscht. Ich weiß das von dem Kriminalgericht her, bei dem ich arbeitete. Da wurde noch gehauen.«

Man sprach dann über die Prügelstrafe überhaupt, und Bohlen, der sie für nützlich hält, bemerkte, die Engländer hätten sie ja auch wieder eingeführt. »Ja«, sagte Bucher, »erst für persönliche Beleidigungen der Königin, bei einer Gelegenheit, wo jemand nach ihr geschlagen hatte, dann für die Garotters.«*

Der Chef erzählte dann, daß er 1862, wo diese in London gespukt hätten, oft noch nach zwölf Uhr des Nachts durch eine einsame Gasse, wo bloß Ställe gewesen seien, und die voll Pferdedüngerhaufen gelegen hätten, von Regentstreet nach seiner Wohnung in Parkstreet habe gehen müssen. Zu seinem Schrecken habe er dann in der Zeitung gelesen, daß gerade da mehrere solche Überfälle stattgefunden hätten.

*

Bei Tische waren Herr Hans von Rochow und Graf Lehndorff zugegen. Der Chef sprach von Favre und sagte u. a.: »Er erzählte mir, an Sonntagen, da sähe man die Boulevards noch voll von wohlgekleideten und geputzten Frauen mit hübschen Kindern. Ich erwiderte: ›Das wundert mich, die haben Sie noch nicht aufgegessen?‹ « Es wurde ferner davon gesprochen, daß heute mit besonderer Heftigkeit bombardiert würde, und der Minister bemerkte dazu: »Ich erinnere mich, wir hatten da beim Gericht einmal einen Unterbeamten – ich glaube, Stepki hieß er –, der hatte das Prügeln zu besorgen. Der hatte die Gewohnheit, die drei letzten allemal mit besondrer Kraft auszuteilen – zum heilsamen Gedächtnis.«

Die Rede kam auf Strousberg, und jemand machte die Bemerkung, daß der jetzt »Pleite gehen« wollte, worauf der Chef äußerte: »Er sagte einmal zu mir, ich weiß, ich sterbe einmal nicht in meinem Hause. Aber so schnell brauchte das noch nicht zu kommen. Vielleicht überhaupt nicht, wenn nicht der Krieg kam. Er deckte seine Auslagen immer mit neuen Aktien, und das ging, obwohl andre Juden, die vor ihm reich geworden waren, ihm nach allen Kräften das Spiel zu verderben suchten. Nun aber kam der Krieg, und da gingen seine Rumänier herunter, immer weiter, so daß man fragen konnte, was der Zent-

* Straßenräuber, die in London bei Nebel und Dunkelheit die Vorübergehenden überfielen.

ner koste. – Na, aber ein gescheiter Mann und ein rastlos tätiger bleibt er doch.« Von Strousbergs Gescheitheit und Rastlosigkeit brachte jemand das Gespräch auf Gambetta, von dem er wissen wollte, daß er »durch den Krieg auch seine fünf Millionen verdient habe«, was andre Tischgenossen, ich glaube mit Grund, bezweifelten. An den Diktator von Bordeaux reihte sich Napoleon, von dem Bohlen sagte, es hieße, daß er sich in den neunzehn Jahren seiner Regierung mindestens fünfzig Millionen gespart habe. »Andre behaupten, achtzig«, versetzte der Chef. »Ich halte es aber für zweifelhaft. Louis Philipp hatte das Geschäft verdorben. Der ließ Emeuten machen und dann an der Amsterdamer Börse kaufen, und das merkte die Geschäftswelt zuletzt.« Hatzfeldt oder Keudell bemerkte, zu demselben Zwecke sei der betriebsame König auch von Zeit zu Zeit krank geworden. Darauf sprach man davon, daß unter dem Kaiserreiche besonders Morny sich darauf verstanden habe, mit allen Mitteln Geld zu machen, und der Chef erzählte: »Wie der zum Gesandten in Petersburg ernannt worden war, kam er mit einer ganzen langen Reihe schöner, eleganter Wagen an – ich glaube, es waren dreiundvierzig, und alle Koffer, Kisten und Kasten voll Spitzen und Seidenzeug und Damenputz, wofür er als Botschafter keinen Zoll zu zahlen hatte. Jeder Diener hatte seinen eigenen Wagen, jeder Attaché oder Sekretär mindestens zwei, und er selber hatte wohl fünf oder sechs, und wie er ein paar Tage da war, verauktionierte er das alles, Wagen und Spitzen und Modesachen. Er muß wenigstens achtmalhunderttausend Rubel dabei verdient haben. – Er war ein Dieb, aber ein liebenswürdiger Dieb – er konnte wirklich sehr liebenswürdig sein«, was er dann weiter ausführte und mit Beispielen belegte. Dann fuhr er fort: »In Petersburg verstanden sie sich übrigens auch darauf – die Leute von Einfluß. Nicht, daß sie direkt Geld genommen hätten. Aber wenn jemand was wollte, da ging er in einen bestimmten französischen Laden und kaufte zu teuern Preisen für fünf- oder sechstausend Rubel Spitzen, Handschuhe oder Schmucksachen. Der französische Laden aber arbeitete für Rechnung des Beamten oder seiner Frau. Wenn das alle Wochen ein paarmal geschieht, kommt im Jahre auch was zusammen.«

M. Busch, Tagebuchblätter. Band II, 1899,
S. 82 ff., S. 89 ff. (gekürzt).

Gespräche in Versailles vom 27. Januar 1871 bis zur Unterzeichnung des Präliminarfriedens.

Tagebuchaufzeichnung von M. Busch.

Versailles, 27. Januar

Kurz vor elf Uhr erscheinen die Franzosen: Favre, General Beaufort d'Hautpoule mit seinem Adjutanten Calvel und ein »Chef der Ingenieure der Ostbahn«, Dürrbach. Die Verhandlungen der Herren mit dem Chef scheinen rasch zum Ziele geführt oder sich zerschlagen zu haben. Schon bald nach zwölf Uhr steigen sie wieder in die Wagen.

Bald nachdem die Franzosen fort sind, tritt der Kanzler zu uns herein und sagt: »Ich will bloß ein wenig Luft schöpfen. Lassen die Herren sich nicht stören!« Dann bemerkt er kopfschüttelnd, zu Delbrück gewendet: »Nichts mit ihm anzufangen! Unzurechnungsfähig – ich glaube, angetrunken. Ich habe ihm gesagt, er möge sich bis halb zwei besinnen, vielleicht erholt er sich. – Verbranntes Gehirn, schlechte Manieren! Wie heißt er denn eigentlich? So was wie Bouffre oder Pauvre?« Keudell sagt: »Beaufort.« Chef: »So. Ein vornehmer Name, aber keine vornehmen Manieren.«

*

Bei Tische sagte der Chef von Beaufort: »Dieser Offizier betrug sich wie ein Mann ohne irgendwelche Erziehung. Poltern und Schreien und die höchsten Eide und moi, général de l'armée française, daß es kaum auszuhalten war. Spielte sich fortwährend auf den biedern Troupier und den guten Kameraden. Moltke wurde ein paarmal ungeduldig, und es war von der Art, daß er fünfzigmal hätte hinausgeworfen werden sollen.« – »Favre, der doch auch keine first rate Erziehung genossen hat, sagte zu mir: J'en suis humilié! – Er war übrigens nicht so sehr betrunken, es war mehr seine ordinäre Manier. – Beim Generalstabe wollten sie daraus, daß man ihn dazu gewählt habe, schließen, daß man es zu nichts kommen lassen wolle. Im Gegenteil, sagte ich, sie haben den genommen, weil es bei so einem nichts ausmacht, wenn er in der öffentlichen Meinung fällt, indem er die Kapitulation unterzeichnet.« Dann erzählte er: »Bei unsrer neulichen Besprechung sagte ich zu Favre: Vous avez été trahi – par la fortune. Er merkte den Stich recht gut, äußerte aber nur: A qui le dites vous! Dans trois fois vingt quatre heures je serai aussi compté au nombre des traîtres. Seine Lage in Paris sei bedenklich, setzte er hinzu. – Ich schlug ihm vor: Provoquez donc une émeute pendant que vous avez encore une armée pour l'étouffer. – Er sah mich darauf ganz erschrocken an, als wollte er sagen: Was du blutdürstig bist! Ich aber setzte ihm auseinander, daß dies das einzig richtige wäre, um mit dem Pöbel fertigzuwerden. – Übrigens hat der keine Idee, wie es bei uns zugeht. Er ließ mich mehrmals merken, daß Frankreich das Land der Freiheit wäre, während bei uns der Despotismus herrschte. Ich hatte ihm zum Beispiel gesagt, wir brauchten Geld, und Paris müßte welches schaffen. Er dagegen meinte, wir könnten ja eine Anleihe machen. Ich erwiderte, das ginge nicht ohne den Reichstag oder den Landtag. ›Ach‹ – sagte er – ›fünfhundert Millionen Franken, die könnte man doch auch so kriegen, ohne die Kammer.‹ Ich entgegnete: ›Nein, nicht fünf Franken.‹ Er wollte es nicht glauben. Aber ich sagte ihm, daß ich vier Jahre lang mit der Volksvertretung im Kriegszustande gelebt hätte, aber eine Anleihe ohne den Landtag aufzunehmen, das wäre immer die Barriere gewesen, bis zu der ich gegangen wäre, und es wäre mir nie eingefallen, die zu überschreiten. Das schien ihn doch in seiner Ansicht etwas irre zu machen. Er sagte nur, in Frankreich on ne se gênerait pas. Doch kam er immer wieder darauf zurück, daß Frankreich ungeheure Freiheit besäße. – Es ist wirklich sehr komisch, einen Franzosen so sprechen zu hören, und besonders Favre, der immer zur Opposition gehört hat. Aber so sind sie. Man kann einem von ihnen fünfundzwanzig aufzählen – wenn man ihm dabei nur eine schöne Rede von Freiheit und Menschenwürde hält, die sich darin ausdrücke, und die entsprechende Attitude dazu macht, so bildet er sich ein, er wird nicht geprügelt. – Ach, Keudell«, sagte er dann plötzlich, »da fällt mir ein: ich muß morgen eine Vollmacht haben, vom Könige – natürlich deutsch. Der deutsche Kaiser darf nur deutsch schreiben. Der Minister kann sich nach den Umständen richten. Der amtliche Verkehr muß in der Landessprache geführt werden, nicht in einer fremden. Bernstorff hat das zuerst durchsetzen wollen bei uns, er war aber damit zu weit gegangen. Er hatte an alle Diplomaten deutsch geschrieben, und alle antworteten ihm – nach einem Komplott natürlich – in ihrer Muttersprache, russisch, spanisch, schwedisch und was weiß ich alles, so daß er einen ganzen Schwarm von Übersetzern im Ministerium sitzen hatte. – So fand ich die Sache, als ich ins Amt trat.«

*

Beim Diner waren Graf Henckel und der französische Adjutant d'Hérisson de Saulnier zugegen. Es hieß, daß er Deutsch verstünde und spräche, doch wurde die Unterhaltung, an der sich der Chef heiter beteiligte, meist französisch geführt. Der Franzose war heute, wo Favre und der General nicht zugegen waren, noch lebhafter, aufgeweckter, amüsanter als gestern. Er bestritt längere Zeit allein die Kosten der Unterhaltung, indem er eine Schnurre und Anekdote nach der andern erzählte.

Später stellte sich der Chef zum Tee ein. Man sprach von der Kapitulation und dann vom Waffenstillstande. »Wie aber«, fragte Bohlen, »wenn nun die andern nicht wollen – Gambetta und die Präfekten im Süden?« – »Nun, dann haben wir die Forts und damit die Gewalt über die Stadt«, erwiderte der Chef. »Auch der König wollte das nicht Wort haben und sagte: Wenn nun die in Bordeaux die Übereinkunft nicht gutheißen? Nun, versetzte ich, dann bleiben wir in den Forts und halten die Pariser eingesperrt, und vielleicht verlängern wir dann den Waffenstillstand am 19. Februar nicht. Inzwischen haben sie die Waffen und die Lafetten der Kanonen abgegeben und die Kontributionen zahlen müssen. – Es ist einer immer schlimmer dran, wenn er bei einem Vertrage ein Faustpfand gegeben hat und ihn dann nicht halten kann.«

Weiterhin bemerkte der Chef, Favre habe ihm heute gestanden, daß er in betreff der Wiederverproviantierung un peu témérairement verfahren sei. Er wisse wirklich nicht, ob es möglich sein werde, die vielen Hunderttausende in der Stadt zeitig genug mit Lebensmitteln zu versorgen. Jemand äußerte: »Stosch kann ja im Notfall Ochsen und Mehl abgeben.« Der Chef erwiderte: »Ja, das soll er tun, nur so, daß wir dabei nicht Schaden leiden.«

Im fernern Verlaufe des Gesprächs äußerte er: »Große Staatsgeschäfte, Unterhandlungen mit dem Feinde irritieren mich nicht. Wenn sie mir Einwürfe machen gegen meine Gedanken und Forderungen, auch wenn es unvernünftig ist, so bleibe ich kalt dabei. Aber die kleinen Quengeleien der Militärs in politischen Fragen und ihre Unkenntnis von dem, was hier möglich ist und nicht möglich. Da kommt einer und will dies, da hält ein andrer jenes für unerläßlich, und wenn man sie losgeworden ist, stellt sich ein dritter ein, ein Adjutant oder Generaladjutant, der sagt: Aber, Exzellenz, das geht doch unmöglich, oder: das müssen wir doch noch haben, sonst kommen wir in Lebensgefahr. Und gestern haben sie gar noch verlangt, daß in ein bereits unterzeichnetes Dokument eine Bedingung (die Auslieferung der Fahnen) hineinkommen soll, über die gar nicht verhandelt worden ist. Ich habe ihnen aber gesagt: ›Wir haben in diesem Kriege manches begangen; die Fälschung von Urkunden aber – nein, meine Herren, das geht doch nicht an.‹«

*

30. Januar

Abends kam Abeken zu mir herauf. Er bedauerte, nicht gewußt zu haben, daß ich zu Hause geblieben wäre, man hätte dann unten für mich noch Raum gemacht. Es wäre schade, daß ich nicht dabei gewesen sei, da das Tischgespräch heute ein ganz besonderes Interesse gehabt hätte. Der Chef habe unter anderem zu den Franzosen gesagt, konsequent sein in der Politik werde häufig zum Fehler, zu Eigensinn und Selbstwilligkeit. Man müsse sich nach den Tatsachen, nach der Lage der Dinge, nach den Möglichkeiten ummodeln, mit den Verhältnissen rechnen, seinem Vaterlande nach den Umständen dienen, nicht nach seinen Meinungen, die oft Vorurteile wären. Als er zuerst in die Politik eingetreten sei, als grüner, junger Mensch, habe er sehr andre Ansichten und Ziele gehabt als jetzt. Er habe sich aber geändert, sich's überlegt und sich dann nicht gescheut, seine Wünsche teilweise oder auch ganz den Bedürfnissen des Tages zu opfern, um zu nützen. Man müsse dem Vaterlande nicht seine Neigungen und Wünsche aufdringen, habe er weiter bemerkt und dann geschlossen: La patrie veut être servie et pas dominée. Dieser Ausspruch habe den Pariser Herren sehr imponiert (natürlich durch die prägnante Form vorzüglich), und Favre habe gesagt: C'est bien juste, Monsieur le Comte, c'est profond! Ein anderer Franzose habe ebenfalls enthusiastisch geäußert: Oui, Messieurs, c'est un mot profond. Bucher erzählte mir dann unten noch, indem er dieses Referat bestätigte, daß Favre auf die Rede des Chefs – der sie natürlich zur Belehrung der Franzosen gehalten hat, wie manche frühere Tischrede für andere Gäste – und auf das Lob ihrer Wahrheit und Tiefe die Bêtise habe folgen lassen: Néanmoins c'est un beau spectacle de voir un homme, qui n'a jamais changé ses principes. Auch der Herr Eisenbahndirektor, der ihm übrigens erheblich klüger vorgekommen sei als Favre, habe in betreff des servie et pas dominée hinzugefügt, freilich liefe das auf Unterordnung des genialen Individuums unter den Willen und die Meinung der Majorität hinaus, und die Majoritäten hätten stets wenig Verstand, wenig Sachkenntnis und wenig Charakter gehabt. Der Chef aber habe darauf sehr schön erwidert, wobei er schließlich das Bewußtsein seiner Verantwortlichkeit vor Gott als einen seiner Leitsterne hervorgehoben habe und dem droit du génie gegenüber, das jener habe hochhalten wollen, das devoir – womit er doch wohl das gemeint hat, was von Kant als kategorischer Imperativ bezeichnet wird – als das Vornehmere und Mächtigere betont habe. Abends spät – es war elf Uhr vorüber – kam der Kanzler noch zu uns zum Tee herunter. Es waren diesmal außer Wagener und mir die Barone Holstein und Keudell und eine wahre Grafenbank: Hatzfeldt, Henckel, Maltzahn und Bismarck-Bohlen, versammelt. Der Chef bemerkte: »Ich bin doch neugierig auf Gambetta, wie der's halten wird. Gambetta – das Beinchen auf Italienisch. – Er scheint sich noch bedenken zu wollen; denn er hat noch nicht geantwortet. Aber ich denke, zuletzt wird auch er klein beigeben. Übrigens, wenn nicht, auch gut. Eine kleine Mainlinie in Frankreich wäre mir nicht gerade unangenehm.«

Es folgte dann eine hochinteressante, in die Einzelheiten eingehende Auseinandersetzung der verschiedenen Phasen, die der Gedanke des Anschlusses der süddeutschen Staaten an den Nordbund durchlaufen hat. »Schon in Mainz«, so berichtete der Kanzler, »schrieb der König von Bayern einen Brief an unsern allergnädigsten Herrn, worin die Hoffnung angedeutet war, daß er nicht ›mediatisiert‹ werden würde. Es verstand sich von selbst, daß man ihn darüber beruhigte. Aber der König wollte ihm keine unbedingte Zusage geben. Das war unser erster Konflikt in diesem Kriege. Ich sagte ihm, daß der König Ludwig dann wahrscheinlich seine Truppen zurückziehen würde, und daß er dabei in seinem Rechte wäre. – Ich weiß noch, es war in dem Eckzimmer (des großherzoglichen Schlosses), und es ging hart her. – Später, wie die ersten großen Erfolge bis Sedan da waren, kamen sie auf was andres, es war das Projekt von einem Soldatenkaiser über Deutschland, den die Truppen ausrufen sollten, die Bayern mit. Das war nun nicht mein Fall. – Hernach, wie Bray herkam, da hatten sie wieder in München ihren Plan ausgedacht. Sie waren da jetzt sicher und wollten mehr. Er brachte den Plan von einem alternierenden Kaiser mit. Es könnte ja, wie er mir sagte, ein Übereinkommen getroffen werden zwischen dem Norddeutschen Bunde und Bayern oder auch zwischen Deutschland und Bayern. Wir könnten ganz gut inzwischen mit

Baden und Württemberg abschließen und uns hernach mit Bayern verständigen. – Das paßte mir ganz gut. Wie ich's aber Delbrück sagte, wollte der vom Stuhle fallen. Ich sagte ihm aber: ›Mein Gott, so lassen Sie's doch gut sein! Das ist's ja gerade, was wir brauchen.‹ Und so war's auch. Wie ich das Suckow und Mittnacht sagte, waren sie außer sich vor Wut und schlossen gleich ab. – Hernach aber war der König (von Württemberg) wieder auf andere Wege gebracht worden. Da wollte er wieder mit Bayern gehen. Die aber, die Minister, blieben fest und sagten mir, eher träten sie von ihrem Posten zurück. So wurde der Vertrag mit Württemberg erst in Berlin abgeschlossen. – Zuletzt, nach vielen Schwierigkeiten von beiden Seiten«, so berichtete er weiter, »machte sich's auch mit Bayern, und es hieß: Nun fehlt es bloß noch an einem – es war freilich das Wichtigste. Ich sah einen Weg und schrieb einen Brief – und dann hatte ein bayrischer Hofbeamter das Verdienst. Er hat fast das Unmögliche geleistet. In sechs Tagen machte er die Reise hin und zurück, achtzehn Meilen ohne Eisenbahn und bis ins Gebirge hinauf nach dem Schlosse, wo der König sich aufhielt – und dabei war seine Frau noch krank. Ja, es war viel von ihm. Er kommt an im Schlosse, findet den König unwohl – Zahngeschwür – oder an den Folgen einer Operation mit Chloroform leidend. Er ist nicht zu sprechen. – Ja, er hätte einen Brief von mir abzugeben, sehr dringend. Hilft auch nichts, der König will ungestört sein, sich diesen Tag mit nichts befassen. Zuletzt aber war er doch begierig zu wissen, was ich ihm mitzuteilen hatte, und der Brief fand eine gute Statt. Nun aber fehlte es wieder an Papier und Tinte und an allem andern zum Schreiben. Sie schicken einen Reitknecht fort, und der kommt endlich mit Papier zurück, mit grobem, und der König antwortet, wie er ist, im Bette, und das Deutsche Reich war gemacht.«

*

31. Januar

Abends, nach zehn Uhr, kommt der Minister herunter und setzt sich zu uns. Er spricht zunächst wieder von dem unpraktischen Wesen der Franzosen, die in diesen Tagen mit ihm gearbeitet haben. Zwei Minister – Favre und der diesmal mit herausgekommene Finanzminister Magnin – hätten sich heute wohl eine halbe Stunde mit einem Telegramm abgemüht. Davon nahm er Anlaß, sich über die Franzosen überhaupt und die ganze lateinische Rasse zu äußern und sie mit den germanischen Völkern zu vergleichen. »Die deutsche, die germanische Rasse«, sagte er, »ist sozusagen das männliche Prinzip, das durch Europa geht – befruchtend. Die keltischen und slawischen Völker sind weiblichen Geschlechts. Jenes Prinzip geht vor bis an die Nordsee und durch bis nach England hinüber.«

Ich erlaubte mir die Bemerkung: »Bis nach Amerika, bis in den Westen der Vereinigten Staaten, wo Leute von uns auch den besten Teil der Bevölkerung bilden und Einfluß auf die Sitten der andern üben.« »Ja«, erwiderte er, »das sind die Kinder, die Früchte davon. – Man hat's ja gesehen in Frankreich, wie die Franken da noch die Oberhand hatten. Die Revolution von 1789 war die Niederwerfung des germanischen Elements durch das keltische, und was sehen wir seitdem? – Und in Spanien – solange da das gotische Blut vorwog. Und ebenso in Italien, wo in den oberen Gegenden die Germanen ebenfalls die Hauptrolle spielten. Wie das ausgelebt hatte, war nichts Ordentliches mehr. Nicht viel anders ist's in Rußland, wo die germanischen Waräger, die Ruriks, sie erst zusammenfaßten. Wenn da die Nationalen siegen über die Deutschen, die eingewandert sind, und die aus den Ostseeprovinzen, so fallen sie auseinander, da gibt's lauter Gemeinden. Freilich, ungemischt ist's mit den Deutschen auch nicht viel. So im Süden und Westen – da gab's, als sie sich selbst überlassen waren, nur Reichsritter, Reichsstädte, und Reichsdörfer, jedes für sich, da ging alles auseinander. Die Deutschen sind gut, wenn sie zusammengezwungen sind – vortrefflich, unwiderstehlich, nicht zu überwinden – sonst aber will jeder nach seinem Kopfe.* – Eigentlich ist doch der wohlwollend, gerecht und vernünftig gehandhabte Absolutismus die beste Regierungsform. Wo nicht etwas davon ist, da fährt alles auseinander, da will der das und jener dies, und es ist ein ewiges Schwanken, ein ewiger Aufenthalt. – Aber wir haben keine rechten Absolutisten mehr – ich wollte sagen, keine (absoluten) Könige. – Die gehen ab, die Sorte ist ausgestorben. Das war doch früher anders, wo sie noch in brokatnen Röcken erschienen und mit dem Stern.«

Ich erlaubte mir zu erzählen, daß ich mir als kleines Kind den König von Sachsen, von dem ich damals allein gewußt habe, wie den König auf der deutschen Karte vorgestellt hatte, mit

* Über das gleiche Thema vgl. auch Äußerungen gegenüber dem Schweizer Historiker Bluntschli, vom 30. April 1868. BG I, S. 353.

Krone, Hermelin, Reichsapfel und Szepter, steif und bunt und immer sich gleich, und daß ich dann sehr enttäuscht gewesen wäre, als meine Wärterin mich einmal auf den Gang zwischen dem Dresdner Schlosse und der katholischen Kirche geführt und mir den König Anton, diesen kleinen, krummen, gebrechlichen Greis gezeigt habe, dem die Gardeuniform so übel stand. Der Chef sagte: »Ja, die Bauern bei uns machten sich auch sehr wunderliche Vorstellungen. Da hieß es, wir wären etliche zusammen gewesen – junge Leute – in einem öffentlichen Lokale und hätten da etwas gegen den König gesagt, der dabeigesessen habe, aber unerkannt. Da wäre er plötzlich aufgestanden, hätte den Mantel auseinandergeschlagen und den Stern auf der Brust gezeigt. Die andern wären erschrocken, ich aber hätte mich nicht daran gekehrt und hätte ihn die Treppe hinuntergeworfen. Da hätte ich zehn Jahre Gefängnis gekriegt und dürfte mich nicht rasieren. Da ich aber damals einen Vollbart trug, was ich mir in Frankreich angewöhnt hatte, 1842, wo das eben aufkam, so hieß es, alle Jahre einmal, in der Silvesternacht, käme der Scharfrichter, der schnitte mir ihn ab. – Es waren reiche und sonst gar nicht dumme Bauern, die das erzählten, und sie sagten es nicht, weil sie was gegen mich hatten, sondern ganz gutmütig und voll Mitleid mit dem jungen Menschen. Das mit der Treppe war grob gedacht, es tat mir aber doch wohl, daß sie mir allein die Courage zutrauten, daß ich mir durch den Stern nicht habe imponieren lassen.«

An diese Mythe anknüpfend sprach man davon, daß sich auch heute noch Sagen bilden, die wenig oder gar keine Begründung in wirklich Geschehenem haben, und in diesem Zusammenhange fragte ich: »Darf man wohl wissen, Exzellenz, ob die Geschichte von dem Bierseidel irgendwie wahr ist, das Sie in einer Berliner Wirtschaft einem auf dem Kopfe entzweigeschlagen haben sollen, weil er die Königin gelästert oder nicht auf sie mit angestoßen hätte.« – »Ja«, erwiderte er, »aber ganz anders war sie und ohne politische Beimischung. Ich ging eines Abends spät nach Hause, es muß im Jahre 1847 gewesen sein, da begegnete ich einem, der zuviel hatte und mit mir anbinden wollte. Als ich ihn aber wegen anzüglicher Reden stellte, fand ich, daß es ein alter Bekannter war. Es war (ich glaube, er sagte) auf der Jägerstraße. Wir hatten uns lange nicht gesehen, und wie er mir den Vorschlag machte: Komm, wollen da zu (er nannte einen Namen) gehen, ging ich mit, obwohl ich eigentlich genug hatte. Wie wir aber unser Bier hatten, schlief er ein. Nun war da neben uns ein Kreis von Leuten, unter denen war einer, der ebenfalls mehr, als er vertrug, zu sich genommen hatte und das durch lärmendes Benehmen bemerken ließ. Ich trank ruhig mein Bier. Den aber verdroß es, daß ich so ruhig war, und er fing an zu sticheln. Ich blieb stille, und das machte ihn nur noch ärgerlicher und giftiger. Er stichelte immer lauter. Ich wollte keine Händel, aber auch nicht gehen, weil sie sonst gedacht hätten, ich fürchtete mich. Zuletzt aber mußte es ihm keine Ruhe gelassen haben, er kam an meinen Tisch und drohte, mir das Seidel ins Gesicht zu gießen, und das wurde mir zuviel. Ich stand auf und sagte ihm, er solle gehen, und als er darauf Miene machte, zu gießen, gab ich ihm eins unters Kinn, daß er der Länge nach hinschlug, den Stuhl und das Seidel zerbrach und über die ganze Stube bis an die Wand hinfuhr. Da kam die Wirtin, der sagte ich, sie möge sich beruhigen, den Stuhl und das Seidel würde ich bezahlen. Und zu den andern sagte ich: Sie sehen, meine Herren, daß ich keine Händel gesucht habe, und Sie sind Zeugen, daß ich mich solange als möglich zurückgehalten habe; aber das kann man doch nicht verlangen, daß ich mir ein Glas Bier über den Kopf gießen lassen soll, bloß weil ich ruhig mein Seidel getrunken habe. Wenn der Herr einen Zahn dabei verloren haben sollte, so sollte es mir leid tun. Ich mußte mich aber meiner Haut wehren. Will übrigens noch jemand was wissen, hier ist meine Karte. – Da ergab's sich, daß es ganz vernünftige Leute waren, die ungefähr meine Ansichten hatten. Sie waren ärgerlich über ihren Kameraden und gaben mir Recht. Später traf ich zwei davon am Brandenburger Tor. Da sagte ich: Sie waren ja wohl dabei, meine Herren, als ich die Geschichte im Bierhause auf der Jägerstraße hatte. Wie ist es denn dem ergangen? Es sollte mir leid tun, wenn er Schaden davon behalten hätte. Man hatte ihn nämlich hinaustragen müssen. – Ach, sagten sie, der ist ganz wohl und munter, und auch die Zähne sind wieder fest geworden. Er ist übrigens ganz still geblieben und hat es sehr bedauert. Er war eben eingetreten, um als Arzt sein Jahr abzudienen, und da wäre es ihm sehr unlieb gewesen, wenn die Sache unter die Leute und vor seine Vorgesetzten gekommen wäre.«

Der Chef erzählte dann, daß er als Göttinger Student in drei Semestern achtundzwanzig Mensuren gehabt habe und immer gut davongekommen sei. Ich sagte: »Aber einmal haben Exzellenz doch was abgekriegt. Wie heißt doch der kleine Hannoveraner? – Biedenfeld.« – Er erwiderte: »Biedenweg, und klein war er auch nicht, fast so groß als ich. Das kam aber bloß davon, daß seine Klinge absprang, die wahrscheinlich schlecht eingeschraubt war. Die fuhr mir ins Gesicht und blieb stecken. Sonst habe ich niemals was bekommen. – Doch einmal, in Greifswald war's nahe daran. Da hatten sie eine so wunderliche Kopfbedeckung eingeführt – wie ein Kaffeebeutel – weiß, von Filz, auch hatten sie Glockenschläger, an die ich nicht gewöhnt war. Ich aber hatte mir in den Kopf gesetzt, ich wollte ihm die Spitze von dem Kaffeebeutel abhauen, und da gab ich mich bloß, und sein Hieb pfiff mir ganz nahe am Gesicht, doch bog ich mich noch zu rechter Zeit zurück.«

*

1. Februar

Als ich halb sechs Uhr wieder auf der Rue de Provence eintraf, fand ich den Chef schon mit den andern bei Tische. Gäste waren nicht zugegen. Der Minister sprach, als ich eintrat, gerade von Favre und sagte: »Ich glaube, er ist heute nur deshalb herausgekommen. Ich meine, infolge unseres gestrigen Gesprächs, wo ich nicht zugeben wollte, daß Garibaldi ein Heros wäre. Er hatte offenbar Angst um ihn, weil ich ihn nicht in den Waffenstillstand einschließen wollte. Wie ein echter Advokat zeigte er auf den ersten Artikel. Ich aber sagte ihm, ja, das wäre die Regel, hernach aber kämen die Ausnahmen, zu denen gehörte der. Wenn ein Franzose gegen uns Waffen trüge, so begriffe ich das, er verteidigte sein Land und hätte ein Recht dazu. Aber dieser fremde Abenteurer mit seiner kosmopolitischen Republik und seiner Bande von Revolutionären aus allen Winkeln der Welt, dessen Recht könnte ich nicht anerkennen. Er fragte dann, was wir mit ihm machen wollten, wenn wir ihn gefangen nähmen. ›Oh‹, sagte ich, ›wir werden ihn für Geld sehen lassen, mit einer Tafel um den Hals, worauf Undank steht.‹« Er fragte dann: »Wo ist denn Scheidtmann?« – Man gab Auskunft. – »Den hatte ich mir bei der Sache (dem Geschäft mit der von Paris zu zahlenden Kontribution von zweihundert Millionen) als juristischen Beistand gedacht. Er ist doch Jurist?« Bucher erwiderte, nein, er habe überhaupt nicht studiert, sei ursprünglich Kaufmann gewesen und dergleichen.

Chef: »Na, in erster Linie soll Bleichröder ins Gefecht gehen. Der muß gleich nach Paris hinein, sich mit seinen Glaubensgenossen beriechen und mit den Bankiers reden, wie das zu machen ist. Er will doch kommen?« Keudell: »Ja, in einigen

Tagen.« Chef: »Bitte, telegraphieren Sie ihm doch, wir brauchen ihn gleich. – Dann kommt Scheidtmann. Er kann doch französisch?« Man wußte es nicht. »Als Triarier denke ich mir dann Henckel. Der ist in Paris zu Hause und bekannt unter den Geldleuten. ›Wir pflegen an der Börse auf glückliche Spieler zu pointieren‹, sagte mir mal einer von der hohen Finanz, und wenn hier nach einem solchen pointiert wird, so ist's Graf Henckel.« Später wandte sich das Gespräch der Entwicklungsgeschichte der deutschen Frage zu, und da bemerkte der Minister u. a.: »Ich erinnere mich, vor dreißig und mehr Jahren, in Göttingen, da wettete ich einmal mit einem Amerikaner, ob Deutschland in fünfundzwanzig Jahren einig sein würde. Wir wetteten um fünfundzwanzig Flaschen Champagner, die der geben solle, der gewönne. Wer verlor, sollte übers Meer kommen. Er hatte für nicht einig gewettet, ich für einig. Darauf besann ich mich 1858 und wollte hinüber. Wie ich mich aber erkundigte, war er tot. Er hatte gleich so einen Namen, der kein langes Leben versprach – Coffin, Sarg. Das Merkwürdigste dabei ist, daß ich damals, 1833, schon den Gedanken und die Hoffnung gehabt haben mußte, die jetzt mit Gottes Hilfe wahr geworden ist, obwohl ich damals mit den Verbindungen, die das wollten, nur im Gefechtszustande verkehrte.«

Zuletzt äußerte der Chef seinen Glauben an den Einfluß des Mondes auf das Wachstum von Haaren und Pflanzen, indem er davon ausging, daß er Abeken scherzhaft zu seiner Frisur gratulierte. »Sie sehen noch einmal so jung aus, Herr Geheimrat«, sagte er. »Wenn ich Ihre Frau wäre! – Sie haben sie sich eben noch zu rechter Zeit schneiden lassen, bei zunehmendem Monde. 's ist wie mit den Bäumen; wenn die wieder wachsen sollen, fällt man sie auch im ersten Viertel, wenn man sie aber roden will, schlägt man sie bei abnehmendem Monde, da vermodert der Stumpf eher. Es gibt Leute, die nicht daran glauben, Gelehrte, aber selbst der Staat verfährt danach, obwohl er's nicht offen eingestehen will. Es wird keinem Förster einfallen, eine Birke, die wieder Schößlinge treiben soll, bei abnehmendem Monde zu fällen.«

*

4. Februar 1871

Nach zehn Uhr ließ der Chef mich rufen, um zu fragen: »Von Berlin beklagt man sich, daß die englischen Blätter viel besser unterrichtet sind als die unsrigen, und daß wir unsern Zeitungen so wenig über die Waffenstillstandsverhandlungen mitgeteilt haben. Wie kommt das?« »Ja, Exzellenz«, erwiderte ich, »das kommt daher, daß die Engländer mehr Geld haben, um überall zu sein und sich unterrichten zu lassen. Dann aber sind sie gut empfohlen bei hohen Herren, die von allem erfahren – und endlich sind auch die Militärs nicht immer recht dicht bei Dingen, die noch verschwiegen bleiben sollen. Ich aber konnte von den Verhandlungen über die Konvention nur das in die Öffentlichkeit bringen, was hinein sollte.« »Na«, sagte er, »schreiben Sie doch einmal über diese Sache und sagen Sie, daß die eigentümlichen Verhältnisse hier daran schuld sind, wir aber nicht.« Ich erlaubte mir dann, ihm zu dem Ehrenbürgerbriefe zu gratulieren, den er in diesen Tagen bekommen haben sollte, und daran die Bemerkung zu knüpfen, daß Leipzig eine gute Stadt, die beste in Sachsen und mir immer wert gewesen sei. »Ja«, erwiderte er, »Ehrenbürger, ich bin nun auch Sachse – und Hamburger; denn von da habe ich auch einen. Das hätte man von denen 1866 nicht gehofft.« Ich wollte gehen, als er sagte: »Dabei fällt mir ein – es gehört auch zu den Wundern dieser Zeit –, schreiben Sie doch auch, bitte, etwas Ausführliches über die seltsame Tatsache, daß Gambetta, der sich so lange die Miene gegeben hat, die Freiheit zu vertreten und gegen die Beeinflussung der Wahlen durch die Regierung zu kämpfen – daß der jetzt, wo er selber zu Macht gelangt ist, die grausamste Beeinträchtigung der Wahlfreiheit verfügt und alle die, von denen er glaubt, daß sie nicht seiner Meinung sind, von dem Rechte, gewählt zu werden, ausschließt. Es ist das ganze amtliche Frankreich mit Ausnahme von dreizehn Republikanern. Und daß ich den Franzosen die Wahlfreiheit zurückverschaffen muß gegenüber diesem Gambetta und seinem Gehilfen und Bundesgenossen Garibaldi, ist doch auch ein wunderliches Verhältnis.« Ich sagte: »Ich weiß nicht, ob das beabsichtigt war, aber in Ihrem Protest gegen Gambetta nahm es sich sehr eigen aus, der Gegensatz, wo Sie au nom de la liberté des élections sich verwahrten gegen les dispositions en votre nom pour priver des catégories nombreuses du droit d'être élues. Das könnte wohl auch erwähnt werden?« »Ja«, sagte er, »machen Sie das nur. Sie können«, fügte er lächelnd hinzu, »auch daran erinnern: Thiers hat mich nach seinen Verhandlungen mit mir einen liebenswürdigen Barbaren genannt – barbare aimable. Jetzt nennen sie mich in Paris un barbare astutieux, einen verschlagenen Barbaren, und nun werde ich vielleicht der barbare constitutionnel sein.« Der Chef hatte diesen Morgen mehr Zeit und Interesse für die Presse als in den letzten Tagen. Ich wurde vor der Mittagsstunde sechsmal zu ihm geholt.

*

Bei Tische waren Fürst Putbus und Graf Lehndorff zugegen. Der Chef erzählte zunächst, wie er auch Favre auf den wunderlichen Fall aufmerksam gemacht habe, daß er, der für despotisch und tyrannisch verschriene Graf von Bismarck, im Namen der Freiheit gegen die Proklamation Gambettas, des Advokaten der Freiheit, der viele Hunderte seiner Landsleute der Wählbarkeit und alle der Wahlfreiheit berauben wolle, habe protestieren müssen, und setzte dann hinzu, Favre habe das mit einem Oui, c'est bien drôle anerkannt. Übrigens sei die Beschränkung der Wahlfreiheit, die jener verfügt habe, von dem Pariser Teile der französischen Regierung nunmehr zurückgewiesen und aufgehoben worden. »Er hat mir das heute morgen schriftlich (durch den Brief, den die Nationalgardeoffiziere brachten) angekündigt und vorhin mündlich versichert«, sagte er. Man erwähnte dann, daß mehrere deutsche Blätter mit der Kapitulation unzufrieden seien, indem sie sofortigen Einmarsch unserer Truppen in Paris erwartet hätten. Der Chef bemerkte dazu: »Das beruht auf vollständiger Unkenntnis der Lage, hier vor und in Paris. Bei Favre hätte ich's durchsetzen können, aber die Bevölkerung! Sie hatten gewaltige Barrikaden und dreimalhunderttausend Mann, von denen gewiß hunderttausend gekämpft hätten. Es ist Blut genug geflossen – deutsches – in diesem Kriege. Hätten wir Gewalt brauchen wollen, so wäre noch viel mehr vergossen worden bei der Erhitzung der Bevölkerung drin. Und bloß um ihnen noch eine Demütigung zuzufügen, das wäre zu teuer gekauft.«

*

21. und 22. Februar

In betreff der Verhandlungen über den Abschluß des Friedens sagte der Chef gestern bei Tische, wo Henckel als Gast zugegen war: »Wenn sie uns eine Milliarde mehr gäben, so könnte man ihnen Metz vielleicht lassen. Wir nähmen dann achthundert Millionen und bauten uns eine Festung ein paar Meilen weiter zurück, etwa bei Falkenberg oder nach Saarbrücken hin – es muß doch dort einen geeigneten Platz geben. Da profitieren wir noch bare zweihundert Millionen. Ich mag gar nicht so viele

Franzosen in unserm Hause, die nicht drin sein wollen. 's ist mit Belfort ebenso; auch dort ist alles französisch. Die Militärs aber werden Metz nicht missen wollen, und vielleicht haben sie recht.« Heute waren die Generale von Kameke und von Tresckow bei uns zu Gaste. Der Chef erzählte von seiner heutigen zweiten Zusammenkunft mit Thiers: »Als ich das (ich hatte überhört, was) von ihm verlangte, fuhr er, der sich sonst sehr wohl zu beherrschen weiß, in die Höhe und sagte: Mais c'est une indignité! Ich ließ mich dadurch nicht irre machen, sprach aber von jetzt an deutsch zu ihm. Er hörte eine Weile zu und wußte augenscheinlich nicht, was er davon halten solle. Dann fing er an, in kläglichem Tone: Mais, Monsieur le Comte, vous savez bien, que je ne sais point l'allemand. Ich erwiderte ihm – jetzt wieder französisch: ›Als Sie vorhin von indignité redeten, fand ich, daß ich nicht genug französisch verstehe, und so zog ich vor, deutsch zu sprechen, wo ich weiß, was ich sage und höre.‹ Sogleich begriff er, was ich wollte, und schrieb als Zugeständnis hin, was ich gefordert hatte, und was er vorher als eine Unwürdigkeit hingestellt hatte. Und gestern«, so fuhr er fort, »sprach er von Europa, das sich hineinmischen würde, wenn wir unsre Forderungen nicht ermäßigten. Da erwiderte ich ihm aber: ›Sprechen Sie mir von Europa, so spreche ich Ihnen von Napoleon.‹ Er wollte daran nicht glauben, von dem hätten sie nichts zu fürchten. Ich aber bewies es ihm, er solle an das Plebiszit denken und an die Bauern denken und an die Offiziere und Soldaten. Die Garde könne nur unter dem Kaiser die Stellung wieder haben, die sie gehabt hätte, und es könnte ihm bei einigem Geschick nicht schwerfallen, von den Soldaten, die Gefangene in Deutschland wären, hunderttausend zu gewinnen für sich, und wir brauchten sie dann bloß bewaffnet über die Grenze gehn zu lassen, so wäre Frankreich wieder sein. – Wenn sie uns gute Friedensbedingungen zugeständen, so ließen wir uns am Ende auch einen Orleans gefallen, obwohl wir wüßten, daß mit denen der Krieg in zwei oder drei Jahren wieder losginge. Wo nicht, so mengten wir uns hinein, was wir bis jetzt vermieden hätten, und sie kriegten Napoleon wieder. – Das muß doch auf ihn gewirkt haben; denn heute, wo er wieder von Europa anfangen wollte, hielt er plötzlich inne und sagte: ›Entschuldigen Sie.‹ Übrigens gefällt er mir ganz gut, er ist doch ein feiner Kopf und hat gute Manieren und weiß sehr hübsch zu erzählen. Auch dauert er mich manchmal; denn er ist in einer schlimmen Lage. Aber es kann alles nichts helfen.« Später kam der Kanzler auf die Besprechung zu reden, die er mit Thiers in betreff der Kriegskosten gehabt habe, und sagte: »Er wollte durchaus nur fünfzehnhundert Millionen bewilligen als Kriegskostenentschädigung, da man gar nicht glaube, wieviel ihnen der Krieg gekostet hätte. Und dabei wäre alles, was sie ihnen geliefert hätten, schlecht gewesen. Wo ein Soldat nur ausgerutscht und hingefallen wäre, hätte er schon keine ganzen Hosen mehr gehabt, so elend wäre das Tuch gewesen. Ebenso die Schuhe mit Sohlen aus Pappe, desgleichen die Gewehre, besonders die amerikanischen. Ich erwiderte ihm: ›Ja, denken Sie sich aber einmal, ein Mensch überfällt Sie und will Sie prügeln, und wie Sie sich seiner erwehrt haben und mit ihm fertig sind, und verlangen nun Genugtuung – was werden Sie antworten, wenn er Ihnen damit kommt, Sie sollten doch Rücksicht darauf nehmen, die Ruten, mit denen er Sie hätte hauen wollen, hätten ihm so viel Geld gekostet und wären so schlecht gemacht gewesen?‹ – Übrigens ist zwischen fünfzehnhundert und sechstausend Millionen doch ein ganz artiger Unterschied.«

Die Unterhaltung verlor sich hierauf, ich entsinne mich nicht mehr, wie, in das Dunkel der polnischen Wälder und deren Sümpfe und drehte sich eine Weile um große einsame Bauernhöfe in diesen Gegenden und um Kolonisation in diesen »Hinterwäldern des Ostens«, und der Chef bemerkte: »Früher, wo so vieles nicht war und nicht werden wollte, wie es sein sollte – auch in Privatangelegenheiten –, da dachte ich wohl manchmal auch, wenn es gar nicht mehr ginge, da wollte ich die letzten tausend Taler nehmen und mir so einen Hof in den Wäldern dort anschaffen und da wirtschaften. Es kam aber anders.«

Zuletzt war von Gesandtschaftsberichten die Rede, über die der Chef im allgemeinen gering zu denken schien. »Es ist großenteils Papier und Tinte darauf«, sagte er, »das Schlimmste ist, wenn sie's lang machen. Ja, bei Bernstorff, wenn der jedesmal ein solches Ries Papier schickt, mit veralteten Zeitungsausschnitten, da ist man's gewohnt. Aber wenn ein andrer einmal viel schreibt, da wird man verdrießlich, weil doch in der Regel nichts drin ist. – Wenn sie einmal Geschichte schreiben danach, so ist nichts Ordentliches daraus zu ersehen. Ich glaube, nach dreißig Jahren werden ihnen die Archive geöffnet; man könnte sie viel eher hineinsehen lassen. Die Depeschen und Berichte sind, auch wo sie einmal was enthalten, solchen, die die Personen und Verhältnisse nicht kennen, nicht verständlich. Wer weiß da nach dreißig Jahren, was der Schreiber selbst für ein Mann war, wie er die Dinge ansah, wie er sie seiner Individualität nach darstellte? Und wer kennt die Personen allemal näher, von denen er berichtet? Man muß wissen, was hat Gortschakow oder was hat Gladstone oder Granville mit dem gemeint, was der Gesandte berichtet? Eher sieht man noch was aus den Zeitungen, deren sich die Regierungen ja auch bedienen, und wo man häufig deutlicher sagt, was man will. Doch gehört auch dazu Kenntnis der Verhältnisse. Die Hauptsache aber liegt immer in Privatbriefen und konfidentiellen Mitteilungen, auch mündlichen, was alles nicht zu den Akten kommt. – Der Kaiser von Rußland zum Beispiel will uns im ganzen aufrichtig wohl – aus Tradition, aus Familengründen und dergleichen, ebenso die Großfürstin Helene, die auf ihn wirkt, ihn für uns beobachtet. Dagegen ist die Kaiserin unsre Freundin nicht. Das erfährt man aber nur auf vertraulichem Wege und nicht auf amtlichem.«

M. Busch, Tagebuchblätter. Band II, 1899, S. 94, S. 97 ff., S. 111 ff., S. 116 ff., S. 123 ff., S. 138 ff., S. 142 ff., S. 168 ff. (gekürzt).

Gespräch mit Favre und Thiers am 25. Februar 1871 in Versailles. – Der Abschluss. 26. Februar 1871

Tagebuchaufzeichnung des Generals A. von Stosch.

Heut in der letzten Stunde wird der Präliminarfrieden unterschrieben. Ich habe gestern die interessante Gelegenheit gehabt, eine ganze Weile den Verhandlungen Bismarcks mit Thiers und Favre beizuwohnen. Er war ganz allein und rief mich dazu, um in militärischen Fragen ein Lexikon zur Seite zu haben. Er hat sie ordentlich geschüttelt. Als er gleich beim Anfang mal hinausging, öffnete Thiers das Fenster. Nur um etwas zu sagen, äußerte ich, daß es sehr heiß sei; da rief Thiers: »Zumal wenn man so behandelt wird wie wir.« Die beiden Franzosen waren ungeheuer wortreich und hielten auf jede Bemerkung oder Proposition lange Reden. Endlich sagte Bismarck: »Das geht nicht, damit kommen wir nicht vom Fleck. Ich muß Sie bitten, mir mit einfachen Gegenpropositionen zu antworten.« Thiers: »Aber man muß sie doch begründen.« Bismarck: »Nein, das müssen Sie mir schon zutrauen, daß ich die Gründe selbst erkenne. Überhaupt muß ich Sie ersuchen, Ihre Worte mehr in der Gewalt zu haben und sich verletzender Reden zu enthalten. Sie sind die Herren von Frankreich und ganz unumschränkt. Ich dagegen bin an meine Instruktionen gebunden, an Ihnen also ist es, milder zu sein, während ich genötigt bin, die Befehle meines Machtgebers strikte zu erfüllen. Sie wissen, daß wir Montag zu schießen anfangen, wenn wir bis dahin nicht fertig sind, und diese Sprache werden Sie wohl verstehen. Wir sitzen heut schon sieben Stunden und werden nicht fertig, das verträgt meine Gesundheit nicht.« Die Franzosen wurden dieser Philippika gegenüber ganz klein, und Thiers rief ein über das andre Mal: »Mais mon comte, mais mon comte!« Endlich erklärten sie, sie könnten nicht mehr, und fuhren nach Haus. Heut sind sie wieder da und haben, wie mir mitgeteilt wird, die Absicht, zu unterschreiben.

Denkwürdigkeiten des Generals und Admirals
Albrecht von Stosch. 1904, S. 237.

Aufbruchsstimmung in Versailles. 5. März 1871

Tagebuchaufzeichnung von M. Busch.

Morgen soll es fortgehen zunächst nach Lagny, dann nach Metz. Bei Tische ist der Chef zugegen. Man spricht zunächst von Madame Jessé, die heute oder gestern erschienen ist und sich gegen den Minister über allerlei beklagt hat, was wir ihr im Hause ruiniert haben sollen. Er hätte erwidert, das wäre so im Kriege, besonders, wo die Leute ihre Häuser im Stiche ließen. Übrigens sollte sie froh sein, daß es so glücklich abgegangen sei.

So ungefähr. Man hat keine Lust mehr, aufzupassen und sich das Gehörte zu notieren. Doch mag noch einiges verdienen, kurz aufgeschrieben zu werden ...

Als der Chef von den Vorbereitungen zur Abreise sprach, sagte er: »Kühnel meinte, des Nachts dürften wir nicht fahren, da wäre es in Lothringen nicht geheuer, sie könnten uns was auf die Schienen legen. Ich erwiderte ihm: ›Da werde ich unter dem Inkognito des Herzogs von Koburg* fahren. Gegen den hat niemand was. Der gilt für ganz unschuldig und mit Recht.‹ «

M. Busch, Tagebuchblätter. Band II, 1899, S. 175
(gekürzt).

* Der Name ist der englischen Ausgabe entnommen.

Auf der Rückreise nach Deutschland. – Gespräch mit den Beamten der deutschen Zivilverwaltung in Metz.

8. März 1871

Auf der Rückreise von Frankreich hielt sich Bismarck in Metz bei dem damaligen Präfekten Grafen Henckel-Donnersmarck auf. Einige bei dieser Gelegenheit gefallene Gesprächsäußerungen des Kanzlers hat Dr. Gerhard Braun aus dem Nachlaß seines Großvaters, des 1876 verstorbenen Stadtgerichtsrats und Landtagsabgeordneten Leonhard Lehfeld veröffentlicht, der 1870/71 als Präfekturrat bei der Zivilverwaltung in Lothringen tätig war.

Ich ging auf die Präfektur und bald versammelten sich in meinem Zimmer der Oberpostdirektor Hake, der Bauinspektor Brandenburg und Hartenstein. Ich gab ihnen Stühle und Zigarren, und so saßen wir beisammen, um später gemeinschaftlich auf den Bahnhof zu gehen, da kam Bismarck unvermutet mit Henckel in unser Zimmer, wir wurden vorgestellt, und er plauderte eine Weile ganz gemächlich. Seine ersten Worte: »Das haben Sie voriges Jahr nicht erwartet, meine Herren, daß Sie hier sitzen würden«, waren mit einem Blick gegen mich verbunden. Dann ging er ans Fenster, sagte: »Also das ist ein Stück Mosel – das ist sehr hübsch hier« und dergleichen mehr.

Er ist riesig stark, hat eine kurze Nase, zwei dicke Säcke unter den grauen Augen, die sehr klug dreinschauen; an den Seiten sehr schlichte, blonde Haare, die wie der Schnurrbart herabhängen; der Schädel ist kahl, die drei Haare des Kladderadatsch sind Schmeichelei. Er ist alt geworden, sieht aber sehr frisch aus. Ein Auge tränte: er schien den Schnupfen zu haben, schnaubte und putzte sich mit dem Taschentuch Augen und Schnurrbart. Dann sah er durch die Lorgnette durchs Fenster und sagte: »Wenn's aufs Klima ankommt, gehört Metz zu Deutschland«, zeigte auf graue Wolken am Himmel und nannte es sehr stürmisch. »Wir sind in Versailles sehr verwöhnt.«

Bismarck hatte offenbar seit sieben Monaten nicht so gut geschlafen und gefrühstückt als beim Gastfreund Henckel, zwei Stunden von Preußen, und nun, ohne daß es eine Stunde schief gegangen war, da doch sieben Monate lang jeder alles von ihm erwartete, auf der Rückkehr! Es war eine beneidenswerte Sicherheit in jedem Schritt des wuchtigen Körpers. Ich mußte in mich hineinlächeln, wenn ich daran dachte, wie er selbst geschrieben hat, in welcher schüchternen Verlegenheit er bei Sedan vor Napoleon stand. Er sah sich Briesens Zimmer an und sagte dann, nachdem ihm Briesen vorgestellt war: »Wenn ich so viel Räume im Auswärtigen Ministerium hätte, wäre ich sehr zufrieden.« Er kam auf die Ausweisungen. Briesen sagte, daß man hier angesessene Leute nicht ausweisen solle, auch wenn sie Beamte wären, die nicht fungieren. »Pardon, mein Lieber«, sagte Henckel, »das Reskript des Zivilkommissarius schreibt es uns doch vor.« – Bismarck unterbrach und sagte:

»Wir müssen jetzt alle härtesten Maßregeln anwenden, denn der Moment, wo die Regierung restituieren, milde sein, wieder gut machen kann, kommt sehr bald, und dann können wir nicht mehr mit strengen Maßregeln nachhinken. Also der Augenblick der größten Strenge, die wir überhaupt anwenden wollen, ist jetzt, und da müssen wir uns aller Elemente entledigen, die uns hindern – namentlich der Eisenbahnbeamten. Das sind schlimme Agitatoren. Die Leute haben ja von ihrem Standpunkt ganz recht und 's ist ihnen auch nicht zu verdenken, aber wir müssen nur an uns denken; wir müssen die Ostbahn, soweit sie im neuen Gebiet liegt, zur Staatsbahn machen, und da kann die Kontinuität nur schaden, sonst denken die Leute gar: sie haben Ansprüche an uns, wir müssen sie expropriieren. Davon kann nicht die Rede sein, solche Rechte haben sie nur gegen Frankreich.«

Das und noch manches andere plauderte er stehend, angeregt durch die wenigen unerheblichen Worte, die wir dazwischen sagten. Henckel nahm den Stadtplan, zeigte Bismarck, der mit der Lorgnette folgte, die Stadtviertel und projektierte eine Fahrt über den Theaterplatz und den pont des morts bis dahin, von wo aus die französische Armee gegen Gravelotte ausgerückt sei, dann die Esplanade entlang zum Bahnhof. »Wird das nicht zu lange dauern bei der nahen Abfahrtszeit?« »Zwanzig Minuten, Exzellenz.« »Gut, dann wollen wir aber bald fahren!«

Er machte jedem einzelnen von uns eine lächelnde Verbeugung, sah sehr behaglich und gutmütig aus. Dann fuhren sie fort, zwei Gendarmen voran. Der Legationsrat Bismarck saß auf dem Rücksitz. Keudell sah ich erst auf dem Bahnhof. Dort wurden noch Wulffen, Bernhardt, Daniel, Stöphasius, die vorher nicht dagewesen waren, vorgestellt, er sprach über Forstwesen, Waldung, Jagdpacht mit Bernhardt, und als der sagte, die Franzosen hätten viel Eichen geschlagen, antwortete Bismarck: »Für die Gerbereien, es gibt viel Gerber in Elsaß und Lothringen.«

Bis nach Saarbrücken fuhr Henckel mit ihm. Am Waggonfenster rief er noch einmal den Grafen Schmettau heran, der die

Taten der Bismarckschen Kürassiere bei Gravelotte damals so volltönend in der Halberstädter Zeitung beschrieben hatte, sprach mit ihm, grüßte uns noch mal zum Abschied mit einer Miene, als wären wir nun alte Bekannte, und fuhr ab.

Bismarck in Metz, mitgeteilt von Dr. Gerhard Braun.
Berliner Lokalanzeiger, 18. Februar 1925.

Kommune-Aufstand in Paris. – »Fürst Bismarck.« – Gespräch mit dem Fürsten Chlodwig zu Hohenlohe-Schillingsfürst in Berlin. 24. März 1871

Am 21. März war Bismarck in den Fürstenstand erhoben worden. – Tagebuchaufzeichnung Hohenlohes, der als Reichstagsabgeordneter in Berlin weilte.

Abends bei Bismarck. Es waren einige Damen und auch Herren da. Ich wurde auf ein Kanapee gesetzt vor einen Tisch mit Teetassen und Bierflaschen, auch Heringe und Austern waren da. Bald kam die neue Durchlaucht und setzte sich zu mir. Zuerst vertilgte er eine Unzahl Austern, Heringe und Schinken und trank dazu Bier mit Sodawasser. Wir sprachen anfangs über Varzin, Holzhandel, Ackerbau usw. Nach und nach wurde er mitteilender und kam auch auf die Politik zu sprechen. Über die Zustände in Paris sagte er, daß er es Thiers vorausgesagt habe, daß die französische Regierung nicht in der Lage sein werde, das bewaffnete Gesindel ohne deutsche Hilfe zu entwaffnen. Thiers habe es nicht glauben wollen. Auf die deutsche Frage übergehend, meinte er, der Reichstag mache ihm den Eindruck wie das, was ihm seine Eltern von seiner Kindheit erzählt hätten. Er habe einen Garten bearbeitet und da jeden Tag die Pflanzen herausgezogen, um zu sehen, wie dick die Radieschen seien. So mache es der Reichstag mit sich selbst. Er habe einmal eine Schonung angelegt, und da habe ihm sein Förster gesagt: »Herr Graf, gehen Sie einmal drei Jahre nicht in die Schonung! Man müsse im Deutschen Reiche die Dinge sich von selbst entwickeln lassen und Geduld haben. Er habe sich nur einmal gefürchtet, und das sei in Versailles gewesen. Wenn nämlich Bayern damals nicht abgeschlossen hätte, so würde auf Jahrhunderte hinaus eine feindliche Stellung zum Süden daraus gefolgt sein. Es sei möglich, daß er sich geirrt habe, indem er uns so große Konzessionen gemacht; allein das sei in der Politik nicht zu ändern, da müsse der später erst eintretende Erfolg abgewartet werden, ehe man einen Staatsmann verurteile. So wurde viel hin und her gesprochen. Endlich um halb zwölf brach ich auf.

Denkwürdigkeiten des Fürsten Chlodwig zu Hohenlohe-Schillingsfürst. Band II, 1906, S. 47.

Paris. – Berlin. – Möglichst keine Einmischung. – Gespräch mit dem Grafen Waldersee. 18. April 1871

Nach dem Tagebuch des Grafen Waldersee vom 18. April.

Ich war am Abend bei Bismarck. Zu meinem Erstaunen höre ich, daß Thiers gar nicht daran denkt, den Parisern* die Lebensmittel abzuschneiden. Wir haben ihm angeboten, keine Eisenbahnzüge mehr hereinzulassen, er hat es aber abgelehnt. Bismarck erzählt, daß Thiers abermals gebeten hat, ihm fünfundzwanzigtausend von den in Metz und Sedan Gefangenen herauszugeben. Er ist aber abschlägig beschieden worden. Der Kanzler äußerte: »Ich habe ihm sagen lassen, daß er an hunderttausend Mann genug hätte. Was ihm fehlt, seien schwere Geschütze, und die könne er sich aus Festungen kommen lassen, allenfalls von uns leihen. Wir sind auch selbst bereit, Paris von unseren Forts zu bombardieren, aber nur, wenn er uns schriftlich darum ersucht.«

Denkwürdigkeiten des Generalfeldmarschalls Alfred Grafen von Waldersee. Herausgegeben von H. O. Meisner. Band I, 1922, S. 128.

Der Alltag des Reiches beginnt. – Gespräch mit dem Abgeordneten Dr. Lucius in Berlin. 24. April 1871

Nach dem Tagebuch des Freiherrn Lucius von Ballhausen.
Der später in den Freiherrnstand erhobene Lucius von Ballhausen hatte seine erste Begegnung mit Bismarck einem Zufall

* In Paris war im März 1871 der Aufstand der Kommune ausgebrochen, den die neue Regierung sich vergeblich bemühte niederzuschlagen. Erst nach längerer Belagerung durch Regierungstruppen unter MacMahon und nach verzweifelten Barrikadenkämpfen mit den Aufständischen, die viele Opfer kosteten, gelang es Ende Mai die sozialistische Herrschaft zu brechen.

zu verdanken. Am Abend der Schlacht von Königgrätz, an der Lucius als Reserveoffizier teilgenommen hatte, wurde er von Bismarck irrtümlich für einen Bekannten gehalten. Diese flüchtige Bekanntschaft erneuerte sich, als Lucius 1870 als Vertreter des Wahlkreises Erfurt in den Norddeutschen Reichstag kam. Er gehörte als Abgeordneter der freikonservativen Fraktion an. Den Feldzug gegen Frankreich machte er als Adjutant einer Etappenkommandantur mit. Durch Frankfurter Verwandte wurde er noch während des Krieges bei der Gräfin Bismarck eingeführt und war seitdem jahrelang, erst als Abgeordneter, dann als Minister, fast täglicher Gast des Bismarckschen Hauses. Sein regelmäßig geführtes Tagebuch ist für die Zeit von 1871 bis 1890 eine sehr wichtige und aufschlußreiche Quelle zur Geschichte Bismarcks.

Am Abend des 23. April* war ich bei Bismarck, welcher viel über die zaudernde, zweideutige Politik Jules Favres redete und seinem guten Willen zum definitiven Friedensschluß nicht zu trauen schien. Man müsse aber sehr vorsichtig sein, sich in die inneren Verhältnisse Frankreichs einzumischen, sonst würden die Streitenden vielleicht plötzlich einig und fielen gemeinsam über den Fremden her. Er habe eine schriftliche Aufforderung zur Intervention verlangt, sonst werde er sich hüten, einzugreifen, »pas si bête«. Dieselben Erklärungen wiederholte Bismarck am 24. April in dem Plenum des Reichstags, wo sie großen und tiefen Eindruck machten.

Am Abend wieder bei Bismarck, erzählte er: Antonelli** sei ganz unglücklich über das Vorgehen der Ultramontanen bei der Adreßdebatte und der Dotationsfrage gewesen. Savigny*** sei wesentlich daran schuld und verderbe durch seine Verbitterung alles. Er habe sich Hoffnung auf den Kanzlerposten gemacht, halte sich für düpiert und schneide ihn. Der Kanzlerposten sei ursprünglich gedacht gewesen, wie die Stellung des Präsidialgesandten beim Bundestag in Frankfurt, welcher seine Instruktion vom Minister des Auswärtigen empfing. Durch die Beschlüsse des Reichstags habe sich das aber geändert, Kanzler und preußischer Premierminister müssen jetzt ein und dieselbe

* Im Text steht irrtümlich: 24. April.

** Das Zentrum hatte Intervention des Reiches zugunsten der Wiederherstellung der weltlichen Herrschaft des Papstes und Aufnahme von Grundrechten über kirchliche Freiheiten in der Reichsverfassung verlangt. Der oben erwähnte Antonelli war Kardinal-Staatssekretär der Kurie.

*** Savigny war Mitglied der Zentrumsfraktion. Er war der letzte preußische Bundesgesandte in Frankfurt gewesen und 1866 ursprünglich als Bundeskanzler in Aussicht genommen worden.

Person sein, und ebenso müsse er mit Delbrück, dem Präsidenten des Reichskanzleramts, gewissermaßen in einer Haut stecken. Die Schwierigkeiten für ihn wüchsen täglich. Der König verfüge fortwährend direkt, ohne genügende Kenntnis der Akten, und er wisse gar nicht, was er alles verspreche und wem er Versprechungen mache.

Bismarck-Erinnerungen des Freiherrn Lucius v. Ballhausen. 1920, S. 8 ff.

Der Friede ist unterzeichnet. – Gespräch mit dem Grafen Waldersee in Berlin. 12. Mai 1871

Waldersee war während des Krieges als Adjutant im Hauptquartier des Königs. Nachdem er schon vor dem Kriegsausbruch als Militärattaché in Paris gewesen, sollte er nach dem Abschluß des Friedens mit Frankreich (10. Mai) als Geschäftsträger nach Paris gehen.
Nach dem Tagebuch Waldersees vom 12. Mai 1871.

Ich war heute abend bei Bismarck. Er sah recht wohl aus und war entschieden stolz über seinen Erfolg. Als nach Mitternacht die meisten Leute fort waren, erzählte er noch sehr interessant von Frankfurt. Er tadelte sehr, wie die Unzufriedenen, deren es bei so großen Umwälzungen ja natürlich viele gäbe, ihm stets das Leben sauer machten und nur ihre Sonderinteressen im Auge hätten. Man müsse einen solchen Friedensschluß in seiner Gesamtheit beurteilen; er habe, um schnell zum Abschluß zu kommen, sich nicht allzuviel um Einzelinteressen kümmern dürfen. Bei ihm könne der Maßstab nur der sein, ob diese oder jene Abmachung nach fünfzig Jahren noch getadelt würde, beziehungsweise die Interessen verletze oder nicht.

Denkwürdigkeiten des Generalfeldmarschalls Grafen Waldersee. Band I, 1922, S. 134.

Hinweis

Zu Einzelfragen der Edition, wie Abgrenzung des Begriffs »Gespräch«, Auswahlprinzipien unserer Ausgabe, Kommentierungen, Überschriften usw. vergleiche das Nachwort des Herausgebers in Band III, S. 441 ff. dieser Ausgabe. Im vorliegenden Band wurden in erster Linie alle jene Gespräche aufgenommen, »worin uns die Persönlichkeit des großen Mannes nicht in amtlicher Eigenschaft gegenübertritt, sondern unmittelbar etwas von ihrem eigensten Wesen ausstrahlt, Unterredungen also, worin sich Bismarck ohne zu enge Zweckgebundenheit über alle möglichen Dinge der Politik sowohl wie über andere Lebensbereiche ausspricht, in dem seine menschliche Eigenart dabei durchschlägt«. In manchen Fällen wurden Partien ausgeschieden, die sich allzu speziell auf Personen, Ereignisse und Personalfragen beziehen, die dem heutigen Leser ferner stehen, damals aber oft ein zeitaktuelles Beiwerk bildeten. Dies bezieht sich besonders auf die Tagebuchaufzeichnungen von Moritz Busch, namentlich auf die bei uns als »Tischgespräche« bezeichneten Aufzeichnungen aus dem Kriege von 1870/71.

INHALT

Vormärz und Revolutionsjahre

Die Jahre der Frankfurter Bundestagsgesandtschaft

Gesandtenzeit in Petersburg und Paris

Von der Übernahme der Regierung bis zum Ende des Krieges mit Österreich

Von der Errichtung des Norddeutschen Bundes bis zum Ausbruch des Deutsch-Französischen Krieges

Vom Ausbruch des Krieges mit Frankreich bis zum Frieden von Frankfurt